U0924726

百年南开
日本研究文库

日本社会史论

李卓 著

江苏人民出版社

图书在版编目(CIP)数据

日本社会史论 / 李卓著. 一南京 ：江苏人民出版社，2019.7

（百年南开日本研究文库）

ISBN 978-7-214-23280-9

Ⅰ. ①日… Ⅱ. ①李… Ⅲ. ①社会史－研究－日本 Ⅳ. ①K313.0

中国版本图书馆 CIP 数据核字(2019)第 043197 号

书　　名　日本社会史论

著　　者　李　卓
责任编辑　史雪莲
装帧设计　刘葶葶
责任监制　王列丹
出版发行　江苏人民出版社
出版社地址　南京市湖南路1号A楼，邮编：210009
出版社网址　http://www.jspph.com
照　　排　江苏凤凰制版有限公司
印　　刷　江苏凤凰数码印务有限公司
开　　本　652毫米×960毫米　1/16
印　　张　32　插页 4
字　　数　407千字
版　　次　2019年8月第1版　2019年8月第1次印刷
标准书号　ISBN 978-7-214-23280-9
定　　价　112.00元

“百年南开日本研究文库”出版说明

2019年南开大学建校百年校庆，作为中国教育史上的大事，当然是值得纪念的。

如何使纪念百年南开的活动具有历史意义？我们很早就开始谋划和筹备。早在2015年春节期间，南开大学日本研究院原院长、教育部人文社会科学重点研究基地南开大学世界近现代史研究中心主任杨栋梁教授，向江苏人民出版社王保顶副总编提起，想以集体展示日本研究院研究成果的形式来纪念南开百年校庆。这一提议得到了保顶同志的大力支持，也得到了研究院各位同事的积极响应。后来经过商讨，编委会一致同意以“百年南开日本研究文库”作为南开日本研究者纪念百年校庆丛书的名称，本文库由江苏人民出版社和南开大学出版社分别出版。与百年校庆相适应，“百年南开日本研究文库”也应该是百年来南开日本研究业绩的展现。为此，编委会确定本文库由以下几个方面的成果构成。

第一，从南开大学创立到抗日战争胜利时期南开的日本研究成果。刘岳兵教授搜集相关文稿四十余万字，编成了《南开日本研究(1919—1945)》。这是一本专题性的南开大学校史资料集，对于研究和总结包括南开大学在内的这一时段中国日本研究的状况和特点，具有重要的史料价值。

第二，新中国建立以来，南开大学成立的实体日本研究机构研究者的成果。实体研究机构包括 1964 年成立的日本史研究室、2000 年实体化的日本研究中心和 2003 年成立的日本研究院。

第三，1988 年组建的南开大学日本研究中心，是以日本史研究室成员为核心，联合校内其他系所相关日本研究者成立的综合研究日本历史、经济、社会、文化、哲学、语言、文学的学术机构。在百年南开日本研究的历史发展中，日本研究中心具有重要的意义。本文库也包括该中心成员的成果。

今后，如果条件成熟，还可以将日本研究院的客座教授和毕业生的优秀成果也纳入这个文库中，希望将本文库建设成为一个开放的、能够充分且全面反映南开日本研究水平的成果展示平台。

在中国百年来的日本研究中，南开占有重要的一席之地。历史的发展和南开的先贤告示我们：日本研究对于中国的发展至关重要。中日关系值得我们认真思考，其经验教训值得认真总结。百年来，南开大学的日本研究者孜孜以求，探寻日本及中日关系的真相，取得了一定的成绩。吴廷璆先生主编的《日本史》（南开大学出版社 1994 年），是南开大学与辽宁大学两校日本研究者倾注近 20 年心血合力打造出来的。杨栋梁教授主编的十卷本"日本现代化历程研究丛书"（世界知识出版社 2010 年）及六卷本《近代以来日本的中国观》（江苏人民出版社 2012 年），也几乎是倾日本研究院全院之力而得到了学界认可的标志性研究成果。另外，在日本国际交流基金的资助下，南开大学日本研究中心从 1995 年开始由天津人民出版社出版的"南开日本研究丛书"，展现了中心成员在日本研究各具体专题上的业绩，产生了积极的社会影响。这些成果都是南开日本研究者集体智慧的结晶。

"百年南开日本研究文库"是南开大学日本研究院和南开大学世界近现代史研究中心相关学术成果的集体展示。我们相信，本文库将成为南开大学日本研究和南开大学世界史学科“双一流”建设的又一项标志性成果，她将承载南开精神、贯穿南开日本研究学脉，承前启后，为客观地了解日本、促进中日关系健康发展做出新的贡献；我们也想以此为实现“发展同各国的外交关系和经济、文化交流，推动构建人类命运共同体”的理想，培养全民族的国际视野和情怀，提高广大人民群众的世界历史知识和认识水平，尽我们的一份绵薄之力。

“百年南开日本研究文库”编辑委员会

2019年3月19日

目　录

序　言　I

第一章　日本古代社会结构　1

一　日本古代社会发展历程——社会史视野的考察　1

二　日本古代贵族势力的成长及其影响　16

三　日本古代贵族制社会结构　30

四　略论家族主义的幕府政治　53

五　江户时代天下太平的政治保证——德川幕府的大名统治政策　65

六　近世日本商人的生活哲学　82

第二章　近代日本社会生活的变化　95

一　明治时代天皇权威的重建　95

二　明治时代武士的最后结局　113

三　近代“豚尾”形象的日中转换　137

四　日本历法的“脱亚入欧”与“时间”的近代化　151

五　近代日本的人口状况与人口政策　166

六　近代日本女子教育发展原因探析　181

第三章　家制度与家的传统　195

一　从“家”到“家庭”:跨越三个时代的艰难历程——日本家庭关系的演变　195

二　日本传统家庭的传统　209
三　日本传统社会人伦关系中的“非礼”因素　222
四　妇产科医生世家贺川家的家系继承——关于日本家族制度的一个实证考察　235
五　日本的家训及其基本特征　250
六　战后日本家族制度的改革　264
第四章　家伦理在近代的活用与恶用　278
一　家族制度与日本的近代化　278
二　从继承制度看日本经济的发展——日本企业“家运”不衰的奥秘　291
三　近代日本企业家族主义经营的形成　298
四　日本企业的社是、社训与传统文化的现代价值　307
五　家族国家观——近代日本政治的误区　318
六　日本军国主义对外侵略与“一亿总动员”　328
第五章　日本国民性研究　342
一　论日本的孝道与忠孝伦理　342
二　从家训看日本人的节俭传统　363
三　日本国民性的几点特征　375
四　日本社会秩序稳定的历史文化因素——兼谈日本的国民性　385
五　日本人的双重性格从哪里来?　399
第六章　中日传统社会比较　405
一　生命的传承与家业的传承　405
二　财产继承制度与中日两国的社会发展　419
三　从姓名看中日家族的血缘性与社会性　435
四　中国的贤妻良母观及其与日本良妻贤母观的比较　450
五　中日两国女子教育:差距及其原因分析　463
六　从生活方式的变革看近代中日关系的逆转　477
后记　494

序　言

社会史是历史学的一门专史，其研究的重点是人际关系、群体关系，因为任何一个人都不是纯粹的自然人，而是社会的人。人们因血缘关系、婚姻关系、家族关系、地缘关系、业缘关系、等级关系、阶级关系等各种关系形成相互联系的集团，进而构成特定的社会。通过对社会史的考察，我们可以更清晰地了解特定社会、特定时期的社会现状及社会发展与进步的过程。

中国的近邻日本是较晚进入文明社会的国家。这个岛国与世界文明古国相比，其落后的程度曾以千年计。然而，得益于外来文化，包括中国文化的影响，日本实现了几次历史性的跨越，不仅在历史发展进程上实现了“后来居上”，而且在实现自身的强大以后，走上了战争与侵略的道路。第二次世界大战后，经过民主改革，几近亡国的日本从一片废墟上再次崛起，成为当今世界上举足轻重的经济大国。对日本这个与中国地理最近、文化渊源最深，而又给中国带来伤害最大的国家，需要进行全方位的了解。本人选择进行社会史的考察，即探讨日本文化的风土——作为文化承载者的人群状况，分析日本历史上社会结构的变化及社会关系、社会群体和社会生活。从研究对象来说，社会史研究的最小单元是家庭，进而扩大到性别集团、职业集团、社会集团等。透过对这些问题的观察与分析，可以了解政治史、经济史等其他研究领域和研究方法难以解释的历史现象与历史问题。

基于这种认识，本书循着以下思路展开叙述。

第一，大和时代是日本社会的原点

之所以这样说，是因为大和时代不仅是日本文明社会的开端，也是日本文化形成的重要时期。贯穿日本历史的若干基本社会特征，皆在此时期毕现无遗。如皇权衰落与豪族专权，大和时代氏族组织与国家政权相交错，显示出氏族制度残余与国家政权共生的特点。大和朝廷统治基础的核心是大和盆地原有的诸豪族，各个豪族实际上是一支支独立倾向很强的势力。大和政权实际上是由诸豪族组成的松散的联合体制，其脆弱性显而易见，王室并没有树立起绝对权威，大王与豪族间的博弈，不仅是统治阶级内部矛盾的主线，也是日本古代史的主线。因此，削弱豪族势力，确立天皇的最高权威，就成了皇室与朝廷有识之士在 645 年发动“乙巳之变”，进而实施大化改新的根本原因。再如实施族制集团式统治。日本曾长期游离于人类文明圈之外，从公元前 3 世纪到公元后 3 世纪的弥生文化时代，得益于大陆文化的影响，快速摆脱蒙昧，建立了古代国家。由于这一过程比较短暂，原有的氏族组织来不及被充分削弱与分化。与氏族共同体关系的天然联系，使大和国家利用氏族组织实行了集团式统治，通过氏族制、部民制等将被征服民进行集体奴役，以掩盖复杂的阶级与身份差别。又如身份等级制度。早在公元 3 世纪的邪马台国时代，社会就有了自由人身份和非自由人身份及尊卑等级区别。到大和时代，社会的基本身份又分为由氏上代表的氏人阶层及部民阶层。在氏人阶层，通过大王（天皇）颁赐的“臣”“连”“造”“直”“史”等“姓”，表示其等级的高低及地位的尊卑，足以说明身份制度及等级制度在大和时代已经奠定了基础，并决定了日本历史发展道路的基本走向。

第二，在大规模吸收中华制度文明后全面回归本来的社会秩序

大化改新后，日本的统治者为了提高皇权，效仿唐代的中央集权体制，进行了一系列改革。如否定旧贵族的世袭特权，确立地方行政，编户造籍，实施班田收授法及统一的赋税制度。但不应忽视的现实是，高度发达的唐文化除了在文字、文学、服装、建筑、科技等表层文化、物质文化方面带给日本巨大影响之外，作为以中央集权制度为代表的制度文明在经历了奈良时代短暂的辉煌后，逐渐淡出日本。从平安时代起，日本在大规模吸收唐文化之后，在基本社会秩序方面脱离唐制的影响，回归固有传统的倾向日益明显。具体表现在以下几个方面。

皇权重蹈衰落覆辙。从平安时代开始，天皇的地位随着中央集权制的衰落而渐趋下降。先是长达两个世纪的藤原氏外戚集团专擅朝廷、独揽大权的摄关政治时代，天皇权力被架空；继而是武家建立的镰仓、室町、江户三个幕府政权对朝廷日益严密的制约，天皇已经失去对国家的控制权。在日本历史的绝大多数场合下，天皇不是作为权力的代表，而是作为最高权威的象征而存在。

贵族再成权力主宰。律令时代的贵族与古代豪族有深刻的渊源，在律令官位制的促进下走向成熟，官位相当制、荫位制、官职家业化等促进了贵族的世袭化，以藤原氏为代表的大贵族在与朝廷的政争中，新的贵族集团——武士乘机崛起，建立了与公家抗衡的武家政权。从古代豪族到律令贵族再到幕府军事贵族，尽管时代不同，但实行强权统治是相同的。从三个时期贵族的不同形态来看，幕府军事贵族与古代豪族更为接近，其强权统治是崇尚武力的强权统治。可以说，大化改新后模仿唐制建立的官僚制度实际上偏离了日本历史本来的轨道，在中央集权呈瓦解之势后，日本政治出现了两次回归。摄关政治的出现是第一次回归，即向固有贵族专权传统的回归；幕府政权的建立是第二次回归，即向武力、强权的贵族统治的回归。当然，这种回归不是单纯的回归原点，而是回

归了原有的社会结构与传统。

族制统制重新登场。大和时代的“以族制立国”传统，对后来的历史影响深远。建立幕府统治的武士集团是典型的以族制为核心的社会单位，被称作“古代氏族制度的复活”。德川时代建立了一整套严格的主从关系体制，用“家”取代了“族”。“家”不仅是各级领主、武士生活的场所，也是构成幕藩体制的政治单位和经济实体。在以族制与家制为统制基础的幕府时代，族与家的秩序的混乱是社会动乱的根源。如同福泽谕吉所说：“我国的战争只是武士与武士之间的战争，而不是人民与人民之间的战争；是一家与另一家之间的战争，而不是国家与国家之间的战争。”①

身份等级制度大行其道。萌芽于大和时代的身份等级制度在进入武家社会后向更加复杂的方向发展。律令时代良、贱两大身份划分衍化为公家—武家—平民—贱民这样的身份序列。自丰臣秀吉实行兵农分离政策起，脱离生产的、以军事为业的真正意义的武士身份得以确立。德川幕府将整个社会划分为士农工商四种身份，注重出身、世系的传统通过法律得以固定和强化。源自古代中国的士农工商职业区别在日本被彻底颠覆，形成了严格的身份制度，并与等级制度结合在一起。明治维新后，身份制度并未被否定，而是被重组，形成皇族、华族、士族、平民这一新的“四民”制度，直到战后民主改革，身份制度才彻底退出日本历史舞台。

第三，日本从平安时代开始“脱亚”—“脱华”进程

研究日本历史尤其是古代史，有一个无法回避的话题，即如何评价中国文化对日本的影响。古代日本人曾经多方面学习与模仿中国制度与文化，这是长期以来对古代中日关系的基本共识。而疑惑又难免产生：为什么接受了很多中国文化的日本在发展道路上与中国大相径庭？

---

① 福泽谕吉著、北京编译社译：《文明论概略》，商务印书馆，1959年，第139页。

个人认为，这在一定程度上与学界在日本历史研究及中日关系史的研究与介绍中，较多关注中国文化对日本的影响，而较少阐述日本历史自身的特点有关，也与历史研究中研究者侧重不同的领域，缺乏融会贯通有关。大化改新后，在隋唐制度的影响下，日本进入古代国家繁荣发展时期，但是大化改新后及律令时代对隋唐制度的模仿，多停留于制度层面，却不曾触及和改变旧有秩序及传统的根基，或者说外来制度未必适合日本社会的风土，源自中国的不少制度在与日本原有社会秩序的冲突中，并未存在多久便被放弃，社会秩序又重新回归传统。皇室重蹈衰落覆辙，贵族政治的出现，幕府时代军事贵族的强权统制，身份等级制度的实施等等，都是对中华制度文明的否定。

舆论普遍认为日本是善于吸收外来文化的民族，但这只注意到问题的一面而忽视了另一面。实际上，日本对外来文化并不是无原则的照搬照抄。仅就日本学习中国文化而言，就是有所选择，有所鉴别的。归纳起来，历史上日本吸收中国文化有四种类型。第一种是积极模仿型，如汉字的使用，年号的运用，服装、建筑的样式等等，这些是看得见、摸得着的，主要表现在物质文化、表层文化方面。第二种是先学后弃型，即最初模仿实施，但在实践中发现并不符合本国国情，便中途放弃，主要表现在制度层面，如律令官制、法律、户籍制度、班田制度、科举制度、历法等等，均没有实施多久或被淡化。第三种类型是吸收改造型，即对中国文化进行改造性吸收，以适应本国的国情及统治的需要，主要体现在社会结构、伦理道德方面，如取中国的“士农工商”，却把职业划分变成身份制度；同样以家族为社会基本单位，却忽略了血缘因素、平等因素，独创了以家业为中心、强调纵式延续的“家”制度；同样重视集团主义，却把中国以孝为本的集团主义改造成以忠为本的集团主义。第四种类型是抗拒不受型，即对中国文化中不符合日本国情的内容，从一开始就不予接受，主要表现在生活方式、风俗习惯、“国体”方面，如作为儒家至关重要的人伦规范的“同姓不婚”“异姓不养”始终未被日本人接受，因强调天皇“万世一系”而彻底抵制了“异姓革命”思想，更不消说没有学习中国历史上一些糟粕的东西——“唐时不取太监，宋时不取缠足，明时不取八股，清时不取鸦片”。凡此种种，认真对日本社会进行观察便可以发现，许多内容在似曾相识中却似是而非。凡是在日本得以长期存在的中国因素，都是上面提到的第一个层面的东西，即物质的、表层文化的内容，而日本固有的传统与精神则始终居于日本文化的最深层，任凭世事变幻而不离其宗。

对日本历史进程进行客观地分析，会发现正因为日本的社会结构与社会矛盾与中国不同，自从律令体制瓦解之后，虽然日本与中国在文化上的联系仍在继续，仍然按其所需摄取中国文化的营养，而实际却走上了与中国完全不同的发展道路。可以毫不夸张地说，日本的“入欧”始于明治以后，而“脱亚”—“脱华”在平安时代就已经开始了。

古代中国文化把日本从蒙昧引向文明，这是历史的事实。肯定中国文化对日本的影响是必要的，而正视以中央集权制为代表的中华制度文明在日本的衰落也是必要的，唯如此，才能有正确的历史观。我们也应客观看待中华文明对周边国家的影响，从文化传播的角度而言，同样的文化会由于传播方与受入方的客观环境不同而呈现某些变化，就好比中秋节在中国是合家团圆的日子，在日本则只是单纯赏月的日子，到韩国就变成了祭祀祖先的日子。古代日本在引进中华制度文明的过程中，由于人文风土、社会结构并不相同，差异的存在不可避免。只有透过表象看本质，才能了解中日两国间社会结构与文化传统的差异，并明确一点：虽然中国与日本在历史发展进程上“分道扬镳”表现在近代，而两国在社会结构与文化传统方面的差异在大和时代就已显现。正因为日本社会结构与中国不同，尽管它在表面经过中国文化粉饰，呈现某些与中国相似的表象，实际上发展道路却大不相同。

第四，日本的近代化是缺乏社会改革的近代化

近代化是指从传统农业社会向工业社会转变的长期历史过程，它是一场深刻的、全面的社会变革。谈近代化，仅强调工业化和经济近代化

是不够的，一个国家，如果它的国民没有从心理、思想和行为方式上实现由传统人到近代人的转变，使之具备近代人格与品质，就不可能成功地从一个落后国家跨入近代化国家的行列。社会的近代化，主要是人的近代化，离开了人，近代化就无从谈起。除了人与自然、经济与人文的关系，人在社会上是否受到尊重，是否能够发挥和行使个人的权力与义务，是否获得最好的发展空间，是否拥有最完善的制度保障，也是近代化发展程度的重要指标。明治维新是由一群不满幕府统治的下级武士发动的，他们根本不想进行彻底的社会变革，只想以固有的封建传统去拥抱西方的科学技术与物质文明。所以，在大力移植西方先进科技的同时，极力维护本国的传统文化与道德，在取得令人瞩目的经济发展的同时，社会改革却大大滞后。

明治新政权并未革除身份制度，只是为缓和各种社会矛盾，对身份制度进行了重组，以皇族、华族、士族、平民四种新的身份，取代了江户时代的士、农、工、商，并在“四民平等”的招牌下继续演绎着新的身份差别。社会政策的立法大大推迟，劳动条件始终徘徊在最低水平，统治者对社会保障漠不关心。虽然日本较快实现了工业化，广大民众却付出了巨大代价。作为幕府统治支柱的“家”制度不仅未被废除，反而被写进《明治民法》，将过去主要在武家社会盛行的制度强制推广到全体国民。总之，前近代社会生活中的不平等，大都在近代社会依然延续，长期束缚日本人的政治生活与精神生活。本应在明治维新后完成的废除身份制度及“家”制度的任务，是经过战后民主改革才最终完成的。

明治维新后建立的政体是“神权的、家长式的立宪政体”，国民不是近代国家的国民，而是天皇的子民。没有真正的自由与民主，发达的近代教育事业培养的却是天皇的忠顺臣民。在对外侵略战争中，日本人将天皇奉为神和父亲，形成全国上下的战争狂热。这支缺乏理性的庞大的忠孝群体，是战前日本军国主义疯狂对外侵略的社会基础。一系列对外侵略战争，使日本经济近代化的成果几乎丧失殆尽，这就是缺乏社会近代化所付出的代价。

本书共分六章。第一章与第二章，根据时间顺序与专题论述相结合的原则，阐述日本不同历史时期社会结构的特征及社会生活、社会群体的变化；第三章、第四章对社会史研究最重要的内容——家族制度与家族伦理进行论述，尤其对其在近代以来日本人的政治生活及经济生活中的积极与消极作用进行分析；第五章是对日本国民性的探讨，重点分析日本人双重性格产生的根源；第六章是对中日两国社会传统的比较研究，以期认识两国社会结构的差异以及走上不同历史发展道路的内在原因。期望本书作为引玉之砖，带来国内学界对日本社会史更多更深入的探讨。

李　卓

2017 年 7 月

第一章　日本古代社会结构

一　日本古代社会发展历程——社会史视野的考察

人们一般认为文化传统相近的中日两国在近代以后开始“分道扬镳”，但认真进行历史考察便可发现，两国实际上很早就走上了不同的发展道路。中华制度文明对日本有广泛影响，却非源远流长。大和时代的日本，已经奠定了社会与文化的基本格调。大化改新后及律令时代对隋唐制度的模仿，并未改变旧有秩序及传统的根基。中华制度文明在日本经过短暂的繁荣后，在与原有社会秩序的冲突中，最终都被放弃。从平安时代起，日本在制度和基本社会秩序方面脱离唐制，回归传统的倾向日益明显。从社会史视野看日本，皇权衰落、贵族政治、族制统治、身份等级制度等始终是日本社会结构的特色，对其有清楚的认识，便可知虽然古代日本社会、文化在表面上经过中国文化的粉饰，而其实质却与中国多有不同。本节拟揭示作为日本社会原点的大和时代已经毕现无遗的日本社会、文化基本特征，进而阐述中华制度文明较早淡出日本的现实及日本对固有传统的回归，并从社会史视野阐释中日社会的差异。

（一）大和时代已经形成了日本社会与文化的基本格调

从3世纪中期起，到645年的大化改新，是日本历史以本州岛中部大和地方（今奈良县）的王权为中心的时代，亦称“大和时代”。这一时期不仅是日本古代王权的开端，也是日本文化形成的重要时期。在大规模吸收隋唐文化之前的大和时代，已经形成了自身社会与文化的基本格调。

孱弱的皇室与强大的豪族　日本是文明社会的迟到者，但这并没有影响到它拥有世界上最古老的皇室。天皇“万世一系”的政治含义广受批判，而理论上说未曾发生皇位更迭，至今皇统延绵125代（当然皇室早期历史充满杜撰），则具有深刻的社会史意义，在世界历史上绝无仅有。而大和时代皇室之兴衰，已经凸显了这个千年皇室的命运。

在古代社会早期，日本国土上存在着许多部落国家。皇室的祖先最初也是一个住在大和地方的豪族，虽说是一个最强大的豪族，但应当和其他部落处于对等的地位，并不能任意支配其他势力尚强的部落首领及其管辖下的民众。公元4世纪末5世纪初，大和王权利用大陆移民进行政治、军事上的改革，并在诸豪族的鼎力合作下完成了对日本列岛的统一事业，确立了大和王权的统治地位。据中国史书记载，5世纪前半期，倭王珍在请求中国皇帝对自己册封的同时，还请求承认“倭隋”等人的地位，①说明他们之间的关系非同一般，很可能是与大王关系密切的大豪族或是仅次于大王的副王。大和时代豪族的坟墓与天皇陵在规模上相当接近，②也显示出豪族的实力。由此可见，大和政权实际上是由诸豪族组

① 《宋书·蛮夷传》倭国条：“太祖元嘉二年，赞又遣司马曹达奉表献方物。赞死，弟珍立，遣使贡献。自称使持节、都督倭百济新罗任那秦韩慕韩六国诸军事、安东大将军、倭国王。表求除正，诏除安东将军、倭国王。珍又求除正倭隋等十三人平西、征虏、冠军、辅国将军号，诏并听。”

② 例如，位于冈山境内的造山古坟是规模居全国第四位的前方后圆坟，推定为5世纪前半期吉备地方豪族陵墓。因不属于天皇陵，陵区可以自由进入。

成的松散的联合体制，其脆弱性显而易见，皇室尚未树立起至高无上的绝对权威，连称呼也只称“大君”（おおきみ），地位不过稍高于众多“君”（きみ）而已，有“天皇”之称是在7世纪以后的事情。① 在大和王权之下，这些豪族的势力进一步发展。在经济上，“各置已民，恣情驱使，又割国县山海林野池田，以为己财，争战不已”②。在政治上，从大王那里获赐象征地位与荣誉的“姓”，③世袭地在中央担任要职“大臣”“大连”。④ 他们集传统势力与朝廷要员双重身份于一身，不断挑战皇室的权威。如苏我氏自6世纪前期到7世纪中期，连续四代担任大臣，侍奉八代天皇，⑤对皇位继承人的选择有绝对发言权，甚至暗杀他们不喜欢的皇子和不听其掌控的天皇，严重损害了皇权及皇室的利益。大王与豪族间的博弈，是日本古代史的主线。因此，削弱豪族势力，确立天皇的最高权威，就成了皇室与朝廷内有识之士在645年发动“乙巳之变”的根本原因。

族制集团式统治 日本早期的历史与世界上的文明古国相比，其落后要以几千年计。但在从公元前3世纪到公元后3世纪的弥生文化时代，日本得益于大陆文化的影响，快速摆脱蒙昧，建立了古代国家。由于这一过程比较短暂，使原有的氏族组织来不及充分削弱与分化。与氏族共同体关系的天然联系，使大和国家利用氏族组织实行了集团式统治。大和国家以氏作为社会基本单位，各个氏根据其居住地、从事的职业来

---

① 608年，推古天皇派遣使臣到隋朝所携国书中写道：“东天皇敬白西皇帝”，首次使用“天皇”称谓。

②《日本書紀》孝德天皇大化元年条。

③ 姓，训读为“カバネ”，不同于中国作为血缘关系标志的姓氏，根据成书于平安时代初期的官撰氏族志《新撰姓氏録》，可知大和朝廷的姓主要有以下几类：赐予历代天皇的后裔以“臣”“君”（公）等姓，如苏我臣、山背臣等等；赐予以神代史上的诸神为祖先的诸氏（传说中天孙降临时的五个随从的后裔）以“连”姓，如物部连、中臣连；赐予地方首领国造以“直”为姓，如大和直、葛城直分别是大和国造、葛城国造；赐予品部首领以“造”姓，如鸟取造、镜作造便是鸟取部、镜作部的首领；赐予村落首长以“首”姓，如“须受武良首”“志深村首”是须受武良村与志深村的首长。赐予祖先为“归化人”的外来移民诸氏以“史”“村主”等姓。

④ 大臣、大连是大和时代辅佐天皇执政的最高官职，大臣由持有“臣”姓的豪族担任，大连由持有“连”姓的豪族担任。

⑤ 即苏我稻目、苏我马子、苏我虾夷、苏我入鹿。

命名，有的供职于朝廷，有的统辖地方。其首领——氏上也是朝廷和地方的官吏，由他统治着血缘亲属（氏人）和无血缘关系的成员（部民①和奴隶）。氏上在氏内主持祭祀，裁断诉讼，管理生产、生活，并负责与外部交涉，代表一氏承担社会义务，率领氏人通过从事某种固定的职业仕奉朝廷。此时的氏虽然保留了原始氏族在血缘、居住地、举行祭祀等方面的特性，但血缘共同体关系与新的权力关系和政治关系相比，已经退居次要。由于氏族传统的存在，人们还把本无血缘关系的大陆移民视为血缘集团，假定他们有共同的祖先和共同的信仰，通过移民首领对其进行集体奴役，在名称上也根据移民的族属而称其为“汉氏”“秦氏”“韩氏”等，这一事实表现出日本人对血缘关系和集团统治的崇尚与认同。

身份等级制度　身份制度是把某些人群置于与生俱来的职业的、社会的地位，并从法律上加以固定的一种普遍的社会秩序。等级制度是把所有人或团体分成不同等级，各个等级权利不平等，权力掌握在少部分人手里。身份制度与等级制度的共同特征是不平等，而两者的区别在于身份制度侧重于职业上的社会地位差别，等级制度则规定了政治、经济上权利与义务的多寡。严格的身份制度与等级制度紧密结合在一起，是日本古代社会的重要特征。

日本的身份、等级制度传承久远。早在公元2—3世纪的邪马台国时代，社会就分成由大人、下户构成的自由人身份和由奴婢、生口构成的非自由人身份。奴婢、生口是可以买卖、馈赠的奴隶，没有人身自由。在自由人中，则有“大人”与“下户”之分。史书中记载的“下户与大人相逢道路，逡巡入草，传辞说事，或蹲或跪，两手据地，为之恭敬”，“大人皆四五妇，下户或二三妇”，②显示出当时森严的等级制度已经形成。进入大

① 部民，大和时代将被征服的居民以集团的形式组织起来，让其从属于为朝廷服务的各种部，地位接近奴隶。据考证，部的种类达三百种左右，部民占当时全社会人口的一半。见早川二郎：《日本古代史研究と時代区分論》，未来社，1977年，第165頁。

②《三国志·魏书·东夷传·倭人条》。

和时代，氏成为大和国家的社会组织和政治组织，在中央与地方行政中的地位日益显著，为了建立有效的统治秩序，让“人民氏骨，各得其宜”①，便产生了日本最早的制度化的等级制度——赐姓制度。即大王根据各氏的出身、与大王家关系的亲疏，分别赐予其不同的称呼——姓。姓的颁赐者天皇作为从高天原降临大地的神的后代，则超然于人间诸氏之上，不需要姓表示其地位——这就是天皇只有名而没有姓的起源。显然这种制度是为了提高王权所设。赐姓制度在一定程度上改变了“上下相争，百姓不安，或误失已姓，或故认高氏”的乱象，②但没有抑制“大臣”“大连”势力的膨胀。大和时代等级的划分是根据人们的出身与世系，以姓的尊卑为标志而确定的，这种制度是日本等级制度、世袭制度的滥觞。

（二）中华制度文明在日本的短暂繁荣

皇权衰落，豪族专权，族制统治，身份等级制度存在，日本就是在这样的社会基础上吸收中国文化的。645 年，锐意加强皇权的中大兄皇子与心腹近臣中臣镰足受长期留学隋唐后回国不久的南渊请安的影响，发动“乙巳之变”，诛灭藐视皇室的苏我氏宗家，并进行一系列加强皇权的改革，此事发生于日本最初的年号“大化”年间，故称“大化改新”。但是，发源于宫廷政变的改革成果是有限的，隋唐的先进制度虽然是一些开明人士倾情学习的对象，但毕竟与日本社会的现实有很大距离，因此在实施了一段时间后，最终都被放弃。

户籍制度　大和时代的日本人基本上不知户籍为何物。制定户籍是日本在大化改新后模仿唐朝较早实施的建立中央集权制度的具体措

---

①《新撰姓氏録》序文，见佐伯有清：《新撰姓氏録研究》本文篇，吉川弘文館，1974 年，第 145 頁。

②《日本書紀》允恭天皇纪四年条。

施。日本意义完备的户籍始自持统女帝时期于 690 开始的“庚寅年籍”。[①] 有关制定户籍的程序、书式等，“非常忠实地效法了唐制”[②]。但限于当时的行政管理水平，户籍制度的实施效果还是打了折扣。如把唐代三年一造户籍，延长为六年；在户籍制度存在的时间段，没有留下一次详细的官方人口统计数字，反映出这种制度实施不力。从户籍制度实施的实际情况来看，仅仅在 8 世纪大致按照六年一次造籍的频率相对正规地实施，进入 9 世纪后便流于形式。现存最后的户籍（也是唯一的一份）是 1004 年讃岐国大内郡入野乡户籍。[③] 随着朝廷权力式微，私有制庄园成为经济主体，户籍也就失去了意义，整个幕府时代基本上是阙户籍时代。如此算来，日本模仿中国的户籍制度充其量仅存在 314 年。

班田制度 班田制是对北魏至唐代的均田制的模仿。实行班田制是一项非常复杂的工作，不可能在发动“乙巳之变”之后就立即实施，[④]需要多方面的准备和足够的时间，尤其是要在详细掌握全国人口的情况下才能得以实施。690 年制定“庚寅年籍”之后，具备了实施班田的基本条件。两年后，实施了第一次班田。在整个 8 世纪上半期，基本上是按照 6 年一造户籍，两年后班田的规律正常进行。由于律令国家在实施“公地公民”制的同时，允许贵族、官僚、寺社等占有土地并逐渐私有化，地方上的有势者也吸纳浮浪农民开垦土地，使土地私有倾向日益发展，造成国有可班土地减少。政府为了增加税收，便鼓励农民垦荒，先后发布了奖励垦田的“三世一身法”（723 年）和“垦田永年私财法”（743 年），承认个

---

① 670 年，日本曾在全国范围内制定户籍，时年庚午，故名“庚午年籍”。“庚午年籍”虽然是日本初次大规模造籍，但此次造籍的目的如后人所称，“盖为姓氏之根本，遏奸欺之乱真欤”，并不是作为国家征收赋税的依据，而注重人们身份的登录，故不是意义完备的户籍。

② 池田温著、龚泽铣译：《中国古代籍帐研究》，中华书局，1984 年，第 168 页。

③ 相賀徹夫：《日本大百科全書》第 9 巻，小学館，1986 年，第 327 頁。

④《日本書紀》大化二年（646）春正月条载：孝德天皇发布“改新之诏”，其中第三条为“初造户籍、计账、班田收授之法”，有学者指出这是《日本書紀》的编撰者根据后来的《大宝律令》做的虚构的记载。见井上光贞等校注：《日本思想史大系 3 律令》解说，岩波書店，1976 年，第 318 頁。

人开垦的土地永久私有化，从制度上彻底破坏了班田制。加上班田农民因租庸调负担过重，纷纷脱离本籍，其土地则归入私门，这种情况严重影响了班田制的正常实施。于 800 年实施的班田是最后一次全国规模的班田，整个 9 世纪，只有几次地方上零星实施班田的记载。一般认为 902 年伊势国班田是最后的班田。也就是说，作为中央集权制度的经济基础而存在的班田制从 692 年始，以 902 年终，仅仅存在了 210 年时间。

科举制度　科举制度是中国封建王朝通过考试选拔官吏的一种制度，也是儒家伦理的核心制度体现，自然也是日本人学习与模仿的对象。701 年起，始在中央设立由大学寮管辖的大学，在地方设立由国司管理的国学，大学及国学学生成绩优秀者即可参加由式部省直接主持的任官考试——“贡举”。考试的科目及评定标准与唐朝基本相同，有秀才、明经、进士、明法等科。一方面，由于当时全社会整体文化水平不高，而且能够进入大学及国学学习的除了贵族出身，就是地方官僚子弟，[①]等于给参与贡举设立了资格限制，摈弃了科举本来具有的平民性。另一方面，由于有资格参与贡举的贵族子弟享有“荫位”特权，五位以上贵族子弟年满 21 岁便可根据父祖的位阶而叙位任官，并不热衷贡举。因此，这种缺乏存在基础的科举考试并未展现出唐朝科举的繁荣。据资料记载，从庆云年间（704—708 年）到承平年间（931—938 年）的 234 年中，经过最受重视的方略试考试考取秀才者仅有 65 人。[②] 平安时代末期，大学寮在朝廷衰落中毁于大火，科举制度遂退出日本历史舞台。

历法　历法是古代日本采用的中国制度中最早、使用时间最长的一项，也最容易引起误解。日本从 604 年开始使用由中国南朝何承天编撰的《元嘉历》，此后，相继使用过中国的《麟德历》（697 年，因在唐朝仪凤年

① 《养老令·学令》规定：“凡大学生，取五位以上子孙及东西史部子为之”，“国学生取郡司子弟为之”。

② 《类聚符宣抄》承平五年（935 年）八月二十五日条：“谨捡案内，我朝献策者，始自庆云之年，至于承平之日，都卢六十五人。元庆以前数十人，多是名其家者也。”

间传入日本，又称《仪凤历》)、《大衍历》(764 年)、《五纪历》(858 年)、《宣明历》(862 年)，故有“汉历五传”之说，其中《宣明历》一直使用到日本人涩川春海 1685 年编制《贞享历》为止。这 823 年里一直没有改历，绝不是出于日本人对唐文化的热衷或“奉正朔”的政治考虑。实际的原因是，日本于 894 年终止了遣唐使的派遣，从此中断了与中国王朝的官方联系，未能得到《宣明历》之后的新历法。另一方面，随着日本自身国力的增强，也不再愿意“奉正朔”。室町幕府第三代将军足利义满时曾有过改历的想法，但因有奉明朝为正朔之嫌受到强烈反对而搁浅。[①] 在这八百多年中，日本国内缺乏精通历学与天文学的人才，远未达到独立编制历法的水平。可见，日本虽然长期使用《宣明历》，但其意义仅停留在科技层面，而全无“奉正朔”的政治内涵。

法律 日本成文法的出现很晚，反映了文化与社会发展的滞后。大化改新后，唐代的法律成为现成的参照系。701 年，仿唐代《永徽律令》制定了《大宝律令》，718 年，开始制定《养老律令》(757 年实施)。在律令制定过程中，不但在立法思想上与唐代法律相同，而且在篇章体例上也非常相近。于律、令之外，又制定了格与式(如《弘仁格式》《贞观格式》等)，其分类法与唐代法律完全相同。镰仓幕府建立后，于 1232 年制定了武家法律《御成败式目》。《御成败式目》是对当时武士习惯法的成文化，其内容和系统性方面与律令法完全不同，该法律的颁布，表明以往具有绝对权威的国家法律已经难以维持，也标志着武士成为不再从属于公家的独立的政治力量。经过后世的不断修改补充，武家法律一直制约着日本人的生活，直到近代接受西方法律的影响为止。

以上所谈户籍、班田、科举制度、法律、历法等是日本模仿实施的大唐制度文明的重要内容，是中央集权制度的支撑，它们虽然存在时间长短不同，但始行终弃是共同的结局。大化改新后日本引进大唐王朝的文

---

① 中山茂:《日本の天文学——西洋認識の尖兵》，岩波書店，1972 年，第 46 頁。

化、制度，建立起天皇制中央集权体制，进入古代国家繁荣时期。而引进的外来制度并非都适应日本文化的风土，跨海而来的高度发达的唐文化在文字、文学、服装、建筑等文化、技术层面对日本产生了巨大而久远的影响，而以中央集权制为代表的制度文明在经历了奈良时代短暂的辉煌后，从平安时代起便逐渐淡出日本。

（三）从平安时代起向传统社会秩序的回归

人们常说中日两国的交往源远流长，那是指文化层面的交流，这样的评价用于日本人对中华制度文明的吸收与模仿，则未必准确。从平安时代中期起，日本在文化上从“唐风”转向“国风”，在制度和基本社会秩序方面，脱离唐制，回归传统的倾向日益明显。虽然与中国在文化上的联系仍在继续，并处于中国文化的强力影响之下，但在社会发展道路上却与中国渐行渐远。

皇权重归衰落

毫无疑问，日本皇室是君主制国家中最尴尬的皇室，直到明治维新前，只有极其短暂的天皇亲政的历史。大化改新后，日本开始了模仿唐代的政治、经济制度进行改革的进程，在此后的奈良时代，天皇制进入鼎盛时期。然而，天皇亲政并没有持续多久，从平安时代开始，天皇的地位便随着中央集权制的衰落而渐趋下降。先是长达两个世纪的藤原氏贵族集团以外戚身份专擅朝廷、独揽大权的摄关政治时代，天皇权力被架空；继而是武家政权建立后镰仓、室町、江户三个幕府政权对朝廷日益严密的制约，室町幕府将军足利义满在给明朝皇帝的国书中可以自称“日本国王”，德川幕府将军更是公开使用“日本国大君”作为正式外交称号，天皇已经彻底失去对国家的控制权。更有甚者，德川幕府竟然颁布“禁中及公家诸法度”，以法令约束天皇、皇室及公家的行动。在幕府时代军事贵族的强权面前，“天下的人心只知有武人而不知有王室，只知有关东而不知有京师”①。

政治上的无权，必然导致经济上的潦倒。在奈良时代，天皇作为全国的土地所有者君临天下，不仅控制着国库，也占有大量皇室领地，其富有如圣武天皇所说，“有天下之富者朕也，有天下之势者朕也”②，只是好景不长。进入幕府时代，皇室领地被幕府、武士、寺社肆意侵吞，到室町时代末期皇室的领地收入只有可怜的三千石左右，生活之窘困往往连天皇的葬礼和即位大典都搞不起。到德川幕府时期，皇室沦为幕府的食客，经济情况稍有好转，也只有“禁里御料”区区三万石，仅相当于一个不起眼的小大名。1868 年 9 月，当明治天皇率领文武百官从京都出发到江户的途中，在滨名湖西的汐见坂（静冈县境内）见到大海的巨浪时惊异不已，这是从中世以来，偏居京都、几乎与世隔绝的天皇第一次见到太平洋。作为岛国日本的君主，可怜之极也！

贵族再成历史主角

尽管日本文化中存在大量的中国文化因素，但日本与中国在社会发展方面的最大不同，就是从未建立起中国那样的平民社会。在没有“革命”传统的日本，不仅有世界上最古老的皇室，也曾经有历史最悠久的贵族。所谓贵族，是指依据血统与门第获得社会特权的人们及其家族，进而指这种身份。大化改新以后，日本实施了一系列加强以皇室为中心的中央集权制度的改革，剥夺豪族对土地和部民的私有权，建立中央及地方的官僚机构，豪族因此失去了基础，并开始发生分化，从规模上由大变小。如大和时代从事古坟营造和葬送礼仪事务的土师氏到平安时代初期分为大江家、菅原家、秋筱家。然而，旧豪族只是被削弱而没有被摧毁，且在律令国家的保护下进一步成长。如果说大和时代豪族的存在还限于传统层面的话，那么到律令时代，贵族已经成长为制度化的特权阶

① 福泽谕吉著、北京编译社译：《文明论概略》，商务印书馆，1959 年，第 55 页。
②《续日本纪》圣武天皇天平十五年十月条。

层。律令时代的贵族特指服务于天皇与朝廷的官僚中的五位以上者(三位以上称“贵”,四位、五位称“通贵”),他们住在京畿,亦称“公家”。律令国家的一系列政策,如“荫位制”、官职家业化及赋予贵族种种经济特权,使新贵族的势力迅速膨胀,铺平了朝廷官僚贵族化、世袭化的道路。在这种制度下,依靠个人努力而升进的可能微乎其微,导致作为中国古代制度基石的科举制度传入日本后昙花一现。

平安时代的贵族政治造就了仅次于皇室的外戚藤原氏专权。与中国不同时代的外戚专权是由皇帝最亲近的人滥用和放大了皇权所不同的是,日本的外戚专权与“摄关政治”却大大弱化了皇权。“摄关政治”导致天皇与外戚发生冲突,在此过程中,军事贵族集团——武士乘机崛起,在镰仓建立了与中国式官僚政府截然不同的武家政权,不仅以太政大臣和“摄关家”面目出现的文官官僚制度被军事贵族集团摧毁,天皇随后也被彻底虚位。

相对于“公家”的“武家”,实质上仍然是贵族集团,源氏与平氏两大武士集团直接起源于皇室的将皇子赐姓朝臣后降为臣籍的制度。[①] 他们能够得到各地武士的拥趸,就是因为他们既有军事实力,又有皇室与贵族的地位与声望。而大多数武士的贵族化经历了较长的历史过程,丰臣秀吉在基本结束了战国时代的混乱局面之后,于 1591 年颁布了“身份统制令”,固定了武士与百姓、町人的身份和职业,明确了士农工商的区别,从而结束了武士的半农半兵的状态,意味着真正意义的脱离生产的家臣团的出现,武士从此成为地地道道的职业化的军事贵族。

考察日本历史,可以发现一条清晰的轨迹:自日本古代国家形成到明治维新这漫长的岁月里,日本历史舞台的主角其实并不是天皇与皇

① 嵯峨天皇(809—823 年在位)时期,将多名皇子赐以源姓后降为臣籍,这就是源氏最初的由来。历史上共有 21 位天皇赐过源姓,其中最为显赫的清和源氏,是清和天皇赐予其孙源经基的,成为清和源氏的始祖。在嵯峨天皇赐姓源氏之前,也有桓武天皇(781—806 年在位)的子孙被赐平姓降为臣籍,是为桓武平氏的始祖。

族，而是贵族——从大和时代的豪族，到律令时代的公家贵族（亦称王朝贵族），再到幕府社会的军事贵族。虽然三个阶段的贵族并非一脉相承，但实行强权统治是相同的。相比较而言，幕府军事贵族与古代豪族更为接近，都是实施以武力为基础的强权统治。庶几可以说，大化改新后模仿唐制建立的文官官僚制度实际上偏离了日本历史本来的轨道。从平安时代开始，贵族再度登场，架空天皇的权力，是社会秩序向固有贵族传统的第一次回归；而幕府军事贵族的产生则是第二次回归——向武力、强权的贵族统治的回归，这才是日本历史的本来面貌。

社会回归族制统治

日本自大和时代就形成了“以族制立国”的传统。这种传统在律令官僚制瓦解之后，再度回到人们的社会生活中。武士自其产生之日起就是作为集团的一员在战斗，武士团是以“族”为单位的结合，它既是镰仓幕府时期的社会组织，也是当时的家族组织。其成员包括具有血缘关系的直系亲属、旁系亲属，还包括姻亲，由收养而形成的养父母、养子孙及干亲，进而还有从族外人中挑选出来的有能力的从者。这种武士团与大化改新之前以氏上、氏人秩序为中心的氏的结合很相似，因此有人称它是“古代氏族制度的复活”①。从镰仓幕府末期开始，由于武士团内部家的利益诉求日益凸显，加上财产的分割继承削弱了武士团首领——总领的权力，武士团的族的结合越来越显现出崩溃的趋势，原来的一族分裂成势均力敌的数支力量，社会处于长期混乱与动荡之中。在大名领国形成后，人们随着新的主从关系的组合开始直接追求家的利益，到江户时代，“家”制度取代了族的结合，成为幕藩体制的支柱。

中国古代社会矛盾主要是在皇权—士大夫官僚—农民这样的结构中展开的，而日本历史上的政治主体是以族制为中心的贵族集团，社会矛盾基本上是在统治者集团之间展开的。尤其是在幕府时代，家族秩序

① 豊田武：《武士団と村落》，吉川弘文館，1963年，第15頁。

的混乱是社会动乱的根源。阶级矛盾始终被包容在统治集团内部的矛盾对立中而得不到凸显，日本历史上冠以各种"乱"的重大事件，几乎都因统治集团内部的矛盾而发生。阶级矛盾不是日本历史发展的主线，从而减少了暴力对抗对社会生产力与人类文明的破坏，正因如此，在日本历史的大多数时间里，社会秩序相对稳定，经济建设有较为和平的环境，文化传承不曾出现中断。

身份等级制度大行其道

如前所述，大和时代已经奠定了身份等级制度的基础。进入律令时代，在天皇与皇室之下，把人们的身份分为两大类：良民与贱民。良民又分成有位的官人（包括五位以上贵族及六位以下百官）和无位的公民。同是"良民"，五位以上的贵族与其他人的区别是，一位至五位的贵族之子可分别荫位从五位下至从八位下，一位至三位贵族之孙可荫位正六位上至正七位上，而根据"选叙令"的规定，贡举考试取得最好成绩的秀才最高叙正八位上。对于没有贵族家庭背景的下级官僚来说，从最低的少初位下晋升到从八位下，需要 32 年时间。[①] 贱民占当时人口的一成左右，包括陵户、官户、家人、官奴婢、私奴婢，统称"五色之贱"[②]，他们没有姓氏，不能独立成户，官私奴婢还是被买卖的对象。总之，律令时代的等级身份制度比前代明显趋于复杂，而且更加看重出身、世系。

进入武家社会后，身份区分衍化为公家—武家—平民—贱民这样的身份序列。在公家这一身份序列中，尽管在幕府时代逐渐丧失实际权力，但在等级制度方面依然领天下先，上至摄关大臣，下至普通史官之类的低级官员，都按照家格[③]（门第）来任用。武士是新出现的身份，他们从

---

① 関晃：《律令貴族論》，载《岩波講座日本歷史・古代 3》，岩波書店，1976 年，第 50 頁。

② 陵户隶属治部省统辖的诸陵司，为天皇、皇族看守陵墓；官户与官奴婢隶属宫内省的官奴司，从事耕皇室御田及各种杂务；家人与私奴婢为私家奴仆。

③ 贵族"家格"依次分摄关家 5 家，清华家 9 家，大臣家 3 家，羽林家 66 家，名家 28 家，半家 26 家，总计 137 家。明治维新以后，均被列为华族，并被授予公爵（摄关家）；侯爵（清华家）；伯爵、子爵（其他三种家格）爵位，二战后被废除。

原来作为律令时代军事职能的承担者转变成政治机能的承担者。但直到丰臣秀吉实行兵农分离政策，脱离生产的、纯粹的、以军事为业的真正意义的武士身份才得以确立。德川幕府将整个社会划分为士、农、工、商四种身份，“四民”属于两大阶级，以将军、大名、武士构成的士阶层是统治阶级，农、工、商被统称为“庶民”，庶民之下还有被称作“秽多”“非人”的贱民，他们是被统治阶级。各种身份的人必须严守在衣食住行、姓名、婚姻等方面的规范，世袭地从事固定的职业。幕府法律规定，“即使是足轻(下级武士)，遇到轻贱的町人百姓之粗鲁的辱骂，不得已将其斩杀，经查可以证明其无错，可不予处罚”①，此即所谓“斩舍御免”，反映出幕府维护以武士为顶端的社会秩序及武士权威的基本立场。在德川时代近270年里，不到人口一成的武士作为“三民之长”，实施了严格的身份统制。在各种身份内部，还存在等级差别，在武家社会最为典型，如大名有亲藩、谱代、外样之分，直属将军的武士有旗本与御家人之别，各藩的藩士也被分成许多不同的等级，且一成不变，江户时代被称为实施了“世界上最严格并切实得到加强的世袭制度”②。

日本的“士农工商”身份划分，显然是吸收了中国的制度。然而古代中国的士农工商职业区别在日本被彻底颠覆，形成身份制度，并与等级制度结合在一起，在江户时代达到顶峰。福泽谕吉批判这种社会现状：“就好像日本全国几千万人民，被分别关闭在几千万个笼子里，或被几千万道墙壁隔绝开一样，简直是寸步难移”，这种制度“简直像铜墙铁壁，任何力量也无法摧毁”。③ 不平等是身份等级制度的核心，但其客观上的历史作用则不容忽视，主要表现在：首先，身份壁垒把士农工商封闭在不可逾越的职业领域，最先受到损害的是武士本身，因为把武士与生产资料

① 德川幕府法律《公事方御定书》第71条追加，谷口真子：《武士道考——喧嘩·敌討·無礼討》，角川書店，2007年，第201頁。

② [美]赖肖尔：《日本人》，上海译文出版社，1980年，第168页。

③ 福泽谕吉著、北京编译社译：《文明论概略》，第156-157页。

隔离，其仅仅依靠有限的俸禄生活，政治地位与经济力量并不相称，武士"仅仅是机构性的精英，是制度上的精英，却是不具经济实力的特殊的精英"①。久而久之，造成主从关系体系的坍塌。在下级武士走向贫困的同时，町人及商业资本成为身份制度的最大受益者，某种意义上说，身份制度培养了幕府统治的掘墓人。其次，社会资源的非垄断性保障了社会秩序相对稳定。身份制度带给人们不同的权利与义务，其客观效果是权利与财富并不具有一致性，至尊不等于至强，至强不等于至富，至富不等于至尊，正如福泽谕吉所说："日本社会贫者身份高，富者身份低，欲富不贵，欲贵不富，贫富贵贱相互平均，既无绝对的得意者，也无绝对的失意者。"②身份制度既维护了幕府的统治，也在一定程度上避免了财富的集中和社会矛盾的激化，从而保证了社会秩序的稳定。幕府统治灭亡的根本原因是统治阶层内部矛盾的结果，而非贫富分化造成的社会矛盾的总爆发。最后，促生社会多元化发展。由于"士农工商"既是统治秩序，又是职业体系，每个身份的人都不能"见异思迁"，只得专注于自己所属的领域，社会得以多元化发展。不仅有精通文武之道的武士迅速成长，一大批豪农、豪商也脱颖而出，精英人才在存在于各个领域。当资本主义生产关系出现时，既准备了资本，也准备了人才，能够较为顺利地实现向近代社会的转型。

结语

本文通过简要回顾日本古代史，试图说明，尽管历史上中国文化对日本产生过很大影响，但是作为日本社会、文化本质特征的要素早在大和时代就已毕现无遗，在大规模学习隋唐文化之前已经形成，它是由日

① 大石慎三郎，中根千枝：《江戸時代と近代化》，筑摩書房，1986 年，第 421 頁。

② 福沢諭吉：《国会の前途》，慶応義塾編：《福沢諭吉全集》第 6 卷，岩波書店，1959 年，第 45 頁。

本自身历史进程所决定的。大化改新后加强皇权的一系列措施，多停留于表面的模仿，却不曾触及和改变旧有秩序及传统的根基。古代中华制度文明在与原有社会秩序的冲突中，并未存在多久便退出日本历史舞台。皇室公家归于衰落、平安时代贵族政治的出现、幕府时代军事贵族的强权统制、身份等级制度的实施等，都是对中华制度文明的否定，也是对固有传统的回归。虽然中国与日本在历史发展进程上“分道扬镳”表现在近代，但两国在社会结构与文化传统方面的差异在大和时代就已显现。正因为日本社会结构与社会矛盾与中国不同，尽管在表面经过中国文化粉饰，呈现某些与中国相似的表象，实际上却走上了与中国完全不同的发展道路。

二　日本古代贵族势力的成长及其影响

与拥有世界上最古老的皇室一样，日本也曾拥有世界上历史最悠久的贵族。由于日本历史上经历了近七百年的幕府统治及武士道在近代社会影响深远，人们对日本史关注较多的是武士，而忽视了贵族。实际上，贵族是日本历史上一个非常重要的社会阶层，其地位仅次于皇室，其存在时间远远长于武士，其贡献重在文化传承。本节仅从社会史的视野谈谈对日本古代贵族几点观察。

（一）律令制下贵族势力的成长

贵族是指依据血统与门第获得社会特权的人们及其家族，进而指这种身份。律令时代的贵族特指服务于天皇与朝廷的官僚，他们住在京畿，亦称“公家”。一般来说，五位以上者被称作贵族（三位以上称“贵”，四位、五位称“通贵”）。日本的贵族起源于大化改新前的古代豪族，在大和朝廷统一日本的过程中，得到了其他部落首领的鼎力相助，在大和国家统一日本后，这些部落首领与臣从均按昔日的战功和身份，获得政治与经济上的特权，发展成为豪族。大和政权实际上是由诸豪族组成的松散的联合体制，大王（天皇）与豪族间的博弈是日本古代史的主线。645年，皇子中大兄及权臣中臣镰足联手发动“乙巳之变”[①]的根本目的就是为了削弱贵族势力，加强皇权。事实上，这一努力并没有摧毁贵族传统，削弱了旧贵族，又有新贵族取而代之。律令制度下新贵族是通过以下几个途径成长起来的。

第一，不少新贵族是大化改新前的氏姓贵族。氏姓制度是大和时代维护贵族社会秩序的等级制度，由天皇对豪族颁赐各种不同的“姓”以表示其等级的高下。赐姓的根据是贵族的出身、世系，尤其是与皇室关系的远近。大化改新近四十年后，684年（天武天皇十三年）10月，天武天皇下诏：“更改诸氏之族姓，作八色之姓”[②]，下诏当日便对十三个原持“公”姓的贵族赐“真人”姓[③]，这些贵族都是继体天皇以来历代天皇的皇子及其后代，被天武天皇置于诸姓中最高贵者的地位。同年11月，又对大三轮君、大春日臣等五十二氏赐“朝臣”姓[④]。“朝臣”姓是臣姓中地位最高的姓，“朝臣”姓的设立，是为了在旧有的臣、连、首、直等姓之上设置新姓，用以表彰其在“壬申之乱”中的功绩，建立天武天皇新政权的基础。12月，对大伴连、佐伯连等原出身神别、持“连”姓的五十氏赐以“宿祢”姓，转年六月，又赐大倭连、葛城连等十一氏以“忌寸”姓。天武天皇赐姓合计126氏，根据《公卿补任》[⑤]的记载，在这些氏中，从《大宝律令》颁布到奈良时代末期，属于三位以上贵族的共有21氏[⑥]，可见律令时代的贵族与古代豪族的渊源。

---

① 乙巳之变：645年由中大兄皇子、中臣镰足等人暗杀苏我入鹿，并消灭苏我氏宗家的一场宫廷政变。之后，中大兄皇子改革了日本政治体制，也称“大化改新”。

② “八色之姓”即真人、朝臣、宿祢、忌寸、道师、臣、连、道置。

③《日本書紀》天武天皇十三年十月条。坂本太郎等校注：《日本古典文学大系·67·日本書紀下》，岩波書店，1967年，第465頁。

④《日本書紀》天武天皇十三年十一月条，同上。

⑤《公卿补任》：记载从“神武天皇”到明治元年历代公卿的叙位、任官情况的职员录。

⑥ 関晃：《律令貴族論》，《岩波講座日本歷史·古代3》，岩波書店，1976年，第41頁。

第二，律令官僚制度促进了贵族的发展与成熟。在 701 年制定《大宝律令》时，确立了律令官位制，将原来繁杂难记的官阶（天武天皇时期制定了官位四十八阶）改为简单明了的按照数字及“正”“从”的表现方法，等级上也大幅缩减：从正一位到少初位下共计三十阶。同时，确定对亲王叙一品至四品，诸王[①]叙正一位至从五位下。

律令官位制的突出特点是“官位相当制”，“职掌所事，谓之官，朝堂所居，谓之位也”，“凡臣事君，尽忠积功，然后得爵位，得爵位然后受官”，根据“凡位有贵贱，官有高下，阶贵则职高，位贱则任下”[②]的原则，对官员先授官位，再据官位定官职，官位是任官的前提。“官位令”对处于何品位者任何种官职都做出明确的规定，如担当太政大臣的必须是正一位、从一位；担任左大臣、右大臣者必须是正二位、从二位；任大、中纳言，大宰帅者必须是三位以上，不同位阶间在各方面的待遇都有明显差距。虽然这种制度是律令制下的新规定，但获得五位以上位阶的，除了皇亲就是持“臣”姓与“连”姓的贵姓氏族的后代，再就是在“壬申之乱”中建立功勋的贵族。根据泷川政次郎的考证，奈良时代三位以上高官共 112 人，除了 18 位亲王以外，其余几乎都是大伴氏、石上氏、巨势氏等旧氏姓贵族子孙及藤原氏、纪氏等新贵族，再就是橘氏等从皇室派生出来分支，出身于直、首等卑姓贵族的只有 7 人。[③]

第三，律令贵族在拥有政治特权的同时，也享有各种经济特权。如表 1 所示，律令官员的特权是根据其位阶决定的：所有五位以上官员有位田、季禄、位分资人；[④]四、五位有位禄；担任太政大臣、左右大臣、大纳言的正一位到正三位的还有位封、职田、职封、职分资人。这些合法的拥有使贵族轻而易举地积累了财富。

---

① 亲王：天皇的儿子及兄弟，天皇的女儿及姐妹称内亲王；诸王：指皇族中从二世以下至四世的王。五世王虽称王，但不包括在皇族范围之内。

② 黒板勝美：《新訂增補国史大系·23 卷·令義解》官位令，吉川弘文館，1939 年，第 3 頁。

③ 滝川政次郎：《日本社会史》，刀江書院，1929 年，第 51 - 52 頁。

④ 资人是在贵族府第中担任护卫和勤杂事务的侍从和侍卫，一般由六位以下的有位者担任。

表 1-1　律令官人特权对照表①

位阶	位田(町)	位封(户)	季禄				位分资人(人)	职田(町)	职封(户)	职分资人(人)	位禄			
			絁(匹)	绵(屯)	布(端)	锹(口)					絁(匹)	绵(屯)	布(端)	锹(口)
正一位	80	300	30	30	100	140	100	40	3 000	300				
从一位	74	260	30	30	100	140	100							
正二位	60	200	20	20	60	100	80	30	2 000	200				
从二位	54	170	20	20	60	100	80							
正三位	40	130	14	14	42	80	60	20	800	100				
从三位	34	100	12	12	36	60	60		200	30				
正四位	24		8	8	22	30	40				10	10	50	360
从四位	20		7	7	18	30	35				8	8	43	300
正五位	12		5	5	12	20	25				6	6	36	240
从五位	8		4	4	12	20	20				4	4	29	180

第四，荫位制的实行促进了贵族的世袭化。荫位制度即根据父祖官位而入仕的制度，是对中国门荫制度的模仿。日本在 701 年制定《大宝律令》时，在“选叙令”中确定了荫位制度：亲王子从四位下，诸王子从五位下，其五世王者从五位下，如表 1-2 所示，五位以上诸臣也有荫位特权。与唐代的门荫相比，日本的荫位制给贵族带来多方更优厚的待遇：一是唐代门荫只荫及嫡子，日本则荫及庶子；二是日本一位之子荫从五位下，大大高于唐代的正七品上；三是唐代门荫下取得散阶只是高官子弟跨入仕途的第一步，他们还要充任各种职役，有些还是“力役供给者”，在经过一段时间后，要通过专门选考后方可任官，②而日本五位以上贵族子弟年满 21 岁便可叙位并任官，不需经过职役锻炼及劳役考验。这种制度，被认为是在贵族势力强大的情况下，朝廷向贵族势力妥协的一个

① 関晃等：《史料による日本の歩み》，古代编，吉川弘文館，1960 年，第 136-137 頁。

② 有关唐代门荫制，参见杨西云：《唐代门荫制》，《大连大学学报》1997 年 1 期。

重要标志。①

表 1-2 诸臣荫位表

官员	嫡子	庶子	嫡孙	庶孙
正、从一位	从五位下	正六位上	正六位上	正六位下
正、从二位	正六位下	从六位上	从六位上	从六位下
正、从三位	从六位上	从六位下	从六位下	正七位上
正四位上、下	正七位下	从七位上		
从四位上、下	从七位上	从七位下		
正五位上、下	正八位下	从八位上		
从五位上、下	从八位上	从八位下		

上述措施的制定与实施，铺平了朝廷官僚贵族化、世袭化的道路。平安时代，公卿制度的产生进一步加剧了这种倾向。所谓公卿，指律令官制最高官职的太政大臣、左大臣、右大臣（公）与令外官的大纳言、中纳言、参议（卿）的总称，他们掌管着朝廷事务。当时，不仅只有三位以上者才能任这些官职已成定制，而且，担当公卿的家族也趋于固定，官位升进要依靠家系、家格的制度开始形成。公卿与“公家”（贵族）几成同义语。中央集权的官僚制基础因此被瓦解，律令制政权在经历短暂辉煌后终于无可奈何地归于衰落。

（二）贵族巅峰藤原氏挑战皇权的两个手段

随着皇族与贵族之间亲疏关系的演变，贵族之间势力的消长，贵族的构成也在发生变化。到平安时代，原有贵族被以源平藤橘为顶点的新贵族取代。在这四大姓中，藤原氏是渊源最长、资格最老的一族，也是唯一出身于人臣氏族的贵族。藤原氏的始祖是大化改新的功臣中臣镰足。在中臣镰足去世前，天智天皇按其居住地的名称（大和国高市郡藤原乡）

① 早川庄八：《日本古代官僚制の研究》，岩波書店，1986 年，第 25-26 頁。

赐其藤原姓。其次子藤原不比等继承其父遗志，致力于国家的中央集权化，参与制定律令。698年（文武二年），文武天皇诏令藤原姓只由藤原不比等及其子孙继承，从此藤原氏脱离中臣氏，逐渐发展成为左右朝政的重臣。藤原不比等死后，其四个儿子分别建立南家（藤原武智麻吕）、北家（藤原房前）、式家（藤原宇合）、京家（藤原麻吕）。在此后的政争中，南家、式家、京家相继衰落，只有北家势力日益强大，成为权倾朝野的巨姓大族。

日本历史上从来不乏豪族巨姓，唯有藤原氏缔造了号称“藤原时代”的辉煌。从社会史的视野来考察，藤原氏对皇权提出了前所未有的挑战，用两种超乎寻常的手段，筑就了藤原氏一族在日本历史上无与伦比的地位。

第一个手段是将旧有的外戚政治传统藤原氏化，通过长期垄断皇后角色而控制皇室。不要以为藤原氏利用外戚身份专权完全是阴谋手段，实际上，外戚专权也是日本历史上的一种传统，大和时代的豪族就习惯利用与天皇的婚姻关系达到与皇室接近或控制皇室的目的。平安时代后期平氏在掌握朝廷大权后，也多次把女儿嫁给天皇，但只有藤原氏把这种传统发挥得淋漓尽致。

《大宝律令》制定时，将大和时代皇后需由皇女（内亲王）所出这一传统写进法律，据此，人臣之女至多只能成为天皇的夫人（三位以上出身）及嫔（五位以上出身）。参与编撰《大宝律令》的藤原不比等置法律于不顾，于729年将获得夫人称号不久的女儿光明子立为圣武天皇（701—756）的皇后，突破了上述传统与法律，首开皇族以外女子立后之先河，同时创造了空前绝后的立光明子之女阿倍内亲王为皇太子（后来的孝谦天皇）的恶例。此后，天皇的皇后中，藤原氏出身者占压倒多数，从圣武天皇到后白河天皇（1127—1192）共32代男天皇的皇后、女御[①]中，有24位

① 女御：在天皇寝所服侍的女官，始见于桓武天皇时期。令制的后宫除皇后之外的二妃、三夫人、四嫔之制最后存在于醍醐天皇（885—930）时期，此后主要由藤原氏女儿担任的女御的地位迅速提高，从中被选立为皇后的也不在少数。故女御成为事实上的皇后，“女御入内”之仪乃天皇的大婚典礼。

出自藤原氏。[1] 这样，位极人臣的藤原氏无须胡作非为，只要将自己家的女子送进皇宫当皇后，并按照皇室固有的后妃自怀孕起就回娘家待产、生养的传统，自幼养育天皇成长，血缘亲情加上言传身教，潜移默化之间，就把天皇牢牢控制在股掌之中。与天皇的外戚关系因此成为藤原氏权力的根源，如创造了藤原氏势力极盛的藤原道长（966—1028）最骄傲的就是“一家立三后”——先后将自己的五个女儿送入宫中，其中三个女儿立为皇后。“斯世我所有，一如我所思，皎皎十五夜，满圆无缺时”，这首和歌就是藤原道长为庆祝三女威子成为后一条天皇的皇后，在邸内宴请诸公卿时即席吟诵的，表现了他权倾朝野、志得意满的心情。藤原道长去世后，其养子藤原赖通任摄政关白长达五十多年（1017—1068）。可惜盛极必衰，赖通将女儿（包括养女）送入宫中之后却没有生下男孩，从而未当上天皇的外祖父，藤原氏作为外戚的势力受到重创，直接导致了摄关家的衰退。

第二个手段是把摄关职变成了家职。在独家垄断了皇后所出之后，藤原氏利用从中国学来的知识，建立了独特的“摄关”体制。

中国古代在国君年幼不能亲自处理政事时，由其亲族暂代执政，叫作摄政。日本皇室的第一位摄政官是圣德太子。由于摄政不是常设官职，在律令中并没有做出规定。如前所述，在藤原氏四家中，藤原北家升进最快，到家祖藤原房前的第四代藤原良房（804—872 年）时，通过迎娶嵯峨天皇皇女源洁姬，奠定了藤原北家在朝廷的地位。藤原良房作为文德天皇的舅舅、女儿明子与文德天皇所生的惟任亲王的外祖父，官运亨通，至 857 年（齐衡四年）被任命为律令制定后首位正式的太政大臣。[2] 次年其外孙、9 岁的清河天皇（850—880）即位之时，身为天皇外祖父的良

① 根据児玉幸多：《日本史小百科 天皇》“歴代天皇一覧”及“皇后表”統計，近藤出版社，1978 年。

② 律令制定之前，曾有天智天皇任命大友皇子和持统天皇任命高市皇子为太政大臣。《养老令・职员令》对太政大臣的职务规定是：“师范一人，仪形四海，经邦论道，燮理阴阳，无其人则阙”。井上光貞等校注：《日本思想大系・3・律令》，岩波書店，1976 年，第 158 頁。由于是“则阙之官”，地位重要，律令制定后一直未任命太政大臣。

房总揽政务，成为事实上的摄政，进而于 866 年（贞观八年），在处理“应天门之变”中，藤原良房将长期以来不满藤原氏专擅朝廷的大伴氏、纪氏等贵族排除出中央政权的核心，清和天皇下诏由藤原良房“摄行天下之政”，人臣太政大臣和人臣摄政自此产生。

关白，语出《汉书·霍光传》：“诸事皆先关白光，然后奏御天子”。藤原良房死后，养子藤原基经（836—891）就任摄政，他先后侍奉清河、阳成、光孝、宇多四位天皇，藤原氏势力继续强势发展。不仅在天皇年幼时代天皇执政，而且在光孝天皇时成为事实上的“关白”，到宇多天皇时一纸诏书“万机巨细，百官总已，皆关白于太政大臣，然后奏下”，赋予藤原氏在天皇成人后辅佐已成年天皇处理政事的权力。930 年，8 岁的朱雀天皇即位，其舅舅藤原忠平（藤原基经之子）担任摄政，941 年，朱雀天皇成人，又继续被任命为关白，成为同一官员在同一天皇年幼时摄政、天皇成人后任关白的第一人。从此，藤原氏北家牢牢占据了摄政和关白两个官职，成为天皇的代理人或辅助者，独揽大权。

中国历史上的外戚干政只是不同时期的个别现象，皇亲在变，外戚也在变，从未有过一个外戚家族长期垄断朝政的情形。而日本平安时代摄政与关白之职始终由藤原北家垄断，外戚专权也是由藤原氏一族来实施的。这种结局显示出藤原氏的强势，藤原氏因此发展成仅次于皇室的巨姓大族，活跃日本历史舞台一千数百年。随着世代繁衍，从“藤原”这一姓中分化而来的姓氏达 400 个左右，1 300 万人，几占日本人口的十分之一。外戚专权与摄关政治大大弱化了皇权，导致天皇与外戚的矛盾冲突，在此过程中，武士乘机崛起。平安时代后期，天皇与外戚为了巩固自身，都力图借助武士的力量在权力博弈中取胜。双方博弈的结果却是天皇和外戚在长期的冲突中两败俱伤，而被双方利用的武士却在冲突中发展了势力。不仅公家贵族退出权力核心，天皇随后也被彻底虚位，长期被软禁于京都皇居之内，日本的政权从此被军事贵族集团垄断。

(三)“家”制的贵族源起

“家”是日本历史上直到二战战败为止重要的家族组织与社会组织。说它是家族组织,因“家”是立于以婚姻和血缘关系为纽带的具体家庭之上的生活共同体,它具有超血缘性,以家业为中心,以家名为象征,以直系的纵式延续为原则,是社会化的家族集团;说它是社会组织,因前近代社会中“家”就是社会基本单位,在近代社会,出于传统的影响及人为的利用,“家”被扩大到社会生活当中,形成社会集团的家族化,无数这样的集团构成了社会和国家,从“国铁一家”“矿山一家”式的企业集团,到以天皇为家长、以国民为子女的家族国家,都是这种家族式社会集团的范例。与中国历史上宗族制度同封建制度相伴始终一样,日本历史上的“家”制也是处于人们社会生活核心的重要制度。

“家”制走向成熟是在江户时代的武家社会,但最早是在贵族社会形成的。日本素有“以族制立国”的传统。在大和时代,各个从事固定职业的氏族是社会基本单位,其首领——氏上也分别是朝廷和地方的官吏。在大化改新过程中,随着废除贵族的土地私有权、改革中央及地方的官僚机构、建立新的官位制等一系列革新措施的实施,氏族失去了存在的基础。天武天皇时期,又实施了分化旧有氏族的政策,让其由大化小①,并对各个氏族重新赐姓,使其从结构上发生了分化,从规模上由大变小。如从大和豪族和迩氏中分化出小野氏、春日氏等。

然而,当时日本人所进行的建立中央集权的官僚制度的努力只停留在对隋唐官制的模仿,贵族传统依然存在。选官要根据出身、世系,仍然

① 《日本書紀》天武十一年十二月条:“诏曰,诸氏人等,各定可氏上者而申送。亦其眷族多在者,则分各定氏上。并申于官司。然后斟酌其状,而处分之。因承官判,唯因小故,而非己族者,辄莫附。”坂本太郎等校注:《日本古典文学大系·67·日本書紀 下》,岩波書店,1967年,第457頁。

是只有贵族才能跻身公卿之列，因此律令太政官[①]的基础呈日益缩小的态势。奈良时代有资格参与议政的公卿尚有安倍氏、大伴氏、藤原氏、多治比氏、纪氏、巨势氏、石川氏等家族，按惯例各氏出一人作为议政官参与议政。进入平安时代，贵族社会秩序发生很大变化，皇族出身的源、平氏被降为臣籍后获赐姓朝臣而声名鹊起，橘、菅原、大江、中原、坂上、贺茂、小野、惟宗、清原等奈良时代不曾有名的氏族迅速提高了地位，不久，政权的核心又缩小到源、平、藤、橘等几大家族，到 9 世纪末期，朝政基本上被藤原氏垄断，藤原氏成功获得世袭担任摄政、关白的特权，从此置身于贵族社会顶点。这也就意味着其他家族跻身上流贵族的道路被堵塞，迫使这些家族的人作为中下层贵族在朝廷中寻找其他生活出路。他们往往在一些特定的专业技术部门，通过自己掌握的一技之长在朝廷中立足，久而久之，也成了世袭的官职，这些特定的“家”便成为从事朝廷公务的机构。如清原氏与中原氏包揽了属于太政官少纳言局的大外记（即秘书局）一职，其中中原氏的“局务家”之家职一直持续到江户时代。此外，诸如小槻氏的算道，贺茂氏的历道，安倍氏的阴阳道，和气氏、丹波氏的医道等都是世代相承为官，别人无法染指。这种把官职和“家”相结合的制度被日本学者称为“官司请负制”[②]，“请负”即“承包”之意，即由特定的家族世袭的担任特定官职，特定家族世袭地运营特定的官厅，实际就是官职家业化、世袭化，在 10 到 11 世纪间已经初步形成。

进入武家社会，尽管公卿贵族逐渐失去往日的辉煌，但“家”制却走向成熟，并形成了贵族内部严格的等级区分，这种等级区分被称为“家格”。按照地位高低的顺序，依次分摄关家 5 家，亦称“五摄家”；清华家 9 家；大臣家 3 家；羽林家 66 家；名家 28 家；半家 26 家。家格是贵族社会

① 太政官：主管中务省、式部省、民部省、治部省、兵部省、刑部省、大藏省、宫内省的最高机关。设长官（左大臣、右大臣、内大臣）、次官（大纳言、中纳言、参议）、判官（少纳言、左大弁、左中弁、左少弁、右中弁、右少弁）、主典（大外记、少外记、大史、少史）等四种官职。

② 佐藤進一：《日本の中世国家》，岩波書店，2007 年，第 27 頁。

任官的依据，如担任太政大臣及任近卫大将的家族必须出自清华家；大臣家能任大纳言并升官至左右大臣；羽林家可官至参议、大纳言，并可兼任近卫中将、少将；名家可经侍从、辨官、藏人头而升任大纳言等，各个等级不可逾越。这些贵族在明治维新以后，均被列为华族，并被授予公爵（摄关家）、侯爵（清华家）、伯爵、子爵（其他三种家格）。

从上述可以看出，贵族的“家”与以一对夫妇为中心的家是不同的概念。它虽然也以血缘为纽带，但从一开始就是以官位、官职及运营为其主要机能的“公”的机构。毫无疑问，它也具有冠婚嫁娶、生儿育女的家庭的“私”的机能，但与其“公”的机能相比，这种“私”的功能是居从属地位的。在这种情况下，贵族的继承就更重视家职的延续。“继嗣令”规定三位以上贵族的继承实行嫡子相承，据此规定，贵族家庭嫡子以外男子的出路或是去别人家当养子，或者出家做和尚，①而不许另建新家。贵族的以家业为中心、实行长子单独继承、注重纵式延续的“家”制度对后来武家社会产生了很大影响。因为有这样的制度约束，在日本提到贵族，必有特定所指，且数量有限。在 1869 年被列入华族的有公家华族 137 家，其数量远远少于武家的大名华族（270 家）。

（四）贵族的教养

说到贵族的教养，人们一般会将关注的目光集中到欧洲贵族身上。而若从传承之久远、文化之厚重方面来考察，东方国家日本的贵族丝毫不逊于欧洲的贵族。当欧洲的贵族还蜗居在中世纪乡野的城堡，粗鲁不堪，只关心养狗、骑马、打猎的时候，日本的贵族已经在教养方面领民众之先，创造了灿烂的贵族文化。

人们往往会认为，不论哪个国家、哪个时代的贵族，都不事劳动，过

① 田端泰子：“古代、中世的家と家族”，塚本学等：《日本歴史民俗論集・3 家、親族の生活文化》，吉川弘文館，1993 年，第 20 頁。

着优裕的生活，所以有余暇和精力去舞文弄墨，写诗作赋，弹琴唱歌，游山玩水，追求高雅，其教养肯定高于终日为衣食温饱而劳碌的普通大众。其实，这些理解有一定道理，但也有失片面。在一定意义上说，教养与其生活状况有直接关系，如良好的教养首先得益于良好的教育，这就受经济条件的制约。而日本古代贵族的教养之形成首先来自身份制度下自我意识的完善，即作为上流阶层而存在，时时事事要显示出与这一阶层相符合的行为规范及生活情趣。即使多数贵族并不像藤原氏那样权倾朝野，财富充盈，且到幕府时代生活潦倒，但他们依然警诫自己不能失去贵族的品格和修养。因此，经过律令时代数百年的陶冶，以知性、高雅为特征的贵族教养得以形成，并影响了社会大众，与整个历史相伴始终。

贵族的教养首先来自教育。大和时代，日本几乎是文化沙漠，大陆移民中的文化人承担了文化传播与传承的任务，也因其文化素养而在朝廷中垄断了文书记录等工作。这对于当地贵族来说或许是一种刺激或动力，促使他们从掌握文字开始，学习中国的文学、经典、政治思想，到最后创造自己的文字和文学及文化。奈良时代是文化繁荣时代，大陆移民的地位逐渐降低，贵族的文化水平日益提高。通过派遣遣唐使及留学生、学问僧等到唐朝，直接与文人雅士交流，使贵族们加深了对文化知识的憧憬，很快表现出对教育的关注，他们尤其重视让自己的子弟具备符合贵族身份的文化、知识、礼仪、趣味与教养。由于荫位制度的存在，对于贵族来说，不进大学寮学习，不参加科举考试照样可以叙位任官，因此大学寮中枯燥的学习难以引起贵族子弟足够的学习兴趣，实际上当时的贵族更热衷于对子弟从幼小的时候开始进行家庭教育，后来贵族们开办的私人教育机构——如弘文院、劝学馆、文章院的人气甚至远远超过了大学寮。

在古代日本，由于没有科举制束缚，贵族的教育表现出很强的实用性。在文学修养方面，晦涩难懂的儒家经典似乎并没有引起贵族们的多大兴趣，人们却以会写汉诗为荣，应诏侍宴、迎接外国使节、贵族聚会等朝廷际会场合都要赋诗，因此从天皇、皇族成员到贵族、僧人，涌现出许多造诣颇深的汉诗人。在汉诗文的影响下，和歌也有了迅速发展。在当时，赋汉诗，咏和歌在贵族中蔚然成风，一个贵族男子如不具备汉诗和歌的基本素养则难登大雅之堂。在个人兴趣方面，贵族们竞相追求高雅，涉猎各种学问与艺术，还要培养书道、绘画、抚琴、吹笛等雅趣，以在朝廷生活中独树一帜。在礼仪方面，由于受唐代制度、文化影响，在朝廷与宫中乃至各种社交场合，形成了严格而烦琐的礼仪规范，如何保持作为贵族的体面，不失身份，在当时是颇为重要的事情，因此就有了专门研究和介绍各种朝廷官员行事与礼仪、装束、典故等方面规范的学问(亦称"有职故实")的发达，源高明的《西宫记》、藤原公任的《北山抄》、大江匡房的《江家次第》三书，成了礼仪方面的必读书，还出现了以此为家业的贵族家庭。[①] 作为贵族的一员，在朝廷内外的出言进退、行为举止、衣着打扮等方面都必须符合贵族的礼仪和规范。例如，书信往来在当时是重要的社交手段，要措辞得体、不能随便应付，由此，便有了专门教人写信的教科书《明衡往来》。《明衡往来》的作者是历任文章博士、大学头、东宫学士等职的贵族学者藤原明衡(989—1066)，他以收集到的贵族之间的信件为范本，教授贵族子弟在正确的遣词造句中，表现贵族的礼仪与优雅。正因为《明衡往来》具有强烈的贵族性与实用性，才使得它成为启蒙教材的典范，并广为流传。

贵族社会在注重男子教养的同时，也未忽视女子的教养。在文化繁荣的奈良、平安时代，贵族们为了争权夺利，不惜以女儿作为攀附权势的工具，让女子具备一定的才学以增加其身价。在这种动机之下，贵族社会内形成让女孩子从小接受教育的传统。只不过贵族女子不能像男子一样进入大学、国学及私人教育机构接受教育，贵族家庭多由其母或祖母担任教师的角色，或聘请教师到家里来授课，在教其修身、礼法的同

① 如以"有职故实"为家职的有德大寺家(九条流)、大炊御门家(御堂流)等。

时，学习各种技艺，以培养温顺贤淑的女性为目标。贵族偏重女才的教育促进了这一时期上流社会女子在政治、文艺、宗教等各方面都很活跃的景象。除了出现多名女天皇之外，也涌现出不少像紫式部、清少纳言、赤染卫门等极富才华的名门闺秀。除此之外，公家女子所处的日常生活环境有着浓厚的文化氛围，很多贵族家学发达，贵族家的女子从小在装束、仪态到举手投足方面受到严格的规范，家庭环境的耳濡目染，使她们自然而然地受到贵族文化的熏陶。由于贵族女子独特的气质且具有教养，在贵族势力衰落的幕府时代，她们的婚姻对象不只局限在公家内部，就连幕府将军及地方大名都纷纷迎娶贵族女子为妻或侧室，她们在子女教养的培养，传播贵族文化方面是有贡献的。

由于贵族在平安时代已经形成重教育、重教养的传统，进入幕府时代，公家贵族不再像奈良、平安时代那样荣耀，生活也大多陷入拮据。在这种情况下，不少公卿家庭只好依靠世传家业补贴家用，如冷泉家的和歌、五条家的相扑，飞鸟井、难波两家的蹴鞠，大炊御门家的书道，四条家的料理，高仓家与山科家的衣纹（专司公家装束的流派），园家、植松家的插花，甘露寺家的吹笛，西园寺家的琵琶，锦小路家的医道等等，各家分别成为各领域的“宗家”。大概正是由于这些“宗家”的存在，为了维护他们存在的必要性，日本逐渐形成了一个习惯，即任何知识不经传授都是不正确的。这一习惯一方面让贵族们在传道授业中获取一些收入以维持生活，同时给贫困潦倒的皇室与公家保留了仅有的文化权威，在中世武家统治的文化黑暗年代传承了传统文化，始终保持着令武家羡慕的文化优势，在不经意中使各种文化以家业的形式世代传承，对于传统文化的延续与发展发挥了不可忽视的作用。可以说日本的贵族在文化传承上的意义要大于其执掌政权的意义。

结语

日本自古就有贵族传统，从古代豪族到律令贵族，再到幕府军事贵族，尽管体制不同、功能不同，但实行贵族统治是相同的。大化改新后打破旧有豪族专权，模仿唐制建立的官僚体系，是对贵族制度的否定，而这种官僚体系在与贵族传统的博弈中最终败下阵来，并让位于幕府军事贵族。尽管贵族社会的黄金时代并不长，但贵族社会的一些制度影响到武家军事贵族，贵族始终保持着令武家为之羡慕的文化。贵族社会的学问与教养已经形成一种文化底蕴，根植于日本传统社会当中，成为一种潜移默化的因素影响着日本历史的进程。

三　日本古代贵族制社会结构

日本是不崇尚革命的国家，古老的皇室延绵至今，贵族也曾经长期存在，直到二战后民主改革才被废除。尽管日本传统文化中有大量中国因素存在，但是不同历史时期由不同的贵族主宰历史，造成平民社会不发达，是古代日本与中国在社会结构方面的最大不同。这一特点导致中华制度文明传入日本后因缺乏社会基础而衰退，对日本历史进程及国民性的形成也有极其深刻的影响。当我们摆脱阶级斗争史学思维，客观地分析历史的时候，对贵族这一十分重要的社会阶层的存在，应当有深入的了解与认识。

（一）日本贵族的演变

关于贵族，有各种不同的定义。在英语中，Nobility 与 Aristocracy 都是“贵族”，但 Nobility 通常被解释为“属于社会中的一个阶层，这个阶层拥有优越于其他阶层的头衔”；Aristocracy 则是“Nobles 的统制团体，一个寡头的政治集团”或“构成和国家政权相关的特权阶层的人的集合体”。[①] 在日语中，贵族是“家柄（门第）与身份尊贵的人，以及社会上流持

① [美]乔纳森·德瓦尔德著、姜德福译：《欧洲贵族 1400—1800》，商务印书馆，2008 年，第 47 页。

有特权的阶级”①。我国《辞海》的解释是“奴隶社会、封建社会的统治阶级中享有政治、经济特权的阶层”②。综合各种解释，本人认为，贵族是具有特权的社会集团或曰社会阶层，贵族身份是由血统与门第决定的，贵族是世袭地存在的。中国西周时期的世卿世禄制度是贵族制度的典型。然而，贵族在中国历史上存在的时间太过短暂，在春秋战国时期的社会大变革中就已经瓦解。秦始皇建立的以皇帝为核心的中央集权制意味着贵族社会的终结。隋唐时期，兴科举，废九品中正制，又经过长期的战乱，彻底清算了魏晋南北朝以来短暂存在的门阀士族势力。科举制的实施保证了平民社会的相对平等性，普天之下所有人都是高高在上的“天子”的平等臣民。这样的制度在大化改新后被引进日本，但是很快就被放弃，其根本原因就是贵族势力过于强大，阻碍了皇权的发展。直到明治维新以前，日本的贵族历经了三个阶段的演变。

1. 大和时代的豪族

大和时代的豪族是日本历史上最早的贵族，其产生与日本历史发展进程有关。作为一个岛国，日本曾经长期徘徊于人类文明圈之外。从公元前 3 世纪起，以中国文化为中心的大陆文化的传入，缩短了日本列岛脱离蒙昧状态进入文明社会的进程，日本进入以水稻耕作和金属工具为代表的弥生文化时代，古代王权也在此时期诞生。发生于原始日本人脱离野蛮、进入文明社会转折时期的“弥生维新”③是比较突然的变革，原有的部落氏族势力并没有随着生产力的变化产生充分的分化与瓦解，早期王权还是一个松散的部落联盟。公元 4 世纪末至 6 世纪，当今皇室的祖先——大和地区的倭王家势力崛起，经过“东征毛人五十五国，西服众夷六十六国，渡平海北九十五国”④，统一了日本列岛，确立了倭王家在诸部

---

① 日本大辞典刊行会:《日本国語大辞典》第 5 巻，小学館，1993 年，第 597 頁。
② 辞书编辑委员会:《辞海》，上海人民出版社，2009 年，第 790－791 页。
③ 王金林:《汉唐文化与古代日本文化》，天津人民出版社，1996 年，第 1 页。
④ 沈约:《宋书》卷 97，《夷蛮传》，中华书局，1974 年，第 2 395 页。

落豪族中的领导地位。但诸豪族在大和政权中仍然举足轻重，连天皇最初也只称大君（おおきみ），地位不过稍高于众多的君（君）而已，形成一尊之局、被称为“天皇”则是在7世纪初期的事情。[①] 中国史书《宋书》记载，438年，倭王珍（应为倭五王中的反正天皇）遣使奉献，要求宋文帝授予其“都督倭百济新罗任那秦韩慕韩六国诸军事、安东大将军、倭国王”称号，同时又求授予倭隋等13人平西、征虏、冠军、辅国将军号。[②] 被中国皇帝授予平西、征虏、冠军、辅国将军号的倭隋等13人一定是大和王权内与大王关系密切的豪族，或者是握有军权的高官。这些豪族既有传统的部族首领身份，又在朝廷世袭地担任“大臣”“大连”等要职，成为大和国家的氏姓贵族。他们从经济上极力扩充实力，在5世纪末期的雄略天皇时代就已经“民部广大，充盈于国”[③]。到7世纪中期，“其臣连等伴造国造，各置己民，恣情驱使，又割国县山海、林野、池田，以为己财，争战不已，或者兼并数万顷田，或者全无容针少地。进调赋时，其臣连伴造等，先自收敛，然后分进。修治宫殿，筑造陵园，各率己民，随事而作”[④]。在政治上，有的豪族的强大程度竟至可以与皇权分庭抗礼。最典型的就是苏我氏，其祖孙四代（苏我稻目、苏我马子、苏我虾夷、苏我入鹿）从6世纪前期到7世纪中期一直是朝廷重臣，他们“自执国政，威胜于父”[⑤]，暗杀他们不喜欢的皇子和不甘服从其控制的天皇，僭越臣下身份“为八佾之舞”，又“尽发举国之民并百八十部曲，预造双墓”“专擅国政，多行无礼”[⑥]，引起皇室成员的极大反感。于是就有了645年诛杀目无皇室、权倾朝廷的豪族苏我氏的“乙巳之变”。

---

① 608年，推古天皇派遣使臣到隋朝所携国书中写道：“东天皇敬白西皇帝”，首次使用“天皇”称谓。本书为叙述方便，对此前的大王亦称“天皇”。

② 沈约：《宋书》卷97，《夷蛮传》，第2 395页。

③ 坂本太郎等校注：《日本書紀》上，雄略天皇二十三年八月条，岩波書店，1993年，第501頁。

④ 坂本太郎等校注：《日本書紀》下，孝德天皇大化元年九月条，第279頁。

⑤ 坂本太郎等校注：《日本書紀》下，皇极天皇元年春正月条，第237頁。

⑥ 坂本太郎等校注：《日本書紀》下，皇极天皇元年是岁条，第245頁。

2. 律令时代的公家贵族

“乙巳之变”消灭了苏我氏宗家，其深远的意义更在于沉重打击了豪族势力。从大化改新到奈良时代，以天武天皇、元明天皇等为代表的皇室与朝廷实施了一系列加强皇权、建立中央集权制度的改革，并颁布律令，确立了律令国家体制。然而，在此过程中，贵族传统并没有被摧毁，只不过是由新贵族取代了旧豪族，并在律令官僚体制下成长为制度化社会阶层，其地位仅次于皇族。所谓制度化，首先是贵族有了明确的法律定义及范围，在《大宝律令》和《养老律令》确定的官位体系中，除了授予亲王（天皇的儿子及兄弟，天皇的女儿及姐妹称内亲王）一品至四品外，还有授予诸王（皇族中从二世以下至四世的王）、诸臣的位阶，从正一位到少初位下共计三十阶。在这一官僚集团中，三位以上称“贵”，四位、五位称“通贵”[①]，即贵族的界定为五位以上者。其次，颁布“衣服令”，模仿唐朝制度确立了贵族的礼服、朝服、制服，不同位阶者在不同的场合有不同的着装，以此作为贵族的外在标志。再次，实施“官位相当制”。“官位令”规定：“凡位有贵贱，官有高下，阶贵则职高，位贱则任下，官位相当，各有等差。”[②]律令国家任官的原则是“准量爵位之贵贱，补任官职之高下”[③]。又次，赋予贵族经济特权，所有五位以上官员都有位田、季禄、位分资人（在贵族府第中担任护卫和勤杂事务的侍从及侍卫，一般由六位以下的有位者担任），四、五位官员有位禄；三位以上有位封、职田、职封、职分资人。最后，赋予贵族荫位特权，其子弟年满 21 岁（通常的叙位年龄是 25 岁以上）即可根据父祖恩荫获得官位，一位之嫡子荫从五位下，从五位之嫡子荫从八位上，[④]这就从制度上保证了贵族的世袭化，形成“五位以上子孙，历代相袭，冠盖相望”的局面。[⑤] 这种制度堵塞了下层官

---

① 井上光贞等校注：《日本思想史大系・3・律令》，岩波書店，1976 年，第 126 頁。

②《令集解》官位令，黒板勝美編：《新訂增補国史大系・23 卷》，吉川弘文館，1943 年，第 3 頁。

③《令集解》官位令，黒板勝美編：《新訂增補国史大系・23 卷》，第 3－4 頁。

④ 井上光贞等校注：《日本思想史大系・3・律令》，第 280 頁。

⑤《令集解》官位令，黒板勝美編：《新訂增補国史大系・23 卷》，第 14 頁。

僚上升的管道，据统计，奈良时代 74 年时间里，三位以上高官共有 112 人，其中只有 7 人是直、首等卑姓氏族家庭出身者。① 到 9 世纪末期，“只有儒后儒孙，相承父祖之业。不依门风，偶攀仙桂者，不过四五人而已”②。

上述制度为朝廷官僚贵族化、世袭化铺平了道路。平安时代前期，律令国家的政权核心已经缩小到源、平、藤、橘等几大氏族，只有三位以上者才能担任公卿成为定制，③且担当公卿的家族也趋于固定。至 9 世纪晚期，朝政基本上被置身贵族社会顶点的藤原氏垄断，其他贵族及中下级官僚向上升进几无可能，使通过考试选官的科举制度在日本短暂存在后便无疾而终。

3. 幕府时代的军事贵族

平安时代后期一人之下万人之上的藤原氏摄关政治必然与皇权发生矛盾。可以说藤原化专权，是大和时代苏我氏专权的历史重演。律令官僚制的最大后果就是让拥有文化修养的贵族彻底远离了武装，这就导致他们面临咄咄逼人的武士对权力的觊觎，成为手下败将只是时间问题。平安时代末期，欠缺武力支撑的天皇与外戚在政争中两败俱伤，两大武士集团——源氏与平氏乘机扩充了势力，插手朝廷事务。最终源氏战胜了平氏，在镰仓建立了武家政权，让大化改新以来建立的天皇制中央集权体制形同虚设，军事贵族——武士成为此后近 700 年日本政治舞台的主角。

由于幕府的建立，日本历史上“武家”与“公家”这两大政治势力对立格局就此产生。从实质上来说，武家本身也具有贵族属性，而且幕府时

---

① 滝川政次郎：《日本社会史》，刀江書院，1929 年，第 51 - 52 頁。“直”是大和时代氏姓制度中赐予地方首领国造的姓，“首”是赐予村落首长的姓。

② 《类聚符宣抄》卷 9，《方略试》承平五年（935 年）八月二十五日条，见黒板勝美编：《新訂増補国史大系・7 卷・类聚符宣抄》，吉川弘文館，1936 年，第 249 頁。

③ 公卿，律令官制最高官职的太政大臣、左大臣、右大臣（公）与令外官的大纳言、中纳言、参议（卿）的总称。

代的军事贵族与律令时代的公家贵族在渊源上有着密切的联系，也可以说幕府军事贵族是律令时代贵族制度的副产物。建立镰仓幕府的源氏本身就是皇族出身，直接起源于天皇将皇子赐姓“朝臣”①后降为臣籍的制度。根据“继嗣令”的规定，皇室的范围除天皇、皇兄弟之外，只限于皇子、皇孙、皇曾孙、皇玄孙四世之内，五世孙只有皇名，但不在皇亲之列。嵯峨天皇（809—823 年在位）时期，由于财政困难，且皇子女众多，遂将多名皇子赐以源姓后降为臣籍，这就是源氏的由来。此后，又有 21 位天皇赐过源姓，其中最为显赫的是清和源氏，是清和天皇（858—876 年在位）赐予其孙源经基的，后成为清和源氏的始祖。在嵯峨天皇赐姓源氏之前，也有桓武天皇（781—806 年在位）赐其孙高栋王平姓，后为桓武平氏的始祖，其后也有几代天皇对各自的皇孙赐平姓。源、平二氏这两大武士集团的首领不仅有贵族的渊源，也有皇室的渊源，所以拥有强大的号召力和影响力，在各地有无数武士拥趸。

从 9 世纪开始，藤原氏的势力逐渐占据优势，在中央政府不得志的贵族势力（包括皇族的子孙）及藤原氏的旁系势力，大多作为国司等地方官下到地方。他们在担任地方国司任职期满后，继续留在地方，作为国司的副职或庄园的管理人，逐渐“土著化”，许多人成为地方的武士。这些人既有军事头衔，又有贵族的地位和声望，地方豪族无法与其匹敌。由于日本人特别看重世袭的权力，在依靠武力称雄的乱世，没有什么人比皇族与贵族的后代更有威信，因此，就出现了一个奇特现象——历代幕府将军都想方设法架空皇室与朝廷，却无不标榜自己是源氏出身，并自称“朝臣”。

与本来就出自皇族及贵族的武家“栋梁”们相比，大多数武士从最初的上层农民（在乡领主）蜕变为贵族，经历了很长时间。尽管武士从镰仓

① 朝臣，标志贵族等级的“姓”之一。始自 684 年天武天皇对贵族赐姓，“朝臣”主要赐予大贵族，地位仅次于“真人”（赐给历代天皇后裔）。平安时代起，“真人”姓衰落，“朝臣”居人臣中最高位。

幕府开始就建立了自己的统治，但是直到战国时代，武士与农民的身份实际上并没有严格区分，而是混杂居住在农村。武士处于半农半兵状态，战时出征作战，归则下田农耕。一些大名也对领内农民进行武装，如越后大名上杉辉虎要求领内所有百姓都要随身携带长矛、绳、铊（砍刀）、锹四种器物，[①]除了锹之外，其他几种都有武器的功能。在地领主、地侍[②]等农村上层在进行农业经营时往往也为大名承担军役，有战事时率必要的人力、马匹、武器参战，或从事物资搬运、构筑工事，等等。如果战事激化，甚至会在领国内进行总动员。这种兵农不分的制度带来的最大影响是武士可以依靠自己的土地生存，从而影响了全心全意对主人尽忠。同时，农民持有武器，增加了社会的不安定因素，室町时代后期屡屡出现的百姓"一揆"让幕府和大名们烦恼不尽。鉴于社会秩序混乱的现实及建立常备军的必要性日益明显，丰臣秀吉在基本结束了战国时代的混乱局面之后，首先于 1588 年发布"刀狩令"，没收农民手中的武器，接着又颁布"身份统制令"（1591 年），禁止武士向农民或工商业者转变；禁止农民弃田不耕，从事工商业。[③] 这是日本历史上第一次以法令形式固定了武士与农民、町人的身份和职业，明确了士农工商的区别，实现了兵农分离、农商分离、士商分离，意味着真正意义的脱离生产的武士的出现，兵农分离的实施是武家社会史上具有重要意义的变革。德川幕府建立后继续推行兵农分离政策，对丰臣时代以来已经在城下町居住的武士实行俸禄制度，从而彻底割断了城居的武士与土地的联系，武士要想得到并保住这份俸禄，唯有全心全意向主人尽各种奉公的义务。在德川时代近 270 年里，不到人口一成的武士作为位居农工商之上的"三民之长"，成为地地道道的职业化的军事贵族。

---

① 藏並省自:《日本近世史》，三和书房，1972 年，第 28 頁。

② 室町、战国时代有实力的农民，因与大名或领主结成主从关系而获得"侍"的身份，因不离开居住的村落而称之。

③ 大久保利謙等編:《史料による日本の歩み》近世編，吉川弘文館，1955 年，第 40 頁。

考察日本历史，可见日本古代社会与贵族制度相伴始终，其社会结构始终呈明显的变动状态。日本曾经极力模仿中国的中央集权制度，是建立在皇权—士大夫官僚—农民这样的社会结构之上的，历史上多次大规模农民起义，推动频频改朝换代，却始终没有改变中国大一统的政治格局。而日本历史上尽管存在皇权，但政治的主体却是不同时期、不同形态的贵族集团，社会矛盾基本上是在统治集团之间（上至皇室、贵族、将军，下到大名及其家臣）展开的，统治阶级内部的矛盾是日本古代社会矛盾的主线。尤其是在武家秉政的幕府时代，社会动乱更是不同武士集团内部的争乱，福泽谕吉曾指出武家社会内动乱的本质，“我国的战争只是武士与武士之间的战争，而不是人民与人民之间的战争，是一家与另一家之间的战争，而不是国家与国家之间的战争”①。各种载于史册的“变”与“乱”，几乎都根源于统治阶级内部不同集团之间的矛盾，在不同时期表现为皇室之间的矛盾、皇室与贵族的矛盾、贵族之间的矛盾。如导致大化改新发生的“乙巳之乱”（645 年），其目的是削除豪族苏我氏的势力，是皇室与豪族的矛盾；号称古代史上最大规模内乱战争的“壬申之乱”（672 年），则出于大海人皇子在其兄天智天皇去世后与钦定的皇位继承人大友皇子争夺皇位，是皇室之间的矛盾；“保元之乱”（1156 年）因近卫天皇去世后皇位继承之争而起，并掺杂进摄关家的内斗，进而借助武家力量决定胜负，是统治阶级内部矛盾空前复杂的政变，打开了武士走上日本政治舞台的大门；“承久之乱”（1221 年）是后鸟羽上皇举兵讨幕，却失败并遭到镇压的兵乱，是公武双方的矛盾；“应仁之乱”（1467 年）因室町幕府第八代将军足利义政继嗣之争等原因引起，最终酿成长达 10 年并波及全国的大规模战乱，结局是幕府与守护大名的势力被削弱，战国大名乘机崛起。诸如此类，“变”与“乱”的主角几乎都是皇室成员或各种身份的贵族。这种矛盾爆发时虽具有很大破坏性，但因参与其中的人

① 福泽谕吉著、北京编译社译：《文明论概略》，商务印书馆，1990 年，第 139 页。

员并非广大民众，其利益诉求也大多在于贵族内部争权夺势，故其破坏性相对有限，不至于酿成大规模的、无法控制的社会动乱。在这种社会结构内，“在统治者与被统治者之间，就好像筑起一道高墙，断绝了关系”，“在两家武士作战时，人民只是袖手旁观”①，阶级矛盾始终被包容在统治集团内部的矛盾对立中而得不到凸显，农民反抗压迫的斗争不过是反对庄官、地头，充其量是大名领主的地方官，难以构成对统治者的正面威胁。就像福泽谕吉所说的“在胜负已定战争结束时，人民也只看到战乱平息庄头更换，既不以胜为荣，也不以败为耻，人民所感激和欢迎的只是新庄头放宽政令，减少田赋”②。所以，江户时代尽管有大小约 3 000 件的百姓“一揆”发生，③但因其分散、规模小而没有妨碍史家将江户时代视为“太平之世”。不曾存在像中国历史上经常发生的那种大规模的、暴力的、破坏性极强的阶级对抗，这是日本经济建设有相对和平的环境，文化传承不曾中断的重要社会原因。

（二）贵族制度的影响——强权架空皇权

由于不同时期贵族的强力存在，在日本历史的大部分时间里，天皇在国家的政治体制中被置于无足轻重的地位。如前所述，在大和时代，倭王家原本也是列岛内众多豪族中的一员，随着其势力的增强而成为日本列岛的霸主，建立了大和政权。但是大和政权的权力并没有确立其神圣性与权威性，它一直面临着豪族的挑战。发生于 7 世纪中期的大化改新犹如一剂强心剂，使皇权在短时间内得到巩固。然而，天皇亲政的鼎盛时期仅仅局限在奈良时代，进入平安时代，伴随中央集权制的衰落，天皇与皇室的权威也渐趋下降。贵族藤原氏在圣武天皇时期突破皇后必须从内亲王中产生的传统与法律后，通过嫁女于天皇，自幼养育天皇成

① 福泽谕吉著，北京编译社译：《文明论概略》，第 139 页。

② 福泽谕吉著，北京编译社译：《文明论概略》，第 139 页。

③ 大石慎三郎等：《江户時代と近代化》，筑摩書房，1986 年，第 79 頁。

长等手段控制天皇，并作为人臣，逐渐垄断了太政大臣和摄政、关白职位，成为天皇的代理人，在长达近三个世纪的"藤原时代"独揽朝廷大权。在武家政权建立后，皇室、朝廷、公家面临着幕府的日益严重的挑战，天皇被彻底虚位。在"公武水火之世"的镰仓幕府时代，发动"承久之乱"(1221 年)与"建武中兴"(1333—1336)的天皇与皇室似还有一些与幕府抗争的实力，但其结果是两次旨在恢复皇权的抗争均归于失败，皇室都受到了严厉的惩罚，势力进一步受到削弱。不仅幕府将军藐视天皇与皇室，连一般的武将也明目张胆地讥讽天皇，如南北朝时期有一名叫高师直的武将就讲："京城有个王，虽有若干领地，在内里院有御所，其实不过是马下的从者。如果非有王不可的话，莫如以木头雕一个，或以金属铸一个，至于活着的王还是将他流放到远方去吧！"①战国时代，武士称雄，大名争霸，以武力决定胜负，天皇和皇室实际上已经没有任何实际权力，"天下的人心只知有武人而不知有王室，只知有关东而不知有京师"②。室町幕府将军自称"日本国王"，德川幕府将军以"日本国大君"作为正式外交称号就是其凌驾于天皇之上的最好诠释。

尽管天皇与皇室已经被排斥在权力中心之外，幕府仍然对皇室保持足够的戒心与监视，将其置于严格的控制之中。早在镰仓时期，幕府就在京都设立监视皇室与贵族的六波罗府。到德川时代，幕府对皇室的控制变本加厉，并将自室町时代以来就有的"武家传奏"③官职定制化，负责向幕府通报朝廷事务，实际是监控朝廷的手段。1615 年，德川幕府面向天皇、皇室及公家颁布"禁中及公家诸法度"，把干涉皇室、公家事务推向极致。其中明确规定"天子以艺能之事为第一学问"(第 1 条)，将天皇权力降至最小限度；还规定武家官位的任命权在幕府不在天皇(第 7 条)，

---

①《太平记》，转引自家永三郎：《日本道德思想史》，岩波書店，1961 年，第 98 頁。

② 福泽谕吉著、北京编译社译：《文明论概略》，第 55 页。

③ 武家传奏：从室町时代开始至江户时代于朝廷内设置的负责向幕府通报朝廷事务的官职。江户时代定员 2 名，地位仅次于关白，由大纳言级公卿担任，其任命要得到幕府的许可。

把天皇在名义上的官吏任命权也没收了；干涉朝廷官吏任免，“虽为摄家，但无器用者，不得任三公摄关”（第 4 条），“有器用者，虽年老，不得辞三公摄关”（第 5 条）；连天皇及朝廷官员的服饰都做了详细的规定（第 9 条）；仅仅保留了天皇更改年号的权利，“改元取汉朝年号之好例定之”（第 8 条）；在各项规定之外，还有一条具有威慑性，“关白、传奏、奉行职等宣告之事，堂上堂下之辈，若有相背者，处流刑”（第 11 条），即如有违反幕府规定者，要予以处罚。① 理论上说，幕府本来是朝廷政权的一部分，只有专司军事的机能，而没有立法权。不论是镰仓幕府的《贞永式目》，还是室町幕府的《建武式目》，都不过是用于武家社会内的约束，不是国家的法律，国家法律只能由朝廷来制定。德川将军以法令的形式来限制天皇的权力是史无前例的犯上行为，令皇室威信尽失。天皇和皇室的生活也受到幕府的严格限制，被禁锢在京都的深宫中长期与世隔绝。德川幕府时期西国大名在参觐交代之际路过京都时，不许进入京都市内，只能从伏见经山科、大津绕道而行。以至于在“王政复古”后的 1868 年 9 月，明治天皇率领文武百官“东幸”江户途中，因初次见到大海的巨浪而惊异不已。

与政治上的无权俱来的是经济上的潦倒。在中央集权制强大的奈良时代，作为国家的最高权威，天皇掌握着大量皇室领地及财富。随着皇权衰落，皇室的经济地位也开始下降，不过，直到南北朝之前，皇室还有各种名目的领地，生活尚有保证。从南北朝时期起，幕府、大名、武士愈加不把天皇放在眼里，并肆意侵吞皇室的领地。例如皇室领地中著名的“长讲堂领”（为后白河天皇在居所六条殿内建立的读经堂，为此给予庞大的庄园及领地）在镰仓时代初期还有 200 多处，到室町时代就剩下 20 处了，而且能够确保的年贡很少。② 到室町时代末期，皇室的领地收入只剩下 3 000 石左右。战国时代，天下大乱，诸国疲惫，天皇与皇室更

① 大久保利謙等編:《史料による日本の歩み》近世編，第 75－76 頁。

② 皇室事典編辑委员会:《皇室事典》，角川学芸，2009 年，第 100 頁。

是无人问津，皇室经济处于前所未有的窘困之中。1500年9月28日，后土御门天皇去世，因无钱举行葬礼，其尸体一直放置到11月11日才草草下葬。后继的后柏原天皇（1500—1526年在位）的即位大典也因经济拮据，一直拖到21年后的1521年才举行。后柏原天皇的皇子知仁亲王践祚，为举行即位大典不得不向全国大名募捐，最后还是后北条、大内、今川等几位大名出了钱，直到十年后才得以正式即位为后奈良天皇（1526—1557年在位）。这位后奈良天皇生活贫困到卖字画补贴生活。他去世后，其子方仁亲王践祚为正亲町天皇（1557—1586年在位），拖了三年未举行即位礼。战国大名毛利元就拨了一笔款子，才让正亲町天皇的即位礼得以举行。作为回报，正亲町天皇特授毛利元就从五位下的位阶和右马头的官职，并允许毛利家使用皇室的菊花章做家纹。由于皇室经济拮据，与天皇即位不可分割的大尝会①也从后土御门天皇（1464—1500年在位）起到东山天皇（在位1687—1709）这近两个半世纪里不得不中止，天皇立后仪式也从南北朝时期不再举行。②

到丰臣秀吉时期，为树立自己在诸大名中的威望，有了一些对天皇与皇室示好的举动，如恢复一些因经费问题停止已久的仪式，划拨7 000石领地归皇室等等，让皇室生活有所好转。德川家康在取得关原之战胜利后，立即于1601年将1万石领地作为“禁里御料”进献给当时的后阳成天皇，这一举动或许是为自己建立幕府做准备，以保证自己地位的合法性。随着幕藩体制的稳固，幕府对公家与皇室实施了有效的控制，偶尔也有将军对皇室有所“奉献”。1623年，借幕府第二代将军德川秀忠的女儿和子成为后水尾天皇的女御（后晋升为中宫即皇后），又向朝廷进献1万石。此后，第五代将军德川纲吉再向朝廷进献1万石，皇室的生活稍有改善。尽管如此，直到幕末，皇室只有“禁里御料”3万石，加上上皇的

---

① 天皇即位后的第一次新尝祭。是天皇即位仪式的重要部分，也称“践祚大尝祭”。

② 奥野高広：《皇室御経済史研究》后篇，国書刊行会，1944年，第190-197頁。

"仙洞御料"1万石,仅相当于一个不起眼的小大名,而且皇室的"禁里御料"要由幕府的代官支配。堂堂一国之君,竟沦落成幕府的食客。

在日本古代史上,天皇亲政的历史不过200年。尤其在幕府时代,天皇已经失去对国家的控制权,政治上无权,经济上窘困,任何一代幕府将军若取代天皇乃易如反掌。但是他们却并未触动过天皇"万世一系"的根基,相反,却无一例外借助天皇的权威以证实自己存在的合法性。之所以如此,其根本原因在于在战乱横生的时代,某种精神权威是十分必要的,具有古老而神秘外衣的天皇便成为幕府将军权威的源泉。不仅历代幕府将军都要从天皇那里得到"征夷大将军"的任命,地方大名也非常渴望获得朝廷的官位,借以提高自己的地位。在权威和权力隔离的同时,两者还保持着政治上的关联。所以,天皇即使是虚君,也一直作为最高家长居于日本社会的顶端。在日本历史的绝大多数场合下,天皇不是作为权力的代表,而是作为最高权威的象征性存在。直到幕末"大政奉还",天皇才从"云上"走向民间,重新回归政治中心。

综上所述,天皇制的兴衰与贵族势力的消长相辅相成,是日本古代史的基本特点之一。自日本古代国家形成到明治维新,不同历史阶段的贵族——大和时代的豪族、律令时代的公家贵族、武家社会的军事贵族居于政权的核心,使天皇制自古就具有了"象征"意义。并非一脉相承的三个阶段的贵族有一个共同特点,即实行强权统治。从这个意义上说,幕府时代以武力为基础的军事贵族更接近于古代的豪族,而在律令官僚制度下成长起来的文官贵族受中国文化的熏陶趋于文弱,这并非日本贵族的本来面貌。平安时代后期律令贵族的衰落及幕府军事贵族的崛起乃是贵族向武力、强权统治的回归,因此日本学者称以武艺和战争为职业的武士的出现是氏族社会尚武精神的"复活"与"古代氏族制度的复活"。①

① 村岡典嗣:《日本思想史概説》,創文社,1977年,第334頁;豊田武:《武士団と村落》,吉川弘文館,1963年,第15頁。

（三）贵族制度的社会史意义

在“以阶级斗争为纲”的年代，贵族是没落与反动的代名词，国人对于贵族（尤其是日本的贵族）这一概念，也有许多误读：对贵族的理解发生偏差，把贵族等同于拥有财富的“大款”，即不富不贵；只知欧洲有贵族，而不知亚洲国家日本的贵族在传承之久远、文化之厚重方面并不亚于欧洲的贵族；公家贵族在近七百年的幕府统治中濒于衰落，其作用与影响被军事贵族——武士遮掩掉了；由于武家是黩武之人，被从贵族队伍中排除出去了。诸多误解，归根结底是在没有贵族传统的社会环境里，人们无法正确认知什么是贵族。如果对日本历史进行深入考察，会发现这个重要社会阶层的存在对日本历史发展进程及日本国民性的形成具有非常重要的意义。

1. 贵族是身份制社会的产物

严格的身份制度的存在，是日本古代史的基本特点之一，而且身份制度是与等级制度紧密结合在一起的。身份制度是把某些人群置于与生俱来的职业的、社会的地位，并从法律上加以固定的一种普遍的社会秩序。身份一旦固定，便世袭传承，无法改变。而身份制社会内的秩序要依靠等级制度来维持，等级制度是对所有人或团体划分尊卑等差，各个等级权利不平等，下层等级人数众多，受到人数较少的上层等级的统治和管辖，权力掌握在少部分人手中。不平等是身份制度与等级制度的共同之处，而身份制度侧重于职业上的地位差别，等级制度则通过政治、经济上权利与义务的多寡表现出来，这是两种制度的区别。日本是拥有深厚的身份、等级传统的国家，且历史久远。

公元 2—3 世纪邪马台国即已经存在明显的身份区别——由大人、下户构成的自由人身份和由奴婢、生口构成的非自由人身份，而“大人”

与“下户”之分则体现出自由人身份中的尊卑等级。[①] 到大和时代，社会的基本身份是由氏上代表的氏人阶层与部民阶层。在氏人阶层，又通过大王（天皇）颁赐的各种“姓”，表示其等级的高低及地位的尊卑。大化改新之际，解放了部民，并模仿唐朝制度，在国家政权的顶点——天皇与皇室之下，把人们的身份分为良民与贱民两大类，[②]良贱之间不可逾越。良民身份中有若干等级区别，即有位的官人（包括五位以上贵族及六位以下百官）和无位的公民，但随着五位以上贵族的世袭化，本来在良民身份中五位以上贵族与其他下级官员及普通百姓之间的等级差别也变成了不可改变的身份差别。进入武家社会，随着武士这一新身份的出现，原本良贱两大身份发展为公家—武家—平民—贱民这样的身份序列。德川幕府在建立幕藩体制的同时，将社会整合为士农工商四种身份，这显然是吸收了中国的制度。但中国历史上的士农工商只是四种职业，“非无贫富、贵贱之差，但升沉不定，流转相通，对立之势不成，斯不谓之阶级社会耳”[③]。“四民”之间不仅没有阶级对立，而且每个“民”都不是铁板一块，可以发生流动与互相转换。日本的“四民”则被从政治制度和法律上加以固定化，形成以职业划分为表象的身份制度，如儒学者雨森芳洲所言，“人有四等，曰士农工商。士以上劳心，农以下劳力。劳心者在上。劳力者在下。劳心者心广而志大虑远，劳力自保而已。颠倒则天下小则不平，大则乱矣”[④]，各种身份世袭传承，人们的后天努力与地位变迁没有联系。福泽谕吉批判这种社会现状时说：“不但身份上有士农工商之别，而且在士族中还有世禄世官的，甚至像儒官、医师等还要世袭其业不得改变，农民也各有不同家世，商工业也有固定的股份。这种界限，简直像

① 陈寿撰，裴松之注：《三国志》卷30，《东夷传》，中华书局，1982年，第856页。

② 贱民包括陵户、官户、家人、官奴婢、私奴婢，统称“五色之贱”，占当时人口一成左右，参看原田伴彦：《被差別部落の歴史》，朝日新聞社，1973年，第41頁。

③ 梁漱溟：《乡村建设理论》，载《梁漱溟全集》第2卷，山东人民出版社，1990年，第171页。

④ 雨森芳洲：《橘窗茶話》，日本随筆大成編輯部：《日本随筆大成》第7卷，吉川弘文館，1974年，第367頁。

铜墙铁壁，任何力量也无法摧毁。人们纵然才气十足，但因没有机会发挥所长，只好退一步苟全性命了。"①

在身份制社会内，不仅不同身份的人权利、义务不同，即使在同一身份的人群中间，也存在明显的尊卑、贫富等差，因此在以身份制度维持社会秩序的同时，也要维持身份制内部的秩序，等级制度由此应运而生。公家贵族内首创标志贵族等级的家格，从平安时代末期到镰仓时代固定为摄关家、清华家、大臣家、羽林家、名家、半家等六个等级，确定家格的依据是血统、家系及与皇室、朝廷的亲疏关系。家格是不可改变的，且世袭地存在，由此产生了日本独具特色的制度——"极位极官"，即某家某人能够担任的最高官位和官职。在这种制度的约束下，出生于低级家格的人，即使再有才能，也不能妄想得到高位、高官。这种情况曾受到批评，如关白二条良基（1320—1388）在其《百寮训要抄》中说："延喜天历（10 世纪前期）以前取贤才登庸，村上円融天皇（10 世纪中期）以后，只尊重世系，不看其人才能适否，此乃朝廷之政衰颓之故也。"②这种出自公卿的反省很有见地，遗憾已无力改变现实。公家贵族面对窘迫的生活，依然维护森严的等级制度，且被武家社会全面采用。德川幕府按照家系及与幕府关系的亲疏，把大名分成亲藩、谱代、外样三类，把直属将军的武士也分成旗本与御家人。就连各藩的藩士也被分成许多不同的等级，福泽谕吉所在的中津藩是领地 10 万石的谱代大名，在规模上是中等偏下的藩，而其1 500多名藩士中，竟有 100 多个等级。③ 在日常生活方面，各种等级规制无所不在，如御目见以上与御目见以下的武士之间不能通婚，藩中的上士与下士间也不能通婚。徒士不能直接应答藩主的问话，足轻在路上见到比自己身份高的武士即使在雨天也要跪坐路旁以示尊敬。不同家格的武士在服装上有不同的规格，在住房方面，面积、宅门、

① 福泽谕吉著，北京编译社译：《文明论概略》，第 156 页。

② 矢木明夫：《身分の社会史》，評論社，1969 年，第 120 頁。

③ 福沢諭吉"旧藩情"，富田正文等編：《福沢諭吉選集》第 12 巻，岩波書店，1981 年，第 42 頁。

样式等都有严格的规定，不得有丝毫僭越。

长期生活在身份等级制度下的日本人在历史的巨大惯性面前已然形成了对这种秩序的某种认同，把习惯变成本性，以致完全丧失了“敢作敢为的精神”，“这就是为什么日本在德川统治二百五十年间极少有人敢于创造伟大事业的根本原因”。[①] 福泽谕吉在尖锐批判身份等级制度的同时，也指出人们并没有意识到这是人为制造的制度悲剧，而认为“如天然之定则，没有提出异议者”[②]，说明长期处于这种制度下的人们对此已经习惯成自然。明治维新后，废除身份等级制度，建立新型人际关系本应是社会改革的重要任务，但是，在身份等级观念根深蒂固的背景下，与其说否定以前的身份等级制度，莫如说为了回避社会矛盾，进行身份关系的重组。其结果，皇族、华族、士族、平民四种新的身份取代了江户时代的士农工商，并在“四民平等”的招牌下继续演绎着新的身份差别。不仅新政府需要身份等级制度维护自身统治，大部分日本人也并不否认身份制本身，只不过是想通过自己的努力摆脱以前所属的地位，上升至高一点的地位。[③] 真正废除身份等级制度，是经过二战后民主改革才完成的，而身份等级意识却长期影响着人们的社会生活。

2. 贵族的根本属性是血统而不是财富

由于贵族在不同的历史阶段居于统治地位，这就决定了他们有条件利用手中的权力攫取财富，占据社会资源为自己谋利，甚至要制造一些罪恶。但是，从日本贵族的演变来看，从总体上说，贵族的属性是血统而不是财富，如同欧洲贵族无论“拥有什么社会优越的权利，他们都不一定是其所在社会中最富有的人”[④]。日本的贵族也不能完全与财富画等号。

一般来讲，在等级制社会，包括担任官职在内的政治资源和包括财

---

① 福泽谕吉著，北京编译社译：《文明论概略》，第 156 - 157 页。
② 福沢諭吉：《旧藩情》，见富田正文等编：《福沢諭吉選集》第 12 卷，第 42 頁。
③ 矢木明夫：《身分の社会史》，評論社，1969 年，第 214 頁。
④ [美]乔纳森·德瓦尔德著，姜德福译：《欧洲贵族 1400—1800》，第 47 页。

富在内的经济资源都不是人人可占有，而是按社会成员的等级进行分配的。一些社会集团总是通过一些手段，将获取这些资源的机会和可能性限制在小范围内，表现为社会上层等级权力大，下层等级权力小，权力与财富统一，且掌握在少部分人手里，社会矛盾与阶级对立由此产生。当这种矛盾与对立积累到一定程度，就会爆发大规模的社会动乱。日本历史上的情况则不尽如此，等级制度虽然存在，却很难突破身份制度的藩篱，即等级是从属于身份制度的等级。士农工商既是从高到低排列的阶层秩序，又具有一定并列性质。各种身份的人分别扮演不同的社会角色：武士用战斗守卫农工商，农民为士工商生产粮食，工匠为士农商从事手工业生产，商人为士农工担当商品流通。[①] 几乎所有的身份（包括"贱民"）当中，都既有支配者，也有被支配者，既有富裕者，也有贫穷者。这种社会结构直接制约着社会资源的占有与分配，使权力与财富不能被某一身份的人或某一等级的人垄断。

从公家贵族来看，在度过了他们的黄金时代——平安时代以后，进入幕府时代起便与皇室一起逐渐走向衰落，只不过徒有官位虚名而已。室町战国时期，公卿贵族生活窘迫不堪，有的甚至濒于赤贫。到江户时代，公家贵族的经济状况与武家贵族相比有着天壤之别。相对于大名领地动辄数十万石，甚至超过百万石，贵族中地位最高的五摄家的所领平均只有 2 031 石（最多是近卫家 2 860 石，最少是鹰司家 1 500 石）。[②] 很多名门公卿的所领不过数百石，一般公卿更是少至禄米 30 石，因而被讥讽为"徒有虚名的公卿"。明治维新元勋岩仓具视的家格属于羽林家，领地只有区区 150 石。公家贵族大多数人生活不如下级武士，更不如自给自足的农民。至幕末，包括皇室、公卿贵族、寺社等在内的公家的总收入只有 12 万至 13 万石，加在一起仅仅相当于一个中等大名。

---

① 中村吉治：《体系日本史叢書 社会史Ⅱ》，山川出版社，1981 年，第 2 頁。

② 西本愿寺光徳府編：《年年改正雲上明覧大全》，須原屋平左衛門等（个人出版），1868 年，第 3－7頁。

相比过气的公家贵族，江户时代掌权的军事贵族武士的情况又如何呢？表面上看，武士拥有“苗字带刀”“斩舍御免”的特权，连“切腹”也成了象征武士名誉的死法，武士生活在名誉的精神世界中。而在至关重要的经济领域，却将武士与生产资料隔离，使他们仅仅依靠俸禄维持生活，很似现代社会的公务员。如出生在下级武士家庭的福泽谕吉，其家俸禄是十三石二人扶持，①因常常入不敷出，不得不做些副业换得一些收入买来麦子和粟类，做成粥和团子来填饱肚子。生活条件的限制使武士不敢多生孩子，堕胎、溺婴等在农民家庭中的多发现象于武士中也相当普遍。不少人不得不向商人借贷度日，还有人不顾身份和面子，招有钱的町人子弟为养子。儒学者太宰春台在《经济录》中曾指出这一现象：“今武家苦于贫困，养他人子必求钱财。故身份卑贱而有钱者乘机出钱让士大夫养其子，以数百金便可取有田禄之士大夫之家。当初以军功忠勤而享世禄之家，被身份低贱者所夺几百上千，数不能详。”②可见武士徒有华丽的荣誉外表，其中相当一部分人并不具有经济实力，其政治地位与经济地位不相匹配。在武家家训当中，可以看到很多厉行节俭，禁止奢华的训诫。如熊本藩藩主细川重贤在家训中规定家人每日饭菜的标准：“朝夕食素，一汤一菜，午间可用鱼等，亦不过一汤二菜。”“朔望佳节，与常日无异。年初仪式，当依家法从俭。不可稍有疏忽。”③熊本藩是家领 54 万石、屈指可数的大藩，其饮食却如此简单。并非武士天生节俭，而是在现实体制下，武士从上到下没有奢侈的资本。特别是在中下级武士中，微薄的收入及清贫的生活，加上日益受到商品经济的侵蚀，“奉公”的意志被逐渐瓦解，对幕藩统治的不满便油然而生，以至于在幕末发起倒幕运动，幕藩体制的堡垒首先从内部被攻破。

---

① 扶持：按人头支付的口粮，一人扶持，当时按每天五合的标准支付，一年共一石八斗。

② 引青山道夫：《養子》，日本評論新社，1952 年，第 61 頁。

③ 細川重贤：《肥后侯训诫书》，载李卓主编：《日本家训研究》，天津人民出版社，2006 年，第 462－463頁。

如果说公家贵族与武家贵族是“贵而不富”的话，那么江户时代的町人（包括手工业者与商人）就是“富而不贵”了。町人是身份制度及重农抑商政策同无法阻挡的商品经济发展的矛盾体制的产物。1615年（元和元年），德川幕府颁布“一国一城令”，将武士集中到城下町居住，并把商人和手工业者也集中于此，逐渐形成以大阪、江户、京都为首的城市消费中心，町人势力大增。然而，不论他们如何富有，也只能居于士农工商中的末流，没有当官入仕的预期，只能服从身份制度的安排，在他们专属的领域寻求自身发展。这种浸透了身份制度的职业体系与日本人的家业观念及“家”制度结合在一起，刺激了人们发家致富的积极性，豪商巨贾应运而生，约占总人口5%—6%的町人是近世社会中最具经济实力的阶层。当然，也有不满“富而不贵”现状的人，如元禄时代（1688—1704年），有大阪首富之称的豪商淀屋辰五郎公然违抗幕府发布的俭约令，生活极度奢华，身穿印有醒目家纹标志的名贵白绢服饰招摇过市。1705年，幕府以“僭越町人身份”“生活过于奢侈”等罪名，没收淀屋家所有财产。对淀屋家的惩处是对町人的严厉警告，促使其牢记自己的身份。久而久之，便习惯了这种身份秩序，如长崎町人学者细川如见在1719年写的《町人囊》中已经表达了对町人身份的满足：“町人位于四民之下，而作用于上五等人伦。生逢此世，生于此品，实乃此身之大幸也。”“与武士相比，唯有町人才真正快活。”①

由上可见，身份制度与等级制度相结合，带给处于不同身份、不同等级的人们不同的权利与义务，使权力与财富产生分离。如公家贵族与武家贵族都是身份上的至尊者，却不都是经济上至富者；商人拥有财富，“天下之金银尽入商人之手”②，却是没有政治权利的“土豪”而已；占全部人口85%左右的农民是幕府征收年贡的来源，在完纳年贡（年贡率大体

① 中村幸彦等校注：《日本思想大系・59・近世町人思想》，岩波書店，1975年，第88、115頁。
② 熊沢蕃山：《集義和書》，《日本思想大系・30・熊沢蕃山》，岩波書店，1971年，第249頁。

为30%—40%，有的地方为10%—20%）后，可以享受比较自由而充裕的生活。[①] 这种社会结构打破了特权阶层对社会资源的垄断性占有，“欲富不贵，欲贵不富，贫富贵贱相互平均，既无绝对的得意者，也无绝对的失意者”[②]，从而避免了财富的集中，有利于缓和社会矛盾，使社会秩序处于相对稳定的状态。

3. 贵族传统塑造了日本人人格的两重性

在世界范围内，没有哪个国家与民族像日本人那样充满矛盾了：就个体而言，日本人温文尔雅，严于自律，井然有序，在国际社会赢得了广泛的赞誉；就群体而言，日本人在战前发动的一系列对外侵略战争中极其残忍和野蛮，并制造了南京大屠杀那样的惨案。这种矛盾性人格是如何形成的？如果追溯其根源，当与公家贵族与武家贵族并存于历史，对民众产生广泛影响不无关系。尽管武家人口大约只江户时代人口的6%，贵族的人口更少，[③]但他们既是统治者，也在一定程度上是百姓的楷模。如1871年10月，明治天皇对华族发布敕旨，号召华族“广闻见，研智识，为国家之御用而奋发勉励”，并指出“华族立于四民之上，应为众人之标的”。[④] 标的者，榜样也。加上日本人向来就有贵血统、重家系和崇尚权威的传统，贵族的存在对民众的影响是不言而喻的。

拜中国文化所赐，公家贵族从奈良时代起就逐渐养成了重教育、重教养的传统，贵族及其子弟要掌握知识和文化，更强调出言进退、行为举

---

① 佐藤常雄、大石慎三郎：《貧農史観を見直す》，講談社，1995年，第115、117、11頁。

② 福沢諭吉：《国会の前途》，见慶応義塾编：《福沢諭吉全集》第6卷，岩波書店，1959年，第45頁。

③ 关于贵族人数的参考数字：1868年建立华族制度时，共有142家公卿被列为华族。根据《明治史要》1875的统計，当时华族总计2891人，户平均6.4口的标准，1868年的公卿华族人口约为908人。浅見雅男：《華族たちの近代》，NTT出版株式会社，1999年，第16頁。关于武士人数的参考数字，根据细川广世1883年编辑、出版的《日本帝国形勢総覧》第139頁，宽永元年（1624年）全国兵数为546 516人。另据修史局编《補正明治史要付録表》，1872年全国士族共有425 827人，连同家属共1 941 241人，占全国人口5.77%（東京大学出版会複刻版，1966年，第29、57頁）。

④ 宫内厅：《明治天皇紀》第2卷，吉川弘文館，1969年，第559頁。

止、衣着打扮等方面都必须符合贵族的礼仪和规范。经过数百年的陶冶，形成以知性、高雅为特征的贵族教养。尽管在幕府时代公家贵族远离政治与权力核心，但始终保持着学问及文化上的优势，在传承传统文化方面功不可没。武士掌握政权后，不仅没有摧毁公家贵族的肉体，也没有摧毁其文化，并注意到自身在处理政务及社会交往中加强文化修养的必要。于是，武家子弟被送到寺院接受文化教育，著名的五山十刹成为学问中心，一般的寺院也都成为武士子弟的文化殿堂。到江户时代，武士已经成为与公家贵族共享文化教育的重要力量，“士”的知识分子色彩越来越浓，许多武士潜心研究学问，成为儒学、国学、兰学、西学的学问家。武士的贵族化说明一个道理，即贵族的精神是可以培养的。在贵族文化的影响下，不管是武士还是普通民众，都形成重教育的传统，到江户时代末期，通过平民教育机构“寺子屋”的教育，识字率已达男子 40%、女子 10%。① 在这样的平民教育基础上，明治维新后近代教育迅速发展，到 1910 年，日本的小学、初中、高中的在学人口指数已经超过了美国。②进步的社会是由许多受教育的人组成的，文明的社会是由许多有教养的人组成的，良好的教育是形成良好的教养的开端。

与重文化、教养、讲求优雅的公家贵族相比，对于武士来说，“在关键时刻，一步不退，在主君马前战死是武士的第一职分，也是最高荣誉”③。武士鄙视公家贵族的优柔文弱，武士精神——武士道的核心价值是忠诚与尚武。忠诚就是要有献身于主人的牺牲精神，这种献身要达到为主君牺牲生命的程度。尚武是以战争为业的武士必备的品格，它要求武士精于武艺，崇尚杀伐，重名轻死，对庶民阶层深有影响。近代以后，通过国家政权以《军人敕谕》和《军人训诫》、“教育敕语”等形式的大力渲染，过

---

① [英]多尔著、松居弘道訳:《江戸時代の教育》，岩波書店，1970 年，第 235 頁。

② 1910 年小学、初中、高中在学人口指数(以 1920 年为 100)，日本为 88.8，美国为 86.4。文部省:《日本の成長と教育》，帝国地方行政学会，1963 年，第 235 頁。

③ 斋藤拙堂:《士道要論》，井上哲次郎等編:《武士道全書》第 6 卷，時代社，1942 年，第 299 頁。

去仅作为武士阶级特殊行为规范的武士道成为具有普遍性的道德体系，使武士阶级已经不复存在的近代日本成为弥漫着武士道精神的兵营国家，尚武精神被全社会高度认同。忠诚与尚武虽有积极的一面，而发展到极端就表现出不尊重人的生命——不仅是别人的生命，也包括自己的生命。这种道德观念一旦被误导或失控，就会给人类的和平带来巨大灾难，这一点已经在日本发动的一系列对外侵略战争中得到证明。

在社会环境相对宽松的日本历史上，不同时期的不同贵族都形成不同的贵族精神，公家贵族的文化与教养和武家贵族的尚武与忠诚，造就了日本国民性中的双重性格，在不同的社会环境之下，表现各有不同，既有正能量，也有负能量。了解日本贵族制度的历史，或许会有助于我们认识日本人在集团内部彬彬有礼，在集团外部冷酷无情；时而恭敬服从，时而桀骜不驯；强调内敛、自律，却在对外侵略战争中制造了数不清的惨案。公家与武家这两大风格完全不同的贵族的长期存在及其影响，正是日本人矛盾性双重人格产生的社会根源。

结语

从古代豪族，到律令时代公家贵族，再到幕府时代军事贵族，因为日本历史上贵族制度悠久的存在，明治维新后，以下级武士为核心建立的新政权根本无法对贵族实施彻底的革命，只是按照政局的需要对旧有身份关系进行了重组，给公卿贵族恢复昔日的名誉，对军事贵族，仅保留了藩主大名，而对大多数武士实行剥夺。根据1869年建立的华族制度，昔日形同水火的公卿与大名诸侯这两大贵族终于集中到东京，彻底告别旧公卿与旧诸侯身份，成为“同族”——“天皇的华族”。面对高涨的自由民权运动，出于在未来开设国会后建立以华族为主的贵族院，以作为“皇室的藩屏”的需要，1884年，明治政府以明治天皇的名义颁布《授荣爵之诏》，同时发布“华族令”，授予华族公爵、侯爵、伯爵、子爵、男爵等爵位，地位仅次于皇族。值得注意的是，根据“华族令”，39 位既非公卿华族，也非诸侯华族的人因倒幕维新及之后的各种功勋成为“功勋华族”，后来也不断有人跻身进来，其数量远超公卿华族与诸侯华族。华族制度是在前近代贵族的家格门第基础上，注入近代实力主义，从而产生的近代新贵族(共有 1011 家)。二战后，根据 1947 年实施的《日本国宪法》，“对华族以及其他贵族制度，一概不予承认”，承载着一千多年历史的旧贵族与 78 年近代史的新贵族才彻底退出日本历史舞台。而贵族精神——公家贵族的崇尚知识与教养、武家贵族的尚武与忠诚则构成了日本国民性的重要内涵。

四　略论家族主义的幕府政治

从公元 645 年大化革新起，日本进入封建社会。但是，模仿隋唐大一统的中央集权制度而建立的天皇制国家并没有多么持久的生命力，自平安时代起便步入衰落、瓦解之途。伴随着庄园制的出现，武士阶级的兴起，经过几个世纪大小武士团之间的蚕食、混战，终于衍成以幕府成立为标志的武家统治的结局。在幕府统治下，虽然表面上公家与武家政权长期并存，但以将军或执权为首的武士阶级操纵了全国的政治实权，从镰仓幕府、室町幕府到德川幕府的整个幕府时代，军事封建主的势力及由他们所控制的统治机构盘根错节，根深蒂固，不论是哪一个幕府，实不过是将军(或执权)一家统治的天下，犹如父家长统治的家族一样，幕府的更替只不过是更换了家长，而家天下的实质则几无改变。武家统治之所以严密、持久，其重要原因之一是封建家族关系及由此产生的对家族关系的模拟渗透到封建统治的各个角落，使日本独特的武家政治染上浓厚的家族主义色彩。

(一)“古代氏族制度的复活”——家族主义幕府政治的历史渊源

武士阶级是庄园领主制取代土地国有制的产物，幕府政治是武士阶级登上历史舞台的结局。“古代氏族制度的复活”,是日本史学界对武士阶级产生初期武士集团的内部结构的一种看法,因为武士团的结合与大化革新之前的氏族制度非常相似,可见武士阶级的产生和其内部结构都有浓厚的社会历史根源。因此,要了解作为“古代氏族制度的复活”的武士集团的结构,首先要了解日本古代的氏族制度。

公元5世纪,日本列岛由发源于本州岛中部的大和国家完成了统一。大和国家的最高统治者——大王最初不过是大和地区的一个部落的首领,凭借武力及宗教权威逐渐征服了周围的小部落国家,最后将统治扩展到全国。大和国家在完成统一后依靠“氏”进行统治。氏是大和国家的社会基本单位,它是随着大和国家的发展,通过官职、祭祀、居住地及奴役关系结合而成的政治团体。此时期的氏与原始社会自然发生的氏族有着本质的不同,它是贯穿了奴隶制,体现了父家长制,又保留了血缘关系的混合体。氏的内部宛如一个父家长制大家族,以有权势家族之首长立于氏上之位,统治着血缘亲属(氏人)和无血缘关系的成员(部民、部曲、奴婢)。氏上在氏内主持祭祀,裁断诉讼,管理生产、生活,并负责与外部交涉,以及代表一氏承担社会义务。有些氏的氏上还要代表氏参加朝政,率领氏人仕奉朝廷,或担任一种固定的、世袭的职业,定期贡纳产品。氏由一家以上数个家庭组成,有数十户乃至数百户的大氏,也有不过几户的小氏。氏的组织是依据血缘关系的原理建立的,同时,也明显体现出模拟血缘关系的原理,它不仅表现在各个氏都领有通过征服得来的部民和其他奴隶,还表现在一些大豪族常常将表示臣服或寻求庇护的氏族整体纳入本氏族的统治之下。因此说来,氏虽然具有同族组织的外形,其内部却有着非常复杂的阶级和身份差别。

与共同体关系的天然联系,使大和国家的阶级统治实行了集团式统治。日本人是带着原始社会自然的血缘关系的脐带进入阶级社会的,这一特点在统治实践中处处体现出来。即使在阶级分化加剧、血缘关系松弛并逐渐被取代之后,仍然保持着这种传统。比如,从公元4、5世纪之交到7世纪，不断有大陆移民（包括汉人和朝鲜人）由朝鲜半岛移居日本，移民所处社会发展水平远远高于当时的日本，而日本人在移民到来后，仍然按照本国的习惯将本不存在血缘关系或血缘关系淡薄的移民编成部，通过移民首领进行集体奴役，在名称上也根据移民的祖先而称其为"汉氏""秦氏""韩氏"等，这一事实表现出日本人对血缘关系和集团统治的认同。在大化革新及其以后的一系列改革过程中，通过废除皇室、贵族的土地私有制，废除部民制，实行土地国有制，改革中央及地方的官僚制度，使过去的氏族制度归于瓦解，但是，氏族制度下的集团式统治和模拟血缘关系等传统习惯却难于就此销声匿迹，对后来的日本政治、人们的思想意识及日本文化都产生了极其深刻的影响。

武士阶级自产生之日起，就表现出它的家族关系与政治关系互相渗透的特征。武士最初不过是庄园领主用于自我保护的奴仆，后来，由于庄园之间、庄园与政府之间的矛盾和争端日益增多，武士的作用越来越重要，于是便形成了一支新的武装力量。随着庄园制的发展，武士与武士之间亦加强了横向联系，使武装力量超过单一的庄园，无数分散的武士聚集在一个地区内最强大的豪强贵族的旗帜下，接受其统一指挥。出于日本人看重世袭的权力、崇尚权威的心理，皇族出身的源氏与平氏成为全国最大的武士团首领，最后，源氏战胜平氏，建立了武家政权。武士团是武士阶级产生后最初的组织形态，有"一党""一门""一流""一族"之称，实际上是广义上的族的结合。在武士团首领与武士的主从结合关系中，血缘、家族关系是核心。族的概念相当宽泛，①不仅包括具有血缘关系的直系亲属和像甥、侄、堂兄弟这样的旁系亲属，包括各种姻亲，由收养关系结成的模拟亲族关系成员更是一族的重要组成部分，"时尚武竞

① 根据镰仓幕府的法律，在进行诉讼审判之际，应该退席的当事人的亲属包括：祖父母、父母、养父母、子孙、养子孙、兄弟、姐妹、婿（姐妹孙婿同之）、舅（公公）、相舅（夫妻双方之父）、伯叔父、从父兄弟、小舅（大伯小叔及内兄弟）、夫、乌帽子子（一种干亲的形式）。见《日本思想大系》21，岩波書店1978年，第59頁。

争，多养他人子以固党羽”[①]，收养养子是各个武士团扩大势力的重要手段。武士团内除上述有血缘关系(包括模拟血缘关系)的成员和姻亲之外，还有从族外人中挑选出来的有能力的从者(称郎等或郎从)。一族之内，族长称“总领”，由他统制被称为庶子的其他族内成员(包括血缘家族成员及家臣)，对幕府的义务也由总领负责完成。武士团的结合正是大化革新之前以氏上、氏人秩序为中心的氏族结合在新的社会条件下的再现，被称为“古代氏族制度的复活”是不无道理的。

这种以血缘、家族关系为纽带相结合的主从关系是日本武士阶级的显著特征，也是构成武士团的基本因素，与缺乏血缘关系色彩、各级附庸之间没有纵向联系，“我的附庸的附庸不是我的附庸”的西欧封建社会的主从关系相比，最大的作用就在于可以组成一个个强大的军事集团，并能形成一支独立的政治力量。这一事实再次印证了氏族制度下集团式统治的传统在人们政治生活中的作用。尽管随着时代的发展，武士团内血缘关系已相对淡化，现实的利害关系具有更重要的意义，但族的结合仍然是武士集团结合的重要原理。源赖朝打败平氏后建立起来的镰仓幕府，就是这种武士团的联合体。在此基础上建立的幕府将军—御家人—家子、郎从这样的等级结构与家族亲疏关系紧密相连，因而，在政治统治中表现出浓厚的家族主义色彩是不言而喻的。

(二) 家与国同构

家族在社会政治结构中的地位，日本与西欧和中国各不相同。在西方，国家权力与家长权力的消长互相抵触，国家强大，法律达于家庭，家长权即被削弱或剥夺。在中国封建社会中，国家政权和家族组织虽已分离，但是以同一男性祖先的子孙按血缘关系结合在一起的家族组织仍然

① 黄遵宪:《日本杂事诗》(广注)，钟叔河主编:《走向世界丛书》Ⅲ，岳麓书社，1985年，第688页。

是封建政权中一种不可缺少的辅助形式，由家族制度产生的族权是仅次于国家政权的一种有系统的权力。而在日本，家则是封建关系的根本，国家统治机构奠基于家的结构之上，家在国家统治中的作用要比中国更直接、更具体。自古以来，家族血缘关系就左右着人们的政治生活与精神生活，对血缘亲属关系的尊重，在日本民族心理当中占有重要地位。家族关系被纳入国家统治的系统之中，通过同构效应与国家统治相互依存、强化而成为一种普遍的社会制度，即国是大家，家是小国，家、国不分。家族制度是幕府封建统治的重要组成部分，在封建秩序中发挥着特殊的作用，从而达到了家与国家的统一，在生生不息的历史演变中形成家族主义的基本精神，尤其是在幕府统治过程中一以贯之。

在幕府近700年统治过程中，始终表现出对家族血缘关系或模拟家族血缘关系的热衷与依赖。镰仓幕府的统治机构最重要的有政所（行政机关）、侍所（军事机关）、问注所（司法机关），三大机构的长官皆以源赖朝的心腹之臣任之，而且这些机构最初都起源于贵族的家务机构，幕府模仿之，足见幕府的建立不过被视为源氏家族的事业。在幕府政治的实际运作中，也是援引家族模式进行统治，为了使武士长期效忠幕府将军，源赖朝将武士分为御家人和非御家人，御家人即长期追随源赖朝的家臣和源赖朝创业以来表示臣服的武士，成为御家人，意味着他与源赖朝结成了家族式的主从关系。在经济上，世袭的领地受到了保护，又可以根据战功得到将军赐予的新恩地，即新的领地，同时在政治上也获得了特权，唯有御家人才能担任地方官守护和管理庄园的地头。因此，幕府的统治机构，实质上是建筑在守护、地头作为御家人统属于将军的关系之上的，这些机构与其说是幕府的统治机构，莫如说是源氏家族的家政机构。江户时代的幕藩体制实际也是一个由各家之间的政治统属关系而构成的权力体系，在维护幕府统治的前提下，权利的分配取决于大名与将军血缘的远近和关系的亲疏，大名被分为亲藩（其中包括德川家康三个儿子的后代的御三家水户、尾张、纪伊三藩；由德川氏同族结成的御三卿田安、一桥、清水三藩；由德川氏支系亲属结成的御家门、姓松平的越前藩和会津藩）、谱代（长期追随德川家的旧臣和关源之战前臣服于德川氏的大名）、外样（关源之战后臣服于德川氏的大名）。亲藩大名与谱代大名是幕府的藩屏，幕府的显要职务由他们担任，尤其是亲藩大名，不仅辅佐幕政，还要在德川宗家没有子嗣之时提供将军的继承人。而外样大名，顾名思义是外人，不能参与幕政，还要削弱、牵制其势力。将军与各藩恰似本家与分家的关系，将军是本家的家长，大名是分家的家长，分家严格受制于本家，必须听命于将军的统辖，否则将随时被“改易”“转封”。同样，大名与武士也是本家与分家的关系，德川幕府就是这样依靠集家族制度、严格的主从关系体制和等级身份制度于一身的“家”的制度，建立起武家政治史上最强大的政权。

家族关系是幕府赖以存在的社会基础，因此，家族制度直接影响到幕府的统治。家族秩序稳定，则统治秩序、社会秩序相对稳定；家族秩序混乱，则统治秩序、社会秩序混乱。从镰仓幕府后期开始到江户幕府建立的数百年间，日本社会动荡，内乱频仍，很难出现长治久安的局面，至后来，统治秩序的混乱竟有“下克上”这一专有名词来形容。这种情况究竟是何种原因？除了政治原因、经济原因，很大程度上是家族制度在起作用。在镰仓幕府时期，武家社会的家族实行总领制，总领制家族虽然是由若干个小家庭组成的，但族是幕府统治的基本单位，族的利益是最高的利益，家的利益被族的利益掩盖着。按照当时的传统，由嫡子继承“家督”（即家长的地位、家业等），而在财产继承方面则实行诸子分割的原则，一族之内庶子（当时的传统是嫡长子之外男子皆称庶子）均有财产继承权，其结果是领地被瓜分得份额越来越多，规模越来越小。由于总领以外诸子均有财产继承权，有一定经济实力，从 13 世纪开始，庶子不服从总领管辖，拒绝承担义务的情况时有发生，独立的倾向越来越强，总领、庶子之间的纠纷往往要诉诸幕府才能解决。在这种纠纷日益增加的情况下，幕府不得不于 1294 年（永仁二年）颁布法令，规定如庶子不纳赋课则罚其以赋课的两倍上交，若不上交或屡次拖延将没收其所领。[①] 可见，总领与庶子的纷争已超出家族内部的范围。同时，幕府从现实的需要出发，也在一定程度上承认庶子的权益，尤其是在两次抗元战争中，幕府为扩大兵源，越过总领直接招募大批庶子从军，并对庶子行赏或承认庶子的独立。这种情况导致家长无法维持正常的统制，从而从根本上动摇了镰仓幕府的基础——御家人制度，这是镰仓幕府灭亡的重要原因。

进入室町幕府时代，总领制之下的族的结合越来越显现出崩溃的趋势，就像这个时期开始的伞形连判一样，[②]一族之内总领、庶子势均力敌，总领已无权威可言。因此，人们为了维护家族的利益，改变过去诸子分割继承家产的做法，而由家督继承人单独继承全部财产。从诸子分割继承到长子单独继承的变化，不啻为家族制度的一场革命，它并没有立即被人们接受。单独继承引起继承人长子与庶子地位悬殊，失去了继承权即失去了经济基础，庶子的处境因此每况愈下，他们或者出家，或者给别人当养子，大多数只得被长子抚养。一些庶子往往不甘于这种无财产、无地位的处境，极力争夺继承权。一些有野心的家臣也趁机拥戴庶子，与主家相争，形成这个时期社会动乱的根源。从室町幕府至战国时代，围绕着继承问题，上至将军家，下至地方武士，纷争不断，表现为家族之争引起的政治混乱始终是统治阶级内部矛盾的主线。家族秩序的混乱带来道德的沦丧，更引起主从关系的崩溃和社会秩序的混乱，家臣背叛主子，或一族之内互相残杀，因家族之争导致政治混乱的事件屡屡出现。室町幕府正处于这种混乱之中，虽然足利氏依靠欲恢复天皇统治的公家的帮助和在地方上势力强大的守护的协力，推翻了镰仓幕府，但足利氏从一开始就没有建立起像镰仓幕府时期那样较为牢固的家族式主从关系。尽管幕府的要职是由足利氏的同族把持，但他们政治上无所建树，

---

① 福尾猛市郎：《日本家族制度史概説》，吉川弘文館，1977 年，第 111 頁。

② 日本中世纪一种集体盟约文书的签名形式，签名者的签名围绕一圈心呈放射状，反映出盟约各方地位平等。

只知争权夺利，他们的家族内部之争几乎就是政治混乱的策源地。应仁、文明之乱以占据幕府机构中枢的重臣家族继嗣之争和将军继嗣之争而起，又以将军家和幕府重臣家四分五裂，几乎同归于尽而终，酿成全国规模的动乱。面对严酷的事实，从战国时代开始，各大名为了强化家长权，防止家族内部分裂，维护领国内的秩序，都纷纷将实行严格的家督继承这一内容写进家法，例如，骏河大名今川氏的家法《今川假名录》中规定："父亲的领地和职务，当然应由嫡子继承，而不允许父亲无理由地就让弟弟继承。"[①]陆奥大名伊达氏的家法《尘芥集》也规定："嫡子无不孝等事由而父祖将所领让予庶子或养子之时，主君将命其取消这一决定。"[②]经过严格的约束，诸子对家产的分割继承逐渐被废除，长子继承家业与家长权，同时也继承家产的纯粹的长子继承制——家督继承制得以确立。德川家康建立江户幕府后，集战国时代以来诸大名统治经验之大成，建立了一套严格的主从关系体制，实行彻底的兵农分离政策，这样一来，切断了各个不稳定的武士集团与领地的直接联系，使武士阶级变成了领取俸禄的家臣，这样一来，武家社会所有的人，不再像中世的武士那样，除了主君赐给的土地之外，还有自祖先传下来的私领——这样即使俸禄被没收，也能够生存。在幕藩体制下，武士在通过向王君尽忠——"奉公"而领取俸禄之外，别无所有。由于这种变化，对于武士家庭来说，最不利的事情就是由几个继承者来分割这份俸禄，因此，家督继承制得以进一步巩固。家督继承制使家长权的继承与财产的继承得到统一，从而保证了家长在家庭中的绝对统治地位，从经济上保证了家业的完整。家督继承制的确立，标志着日本传统的"家"制度的形成。这里所说的家除了指以血缘关系为纽带的具体家族之外，还有更深的含义，即它是"超越世代，经营一定的行业乃至为换取恩给和俸禄而提供服务的集团"[③]，

① 石井進：《日本思想大系·21·中世政治社会思想》，岩波書店，1975年，第203頁。
②《日本思想大系·21·中世政治社会思想》，岩波書店，1975年，第231頁。
③ 尾藤正英等著、王家骅译：《日中文化比较论》，浙江人民出版社，1992年，第32页。

是“以保持和继承家产（所领）家业为目的、以家名的连续性为象征、由父—子—孙这样的男子直系亲属继承的独自的社会单位”①，在其结构上表现为本家—分家—孙分家这样的序列。武士阶级就是以“家”为单位被固定在各个大领主（藩）的统属之下。“家”是幕藩体制的基础，不仅是各级领主、武士赖以生存的场所，也是构成幕藩体制的政治单位和经济实体。在家集团基础之上的幕府的统治秩序体现出幕府将军—藩主大名—普通武士这种等级序列，它不过是“家”制度中的本家—分家—孙分家的序列在政治结构中的表现，是家族秩序在政治领域的再现。一般说来，武士的“家”是由家名、家格和家业这几方面要素构成。家名是血统和世系的标志，家格是武士的家的地位的标志，在幕藩体制之下，不论幕府，抑或诸藩，都是基于家臣的家系和先祖的功绩定家格，再根据家格确定家臣的俸禄，家业的大小，抽象化为“石”这一米谷的计量单位的数目。家名、家格、家业三者合为一体，加上必须履行的与之相应的职责——家职，构成“家”的最本质的内容。直属将军的臣下——大名、旗本、御家人的“家”要以将军的“家”为核心，按照各自的家格形成森严的等级秩序体系，同时，作为从属于大名、旗本、御家人的家臣的“家”又要以他们主人的“家”为核心，同样形成等级秩序体系。家业对于大名、藩主来说是作为政治、经济和军事实体的领国，对于一般武士来说是指为了得到俸禄而向主人“奉公”，即出生入死为主君作战，为主君尽各种义务。严格而又稳定的家族制度和秩序的确立，奠定了社会稳定的基础，彻底结束了长期以来的混乱局面，使德川幕府260多年社会经济稳步发展。

（三）伦理与政治整合

从镰仓幕府到江户幕府，日本的家族体制由族到家，被组织为一个有机体，在它长期影响甚至左右日本政治的同时，调整家族内部关系的

① 笠谷和比谷：《士の思想》，日本経済新聞社，1993年，第15頁。

伦理规范也被扩大到国家的政治生活中，家族伦理被扩大为国家统治的政治原理。

对于一个武士来说，终生要处于两种束缚之中，一是家族关系的束缚，一是主从关系的束缚。家族关系的束缚，是指在武家社会中，超脱出“家”的个人并不存在，立足于某一“家”的个人才会被社会承认，个人离开了“家”则寸步难行。“家”是人们赖以生存的主体，对于个人关系重大，而在“家”中个人则无足轻重。无数的“家”又组成了国家，国家是“家”的代表，君臣一体，国家如一，因此，家族关系被政治化，如幕府将军德川家康将家比作人的身体，称“心是主君，眼耳鼻口是家老，手足是武士，身躯则是领地内百姓”①，即把“家”视为一个社会的有机体。同时，人们又将政治关系和社会关系家族化，将君臣关系模拟为家族关系，像儒学者贝原益轩鼓吹“司民者，民之父母”②那样，君臣关系、主从关系又变成了家族父子的关系。因此，封建统治者总是将维护幕藩统治与巩固“家”联系起来，某些政治原则被披上家族伦理的外衣，家族伦理规范则直接变为政治原则和统治工具。主从关系，一言以蔽之，即臣下献身于主人，主人保护臣下。作为臣从，要无条件“奉公”，最主要的义务是为主君战斗乃至献出生命。主君则要给予臣下一定的保护，主要是对臣下的权利予以承认，给官做，统称其为“御恩”。这种主从关系貌似中世纪西欧的领主与附庸的关系，但西欧的主人与附庸的关系，既对主从双方有约束力量，且重法律方面的权利与义务，就像《耶路撒冷王国宪章》规定的那样：“倘使任何领主亲自或经他人剥夺了其任何附庸的自由，又倘使没有经过附庸所属的法院之审理与通知，领主就擅自这样行动，他就破坏了对其附庸的忠诚，而其他附庸不应容忍这种行为。”③日本的主从关系建立在个人之间相互信赖的基础上，其中主要强调臣下对主人的义

① 《東照宮御遺訓附録》，第一勧銀経営センター：家訓，中経出版，1979年，第157頁。

② 《日本の名著・14・貝原益軒》，中央公論，1982年，第99頁。

③ 周一良、吴于廑主编：《世界通史资料选辑》中古部分，商务印书馆，1974年，第49页。

务，法的观念淡薄，道德色彩甚浓。这种主从关系是“一种立足于与同族观念、血缘观念联系在一起的深厚的人性关系，从时间上看是一种祖先以来代代相继的牢固关系”①，正是这种牢固的主从关系构成了幕府存在的现实基础，成为封建社会的社会关系和政治关系的主干，虽然在幕府统治的各个时期随着封建制度的发展而略有变化，但两者本质上的权利、义务关系却没有变化。在整个幕府时代，主从关系基本上是两部分，一是幕府将军——直属将军的臣下（如镰仓幕府的御家人，室町幕府的守护大名，德川幕府的藩主大名），二是直属将军的臣下——一般武士，由此形成上至幕府将军、下达武士从者的一级一级的金字塔式的结构，站在最顶端的是幕府将军。在这种等级结构之下，所有的武士，除了最高的将军和最下级的武士，都是一面当主君，一面当臣下，既要求臣下对自己尽忠，自己也要对主君尽忠。由此看来，日本武士的忠诚是通过等级制度来实现的，即首先应忠于自己的主人——直属于将军的臣下，直属将军的臣下要忠于幕府将军。“这种间接的、递次的忠诚看似不如中国儒者主张的直达于君主与社稷的忠诚直截了当，中间环节阻碍了最高统治者和下层人士的沟通，但由于中间环节的作用，忠诚得到了传递与强化”②，与中国儒家主张的直接的但遥远的忠诚相比，日本武士的忠诚随时能得以具体化为实际有效的行动。

所谓忠，实际是家族道德的核心——孝在政治领域的延长。如同中国儒家所主张的“孝子门里出忠臣”，日本人也认为，“在家能孝者，即在国能忠者”③，走出家族，进入社会，作为武士，他的首要的而且是唯一的任务就是对主人尽忠，忠臣与孝子的道德标准是相同的。一个武士，一经托身于主人，那么，主从关系就成了他的祖国、他的世界，他的一切都

---

① 坂本太郎：《日本史概说》，商务印书馆，1992年，第175页。

② 罗福惠：《国情、民性与近代化》，湖南人民出版社，1988年，第176頁。

③ 穂積八束：《国民道徳に関する講演》，文部省編：《日本教育史基本文献・史料叢書》4，大空社，1991年，第51頁。

要被置于主从关系的控制之下，为主君奉公就是他的天职。若奉公有疏，就要根据其怠慢程度被削掉家名，没收领地或俸禄，此种做法如同父子间的“义绝”（即断绝父子关系），意味着丧失了政治、经济特权，是对不忠者的最严厉的惩罚。忠就是要有献身于主人的牺牲精神，这种献身要达到为自己的主君而牺牲生命的程度。在战场上，出生入死、浴血奋战直至战死沙场被人们大加称道，苟且偷安、弃主而逃则是不忠之至，为世人所不齿。武士的牺牲精神甚至不以主人的死亡而停止，对主人的忠诚正像对祖先的祭祀一样，父母的灵魂要由子女供奉，主人的灵魂也要由他的臣下终身祭拜，甚至主人的灵魂在黄泉之下不能没有侍从，服侍他的人中总要有人与他同死。因而，在幕府时代，为主人而自杀、殉死之风颇盛，历史上曾有数千人追随主君自杀而死的事例。[①] 这实际上是一种殉葬，在奴隶社会曾有过强迫人殉，而幕府时期的殉葬则完全是出于一种主从道义、出于愚昧的自愿。德川家康曾决意取消自杀风俗，但在他死后，此风仍继续流行，说明根植于武士头脑中忠孝观念的牢固，与主人生死与共绝不仅是一句空话。忠就是要绝对忠于自己的直接主人，“忠臣不事二君”是武士的根本道德。在镰仓幕府初期，曾有名为河田次郎的武士，杀死对自己“数代恩顾”，但背叛了幕府的主人藤原泰衡，取其首级至源赖朝处请赏，源赖朝则告知曰：“汝之所为，虽似有功……忽忘谱代之恩，枭主人之首，罪已至八虐，为惩后辈，赐身于死”[②]，反映人们尤其重视臣下对主君的绝对忠诚。作为一个武士，在他的主人之外，便不再有别的什么法律，他效忠的只是他的直接主人——领主、大名或幕府，而并非天皇。在承久之乱中，御家人面临对天皇和将军做出选择，那些追随天皇，后又取悦于掌握幕府实权北条氏的御家人都因“不忠”而受到诛

① 如1333年，新田义贞攻陷镰仓，镰仓幕府灭亡之际，执政北条高时在镰仓东胜寺自杀，其一族家臣、武士悉自杀，殉难者达7 000人以上。[日]辻善之助：《日本文化史》Ⅱ，春秋社，1957年，第147頁。

②《吾妻镜》卷八、文治5年9月条。

身并没收全部领地的惩罚。这说明，当主从关系与君臣关系发生矛盾时，主人就是最高的存在，这是幕府时代天皇沦为孤家寡人的重要原因之一。忠还表现在要像维护一家的利益那样维护主人的利益，与主人荣辱与共，为主人复仇。德川时代著名的"赤穗四十七义士"就是怀着"君父之仇，不共戴天"的信念，在洗雪亡主遗恨之后集体切腹自尽的，不仅时人称其为"忠臣""义士"，后人也颇引以为敬，三百多年来，在他们的墓前，时时有人馨香凭吊。

忠是孝的延伸，主从关系是对家族关系的模拟和延续，主君的权威是家长权的扩大，事主以忠就是孝子尊亲的结果，人们对父母的自然感情被纳入阶级统治的轨道，家庭中的亲子关系便直接影响到政治上的主从关系，达到家族伦理与政治的统一。家族制度与主从关系如同两根绳索，紧紧地束缚着人们的思想与行动，即使能挣脱其中的一根，还有另外一根。这就是日本幕府时期社会关系的一大特点，也是武家政治得以存在数百年的基础。

家族主义是幕府政治的重要特征，长达七百年的幕府统治由乱到治，与家族体制和家族秩序息息相关。虽然明治维新结束了幕府统治，武士阶级亦随之灭亡，但是幕府政治的家族主义传统却保留下来，对近代以来日本的政治、经济结构和人们的思想意识都产生了深刻影响。

五 江户时代天下太平的政治保证

——德川幕府的大名统治政策

江户时代的日本号称天下太平。社会稳定如何实现，首先在于政治秩序的稳定。1603 年，德川幕府的建立终结了战国乱世，德川家康及其后来的历代将军鉴于战国时代"下克上"频频发生、武家社会秩序混乱的现实，为避免重蹈覆辙，建立德川家族的稳固统治，保证幕府对全国的核心控制力，依靠强权对大名势力进行重组，在幕藩体制下依据与德川将军关系的亲疏，把全国近 270 个藩分为亲藩、谱代、外样三种类型，对其分而治之。但各地大名,尤其是那些外样大名仍然对幕府具有潜在威胁。因此,对大名进行有效统治,是消除危及幕府统治隐患的重要任务。颁布法令严加约束,通过改易对大名加以惩罚与威慑,令大名参觐交代以强化将军权威,摊派军役削弱大名实力,是保证幕府政治稳定的极具实效的具体措施。

(一) 制定法令

首先是针对大名进行严格的法律约束,"武家诸法度"因此频频出台。

德川幕府建立后,旧主丰臣秀吉之子丰臣秀赖仍据守大阪,有些大名依然私下拥戴丰臣秀赖为盟主,是为德川幕府的心腹之患,德川家康一直在等待灭亡丰臣家的机会。为加强对西日本大名的控制,削弱和孤立丰臣氏势力,1611 年(庆长十六年)德川家康在京都二条城对小仓藩主细川忠兴、播磨藩主池田辉政、广岛藩主福岛正则、熊本藩主加藤清正等西日本大名下发"誓文",要求各大名集体签名。"誓文"由三条组成:遵守自源赖朝以来幕府的法式,不得违背幕府发布的各种政令;各藩不得隐匿违背法度与违抗将军命令者;不可包庇家臣中之叛逆者及杀人犯。[①]这一名义上大名对将军表示效忠的誓词,实际上是德川幕府发布的最早的法令,只不过形式上是通过大名签名表示服从而已。

1614 年 11 月至 1615 年 5 月间,德川家康在"大阪冬之阵""大阪夏之阵"的两场大战中,彻底消灭了关原之战后苟延残喘十余载的丰臣家势力,至此,德川家康统一日本的大业终告完成,长达近一个半世纪的战乱时代落下帷幕,史称"元和偃武"。

1615 年闰 6 月,大阪夏阵结束后不久,幕府针对全国各地大名用于

① 大久保利謙、児玉幸多等:《史料による日本的歩み:近世編》,吉川弘文館,1955 年,第 78 頁。

防御而城堡林立的情况，发布“一国一城令”，即在一个令制国[①]由数个大名分割领有的情况下，各大名只可保留一个城池作为大名的居城；一个大名家领地跨越数个令制国时，可在各令制国建一城，其余的城必须全部废除。根据这一法令，战国时代三千多座城池被一举拆除，只保留170座，由此成功削弱了大名的军事力量。紧接着，在德川家康的幕后策划下，幕府第二代将军德川秀忠在京都伏见城召集全国大名，发布“元和令”（1615年7月从“庆长”改元“元和”），是为德川幕府颁布“武家诸法度”之始。

《元和令》共有13条，基本内容为：[②]

1. 专心修炼文武弓马之道，文左武右，古之法也，需兼备之。

2. 不可聚饮游佚。

3. 各国不可隐匿违背法度之人。

4. 诸国大名小名及诸侍从、士卒，发现叛逆或杀人者，应速追捕法办。

5. 自今以后，本国之外，不得与他国之人交往。

6. 诸国居城，即使修缮，亦当呈报，新城之建严令停止。

7. 邻国若有生事或结徒党者应速呈报。

8. 不可擅自缔结婚姻。

9. 有关诸大名江户参觐的规定。

10. 衣裳品级，不可混杂，君臣上下，各有其别。

11. 杂役者不可坐轿。

12. 诸国诸侍应节俭。

13. 国主当选政务之良才任之。

---

① 令制国：基于律令制设置的地方行政区划，从奈良时代到明治初期日本的基本地理区分单位，约60国。

② 石井紫郎等校注：《日本思想大系·27·近世武家思想》，岩波書店，1974版，第454－455頁。

《元和令》作为德川幕府首个面向全国大名的法令，继承了镰仓幕府以来武家法律的基本精神，又体现了新的治国理念，如强调治国之本在于文武两道，增加了习文的要求，这是出于治天下的需要给武士增加的新任务。除此之外的条文，多是为了防止“下克上”重演，对大名定下的规矩，如不可破坏身份秩序，不得结党营私，不得修缮及新建城池，显然也是防止大名借机扩充军力。

《元和令》颁布后，德川前期各代将军多次进行了修改。1635 年(宽永十二年)，第三代将军德川家光就任将军后，由儒官林罗山主持对《元和令》进行修改，并颁布《宽永令》。《宽永令》的内容由原来的 13 条增加到 19 条，如不许建造 500 石以上的大船；禁止私设关卡；禁止私斗；各藩均要遵守幕府法律；等等。有的内容进一步具体化、制度化，如规定大名参觐交代的具体时间，对衣装明确规定了身份等级的不同。《宽永令》成为后世“武家诸法度”的蓝本，在这一法令下，幕府以完善法度为名，对大名实施高压政策，针对外样大名的改易与转封都达到顶峰，因此，这段时间也被称作“武断政治”时期。1663 年(宽文三年)，第四代将军德川家纲时期发布《宽文令》(21 条)，又增加了禁止基督教和对不孝之子科以处罚的条文，同时禁止殉死习俗，废除令大名与重臣的人质居住江户的制度。1683 年(天和三年)，第五代将军德川纲吉时期颁布了以和汉文混合体撰写的《天和令》(15 条)，其中不再有《元和令》《宽永令》《宽文令》中都强调的“专心修炼文武弓马之道”这样的条文，增加了“厉行忠孝，重视礼仪”，表明随着幕藩体制的稳定，幕府放弃了“武断政治”，开始向重视以儒学为指导的“文治政治”转变。1710 年，第六代将军德川家宣颁布了由儒学者新井白石用和文撰写的《正德令》(17 条)，增加了严禁官员收受贿赂的条文。1717 年(享保二年)，第八代将军德川吉宗在颁布《享保令》时，宣布恢复 1683 年《天和令》的内容，此后一直使用到幕末。“武家诸法度”就是武家宪法，每代将军更替，便把诸大名集中到江户向其发布法令也成为定例。大名唯有严格遵守，如有违犯，则要受到惩处。

表 1－3　德川幕府颁布的“武家诸法度”

时间	幕府将军	法律名称	条令数
1615	德川秀忠	元和令	13
1635	德川家光	宽永令	19
1663	德川家纲	宽文令	21
1683	德川纲吉	天和令	15
1710	德川家宣	正德令	17
1717	德川吉宗	享保令	15

（二）大名改易

在制定法令对大名严加约束的同时，还有对大名的具体惩罚措施，其中，威慑最大的是改易。改易本是指律令时代官员解任旧职改任新职，镰仓与室町时代守护、地头变更职务，到江户时代演变成剥夺大名、旗本的武士身份，没收其领地与住所，也称“除封”，“领地召还”，其实质是解除将军与大名的主从关系，是仅次于处死的最重的惩罚。伴随改易而来的是转封，即大名领地的更替，也称“移封”，意味着由新的领主去填充改易产生的无主地。改易主要出于军事方面的原因、家族继承断绝的原因、违背幕府法度的原因。江户时代初期实施改易与减封主要是为了提高幕府的权力与权威，从 17 世纪中期开始侧重以此确立武家内部规范，到江户中后期主要是针对大名的各种“不轨”行为进行惩罚。

出于军事原因的改易

这类改易主要是在关原之战后到德川时代初期为了消除异己势力，针对属于关原之战中敌军阵营的大名采取的改易措施。1600 年德川家康率领东军取得关原之战的胜利后，用将近两年的时间对原有战国大名进行大洗牌。首先是对以近江大名石田三成、肥后大名小西行长、备前大名宇喜多秀家、土佐大名长宗我部盛亲为首的 88 家西军大名进行改易，没收其领地，被改易的大名或被斩首，或自刃，或被流放，或出家，大量领地变成德川氏直辖。同时对表示臣服的安艺大名毛利辉元、陆奥大名上杉景胜、常陆大名佐竹义宣等大名的领地予以大幅削减，将其移封异处。其中，毛利辉元由 112 万石降至 36 万石，上杉景胜由 120 万石降至 30 万石，旧主丰臣秀赖也从原 220 万石领地变为仅拥有 65.7 万石领地的大名。改易与减封加在一起，德川家康总计获得 93 家的 6 324 194 石的领地[①]，相当于当时全国领地收入总数的 1/3。德川家康把改易得来的大名领地根据在关原之战中的功绩大小分封给东军将领。在此后的十多年时间里，德川家康念念不忘彻底消灭旧主丰臣秀吉的后人丰臣秀赖，终于在 1614—1615 年发动大阪之战，丰臣秀赖及其母亲淀夫人兵败自杀，65.7 万石的领地被没收。大阪之战后，茶人武将古田重然被以里通丰臣秀赖的罪名而改易，被令切腹并被没收 1 万石领地。经过关原之战以后的多次改易，敌对势力已然瓦解，再也无法对德川将军构成威胁，故在对丰臣秀赖和古田重然实施改易后，再无出于军事理由的改易。

出于家族继承原因的改易

这是改易中比较多的一种。江户时代大名与将军的关系是建立在个人忠诚上的主从关系，这种关系长久延续，才能实现主从关系的稳定，进而保证幕藩体制的稳定。大名有责任和义务通过养育子嗣继续向将军尽忠，代际传承的意义不仅在于血缘的延续，更重要的是继续履行对将军的奉公义务。当大名家的当主（家长）发生代际更替时，要先向将军提出申请，由幕府审批，大名与继承人还要到江户谒见将军，由将军发给承认新当主继承家督和继续统治领国的“仰付状”（许可书）。通过这些手续，新家长作为大名的地位才被承认，大名与将军的主从关系也具有了正式依据。一般来讲，如有亲生儿子，只要没有特别的问题就可以较为顺利地完成大名的传承，但如果没有嗣子，则被幕府视为怠慢了对幕府与将军的奉公，并以此为理由对大名横加改易处分。江户时代初期，

---

① 藤野保：《大名と領国経営》，人物往来社，1964 年，第 40 頁。

幕府一反日本固有的养子继承传统，对养子继承严格限制，尤其禁止在大名病笃之际匆忙认领养子（被称作“急养子”或“末期养子”）。这样的规定固然是出于担心大名病重之际不能对选择养子有足够的判断力，也有防止大名家臣玩弄权术，暗杀主人并推选有利于自己的新主人的用意，但最主要的目的还是削弱大名的力量。

最早以此理由被改易的是在关原之战中有功的冈山藩主小早川秀秋①，1602 年，小早川秀秋病死，因无嗣，其 55 万石领地被没收，小早川家就此灭亡。第二代将军德川秀忠时期改易外样大名 21 家，其中有 14 家是因无嗣绝家而改易。第三代将军德川家光改易外样大名 27 家，因断嗣而改易的有 15 家。值得注意的是，因无嗣的改易同样适用于德川氏一门和谱代大名中，在德川秀忠时期有 12 家，德川家光时期有 9 家。②

很多大名因无嗣而被改易，确实削弱了大名的势力，同时，由于大名被改易后，其家臣多成为无所依靠的浪人，生活贫困，充斥街巷，增加了社会不安定因素，最终酿成 1651 年由井正雪（1605—1651）聚集浪人，发动以反对幕府、救济浪人为目的的“庆安之乱”，由于计划泄露，由井正雪被迫自杀。该事件之后，幕府为防止众多武士因丧失主家而变成浪人，第四代将军德川家纲在《宽文令》中对“末期养子”之禁放松了限制，规定年龄 50 岁以下者，临死之前可确定年龄在 17 岁以下的养子，经过审查可以继承大名家督。第五代将军德川纲吉时在 1683 年颁布的《天和令》中又规定，“养子应在同姓中选相应者，若无合适人选，要在大名生前选好来自正经人家者向上申报。年龄 50 以上 17 以下之大名临终之际决定的养子，要在一族之人认真了解其资质之后方可立为养子。纵为亲生儿子，若为人不端亦不可继承”③。由于开禁对养子的限制，因为断嗣的

① 小早川秀秋（1582—1602），安土桃山时代武将木下家定之子，曾经是丰臣秀吉和小早川隆景的养子。

② 藤野保：《幕藩体制史の研究》，吉川弘文館，1961 年，第 201、251、252 頁。

③ 笹山晴生等：《詳説日本史史料集》，山川出版社，1989 年，第 169 頁。

改易从此大幅减少。

出于法律原因的改易

此类改易主要是以违反“武家诸法度”为理由对大名进行的处罚。由于“武家诸法度”规定的内容宽泛，所以处罚的理由也很多，如未经许可便修补城郭、私自缔结婚约、治藩不利乃至藩政紊乱、怠慢幕府，等等。这种改易是对大名实施最多、最严厉的一种。

最著名的改易之例是第二代将军德川秀忠对广岛藩主福岛正则的改易。1618 年，由于遭遇台风、水灾，广岛城破损严重，福岛正则在向幕府的执政官员申报后，便开始修缮工程。1619 年初，幕府突然宣布福岛正则违反了“武家诸法度”中“诸国居城，即使修缮，亦当呈报”的规定，属擅自修建城墙，欲加严惩。福岛正则急赴江户请罪，拆除已经修好的工程，并进行申诉，然而一切无济于事，最后以“大不敬”之罪被改易。近 50 万石领地被没收后移封至长野成为仅有 4.5 万石的高井野藩藩主，近乎除封。1624 年，福岛正则抑郁而死，幕府又以幕府检使到来之前，家臣就将福岛正则遗体火化为由，再次改易福岛家，只给福岛正则之子福岛正利留下三千石，并降格为旗本。之所以受到幕府的两次改易，归根结底是因为福岛正则曾是丰臣系大名，尽管在关原之战中帮助德川氏成就霸业有功，但却一直是德川将军的心腹之患，置其于死地只是时间问题。

大名作为幕府将军的臣下，治理好自己统领的藩国，是履行对将军奉公义务的最好体现。同理，各藩出现问题以致藩政紊乱，是大名失察、失职，也要受到幕府的惩罚。现实中，江户时代各藩常常发生大名家内纠纷（日语称“御家骚动”），在亲藩大名、谱代大名、外样大名中皆有发生。造成纠纷的原因或出自家臣间争夺藩政主导权，或大名与家臣发生龃龉，或争夺家督继承权及认养养子造成冲突。一般来说，发生大名家内纠纷后，大多数都要由幕府介入才能解决，最后以改易或减封收场。如领 52 万石的大藩熊本藩在初代藩主加藤清正（1562—1611）去世后，其 9 岁幼子加藤忠广继承家督。由于其年幼治藩不利，藩内纠纷不断，再加上加藤家曾经是丰臣系大名，是幕府重点防范的对象。1632 年，加藤忠广因卷入将军德川家光与同父异母弟德川忠长之间的纷争，最终被改易。加藤忠广被流放到出羽国庄内藩，成为仅有一万石领地的丸冈藩藩主，并由庄内藩管理藩政。1653 年，加藤忠广去世，丸冈藩遂被废藩。这就是一代名将加藤清正及其家族的悲惨结局。江户中期美浓国谱代大名、加纳藩第二代藩主安藤信尹的减封、转封则属于另外一种情况。安藤信尹生活追求奢侈，不理藩政，并提高年贡率和赋税，致使民怨沸腾，重臣不满。重臣们担心被幕府改易，于 1753 年（宝历三年）软禁了藩主安藤信尹。安藤家发生的“御家骚动”最终还是惊动了幕府，1755 年，幕府以藩主“行为放荡不羁”“家务处理不当”为由，命令安藤信尹隐居（放弃家长权），由长子安藤信成继任家督，并把领地从 6.5 万石减至 5 万石。随后又在 1756 年将安藤信成转封至陆奥国盘城平藩，实际上是从美浓国主的地位降到普通大名。

在群雄割据、社会动荡的战国时代，大名武士纷纷以儿女婚姻作为扩展势力或遏制对手的手段，使“政略婚姻”成为武力的补充，甚至成为武将之间同盟和议的副产物，如德川家康的嫡子信康与织田信长的女儿结婚时都是年仅 9 岁的孩子，他们的婚姻不过是德川家康与织田信长的同盟之证。① 鉴于历史教训，德川幕府建立后，为防止大名之间结盟反幕，对大名的婚姻严加管束。1613 年，常陆牛久藩主山口重政为嫡子重信与小田原藩主大久保忠邻的养女定下儿女婚事，被幕府以私自缔结婚约为由而改易，并于 1615 年在颁布《元和令》时专设“不可擅自缔结婚姻”条，指出“以姻成党者，是奸谋之源”。此后这条规定贯穿于后来所有的“武家诸法度”中，被大名们严格遵守。

对大名实施改易的过程就是提高幕府权威的过程，也是对大名势力

① 1561 年，德川家康（当时称松平元康）宣布与织田信长议和，并会盟于尾张国的清洲城，史称“清洲会盟”。

进行镇压的过程，故每当做出对大名改易的决定后，就要通过各种方式向所有大名传达，让大名们周知的目的无非是警告、震慑。改易是对大名最重的惩罚，由于大名都具有军事力量，对改易很难心平气和地接受。为防止大名抵抗，改易或转封必须谨慎对待。一般来说，做出改易决定后，到接收被改易大名的城池、领地要有一个过程，被改易大名也不甘束手就擒，往往进行抵抗。如 1619 年广岛藩被改易的时候，在藩主不在的情况下，4 000 家臣固守广岛本城进行抵抗，直到接到藩主福岛正则命令开城的亲笔手书后才放弃抵抗。可见，改易执行过程无异于战争行为，为了接收改易大名的城地，要动员大名派出武士，这也是江户时代大名承担军役的重要内容之一。至 17 世纪末，随着幕藩体制的稳固，大部分大名，尤其是外样大名的所在领地都已经固定，改易与转封的实施也逐渐减少。

（三）参觐交代

参觐，本意是谒见将军。参觐交代，是指各藩的大名在一定时间内前往江户觐见将军，并在幕府执行政务一段时间，然后返回自己领地，简言之即大名交替进行江户参府与本藩政务。参觐交代是幕府控制大名、强化将军权威的最有力的实际措施。

参觐交代起源于镰仓幕府时期御家人前往镰仓履职。德川家康在关原之战中取胜后，其王者地位已无可争议，各路大名纷纷前往江户拜见德川家康表示忠心。加贺藩藩主前田利长在德川家康官拜幕府将军前就于 1602 年初捷足先登，到江户向德川家康示好，冈山藩主池田辉政也紧随其后，是为外样大名参觐将军之嚆矢。[①] 后来，长州藩主毛利辉元、广岛藩主福岛正则、仙台藩主伊达政宗等东西诸侯皆仿效参觐，不过此时尚未形成制度。1615 年，幕府发布《元和令》，其中第 9 条为“有关诸

① 松平太郎:《江戸時代制度の研究》，柏書房，1971 年，第 323 頁。

大名江户参觐的规定”，首次提到大名参觐，但并没有明确的实施办法，只是规定大名不得二十骑以上集体行进。直到1635年第三代将军德川家光发布《宽永令》时，才对参觐事务做出明确规定。《宽永令》把参觐交代的规定置于第2条："大名小名在江户交替勤务，每年四月参觐。最近随从人数甚多，增国郡之费、领民之劳，今后应适当减少人数。但上京之节，应随教令，公役者当按分限行事。”[①]顺序的提前，表明幕府对参觐交代前所未有的重视。这一法令的意义在于，此前自发的“参觐”变成了大名必须履行的强制性的义务；规定了大名在本藩与江户各一年执行政务，在本藩称“在国”，在江户称“在府”，原来单纯的“参觐”将军变成了大名定期到江户执行公务；规定了“交代”的时间为每年4月，将“参觐”制度化；要求参觐之际减少人数，按大名身份行事，所谓“分限”，即与家格相应的规范。《宽永令》颁布后，幕府立即向已经在江户的大名发出指令，令萨摩藩主为首的55位大名继续在江户执行勤务，以加贺藩主为首的26位大名则返回本藩。

《宽永令》发布七年后的1642年（宽文十九年），幕府对参觐交代做了进一步详细规定和制度调整，主要内容为：[②]

> 凡外样大名分东西两众，每年四月两众交代，或在府或在国；
>
> 谱代大名六月交代者69人，八月交代者9人；
>
> 关东八州谱代大名在府在国者各半年，每年2月及8月交代；
>
> 尾张、纪伊两家在府、在国各一年，每年参觐就封（在国）以3月为期，水户家住江户不就封；
>
> 地处要害之地的大名交替参觐。

---

① 大久保利謙、児玉幸多等：《史料による日本的步み：近世編》，第79頁。

② 藏並省自：《日本近世史》，三和書房，1972年，第87頁。

这次修改，使“参觐就封之制大定”，成为“后代长久遵据之法”。①

参觐交代作为对大名的高压政策之一，贯穿整个德川时代，虽然第八代将军德川吉宗在享保改革过程中考虑到各藩财政困难，一度把大名一年在江户一年在本藩改为半年在江户一年半在本藩，但担心因此动摇幕藩体制基础，很快就恢复旧制。幕府末期，随着幕府权力衰退，在第十四代将军德川家茂时，于 1862 年(文久二年)将过去的来年一参觐改成三年一参觐，在江户的时间也由一年缩短为 100 天，标志着这种制度已经走到尽头。

在确立参觐交代制度的同时，幕府还规定大名的妻儿必须住在江户，实际上是将他们作为人质，以防大名对幕府起叛逆之心。这项制度的起源，是爆发关原之战前的 1599 年，德川家康怀疑战国大名前田利长对自己有暗杀企图，遂命令征讨加贺藩。前田利长权衡实力，选择了臣服，于 1600 年 5 月，主动送母亲芳春院到江户做人质，从而消除了德川家康的疑心。1634 年(宽永十一年)，幕府将此制度全面推广，下令谱代大名的妻子与嫡子移居江户。1663 年(宽文三年)，第四代将军德川家纲时废除了大名与重臣必须以人质居住江户的制度，但大名的妻子与嫡子仍要居住江户，直到第十四代将军德川家茂时才废除此制，允许大名家眷返回本藩国。

参觐交代制度本身是为了抑制大名势力，提高幕府的权威，在整个江户时代，这种制度被发挥到极致，对于大名的影响是巨大而深刻的。首先是耗费了大名的主要时间与精力，使大名疲于应付参觐交代而无暇多顾。由于大名在江户的时间是硬性规定的，而前往江户的路途又要耗费很多时间，对于一年在藩一年在江户的大名来说，名义上在本藩一年，实际上，在参觐年份的 4 月份到达江户之前，至迟要在前一年的 11 月开始准备。从确定随从人员开始，到一路所需物资与交通的准备、筹备马匹粮草、

① 松平太郎:《江戸時代制度の研究》，第 323 - 324 頁。

途中路线安排、驿站选择等，加上往返路程，许多大名一年在藩的有效时间实际上只有半年而已。像萨摩藩那样的领地偏远的藩，往返一趟，一年在藩时间所剩无几，从而达到了幕府牵制大名的目的。

其次是消耗了大名的财力。大名在江户的生活及往返途中的所有花费均由各藩负担，因此，参勤交代对大名而言无异于财政灾难，一般来讲各藩的收入少则一半，多则七八成都用于参觐交代。① 以最大的外样藩加贺藩为例，根据 1790 年（宽政二年）末对下一年度的财政预算表，开支为 10 354 余贯，而收入为 7 162 贯，将有 3 192 贯的缺口。在支出当中，用于参觐交代及江户在府的经费 4 876 贯，约占总岁入的七成。② 1634 年长州藩年贡收入的九成都用作"江户费用"。③ 有学者以石高 10 万石的宇和岛藩（今爱媛县）为例进行考察，仅参觐途中所需的人员开支、住宿费用、搬运费用、马匹饲料、赠送土产等费用，单程花费大约金 986 两，折合当今日元约为 9 860 万日元，往返加在一起，高达近 2 亿日元，实在是一笔巨额支出。④ 如此沉重的负担令大名不堪其苦。这项有利于幕府统治的制度设计——时间、财力加上人质三要素，使幕府轻而易举地实现了对各地大名的有效掌控，压制了大名的反心，迫使大名对幕府效忠。这是德川幕府能够维持二百多年稳定统治的重要原因。

最后是带来制度设计者预想之外的结果，即促进了武士阶级的掘墓人——町人阶层迅速崛起。由于参觐交代的实施，各地大名队伍络绎不绝往返于领地和江户之间，促进了道路交通的发展，形成了以江户为中心的道路网。参觐交代之路就是商路，沿途驿站后来都发展成为城市。同时，为了满足参觐交代期间在江户的消费需要，各藩不得不将大量生

① 進士慶幹：《生活史叢書・1・江戸時代武士の生活》，雄山閣，1980 年，第 96 頁。

② 蔵並省自：《日本近世史》，第 89 頁。

③ 西川俊作：《日本経済成長史》，東洋経済新報社，1985 年，第 27 頁。

④ 上田理沙：宇和島伊達家の参勤交代：第 19 次宇和島市民歴史文化講座，2011—01—16，EB/OL http://www. city. uwajima. ehime. jp/www/contents/1150209642062/html/common/other/4e570333030. pdf。

活物资运到江户，或将征收来的年贡米用船运到大阪等地出售以换取货币，从而促进了海运与河运的发达。对于大名武士来说苦不堪言的参觐交代，让商人成为最大的受益者。由于参觐交代的实施，各地人员涌进江户，加深了对町人的依赖。如近世儒学者荻生徂徕所言："这些武士在衣食住各方面的用品，哪怕是一根筷子，都要花钱来买"，"他们殚精竭虑、奉公敬上得来的俸禄全都让住在江户城的町人得了利益。靠这些利润，町人们的势力壮大起来"。[①] 当初为了抑制大名势力的参觐交代制度带来的直接结果就是，养肥了为他们服务的町人，大名武士面对町人日益增长的财富及自身逐渐贫困的局面，心理逐渐失衡，身份秩序及主从关系开始坍塌。

（四）摊派军役

幕府在要求大名严守法律、通过参觐交代表示臣服的同时，还摊派各种军役。军役是臣下对主君承担的军事上的夫役，最早起源于镰仓幕府时期，御家人对幕府平时要承担番役（警备），非常时期则上战场参战。这种制度被继承下来，德川幕府进一步将军役制度化，并作为提高幕府权威，抑制大名势力的有效工具。

德川幕府沿袭丰臣秀吉侵略朝鲜时确定的根据土地收获量制定大名军役的做法，在石高制基础上确定大名、武士的军役负担量。德川时代的军役主要是在发生战事时，为幕府提供兵力、武器、马匹等等。1616年（元和二年），幕府以石高 500 石至 1 万石为对象，1633 年（宽永十年），又以 200 石到 10 万石为对象做出军役规定，确定了大名、旗本的军役体系。1649 年（庆安二年），幕府对军役数量做了一些调整，制定了"庆安军役令"，成为后来到幕末大名武士必须遵守的定制。"庆安军役令"的特点是规定极其详细，对大名军役，不仅规定了家老、奉行及陪臣的人数，

---

① 荻生徂徕著、龚颖译：《政谈》，中央编译出版社，2004 年，第 42 页。

连其中“挟箱持”(负责搬运服装箱)几人、“草履取”(编草鞋者)几人、“雨具持”(搬运雨具者)几人等都有具体的数字规定。①

表 1－4　大名军役规定②

石高＼内容	马匹(骑)	火枪(支)	弓(张)	矛(支)	旗(面)	人数
1 万石	10	20	10	30	3	235
2 万石	20	50	20	50	5	415
3 万石	35	80	20	70	5	610
4 万石	45	120	30	70	8	770
5 万石	70	150	30	80	10	1 005
6 万石	90	170	30	90	10	1 210
7 万石	110	200	50	100	15	1 463
8 万石	130	250	50	110	15	1 677
9 万石	150	300	60	130	20	1 925
10 万石	170	350	60	150	20	2 155

江户时代的军役动员主要有 1614—1615 年的大阪之阵；1637 年—1638 年平定岛原之乱③；幕末为防止俄国势力南下，令东北津轻、南部、秋田、庄内大名于 1807 年(文化四年)出兵虾夷地(古时称虾夷国，今以北海道为中心，包含库页岛与千岛列岛等地)；1864 年与 1866 年两次征讨长州藩等等。自从 1615 年消灭了丰臣氏势力，日本再无大规模战事，在以和平为主的环境里，正式的军役并不多，但幕府并未放弃军役制度，而是要求大名继续以准军役的形式对幕府和将军提供各种奉公义务，作为和平时期军役的替代。这些准军役包括：将军出行之时的随从与警卫；被改易大名城池的接收及新藩主到来之前的警备与管理；江户各城

① 根岸茂夫:《近世武家社会の形成と構造》，吉川弘文館，2000 年，第 47 頁。

② 蒲生真紗雄:《数字と図表で読み解く徳川幕府的実力と統治的しくみ》，新人物往来社，2010 年，第 17－18 頁。

③ 岛原之乱：1637—1638 年九州岛岛原藩及肥后天草地区抗争年贡负担过重及迫害基督教徒的大规模农民一揆，参加者很多是基督徒。

门的警卫及城内防火；组织检地团体，以家老为长，到其他藩实施检地；让大名承担城郭修建、治水工程；等等。

其中最后一条让大名承担各种工程，日语称“普请”，是准军役中的主要内容。“普请”本是佛教语言，即在建筑寺院时，“广泛请求大众提供劳力等帮助”之意，后转意为承包建筑方面的土木工程。德川幕府常常命令大名以“普请”的方式派人参与城郭修筑以及河川疏浚等工事，还要承担所需费用，仅从德川幕府建立到1614年，就命令诸大名参与修建了多个土木工程。这些工程，尤其是各城郭的构筑与修建，不仅具有针对丰臣氏势力的战略意义，同时具有确认将军—大名间主从关系的政治意义。①

表1-5　江户初期以诸大名参建的土木工程②

年份	工程内容	年份	工程内容
1603	江户土木工程	1609	修建铫子港
1604	修筑江户城	1609	丹波筱山筑城
1604	修筑彦根城、伏见城	1610	名古屋筑城
1606	增筑江户城	1610	丹波龟山筑城
1606	修筑长滨城	1611	皇居禁里修造
1606	太上天皇御所增筑	1611	江户城修筑
1607	修筑俊府城	1614	高田筑城
1608	再筑俊府城	1614	江户城修筑

德川家康于1603年就任征夷大将军后，立即开始江户城的大扩张计划。命令前田利长、伊达政宗、上杉景胜、池田辉政等65家大名参与从骏河台高地取土，填埋日比谷、吴服桥方面的洼地及河流入海地的工程。1604年，又令池田利隆、加藤清正、浅野幸长、黑田长政、锅岛直茂、细川忠利等外样大名共同进行江户城的改造。1606年，第二代德川秀忠

① 笠谷和比古：《近世武家社会の政治構造》，吉川弘文館，1994年，第138頁。
② 大久保利謙、児玉幸多等：《史料による日本的歩み：近世編》，第87頁。

继续江户城扩建工程，向28家大名下令，领地收入每10万石要提供“百人持”（百人才能搬运）的巨石1 125个[①]，并要从位于伊豆半岛东部的采石场运到江户城，当时，三千多艘船每月两次往返于江户至伊豆之间。长州藩毛利家为了完成任务，不得不动员2 988人赴江户。1610年，亲藩大名尾张藩藩主德川义直以原所在的清须城规模太小，不能承担军备重任为由，着手新建名古屋城，加藤清正、福岛正则、黑田长政、池田辉政、锅岛茂胜等20余位外样大名收到了协助筑城的命令。对于幕府的这种做法，大名们敢怒不敢言，还要非常努力，以表现出对德川将军家的忠诚，仅石墙就出工近600万人次，用了两年时间才完成全部工程。长州藩从1606年到1620年15年间，按照幕府的命令，先后七次参与修筑江户城、骏府城、筱山城、名古屋城、大阪城等工程，耗费了大量人力与财力，为此不得不向富商借贷，因此背上沉重的债务，到1623年（元和九年），藩债已达银4 000贯。[②] 江户中期第九代将军德川家重执政时期，幕府有意削弱萨摩藩的经济实力，让这个地处最远的藩承担尾张藩境内的木曾、长良、揖斐三条河流的治水工程。在施工过程中，幕府对参加工程的萨摩武士严格监视，多次催逼工期，使得不少武士在治水工程中病死或自杀，萨摩藩也背上了沉重的债务负担。工程总负责人平田韧负在完工后担责自裁。萨摩藩所处的这种境遇也成为幕府末期该藩积极倒幕的原因之一。

结语

在以上各种高压政策之下，江户时代的大名们不仅消耗了财力，也磨平了扩张意志，只能围着幕府的指挥棒团团转，再也无力挑战幕府与

---

① 山口启二：《岩波講座日本歴史・10・近世・2・幕藩体制の成立》，岩波書店，1963年，第128頁。

② 蔵並省自：《日本近世史》，第96－97頁。

将军的权威，战国时代剑拔弩张的紧张空气因此荡然无存。可以说，幕府的大名统治政策奠定了江户时代天下太平的政治基础。

六　近世日本商人的生活哲学

近世日本，幕藩体制在客观上促进了商人势力的成长，身份制度造就了商人对工商业的垄断，使社会地位最低的商人成为经济生活中最具势力的阶层。身居这种矛盾的社会之中，商人无力挑战社会体制，唯有面对现实，服从命运，其消极的处世哲学和积极的俭约观得以形成。

（一）幕藩体制下商人势力的成长

近世日本商人势力的崛起及其在经济生活中的地位日趋重要，某种意义上说是幕藩体制及身份制度的副产物。

德川家康在江户建立幕府后，总结了数百年来武家社会秩序混乱、主从关系松弛的教训，为了避免重蹈覆辙，建立了以幕藩体制为中心的严格的统治体制。在中世社会曾经由武士、天皇、公家、寺社等分别所有的统治权力变成“由武士以排他的形式承担”①。但在作为统治阶层的武家社会内部，德川幕府虽然在军事、经济上无人能敌，却无法彻底清除各地大名的割据势力。基于这一现实，德川幕府依据大名与德川幕府将军关系的亲疏，把近270个藩分为亲藩、谱代、外样三种类型，等级严明，不得僭越。这种由幕府支配全国大名，大名坐镇地方的“幕藩体制”，表面上是由大名的“藩”作为幕藩的屏障，但实际上是削弱地方而强大中央的手段。在德川幕府前期，幕府几乎所有施政方针都集中在削弱地方大名的势力上。如1615年，“大阪夏阵”结束，消灭丰臣秀赖后不久，幕府针对全国各地大名城堡林立的情况，发布“一国一城令”，从此，对大多数藩

① 笠谷和比古：《近世武家社会の政治構造》，吉川弘文館，1994年，序论第1頁。

来说仅保留了唯一的城堡，武士们集中居住在当时以藩都为中心形成的城下町中。为了满足武士们在城下町的各种消费需求，大批工商业者前来掘金，商人阶层迅速壮大。对商人势力的发展最有效的促进就是“参觐交代”制度。这一制度始于1615年，贯穿于整个江户时代，大名们不得不往返于江户和领地之间，并在江户和本藩维持两套机构，路上花费以及在江户生活的开销巨大。对于商人而言，参觐交代之路就是商路，以江户为中心的道路网得以形成，以五街道①最为有名，沿途驿站后来都发展成为重要商业城市。由于参觐交代的实施，各地人员涌进江户，使江户的人口大幅增加，1724年，人口已经达到100万，远远超过伦敦、巴黎等欧洲的大城市。② 如此众多的城市人口对商人的依赖可想而知。为了满足参觐交代期间在江户的消费需要，各藩不得不将大量生活物资运到江户，或将征收来的年贡米用船运到大阪等地出售以换取货币，从而促进了海上航路及金融和商业组织的发达。当初为了抑制大名势力的参觐交代制度带来的直接结果是让大名武士苦不堪言，却养肥了为他们服务的商人。

身份制度造就了商人对工商业的垄断。进入江户时代，德川家康继承了丰臣秀吉的兵农分离政策，在前三代将军（家康、秀忠、家光）时期已经确立了严格的“士农工商”世袭身份制度。武士作为“三民之长”，凌驾于农、工、商上；农民身份地位仅次于武士，为武士的生活和城市建设提供夫役和技能的手工业者位列第三；商人贩卖供领主与武士消费的商品等，由于不事生产，被认为无益于社会，位列最末。这种身份加职业的分工客观上对经济发展具有积极作用。在经济领域，农民从此专务农业生产，由手工业者和商人组成的町人专门从事工商业。商人不事农桑，也没有当官入仕的预期，只能服从身份制度的安排，在他们专属的领域寻

---

① 以江户日本桥为起点向外延伸的东海道、日光街道、奥州街道、中山道、甲州街道。

② 北島正元：《江戸時代》，岩波新書，1966年，第108頁。

求自身发展。身份制度下各种身份不能互转，这在客观上为商人排除了竞争对手，使商人得以专心致力于本业。这种浸透了身份制度的职业体系与日本人的家制度及家业永续观念结合在一起，刺激了人们发家致富的积极性，豪商巨贾应运而生。商人们既没有中国“耕读传家”那样的价值观，也不羡慕徒有名利的武士，而是以自己的职业为满足。如战国末期豪商岛井宗室就不把武士放在眼里，当丰臣秀吉在一次茶会上问他“你认为武士与商人，哪一种人好?”的时候，岛井宗室直截了当地回答：“不喜欢武士!”[①]在商人积累了财富，尤其是成为武士生活中不可缺少的存在后，更是感到自己生存的价值。如商人学者西川如见1719年在其所著《商人囊》中说：“以往商人位于百姓之下，然不知何时变成通用金银之世，天下金银财宝尽归商人所有，于是时常出现于贵人面前，其品级不知不觉已在百姓之上。何况百年以来，天下成静谧之世，故儒者、医生、歌道者、茶道风流诸艺者，大多出自商人之中。水在万物之下而滋润养育万物，商人位于四民之下，而作用于上五等人伦。生逢此世，生于此品，实乃此身之大幸也。”[②]西川如见还表示出对武士的不屑：“若生于武士之家，会很麻烦。一生小心翼翼侍奉主君，心力交瘁，以名利为第一，炫目于人前，总是一本正经。与武士相比，唯有商人才真正快活。”[③]可见，商人的发达正是拜幕藩体制与身份制度所赐，商人的自信来源于他们没有与幕藩的主从关系束缚。

但是在现实生活中，商人并非这样轻松与潇洒。置身于身份制度之下，他们所有的自信都是有限的、相对的。商人是幕藩体制下身份制度及重农抑商政策与无法阻挡的商品经济发展的矛盾体制的产物。在日益卷入商品货币经济的情况下，没有土地、不事劳作的武士在生活上已经离不开商人。眼见商人的财富日渐增加，武士对商人只剩下羡慕和嫉

① 吉田豊:《商家の家訓》，德間書店，1973年，第33頁。
② 中村幸彦等校注:《日本思想大系・59・近世町人思想》，岩波書店，1975年，第88頁。
③ 中村幸彦等校注:《日本思想大系・59・近世町人思想》，第115頁。

恨。他们依仗手中的权力，时常侵害商人的权益。最常使用的手段是向商人借钱不还。当时，“诸侯不论大小，皆俯首向町人借钱，依赖江户、京都、大阪及各地富商之援助度日”①，不少趋利的商人经营向大名融资的“大名贷”。“大名贷”风险巨大，往往有赖账不还者或因为穷困而无法偿还者。为了维护武士的利益，幕府也常以“德政”为名一笔勾销大名、武士的欠债，对商人所受损失置之不顾。1719 年，幕府针对日益增多的借贷纠纷，颁布“相对济令”，宣布幕府不再受理因借贷纠纷引起的诉讼，而是转为在当事者之间自行解决。这个法令虽不否认债权，但陷无权之商人于不利地位，为武士赖账开辟了方便之门。在商人三井高房 1728 年所做的《町人考见录》里记载的京都、大阪等地 50 家败落的商人中，因“大名贷”破产的就有 30 家。后来，幕府在宽政改革中，为救济贫困的旗本、御家人，于 1789 年还曾发布“弃捐令”，强令废除六年以上的武士债务，对五年以内的借款也勒令将利息下调至 6%，仅这一次被废除的武士债务就高达 118 万两，②使商人蒙受重大打击。

也有些商人随着财富的增加开始忘乎所以，尤其是在经济繁荣的元禄时代(1688—1704)，社会盛行奢侈之风，有的建造豪宅，有的追求着装华美，有的出入花街柳巷。当时曾流行着木材商人奈良屋茂左卫门与纪伊国屋文左卫门这“一对豪男”斗富的段子：奈良屋茂左卫门以一夜千金的价格包下吉原(东京著名的妓院)赏雪，纪伊国屋文左卫门则在吉原的庭院中向雪中抛金如豆，引来人们哄抢。富商一掷千金的豪奢，使作为统治者的武士受到强烈的心理冲击。幕府试图遏制豪商们的奢华之风，不断发布禁止奢侈令。在江户时代不到 270 年里，共发布禁止奢侈令 258 次，最多的是在第五代将军德川纲吉时期，在任 29 年中竟然发布了 59 次。③ 面对作为统治者的武士与幕藩的压力，以及不少暴富商人因奢

---

① 太宰春台：《経済録》，笹山晴生等：《详说日本史史料集》，第 212 頁。

② 大石慎三郎、津田秀夫等：《日本経済史论》，御茶水書房，1967 年，第 154 頁。

③ 蔵並省自：《日本近世史》，第 265 頁。

败家或受到处罚的教训，商人们开始对自身定位进行反思，消极的处世哲学和积极的俭约观得以形成。

（二）商人消极的处世哲学

商人虽然拥有财富，但是在幕藩体制及身份制度下是无力的群体，甚至商人发财与他们的顾客及债务人——武士有着密切关系，所以，商人深知其中的利害，更不能与体制正面抗争，只能对武家和幕府表示恭顺，谨慎行事，严守身份秩序。江户前期大阪有一豪商淀屋家，靠木材、米谷交易和对大名放贷获得暴利，成为大阪首富，到第五代辰五郎的时候，有家产金 12 万两，白银 12.5 万贯，向大名贷款 1 亿贯。[①] 淀屋家生活奢华，排场堪比大名。他公然违抗幕府多次发布的禁止奢侈令，身穿印有醒目家纹标志的名贵白绢衣服招摇过市。1705 年，幕府对富可敌国、敢于藐视武士的淀屋辰五郎以“僭越商人身份”“生活过于奢侈”“违反俭约令”等罪名进行惩处，没收淀屋家所有财产，并一笔勾销其面向大名的贷款，淀屋辰五郎本人也遭流放。如此严重的惩罚，显然“生活过于奢侈”“违反俭约令”是借口。真实原因是淀屋家实力强大到能操控米市，对幕府与大名都是威胁，尤其那 1 亿贯“大名贷”对大名是巨大压力，而其高调、奢华的生活正为幕府提供了“僭越商人身份”的把柄。淀屋家的悲剧是对商人的严厉警告，促使他们服从幕府权威，牢记自己身份。不少近世商人家训把遵守幕府及各藩的法度放在第一条或重要位置就是在这种背景下产生的。如近江商人市田的《市田家家则》第一条就是“严守各种公仪法度，不可对町内管理者无礼”[②]；久留米商人林田家（手津屋）规定：“家中诸人需严守幕府法令；将军为日本国之主君，需敬仰之；藩之主君亦与现人神无异，决不可做违背政道之事”[③]。

---

① 宫本又郎等:《日本経営史——江戸時代から21世紀へ》,有斐閣,1995年,第16頁。

② 吉田豊:《商家の家訓》,第90頁。

③ 足利政男等:《商売繁盛大鑑 日本企業の経営理念》第3卷,同朋舍,1984年,第244-245頁。

当然，也有精明的商人能审时度势，利用向幕府示好，来实现自己的目的。如赫赫有名的豪商三井家家训要求族人“幕府每次颁布的法令，当主（家长）应当将其精神迅速传达至手代（伙计）以下的使用人，并严格遵守”①。尤其是“不可马虎应付幕府，应认识到服务于幕府和家业经营好比车之两轮，切记荒废任何一方都将产生不利影响”。事实上，在三井发达的过程中，从一介纪州商人把业务扩展至全国，获得幕府支持至关重要。三井家在江户开设越后屋不久，利用偶然机缘结交幕府第五代将军德川纲吉的侧用人牧野成贞，向其提供和服产品，逐步获其信任。后经牧野成贞向将军推荐，遂委任三井家作为吴服御用商人，专供幕府所需。在幕府支持下，三井名声远播，很快便跻身少数大吴服商行列。三井还利用与幕府的关系发展金融业务并大获成功，从此奠定了其在全国商界的地位。

对幕府如此，对藩主也是同理。在商人所在的各藩，遵守各藩的法规也是非常重要的。近世早期的博多商人岛井宗室就嘱咐家人对藩主家应随时携新鲜鲍鱼、鲷鱼等奉上，对藩中的家老也要偶尔前往拜访之。其目的无非是借此拉近与藩主的关系，表示恭顺之心，以在经营中得到关照，至少不被找麻烦。加贺藩御用商人钱屋五兵卫特别强调“对藩之法令，需严加遵守，不可忘却”②。三井家的出生地是纪州藩，三井家特别强调“纪州藩德川氏是我家领主，无论何时皆应尊重”，“须定额向纪州藩上缴贡金”，“对待纪州藩官吏，不可疏忽大意，应尽量服侍周到，结其欢心”③。殷勤忠顺使纪州藩主对三井家颇为优待，特别在其创业初期，给予种种便利，加上自身经营实力，使三井很快成为藩内有力商人。

由于1705年幕府对大阪豪商淀屋家的处罚影响巨大，商人们普遍把“戒奢”作为商人的本分，严禁在衣食住行等方面有违商人身份。如町

① 足利政男等：《商売繁盛大鑑 日本企業の経営理念》第5卷，同朋舍，1984年，第238頁。

② 足利政男等：《商売繁盛大鑑・日本企業の経営理念》第1卷，同朋舍，1984年，第256頁。

③ 足利政男等：《商売繁盛大鑑・日本企業の経営理念》第5卷，第266頁。

人学者西川如见在《町人囊》中提醒商人："如果町人装束打扮超过身份，便可称之为骄奢。卑贱的商人穿华丽的服饰游山，或可被劫财，以低下之身效仿武士领主的排场，会招致灾祸。"①大阪商人鸿池家一直秉承家训中的规定："当今之世，要按身份而行，万事不可哗众取宠"，"婚丧嫁娶等，须按礼仪进行。席间所用菜肴，应与身份相当"②，鸿池家在江户时代一直发展顺利与其不忘本分，谨慎经营应有密切关系。摄于幕府的威严，加上町人的严格自律，自淀屋辰五郎之后很少再有商人受到相同的惩罚。

处于士农工商末流的境遇，培养了商人隐忍的性格。商人们很清楚，唯有小心谨慎，奉公守法，其家业才有存在及获利的可能。这是从严峻的社会现实中得出的教训。石门心学者胁坂义堂在《忍德教》中是这样强调忍耐之重要性的：

> 忍为德，夫大矣哉。可以修身，可以治国。可以昌家，可以兴国。学以之成，业以之盛。功以之立，名以之著。③

在商人家训中，也可以看到如"治家以忍耐为第一"(《矢谷家家训》)④、"俭勤与忍耐乃货殖之道"(《安田多七家家训》)⑤、"勿多言，言多败多；勿多事，事多患多"(向井家《家内谕示记》)⑥之类的教训。作为商人，必须忍耐身份制度带来的在社会地位上的不公平；为了自家的生存，必须忍耐各色各样挑剔的顾客；为了家的利益，必须抑制个人的种种私欲。这些训诫明显体现出处于身份制度下的商人因无法与作为统治者的幕府与武士抗衡，只能安于现状，以求家业稳定的心理。消极的忍耐

---

① 中村幸彦等校注：《日本思想大系・59・近世町人思想》，第 90 頁。

② 足利政男等：《商売繁盛大鑑・日本企業の経営理念》第 4 卷，同朋舎，1985 年，第 30－31 頁。

③ 京都府編集兼发行：《老舗と家訓》，京都府，1969 年，第 42 頁。

④ 京都府編集兼发行：《老舗と家訓》，第 42 頁。

⑤ 同上，第 45 頁。

⑥ 同上，第 54 頁。

反映出商人对社会现实的无奈，具体反映在家业的经营上，就是形成墨守祖业、小心守成、力求安稳的心态，规避风险重于开拓创新。如《伊藤松坂屋家宪》要求“守祖传之家业，决不许从事投机事业”[①]；《若尾家家宪》规定“专一于家业，勿起徒衔虚名之念”[②]。如果要从事新的经营，也要谨慎小心，“欲在家传之商卖之外新增业务时，须店中一统协议后方可实施”（《市田家家则》）[③]。这虽在一定程度上维护和实现了家业的稳定，但过分强调遵守先规先例，实际上是故步自封的表现。正因如此，在幕末和明治初期的变革之际，许多老店由于长期固守陈旧的业种和经营方式而趋于没落，只有那些敢于冒险的商人发展起来，如摄津国川边郡鸿池村以酿造清酒起家的鸿池家不仅将经营范围扩展至大阪，经营业种也扩展至农业、海运业和金融业。“日本之富七分在大阪，大阪之富八分在今桥”（今桥即鸿池两替店所在）之说表现了鸿池家“日本第一富豪”的地位。

（三）积极的俭约哲学

近世日本，社会地位最低的商人成为经济生活中最具势力的阶层。面对幕府的打压、武士的嫉恨，艰难生存的商人们只能律己，并完成了由奢入俭的转变。他们或著书立说，或撰写家训，阐述自己的俭约主张。以下简介其中若干作品，从中得见商人积极的俭约理念。

井原西鹤的《日本永代藏》与“长者丸”

井原西鹤（1642—1693）是著名町人文学家，俳谐诗人，出生于大阪商人家庭。其创作活动主要在经济繁荣、社会崇尚享乐之风的元禄时代。他的系列“好色物”小说，描写了商人在积累了财富后如何追求享乐及奢侈颓唐的城市生活。而其反映町人生活的作品《日本永代藏》（1688

---

① 北原種忠：《家憲正鑑》，家憲制定会，1920年，第396頁。

② 北原種忠：《家憲正鑑》，第362頁。

③ 吉田豊：《商家の家訓》，第93頁。

年刊行)，因强调“始末、才觉、算用”等积极的经营伦理而广泛流传，被誉为“元禄时代纪念碑式的作品”[①]。熟知町人生活甘苦的井原西鹤在作品中强调商人的价值:“与贵人高人、一切文艺人全然不同，普通町人唯有靠拥有金钱才能扬名世上。”“俗姓、门第皆无妨，唯金银是町人之系图也。”在此之上，他鼓吹金钱至上，“世上唯有金钱最有价值”，有了钱，“既能有成佛之心，又能为后世造福，令万人羡慕”[②]，可以说西鹤的俭约观是建立在金钱本位的价值观之上的。既然金钱如此重要，那么作为商人自然应把致富作为目标，即成为积累资产 1 000 贯以上的“长者”(富翁)。如何才能成为富翁？西鹤在《日本永代藏》中以幽默的笔调，开了一副“长者丸”(意为致富药方):“早起 5 两，家业 20 两，夜作 8 两，始末 10 两，健康 7 两。将此 50 两细细研磨，准确计量，仔细配方，早晚服用，定能成为富翁。”[③]“始末”即俭约，在“节俭”之外，也包含在经济活动中对计划的一贯坚持，预算和决算要平衡，避免无用耗费。[④] 这味“药方”中俭约的分量仅次于家业，甚至超过了健康，说明在井原西鹤心目中俭约的重要。

但是，仅仅服了“长者丸”是不够的，为了使“长者丸”有“疗效”，井原西鹤进而提出必须远离以下涉“毒”行为:“贪美食、淫乐、穿着绢织服装；女眷坐轿出门，让女儿玩抚琴和歌骨牌，男子沉迷乐器；涉足蹴鞠、射箭、香道之会，耽于连歌；热衷宴请、茶道、赏花、舟游、白日入浴；喜好夜间游乐、赌博、以町人之身练习剑术与兵法；参诣神社佛阁，寄托来世；充当纠纷调解人、保证人；开发新田、矿山；饮酒、抽烟，无目的地上京；出资主办相扑比赛为神社佛阁化缘；嗜好与家业毫无关系的手艺活，与艺人交际，出入妓院；借高利贷。”[⑤]西鹤认为这些是比砒霜还要可怕的毒药，想要发家致富的人一定要极力避免。可以想象，上述这些被视为有“毒”的行

① 吉田豊:《商家の家訓》，第 258 頁。

② 野間光辰校注:《日本思想大系・48・西鶴集》，岩波書店，1971 年，第 185、122、91 頁。

③ 吉田豊:《商家の家訓》，第 260 頁。

④ 吉田豊:《商家の家訓》，第 15 頁。

⑤ 吉田豊:《商家の家訓》，第 261 頁。

为，在奢华成风的当时一定相当流行，并致使其中的一些人归于破产，让商人在致富路上功亏一篑。井原西鹤实际上在提醒人们，商人在发家的同时，也伴随着突然没落的危险。这是井原西鹤从许许多多因奢败家的现实中总结出来的教训。《日本永代藏》作为井原西鹤代表性“町人物”小说，一反此前“好色物”小说特点，积极的町人伦理渗透其间，在当时及后世都作为商人的教训书而具有广泛影响和现实教育作用，其“药方”式的教训也被许多商人家训采用。在江户时代，“始末”始终被置于“商人三法”（即始末、才觉、算用）的首要位置。

三井高房《町人考见录》中商人衰败的教训

三井家是伊势商人的典型代表。三井家起源于17世纪初年，到第三代当主三井高房（1684—1748）时期，已经在京都、大阪、和江户拥有了十几家分店，成为当时的强势豪商。作为掌门人，三井高房经历了元禄、享保时代，耳闻目睹不少商家一代创业，二代享受，三代败家的现实，深有感触，于1728作《町人考见录》。该书记载了以京都为主的50家商人的兴衰史，并加以评说，作为三井家家训教训子孙。

三井高房在《町人考见录》的序文中说：“京都、江户、大阪的商人之先祖或来自乡下，或经过给别人帮佣才扩大了买卖，将财富传于子孙。”“而那些商人的子孙，生于富贵之家而不知生计艰难、金银珍贵。受不良世风影响，骄傲自大，不事家职，度日漫不经心。”其结果，“京师有名商人，多有二三代即败家者”①。虽然这些商人衰败的原因大部分是向大名放贷无法回笼资金（共有30家），但其中也有不少是因奢败家。例如越前国米商出身的系屋十右卫门，发了财后便讲究华丽排场，耗资千枚大判（椭圆形金币）购买名贵茶器，为了付钱大白天用车拉着钱币招摇过市。系屋家还建立禅院，安置佛像的帏幔都用金箔丝缎制成，如此烧钱导致不到第三代就耗尽家财。三井高房评价系屋十右卫门是“以町人之

① 中村幸彦等校注：《日本思想大系・59・近世町人思想》，第176頁。

身，与公卿交际，忘却本分，终至破产”①。曾经是京都两替（货币兑换）业巨头的两替善六家本来生意兴隆，但到第二代时沉迷游艺，经常出入茶道乐舞等场所，挥金如土，再加上向大名放贷无法回收，结果连房屋都卖掉抵债。② 还有三井家一个分家三井六右卫门，继承了江户两家分号，却不事经营，在京都西郊的鸣泷建立号称“龙宫”的华丽山庄，每日在此逍遥，最终破产，不仅卖掉家屋，连女儿也不得不去别人家帮工。③ 三井高房在总结这些因奢破产的商人的教训时指出，“天下之奢有两种，即身之奢与心之奢。很多情况下是因心生奢念，才追求外表华美”。系屋十右卫门等人正是由于奢从心生，才有那样危险的行为。三井高房告诫族人：“为政者因奢失国，庶民因奢丧身。先祖艰难创业，殚精竭虑积累资财，即使不能增益产业也应常思前人荫佑，守住家业。然极尽骄奢，家业终将败尽。”④

三井高房所处的时代，正是三井家事业发达的时期，其祖三井高利、其父三井高平奠定了三井家繁荣的基础。他出于强烈的危机意识作《町人考见录》，提醒家人吸取教训，避免三井家重蹈二、三代而亡的覆辙。此后三井家经过二百多年而不辍，与族人秉承《町人考见录》中的教训不无关系。《町人考见录》虽然是为教训子孙所作，但由于其教育意义深远而超出了家训的范围，在社会上具有广泛影响。

石田梅岩《俭约齐家论》的俭约道德化

石田梅岩（1685—1744）是把“俭约”这一理念阐述得最为详尽的庶民思想家。与前述井原西鹤、三井高利都是商人出身不同的是，石田梅岩生于农家，但有着很长时间的从商经历——在商家从学徒做到管家。或许因为他不是纯粹的商人，仅仅是商家的“打工者”，所以他具有超越

① 中村幸彦等校注：《日本思想大系・59・近世町人思想》，第181頁。
② 中村幸彦等校注：《日本思想大系・59・近世町人思想》，第182頁。
③ 中村幸彦等校注：《日本思想大系・59・近世町人思想》，第201頁。
④ 中村幸彦等校注：《日本思想大系・59・近世町人思想》，第181頁。

商人的更广阔的视野。石田梅岩一生经历了元禄时代的繁荣、幕府以厉行俭约为重要内容的“享宝改革”，晚年又遭遇“享保大饥馑”，这一切都对他的经济思想形成产生了重要影响。他针对当时社会对商人专事投机、道德低下的诟病，提出作为商人应该具有“正直”“俭约”的德行，由此构成其商人伦理的核心。石田梅岩晚年写作的《俭约齐家论》于其去世前四个月刊行。书中从道德的层面论述俭约的意义，其影响远远超出此前商人的节俭之训。

相对于此前井原西鹤、三井高利等有识之商人对勤俭持家、禁止奢侈的提倡，石田梅岩赋予俭约更深的内涵。“世间对俭约之事多误解为吝啬，其实非也。俭约乃节用财宝，合乎身份，不过分无不及，不浪费不乱弃用，因时随法，则所做之事可成。”①在石田梅岩看来，俭约是一种合理利用财产，量入为出的生活方式，并且吃穿用度的标准，要合乎自己的社会地位。但俭约不等于吝啬，梅岩认为吝啬是出于一己贪欲，贪欲是有害于社会的。而商人厉行俭约是有利于社会的高尚行为，是出自天理，应当提倡。他视俭约为商人的“齐家之本”，强调“须知当今俭约乃治家之本，其本立，则奢止，家可齐”②。

石田梅岩还把俭约提到更高的层次，即俭约不仅可以齐家，而且可以治国。“治世之道，俭约为本。”③这里的“世”，除了庶民家庭，还包括上自幕府，下至四民的各个社会阶层。他在《俭约齐家论》中说，“余云俭约，非仅在于服装财器之事，而志在教化民众存正直之心”。“士农工商职分有异，而道理相通，士之道与农工商相通，农工商之道亦与士相似。四民之俭约无须分别论述，所谓俭约并非他仪，乃是复归与生俱来的正直而已。”④他强调作为统治者的武士要与作为庶民的农工商同样遵守俭

① 柴田実校注:《日本思想大系·42·石门心学》,岩波書店,1971年,第24頁。
② 柴田実校注:《日本思想大系·42·石门心学》,第13頁。
③ 柴田実校注:《日本思想大系·42·石门心学》,第24頁。
④ 柴田実校注:《日本思想大系·42·石门心学》,第26頁。

约的原则。“治国者应节用爱民。节约财宝的行为也蕴含爱民之理。欲爱人若无财用则不能。故而俭约乃治国之本。”①

从俭约齐家，到俭约治国，石田梅岩看得更高更深。幕藩社会，身份等级森严，而俭约是四民相通的美德。在石田梅岩的学说里，俭约不仅是一种生活方式，更是修身的方式，不仅是为一己之私利，更是为天下之公益。因此，俭约不仅能够齐小家，而且有益于治天下。对于俭约的对立面——奢侈，梅岩引用《论语》中的“礼，与其奢，宁俭”，指出奢侈不只是导致败家的原因，还是不仁的表现，即“奢为不仁之本”②。“仁”是儒学的核心思想之一，不仁，就是不爱人，这是从道德上对奢侈进行谴责。总之，无论俭约还是奢侈，在梅岩这里都不仅是作为生活方式而存在，而是被赋予了道德含义，使其成为“商人道”的核心，从而具有广泛社会影响，其俭约齐家思想被许多商人发扬光大，并写进家训世代相传。俭约的生活方式由此受到商人社会的普遍提倡。

本章第一部分原载《学术月刊》2014 年第 1 期，原题《中日两国古代社会的差异——社会史视野的考察》；

第二部分原载《古代文明》2012 年第 3 期；

第三部分原载《古代文明》2015 年第 1 期；

第四部分原载《日本学刊》1996 年第 3 期；

第五部分原载《四川师范大学学报》(社会科学版)2016 年第 1 期；

第六部分原载《外国问题研究》2015 年第 2 期。

---

① 柴田实校注:《日本思想大系・42・石门心学》,第 23 頁。

② 柴田实校注:《日本思想大系・42・石门心学》,第 24 頁。

第二章　近代日本社会生活的变化

一　明治时代天皇权威的重建

日本的皇室是世界上历史最悠久的皇室，也曾经是君主制国家中最尴尬的皇室。直到明治维新前，只有极其短暂的天皇亲政的历史，在多数时间里，天皇与皇室只是在政治漩涡中艰难生存，并曾陷入贫困潦倒的窘境。进入明治时代，为建立中央集权的近代天皇制国家，明治政权着力重振天皇与皇室权威，致力于消除以往天皇被排除在政治中心之外，经济上处于弱势的负面影响，采取了重塑天皇与皇室在官民中的形象、让天皇重归民众视线、大力扩充皇室财产等一系列措施。相对于已有研究中较多从政治体制上关注天皇制，了解明治时代天皇及皇室如何走出灰暗的历史，终结作为虚君存在的局面，重建权威，有助于认识所谓“万世一系”天皇制的实像及近代天皇制的实质。

（一）重塑天皇形象

在日本古代，以倭王为首长的大王家原本是列岛内众多豪族中的一员，随着其势力的增强而成为日本列岛的霸主，建立了大王政权。但是大王政权的权力并没有确立其神圣性与权威性，它一直面临着豪族的挑战。于是，公元645年（大化元年），锐意提高皇室地位的中大兄皇子和近臣中臣镰足等人发动"乙巳之变"，开始了模仿隋唐的政治经济制度进行改革的进程。这就是后人所说的"大化改新"，日本建立了以天皇为中心的中央集权国家，在此后的奈良时代，天皇制进入鼎盛时期。然而，从平安时代开始，天皇的地位随着中央集权制的衰落而渐趋下降。先是长达两个世纪的藤原氏外戚集团专擅朝廷、独揽大权的摄关政治时代，天皇权力被架空，继而是武家政权建立后镰仓、室町、江户三个幕府政权对朝廷日益严密的制约。在长达近千年的历史上，天皇在国家的政治体制中已被置于无足轻重的地位。德川幕府不仅颁布《禁中及公家诸法度》，以法令的形式限制天皇的权力，天皇和皇室的行动也受到德川幕府的限制，长期被禁锢在京都的深宫中，很难与民众接触，以至于"天下的人心只知有武人而不知有王室，只知有关东而不知有京师"。民众竟然认为"我没有从天皇那里得到一钱的救助，天皇也没有给我帮一点忙，自己劳动自己生活，没感觉到蒙受皇恩"①。

在幕末维新过程中，倒幕派将已经走向穷途末路的天皇与皇室重新推向前台。1866年（庆应二年）12月25日，36岁的孝明天皇突然去世，不满15岁的皇子睦仁继承皇位。推翻幕府统治，是在"王政复古"的旗帜下完成的，但是这场政治角逐的核心是以萨摩、长州两藩为中心的倒幕派及朝廷公卿中的改革派，不及弱冠的明治天皇不过是他们玩弄于掌心的一块"玉"而已。明治维新后，新政权及皇室都在刻意改变天皇与皇室的形象，逐步实施复兴天皇与皇室权威的事业。为重振天皇权威，树立天皇在官民中的新形象费尽了心机。明治天皇也在此过程中经受了锻炼，逐渐走向成熟。

① 歴史研究会:《歴史家は天皇制をどう見るか》,三一書房,1948年,第15頁。

打造“仁者”天皇　为了把天皇作为倒幕维新的旗帜，首先要塑造仁者形象的天皇。早在1867年10月的“讨幕密敕”中，就祭出天皇讨檄暴政逆贼的形象：①

源庆喜，借累世之威，恃阖族之强，妄自贼害忠良，数次弃绝王命，以致矫先帝诏而不惧，挤万民于沟壑而不顾，罪恶所至神州将倾覆焉。朕今为民之父母，是贼而不讨，何以上谢先帝之灵，下报万民之深仇哉。此朕之忧愤所在。置谅暗而不顾者，万不可以也。汝宜体朕之心，殄戮贼臣庆喜，以速奏回天之伟勋，而措生灵于山岳之安。此朕之愿，不敢或懈。

此后不久，在12月9日（1868年1月3日）的《王政复古大号令》中，明确提出废除幕府，实行王政复古、“一洗旧弊”“百事一新”的目标，同时，提出“洞开言语之道，有建树者，不拘贵贱，可无所忌惮而献言，人才登用乃第一之急务”，这无疑给那些在幕藩体制下囿于身份制度无法施展才华的下级武士以进入政权核心、出人头地的希望。《王政复古大号令》中还特别提道：“近年物价格外腾贵，势不可控。富者益富，贫者益贫，毕竟乃因政令不正所致。民者王之大宝，值此百事一新之际，圣上为此甚为忧虑。若有深谋远虑救弊之策者，不论谁者，皆可上报。”②体恤民生，视百姓为安邦之本，与德川幕府的苛政相比，以“仁政”示人的天皇显然容易得到倒幕人士及民众的好感与拥戴。

毕竟在近700年的武家统治中，尤其是在260多年的幕藩体制下，作为虚位之君的天皇已经远离政治核心。为了改变这种局面，让民众明了天皇统治的正当性，中央及地方政府频频发布“告谕”。如1869年（明治二年）2月3日，京都府发布《京都府下人民告谕大意》；2月10日，行政官（1868年设置的行政机关，转年改组为太政官）发布《奥羽人民告

① 遠山茂樹：《明治维新と天皇》，岩波書店，1991年，第66頁。
② 大久保利謙等：《史料による日本的步み・近代編》，吉川弘文館，1951年，第30頁。

谕》;11 月,鹤舞县发布《鹤舞县人民教谕书》。告谕针对的地域虽不同,但主旨大体一致:一是赞美日本号称神州,且优于世界各国,“自天孙开辟国土以来,皇统不变,下民血统不变,上下之恩义弥厚益深,此风仪胜于万国”。二是说天皇是天照皇大神的子孙,是日本的主人,百姓是天皇的臣民,“自天孙开辟国土以来,此国之所有物悉为天子之物,生用天子之水洗身,死葬身天子之土地,食之米穿之衣斗笠拐杖,皆出自天子土地之物”,“一尺之地,一人之民,皆为天子之物”。三是批判武家恶政,渲染天皇爱怜下民,说天皇对幕府时代“政道不立,贿赂盛行,善人陷罪,恶人反而得幸”的情况“大为烦恼,寝食难安,即使如何逢难亦不忍见下民之苦”。四是号召民众在王政复古的旗帜下,上下一心,“永守胜于外国之风习,广耀皇威于世界”。[①] 这些“告谕”的目的是树立天皇的万民之主和神统形象,对于建立以天皇为核心的中央集权政府是具有重要意义的。

改革宫廷制度树立全新王者形象 仅仅 15 岁的明治天皇继承皇位时是“幼冲之天子”,没有政治经验,难以胜任治国理政之大任,连明治天皇自身在 1868 年(庆应四年)3 月 14 日随“五条誓文”同时发布的《宣布国威之宸翰》中也坦承,“朕以幼弱猝绍大统以来,对以何与万国对立事奉列祖朝夕恐惧不堪”。在日常生活中,受到幕府压制的天皇居于深宫,不得过问政事,只能专心学问,因而性格文弱。在倒幕成功以后,天皇被作为新社会的旗手和国民统合的象征,而未成年的明治天皇仍沉迷于旧的宫廷秩序及欠缺堪当君主之能力的现状令人忧虑。以岩仓具视、大久保利通、西乡隆盛等人为核心的新政府领导人意识到,在明治天皇作为孝明天皇的唯一继承人(孝明天皇另有五位女儿全部夭折)的情况下,必须改变其优柔懦弱的性格,要对其进行作为近代国家君主的培养,使其具备新时代的王者气质与素质。这首先需要改变明治天皇的生存环境。长期以来,在宫廷仕奉天皇的全部是墨守旧制陈规的公卿贵族,在天皇

① 遠山茂樹:《日本近代思想大系・2・天皇と華族》,岩波書店,1988 年,第 25 - 30 頁。

的私生活方面，从平安时代开始，就形成由女官在后宫服务的传统。这些女官往往与公卿相勾结，在很大程度上掌控着本来已经无甚权力的天皇。从室町时代后期开始，通过女官的笔发布《女房奉书》成为传达天皇敕命的主流文书，可见女官在宫中的势力，明治政府的重要官员大隈重信曾表示"自古以来宫中最可怕的势力就是御局，连关白也为之烦恼"①。同时，由于天皇在后宫生活中被女官包围，在心态、智识、情感等方面也都颇受影响，甚至日常涂脂抹粉，女孩子气十足，这种情况根本不能适应新时代的要求。为了打破宫中长期以来的陈腐传统，新政府对宫中制度进行了大刀阔斧的改革。在实现"废藩置县"后不久的1871年8月1日，宣布"女官总免职"，把天皇的侍从人员由原来文弱的公卿全部换为从各藩选拔出来的强健武勇的士族出身者。② 此举使传统后宫制度归于瓦解，"数百年来的女权一天之内便被打消"（主持宫内改革的宫内大丞吉井友实语）③，从此开始对明治天皇进行"君德"的培养。一方面，为了推进天皇亲政，先后设立十名侍补对天皇进行作为君主的政治教育，儒学者元田永孚作为侍讲讲授日本古代典籍及中国儒家经典，教其吟诗作歌。在文明开化潮流中，明治天皇还学习德语及外国历史、政体、制度书籍。另一方面，按照军事统帅的要求对天皇进行骑马、剑术、军队操练的统帅、阅兵等军事训练。1871年9月，为推进生活方式的文明开化，明治天皇发布《更改服制敕谕》，指出"今衣冠之制流于模仿唐制，成软弱之风"，"今断然更服制，使风俗一新"④，并参考欧洲诸国国王的服装，把燕尾服加金纽扣装饰的法式军服确定为天皇的正式服装。经过这样的训练及形象设计，天皇昔日柔弱的形象一扫而光，其武勇的军人天皇形象

① 田中惣五郎：《天皇の研究》，河出書房，1951年，第149頁。御局，对女官的敬称。

② 他们是旧幕臣山冈铁舟，萨摩藩士高岛鞆之助、村田新八，长州藩士有地品之充、太田左门，越前藩士堤正谊，熊本藩士米田虎雄，土佐藩士高谷佐兵卫，佐贺藩士岛义勇等。

③ 田中惣五郎：《天皇の研究》，第119頁。

④《侍従へ服制更正ノ勅諭》（明治4年9月4日），中村定吉編集、出版：《明治詔勅輯》，1893年，第12－13頁。

通过视察各地及各种近代传媒的宣传展现在世人面前，也从此把明治天皇的一生与军事及对外侵略战争紧密联系在一起。

制定以保全皇位为中心皇室典范　日本皇室在历史上的弱势，不仅由于受到不同时期政治势力——古代豪族、律令贵族及幕府势力的干预，其内部无序也是让外部势力得以插手其间的重要原因。仅就至关重要的皇位继承来说就是长期处于混乱状态。其主要表现为：第一，“父死”未必“子继”，必须通过立太子的仪式先册立皇太子，被立为皇太子的人，有可能是皇子、皇孙，也可能是皇兄弟或其他皇亲，甚至还有皇女。第二，发生皇位继承的原因未必是“父死”。从 645 年皇极女帝让位轻皇子（孝德天皇）首开让位之始，到明治天皇为止的 88 代天皇（北朝天皇除外）中，有 57 代天皇属于受禅继位。[①] 第三，出现多位女帝。从 6 世纪末到 8 世纪，曾有八代、六位女帝（其中二人两次即位）出现在历史舞台上，江户时代也曾有两位女性继承皇位。如此无序的皇位继承，加上外部势力的强力介入，使围绕皇位的争夺异常激烈，皇室内部互相倾轧，阴谋弑杀屡屡发生，直至酿成宫廷政变或大规模的动乱。

进入明治时代，出于树立天皇绝对权威的必要，进行制度建设是改变原有皇位继承无序状态的必经之路。尤其是面对日益高涨的自由民权运动，明治政权的领导人越发感到在开设帝国议会之前必须建立基础牢固的皇室制度，以与议会抗衡。1878 年（明治十一年），元老人物岩仓具视提出“仪制调查局开设之议”，要求“考证祖宗之法，参以外国良制，对上自帝位继承之顺序，下至皇族岁俸调查起草之。制定如此帝室之典范，将能永保帝室之尊严，巩固君上之权利，臣民权利不逾越其度，上下相赖，国家安宁”。[②]

① 児玉幸多：《日本史小百科 · 天皇》，近藤出版社，1978 年，第 68 頁。

② 多田好問：《岩倉公実紀》下卷，原書房，1979 年，第 528 頁。

1881年发生的“明治十四年政变”[①]促进了皇室典范的制定，1882年，在岩仓具视的领导下于宫内省设置了内规取调局，开始起草皇族令草案，并派遣伊藤博文赴欧洲进行包括皇室制度在内的宪法调查。1883年，岩仓具视患癌症去世，伊藤博文归国后新设制度取调局，亲自担任长官，并兼任宫内卿，在推进宫中改革的同时，着手制定皇室法典。经过多年的起草与反复修改，于1888年3月确定了《皇室典范》最终草案。经枢密院审议后，最终于1889年2月11日与《大日本帝国宪法》同日公布。

明治《皇室典范》由12章62条组成，涉及皇室事务的方方面面，其中沿袭了许多“皇祖”的惯例，同时参考了欧洲国家的皇室制度。根据《大日本帝国宪法》，“大日本帝国由万世一系之天皇统治之”，《皇室典范》的核心就是维护以天皇为核心的皇位。在第一章第一条明确规定：“大日本国皇位以祖宗皇统之男系男子继承之”。有关皇位继承，与过去最大的变化，一是规定“天皇驾崩之时皇嗣立即践祚并继承祖宗之神器”，即规定发生皇位继承的原因仅限于天皇去世，从而否定了让位，皇位继承“父死子继”的原则从此得以确立。二是规定了继承顺序，“皇位传于皇长子”，“皇长子不在则传于皇长孙，皇长子及其子孙皆不在则传于皇次子及其子孙”，“皇子孙继承皇位以嫡出为先”，即确定了嫡长子继承的原则，使皇位继承从此有了明确的制度依据，杜绝了阴谋诡计紊乱皇位继承的可能，以此保证皇权的稳定。三是嫡长子继承制的确立，意味着否认了女性的皇位继承权。这些原则的制定，彻底摆脱了过去皇位继承中的乱象，保证了作为“大日本帝国”最高核心的稳定。

明治《皇室典范》还规定实行一世一元制，即一代天皇只使用一个元

① 明治维新后，政府内部围绕建立什么样的政体问题出现了对立。以大限重信为代表的一派，主张采取英国式的议会内阁制；以岩仓具视、伊藤博文为代表的一派则主张采取保留君主的德国模式。1881年(明治十四年)10月，天皇召开御前会议，决定确定立宪政体方针，罢免大限重信及其一派成员的官职。并以诏书的形式宣布将以1890年为期召开国会，公布宪法。大限派被逐出政府一事，史称“明治十四年政变”。

号，结束了历代天皇频频改元的混乱局面。[①] 历史上频频改元的结果，使元号丧失了权威性与严肃性，不仅显示了皇权的衰落与统治的无序，也影响了官民的正常生活秩序。实行一世一元制，标志着一个时代的开始，这个时代又由一位天皇作为象征。天皇与民众通过一世一元制的元号紧密起来，具有了明显的时代感，也加强了天皇在民众中的存在感。

（二）天皇进入大众视线

随着皇权的衰落，从 9 世纪的嵯峨天皇开始到战国时代，几乎所有的天皇（只有后醍醐天皇是个例外）都不曾走出位于京都的御所（皇宫），江户时代也仅有 1626 年（宽永三年）后水尾天皇的二条城“行幸”和 1863 年（文久三年）孝明天皇的贺茂神社及石清水八幡宫“行幸”，此两位天皇“行幸”的地点，也都是离皇宫很近的地方。天皇“不外出”，百姓便“看不见”。明治新政权建立后，尽快改变天皇与世隔绝的现状是当务之急。

天皇“巡幸”各地 1868 年 1 月，倒幕维新的核心人物大久保利通就在《大阪迁都建白书》中，批评天皇远离大众的现状：“称天皇居所为云上，称公卿为云上之人，龙颜难以拜见，玉体不踏寸地，过于推尊，自认分外尊大高贵，终致形成今日上下隔绝之弊害。”[②]为了让过去民众看不见的天皇变成看得见的天皇，根据大久保利通的建议，明治天皇于 1868 年（明治元年）3 月 21 日离开了京都，开始了为期 50 天的“大阪行幸”，这是数百年来天皇第一次见到京都以外的世界。在大阪期间，天皇召见大久保利通、木户孝允、后藤象二郎等维新改革人士，了解时局，询问海外诸

① 以帝王元号纪年是古代日本学习中国而实施的制度之一，645 年定元号“大化”，是日本使用元号之始，文武天皇于 701 年建元“大宝”，成为固定的制度。历代天皇改元一般以天皇交替时进行“代始改元”为原则，也有遇吉祥事发生时的“祥瑞改元”、遇有天灾发生时为消除灾异影响而发生的“灾异改元”，还有避讳辛酉年、甲子年、戊辰年的“革年改元”。平均而言，明治时代以前，每代天皇要改元 2—3 次，一个元号使用 5—6 年时间。江户时代年号尤其混乱，如在位 21 年的孝明天皇共使用了 7 个年号，幕末时期从万延到明治（1860—1868）的 7 年时间共改元 4 次。见皇室事典编辑委员会：《皇室事典》，第 272 頁。

② 大久保利通：《大阪遷都建白書》，遠山茂樹：《日本近代思想大系・2・天皇と華族》，第 7 頁。

国的情况，"布衣咫尺奉戴天颜之事数百年间不曾闻之"①。1868 年 7 月 17 日发布《把江户改称东京的诏书》后，9 月 20 日，在高知藩与冈山藩藩兵的护卫下，明治天皇率领文武百官随从 3 300 余人从京都出发，于 10 月 13 日抵达江户，当日宣布定江户城为皇居。天皇亲自进入德川幕府将军的居城，树立了天皇把民众从旧体制解放出来的解放者形象，也向世人宣告天皇是包括东日本在内的全日本的统治者。在这次"东幸"途中，天皇访问忠臣的遗迹，参拜神宫，查看百姓从事田间劳动、捕鱼的情况。同时向沿途 33 所神社奉献币帛料，奖励各地孝子、节妇等 152 人，赈济 70 岁以上老人 10 398 人，救恤贫困者 11 807 人，用资总额 11 370 两。② 沿途百姓秩序井然，拜观天皇车驾，感受"天皇看得见"的新时代的到来。进入江户当日，数十万东京市民前来观看天皇入城。11 月 4 日，为庆祝天皇"东幸"，天皇向东京市民按照大町三樽（酿酒用的圆筒型容器），中町两樽，小町一樽的标准下赐"天酒"，总计2 990樽，同时下赐下酒用的墨鱼干。东京市民饮酒、跳舞、唱歌，庆祝"天酒顶戴"，盛况空前。③此后，明治天皇前后近百次到各地视察和旅行，其中耗时最长、规模最大的有六次，史称"六大巡幸"④，以此改变了"边陬之民概皆习故见，泥旧习，知霸府而不知皇室，陛下亦不知边陬人情景况""上下隔离，圣旨不通"的现状。⑤

天皇巡视各地的根本目的是向世人宣布新时代的到来，彰显天皇作

① 佐佐木克：《江戸が東京になった日》，講談社，2001 年，第 117 頁。

② 田中彰：《近代天皇制への道程》，吉川弘文館，1979 年，第 233 頁。

③ 佐佐木克：《江戸が東京になった日》，第 141 頁。

④ 六大巡幸：1872 年 5 月 23 日—7 月 12 日，近畿、中国、九州岛岛岛巡幸（伊势、大阪、京都、下关、长崎、熊本、鹿儿岛）；1876 年 6 月 2 日—7 月 21 日，东北巡幸（宇都宫、福島、仙台、盛岗、青森、函館）；1878 年 8 月 30 日—11 月 9 日，北陆道巡幸（福井、石川富山、新潟、长野）、东海道（神奈川、静冈、爱知、岐阜）；1880 年 6 月 16 日—7 月 23 日，中央道巡幸（山梨、三重、京都）；1881 年 7 月 30 日—10 月 11 日，东北（山形、秋田）、北海道（函館、室兰、札幌、小樽）巡幸；1885 年（明治十八年）7 月 26 日—8 月 12 日，山阳道（大阪、兵库、冈山、広岛、山口）巡幸。

⑤ 三条実美：《北海道巡行的上奏稿》，載遠山茂樹：《日本近代思想大系・2・天皇与华族》，第 47 頁。

为新的统治者的权威。在巡幸过程中，天皇视察学校、医院、工厂、矿山、农村，了解百姓的生活状况及办教育、殖产兴业等情况。通过这样的“巡幸”，使百姓官民有了接触天皇的机会，对于很多普通百姓来说，认识到了在此世界上还有天皇的存在。在天皇巡视过程中，还有御用记者随行进行跟踪报道，在“王政复古”后稳定社会秩序发挥了重要作用，也拉近了天皇与民众的距离，一定程度上收到了“全国人民皆转眼关注陛下举措，琐琐纷议自然消歇”“固陋之人民渐进开明，僻陬土境遍被德化”①的效果。

“御真影”的作用　长期与民众隔绝，使民众多不知天皇的存在。为了让天皇从“云上”走向民间，明治新政府乘文明开化之风，通过发布天皇照片（即所谓“御真影”）的形式，让过去人们“看不见”的天皇变成“看得见”的天皇。西洋的摄影技术于19世纪40年代从荷兰传入日本，由于摄影具有绘画无可比拟的描写力，引起当时兰学者的极大兴趣，从而在日本迅速传播，幕末至明治初期，摄影已经进入日本人的生活。②

随着摄影技术的传播，西方国家把一国之君的标准像作为国家主权象征的做法对日本产生了影响。1872年2月，正在美国考察的岩仓使节团正使岩仓具视利用副使大久保利通、伊藤博文临时归国的机会，向宫内省请求提供天皇的肖像，以便在驻国外的公馆悬挂。可当时天皇还没有照过标准像③，于是，由在东京浅草开设照相馆的摄影师内田九一于1872年4月给明治天皇拍摄了第一张和装照片，随后送达在英国的遣欧

① 三条実美:《北海道巡行の上奏稿》，遠山茂樹:《日本近代思想大系・2・天皇と華族》，第48頁。

② 1857年由萨摩藩士市来四郎拍的“岛津齐彬像”证实日本人在19世纪中期已经掌握了摄影技术。1862年，摄影师下冈莲杖在横浜开设了照相馆“全乐堂”，上野彦马在长崎开设了“上野摄影局”，这是日本最早的对外营业的照相馆。

③ 明治天皇的第一张照片拍摄于1871年，当时明治天皇视察工部省辖横须贺造船所，奥地利人斯蒂尔・弗里德未经皇室的同意而偷拍了天皇与众随臣及造船所所长在一起的照片。这张照片逃脱了宫内省的追查被带至国外，得以保存下来，在东京大学总合研究博物馆于2009年3月28日揭幕的“维新与法国”展览中首次在日本展出。

使节团正使岩仓具视手中，同时，决定在所有驻外公馆悬挂天皇肖像。11 月，派驻意大利公使中山让次出发之际，首次将天皇照片交付驻外使节。此后，对西方国家已经有所了解的大久保利通等人提出，欧美国家有在官方正式场合悬挂元首或国王照片的习惯，以此作为主权国家的标志及外交活动场合国家间友好与平等的象征，建议天皇拍摄符合近代国家元首形象的着洋装的标准像。1873 年 3 月，明治天皇剪掉发髷，蓄西式发型，当年 10 月，再次由内田九一拍摄了明治天皇穿新制作的法式军服坐在洋式座椅上，两手抚剑的照片。这是明治天皇唯一正式拍摄的洋装照片，用于驻外公使馆悬挂，也对来访的外国元首、皇族、驻日外交官作为赠答，以此显示是文明国家日本的君主。

既然驻外公馆悬挂天皇肖像，以象征独立国家之主权，那么，在国内的官厅也不应例外。1873 年 6 月，奈良县令四条隆平捷足先登，向宫内厅提出申请，如能在新年、天长节①等节日在官厅“奉揭”天皇照片，令县官及管内人民礼拜，则“僻陬之民也愈益感戴皇恩之一视同仁，可成就治教开化之大端”②。宫内厅批准了此申请，是为日本人对天皇“御真影”进行礼拜的开端。各府县听说此事，也竞相向宫内省申请，11 月，天皇刚刚拍摄的军服照被制作成 45 cm×30 cm 的大型照片下发到全国所有府县的官厅。各地方政府在固定的节日组织民众来官厅拜谒，其宣传效果如当时的报纸报道：“往时天皇在九重之深宫，国内人民绝不得见龙颜”，“今根据府县之愿，下赐至尊之写真，府县之人民俱前往拜观，吾等当感谢天皇无量之圣恩。”③在国内官厅悬挂天皇照片的做法凸显了天皇是国

① 天长节：战前祝贺天皇生日的节日。1868（明治元）年至 1872（明治 5）年为 9 月 22 日。1873 改行太阳历时，换算为明治天皇的生日为 1852 年 11 月 3 日，遂将天长节改为 11 月 3 日。大正时代的天长节为大正天皇生日的 8 月 31 日，昭和时代的天长节为昭和天皇诞生日的 4 月 29 日。战后改称天皇诞生日，定明治天皇的生日 11 月 3 日为“文化日”。

② 遠山茂樹：《日本近代思想大系・2・天皇と華族》，第 37 頁。

③ 1873 年 12 月 5 日《日新真事志》，转引自多木浩二：《天皇の肖像》，岩波書店，2002 年，第 109 頁。

家最高统帅及一国之中心的政治意义，具有强烈地把天皇权威视觉化的效果。

"御真影"的运用，对发挥明治天皇的表率作用，推进文明开化效果明显。明治初年，政府推动的文明开化首先从"散发"（剪掉男人头顶的发髻）开始，但1871年8月颁布的《断发脱刀令》并没有强制实施断发，因此未能得到及时而广泛的响应。1873年3月，21岁的明治天皇剪掉发髻，蓄新式发型，东京的《新闻杂志》专门对此进行了报道。同年11月，明治天皇着军服的照片下发到全国所有府县的官厅，令民众礼拜。此举对推动断发效果极佳，"断发乃西洋文明诸国之风，天子且为之，况四民乎？"①于是官员百姓纷纷断发，作为文明开化象征的"散切头"自此开始大流行。

明治中期开始，随着天皇专制主义意识形态的逐渐加强，悬挂天皇照片的范围逐渐扩大。在官厅之外首先实施的是军队，1880年（明治十三年），根据担任海军卿的榎本武扬的建议，首先在刚刚建成的军舰"磐城"号上悬挂天皇照片，到《军人敕谕》颁布的1882年，在兵营中悬挂作为军队统帅的天皇的肖像已成定式。伴随着1889年《大日本帝国宪法》和1890年《教育敕语》的颁布，明治天皇及皇后的"御真影"②与《教育敕语》被下赐到全国各中小学，各学校要举行隆重的"御真影"奉迎仪式，在四方拜（元旦）、纪元节（2月11日）、天长节等祝祭日都要举行隆重的仪

① 高見沢茂《東京開化繁昌誌》第三編，天籟書屋，1874年，第11-12頁。

② 此时使用的是1888年（明治二十一年）的照片。当时，首位总理大臣伊藤博文以现有的天皇标准像已经是十几年前的旧照，不便与外国皇族交换为理由，劝说天皇再拍新照片，但明治天皇以"不喜欢照相"为由加以拒绝。无奈，宫内厅请来大藏省纸币寮雇用的精通素描、石版画、铜版画的意大利人爱德华多·乔森（Eedoardo Chiossone1832—1898），利用明治天皇外出巡幸之机，躲在天皇居室旁边的房间，用偷窥的方式，先为天皇画素描，再画成完整肖像，最后请摄影师丸木利阳把肖像画拍摄下来。这就是日本近代史上最流行的明治天皇肖像。

式，在面对“御真影”施“最敬礼”[①]后，奉读《教育敕语》。按照文部省1891年发出的对“御真影”及《教育敕语》誊本“要在校内选择一定场所最尊重的奉置”的训令，各个学校最初将“御真影”及《教育敕语》放在校长室认真保管。1898年，发生了长野县上田高等小学“御真影”毁于校舍失火，校长久米由太郎引咎切腹的事件，此后，逐渐改为在校园内修建专门的设施——用钢筋混凝土建筑的防火防震的“奉安殿”存放“御真影”及《教育敕语》，这种“奉安殿”在战前日本普及到几乎所有中小学。保护好“御真影”及《教育敕语》是学校校长与教师最重要的政治任务，不仅发生多起因对“御真影”“不敬”而受处罚的事件，[②]也有为保护“御真影”而殉职的“美谈”，[③]“御真影”重于生命的氛围由此形成。“御真影”已经从最初的让民众认识天皇蜕变为对国民进行忠君爱国教育的工具。

（三）扩充皇室财产

如前所述，在律令制时代，天皇是中央集权国家的最高权威，作为全国的土地所有者君临天下，不仅控制着国库，也占有大量皇室领地。随着中央集权制的衰落，皇室的经济地位也开始下降，幕府、大名、武士愈加不把天皇放在眼里，并肆意侵吞皇室的领地，室町战国时代，皇室的领地收入只剩下3 000石左右。德川幕府时期，随着社会秩序的好转和幕藩体制的稳固，幕府对公家与皇室实施了有效的控制，偶尔也有将军对

---

① “最敬礼”，日本最高规格的鞠躬方式。1941年5月，在日本发动太平洋战争之前，文部省颁布了《昭和国民礼法》，其中对“最敬礼”的解释是“对以天皇陛下为首的皇族、王公族行的礼”。具体做法是“姿势端正，注目前方，上身徐徐前倾同时双手自然下垂，指尖达于膝头（约45度），稍停片刻后，慢慢恢复原有姿势。尤要注意脖子直，腿不弯”。国民禮法研究会編：《昭和の国民禮法》，帝国書籍学会，1941年，第15頁。

② 如1891年1月，东京第一高中教师内村鉴三因为在《教育敕语》奉读式上没有对“御真影”“最敬礼”的“不敬事件”被解职；1911年，北海道某乡村小学校长鸣海要吉用马拉雪橇运送“御真影”，被指“奉戴”姿势有问题而获“不敬”之罪，被免去校长职务。

③ 如1896年，三陆地区发生大海啸时，岩守县上闭伊郡箱崎小学校长栃内泰吉为保护“御真影”而溺死，1923年关东大地震发生时，多名教师为保护“御真影”及《教育敕语》而殉职。

皇室有所“奉献”，皇室窘迫的生活稍有改善。但是直到幕末，皇室只有“禁里御料”3万石，加上上皇的“仙洞御料”1万石，根本无法与号称“天领”800万石的幕府及加贺藩(102.5万石)、萨摩藩(72.9万石)、仙台藩(62万石)相比。江户前期，皇宫屡遭火灾，天子脚下的京都百姓中流行着讥讽天皇的小调：“生于末世的凤凰，反遭雏鸡所逐。”①据宫内厅图书寮所藏之笔写本《皇室财政沿革记》的记载，明治天皇从其父孝明天皇那里继承的遗产金额仅有102 268日元。② 至于朝廷更是一贫如洗，在筹措讨幕军费过程中，不得不向三井、小野、岛田等当时的富豪征收“御用金”。1868年9月明治天皇的首次“东幸”，随从3 300人，耗时近5个月，花费778 760日元，非经济窘迫的皇室能承担，最后还是由三井等九名豪商买单了。③

10万多日元成为近代皇室财产的出发点，尽管这些家底到1875年已升值到51.75万日元，1878年超过100万日元，相当于明治天皇即位时的近十倍，但在明治政治家看来，这样的经济基础无论如何不适应天皇亲政的要求，也不符合统治万民的天子的形象。1876年，时任内阁顾问的木户孝允最早提出要充实皇室财产，以提高天皇权威。他担心由于地税改革使王土(国家土地所有)解体，皇室自由支配土地减少，以至“身为天子，却无使用土地之自由”，将来建立立宪制度开设议会，皇室的规模与欧洲的王国相比将差距悬殊，因此主张“为保帝位之贵重，须使皇室占有相当财富”。④ 1879年，又有宫内卿德大寺实则向大臣、参议等提出将全国官有地的一部分编入皇室财产的建议。真正对扩充皇室财产付诸行动是自由民权运动高涨以后。面对文明开化运动带来以反对专制政治为主旨的自由民权运动发展这一局面，岩仓具视等政府领导人越发

① 歴史研究会：《歴史家は天皇制をどう見るか》，第12頁。
② 田中惣五郎：《天皇の研究》，第121頁。
③ 皇室事典編辑委员会：《皇室事典》，第118頁。
④ 信夫清三郎著、吕万和等译：《日本近代政治史》，台北：桂冠图书出版公司，1990年，第5-6页。

感到未来要确立的宪政体制要以天皇为中心。为了适应这一需要,必须尽快确立皇室财产,以巩固皇室经济基础。“明治十四年政变”后 1882 年 2 月,岩仓具视提出“设立皇室财产意见书”,其中指出:“我国若要建定宪法,当首先从实质上巩固皇室的基础,千万岁后大权动摇之弊害今日必须防遏之。巩固皇室基础之道虽不一而足,然今日之急务尤在于制定皇室财产。”岩仓具视担心国会开设后,民权论进一步发展,导致天皇“虽为天子却受国会左右,皇位虽有如无,大权遂失其钧石,损万世不易之国体,致外受其侮,内不能安民”。岩仓具视在意见书中还说,“保持宪法的威力,实质就是让皇室富足,做到陆海军的经费依靠皇室财政便可支付,这样即使日后国会内出现如何过激言论,都能镇抚之;对国库的经费如何议定,也能使之和顺之”。[①] 岩仓具视主张要让皇室财产富足到与全体国民的财产没有多大差距的程度。为了确保天皇与皇室财产不被议会左右,不受宪法限制,岩仓具视建议,应该把全部官有土地确定为皇室财产。这个意见虽没有被原原本本采纳,但是岩仓具视作为当时政府中的核心人物,其主张具有重要的影响力,从此迈出了巩固皇室基础,扩充皇室财产的步伐。

首先是大幅增加皇室经费,由国库支出,这一措施实际上早已实行。从新政府成立之始,每年向皇室提供经费,1869 年(明治二年)为按现米 15 万石计算,远远超过了幕府时期的领地 4 万石。同年,成立专门负责宫内事务的宫内省,管理政府每年下拨的皇室经费。从 1869 年 9 月到 1875 年(明治八年),大体在 51 万日元到 93 万日元之间。1876 年后,明治政府将帝室费(皇室费)、皇族费与宫内费区别开来,由大藏省据预算划拨,交宫内省管理,不足部分可以追加,超过部分则不必返还,并且额度逐年增加,1876 年时帝室费及皇族费为 82.7 万日元,宫内费为 29 万日元,到 1881 年(明治十四年)时已经增加到帝室费与皇室费 152.3 万

① 遠山茂樹:《日本近代思想大系·2·天皇と華族》,第 257-259 頁。

日元，宫内费38.6万日元。在“明治十四年政变”的翌年(1882年)，适逢大藏卿松方正义推行财政紧缩政策，削减行政经费，但对帝室费及皇族费不仅未减，反而增加到178.8万日元，宫内费39.6万日元。到1889年(明治二十二年)达到300万日元(1883年合并皇室费与宫内费称帝室费)。① 1895年，担任爱媛县松山中学教师的夏目漱石的月工资为80日元，警察的初任月工资是8日元。② 通过简单的比较，可以看出皇室经费的庞大。1910年(明治四十三年)，借着日本在日俄战争中取胜后“皇威”与“国威”的提高，贵族院与众议院通过预算，将皇室经费提高到每年450万日元，此额度直到日本战败为止。

第二是将国有资金转为皇室所有。由于自由民权运动的压力，新政府领导人加紧了扩充皇室财产的过程，重点将政府所持有价证券变为皇室财产。1884年(明治十七年)，将日本银行(1882年开业)中1 000万日元本金中政府持有的500万日元、横滨正金银行(1880年成立)中政府出资的1/3股份100万日元全部划拨给皇室。1887年，又将政府持有的日本邮船公司的52 000股、价值260万日元资产转到皇室名下。这样，到1889年《大日本帝国宪法》颁布时，皇室的财产已经将近1 000万日元，仅仅20多年时间已经比明治天皇即位时增加近百倍。尤其值得提出的是，甲午战争后，清政府支付日本赔款白银2.3亿两，折合3.6亿日元。清政府于1898年付清了全部赔款，在这年12月的贵族院与众议院会议上，分别通过了政府的将赔款中的2 000万日元(约占5.5%)进献皇室的建议案。当时由国库支付的帝室费为每年300万日元，2 000万元的入账，瞬间使皇室财产增长数倍，成为皇室财产中现金的主体。比较而言，当时从赔款中用来设立教育基金的仅仅1 000万日元，正是这笔教育基金对日本义务教育的普及发挥了重要作用。

① 皇室事典编辑委员会:《皇室事典》，第146頁。

② “明治人の俸給”，http://homepage3.nifty.com/～sirakawa/Coin/J022.htm。

第三是侵吞国家土地及矿山资源。1882 年 9 月,明治政权核心人物、时任参事院议长的山县有朋继岩仓具视提出“设立皇室财产意见书”后,提出“关于设置直隶御料地意见书”。所谓“直隶”,即“直接支配之意”。意见书指出,在“立国宪开民会为时不远之际,要区分政府政权所属之地、皇室之权所属之地,建立直隶御料地尤为冀望之所在”,此乃“为了皇室,为了庙堂,作为臣子必须事先谋划之事”。① 1885 年 12 月,为了管理庞大的皇室资产,专门在宫内省设置了御料局,在御料局设置的当时,已经有御料地 54 处、2.2 万町步。② 在 1890 年 11 月开设国会之前的两年内,明治政府加速了将全国各地(包括北海道)优质的官有山林原野“编入”皇室的步伐,高达 357 余万町步的山林土地变为皇室所有。在急剧扩充皇室御料地的同时,1889 年颁布的《皇室典范》确定了皇室的“世传御料”制度,即皇室土地中的一部分可以永世相传。世传御料地不得分割、转让。世传御料地的设定程序很简单,天皇看中的山林土地,只要向枢密顾问咨询,便可颁布敕书,由宫内大臣公布实施,无异于明抢明夺。在 1890 年(明治二十三年)11 月 28 日(召开帝国议会的前一天),匆匆确定了宫城之外的包括赤坂离宫、青山御所、芝离宫、滨离宫、京都皇宫、二条离宫、桂离宫、修学院离宫、正仓院宝库等 28 处“世传御料”地,总面积 101.59 万町步,占皇室 360 万町步御料地的 1/3。③ 日本的佐渡金矿(新潟县佐渡市)及生野银矿(兵库县朝来市)在江户时代就是作为幕府财政支柱的官营矿山,明治维新后被新政府接收。新政府在把大量山林、土地“编入”皇室的同时,于 1889 年将这两处由大藏省管辖的近代化“模范矿山”无偿让渡给皇室所有,成为皇室收入的重要来源。

就这样,明治维新后,依靠强权,国(官)有财产、土地一步步被纳入皇室名下。庞大的土地、巨额的资产,靠的是依靠强权的掠夺及攫取国

---

① 遠山茂樹:《日本近代思想大系・2・天皇と華族》,第 261 頁。

② 黒田久太:《天皇家の財産》,第 19 頁。

③ 黒田久太:《天皇家の財産》,第 32、37 頁。

民血汗。根据1889年公布的《大日本帝国宪法》,日本由"万世一系之天皇统治""天皇神圣不可侵犯",天皇及皇室不仅不受刑法、民法约束,在经济上也享有很多特权。如关于皇室经费,宪法第66条规定:"皇室经费依现在的定额每年由国库支出,除将来要求增额之外,无须帝国议会协赞",即议会不得干涉皇室经费事务。关于皇室的会计管理,完全立于政府之上,不履行纳税义务,不执行国家的会计规则,只按照独立的皇室会计法(1891年制定)进行管理,从预算到决算,政府完全不得干预。"王政复古"后仅仅二十几年时间,天皇及皇室彻底告别了原来"生于末世的凤凰,反遭雏鸡所逐"的寒酸相,成为日本最大的地主及资本家,由此确定了天皇统治的牢固的经济基础。此后,皇室财产通过林业收入、土地出租与出售、国债及有价证券的利息收入等进一步扩大,到日本战败的1945年,占领军司令部基于日本政府提供的资料而公布的数字显示(见表2-1),由现金、有价证券、土地、森林、建筑等构成的皇室财产总额近16亿日元(不包括艺术品、珠宝金银等贵金属,也不包括14个宫家的财产),而当时公务员的月工资只有65日元。

表2-1　GHQ公布的皇室财产①

种类	金额(日元)
现金、有价证券	336 159 890
土地	311 371 503
森林	592 865 000
建筑	299 296 657
总计	1 590 615 500

① 佐佐木隆尔等:《新視点・日本の歴史・6・近代篇》,紀行社,1993年,第103頁。

结语

从古代起，日本就有天皇赞美歌，“我君王时代，千代八千代……”，有令中国大宋皇帝羡慕的“国王一姓传继，臣下皆世官”的“古之道也”①，但实际上天皇只是作为虚君居于日本社会的顶端。正是因为皇室没有处在权力中心，也就避免了被革命的悲剧。“王政复古”后，为了建立以天皇为核心的中央集权制国家，需要彻底改变天皇无权与贫弱的现状。从1867年10月岩仓具视在“王政复古议”中首次提出“皇家连绵，万世一系”②起，到1889年《大日本帝国宪法》中明确规定“大日本帝国由万世一系之天皇统治”，短短二十几年时间，明治政权从政治、社会、经济等各方面把千年孱弱的皇室与原本文弱的明治天皇打造成实实在在的日本最高统治者，使其成为日本近代史的核心。

二　明治时代武士的最后结局

武士是幕府时代的统治者，立于士农工商身份阶层的顶端。在明治维新的改革中，曾经在历史舞台上叱咤风云近七百年，并亲手推翻幕府的中下级武士，面临着未来国家发展道路选择的时候，首先革了自己的命——无论是出于自觉还是无奈。武士在明治维新后成为新的“四民”中居皇族、华族之后的士族，并在近代社会变革中走向解体，成为仅仅留在户籍登录上的一丝记忆而已。虽然对于这一群体及其中的个人来说是一场悲剧性的结局，但武士阶级的覆灭是社会的巨大进步，是日本近代化的起点。但武士阶层并没有被社会彻底淘汰，其中的成员有相当一部分能够跟上时代的发展步伐，运用原有的特长、知识与教养服务于新

---

①《宋史》日本传。

② 大塚武松等：《岩倉具視関係文書》，日本史籍協会，1927年，第301頁。

社会,乃至成为社会精英,从而顺利实现社会转型。

(一) 从武士到士族

在"大政奉还"和"王政复古"后,武士由新政府接管。对于明治新政权来说,首先要解决的是旧幕臣的处理问题。原德川将军的家臣团号称"旗本八万骑",而实际上有布衣(叙六位的旗本)872 人,御目见(有资格觐见将军者)以上 5 972 人,御目见(无觐见将军资格者)以下 26 000 人,总计 32 000 多人。[①] 新政府对这部分人采取了不同的处理方式:第一,对交出政权的德川将军家没有实施彻底的剥夺,只是对最后的征夷大将军德川庆喜实施"谨慎"(一定时期内禁止外出)处分,同时,令御三卿之一的田安德川家年仅五岁的田安龟之助作为德川庆喜的养子继承德川家(德川家达),并将其移居静冈藩,将原有的德川将军家臣团 700 万石的领地削减至 70 万石。旧幕臣的一部分追随旧主成为静冈藩士,此部分人有 6 572 人。[②] 第二,眼见幕府大势已去,在戊辰战争之前将归顺新政府的旗本、御家人编为"朝臣",分别给予"中大夫""下大夫""上士"的身份,由新政府负责其生活。"中大夫"为一万石以下旗本,"下大夫"为领地一千石以上者,上士为一千石以下一百石以上者。第三,一部分既未移居静冈,也未归顺政府者,直接归农、归商,从此成为平民。

相对于旧幕臣,各藩藩士的数量更多,他们是士族的主要构成部分。1869 年 6 月 17 日,明治政府在宣布"奉还版籍"的同时,废除了"公卿""大名"之旧称,改称"华族"。6 月 25 日,发布行政官布告,令"一门以下至平士,皆称士族"[③],在幕藩体制下居于被压迫地位的农、工、商和贱民一律称为平民。过去的士农工商"四民"身份制度被废除,代之以皇族、华族、士族、平民这样的新"四民"。虽然新政府标榜"四民平等",而士族

---

① 落合弘樹:《秩禄処分》,中央公論新社,1999 年,第 41 頁。

② 深谷博治:《华士族秩禄処分之研究》,高山書店,1941 年,第 227 頁。

③ 宮内庁:《明治天皇紀》第 2 卷,吉川弘文館,1969 年,第 143 頁。

居皇族、华族之后这样的身份定位是不言而喻的。

将士族做出“中大夫”“下大夫”“上士”这样的区分，说明明治初期政府对武士的处置仍然考虑到武士原有的等级。1869 年 12 月，新政府再次发布太政官布告：“废中下大夫士以下诸称，改称士族与卒族”①，据此，过去的旗本及“谱代”御家人被编入士族，大部分御家人及足轻被编入卒族。

表 2－2　1872 年士族人口数字②　　单位：人

	士与卒	家属	合计
士族	258 952	1 023 215	1 282 167
卒族	166 875	492 199	659 074
总计	425 827	1 514 414	1 941 241

维新伊始，将近 270 个藩情况不一，错综复杂，将数量庞大且区分严密的武士即刻划分为士、卒二族绝非易事。各藩往往不严格执行，而是各行其政。如广岛、福冈、秋田三藩，将士族分为上士、中士、下士；名古屋藩将卒族分为一等、二等；德岛藩将士族分为九个等级。此藩被编入士族者，彼藩可能被编入卒族。实施情况颇为混乱。③ 针对这种情况，在 1871 年完成“废藩置县”后，明治政府乘政令出于一途之机，于 1872 年 1 月 29 日发布太政官布告，宣布废除卒族之称，原属世袭卒族者编入士族，仅一代者则编入平民。④ 据此规定，卒族或被编入平民，或被列入士族。到 1875 年，卒族的户籍重编大体结束，17 000 户卒族被编入平民。据《补正明治史要》统计，至 1877 年，共有士族 407 883 户，连同其家属 1 482 628人，士族阶层人口共有 1 890 511 人。⑤

① 宫内庁：《明治天皇紀》第 2 巻，吉川弘文館，1969 年，第 233 頁。

② 修史局編：《補正明治史要付録表》，1886 年，東京大学出版会複刻版，1966 年，第 29 頁。

③ 深谷博治：《华士族秩禄処分之研究》，第 147 頁。

④ 大久保利謙：《近代史史料》，吉川弘文館，1988 年，第 60 頁。

⑤ 修史局編：《補正明治史要付録表》，第 168 頁。

在从武士到士族的蜕变中，除了原来的藩主大名被作为华族之外，从大名家臣团中地位最高的家老，到下级武士，全部被列入士族。对于武士来说，不要说从此要和平民百姓平起平坐，即使在本来等级森严的武士阶级内部，上级武士与区区小卒间也被扯平，这不啻于一场革命，意味着武士阶级的等级秩序首先从内部被彻底摧毁。它体现了明治政府破除身份制度及对"四民平等"的追求，尽管这种平等并不可能彻底实现，但毕竟体现了新政府及其领导人的改革气魄。从武士的角度而言，仅仅几年时间，就从数百年的统治地位上跌落下来，而且昔日威风凛凛的旗本之类高家格者，也不得不与足轻之辈为伍。他们首先受到了精神重创，此后，各种打击和失落便接踵而来。

（二）武士身份特权的丧失

明治政府以"四民平等"相号召，进行了一系列社会改革。与旧公卿、大名一起成为近代新贵族——华族，其特权在很大程度上受到保护不同，旧武士阶层原有的特权在改革中被逐一剥夺。

佩刀特权的丧失 佩刀是武士身份的象征。从丰臣秀吉时代收缴农民手中的武器时起，佩刀就成为武士的专利。江户时代基本上为和平之世，刀剑已经没有实际效用，只剩下武士身份的装饰物而已。幕末开国后，来到日本的外国人对武士佩刀深感恐惧，佩刀几成外交上的障碍。但是废除代表武士身份与荣誉的佩刀特权并不是简单的事情。1869 年 2 月，从英美留学归国、时任制度寮撰修的森有礼（1847—1889）在公议所①提出废刀议案。森有礼指出：

> 人之携带刀剑外在防人，内为护身，天下动乱之际尚有必要，然世运渐赴文明，人人自知遵守道义，粗暴杀伐之恶习自当

① 公议所：明治初期设立的议会，1869 年 3 月 7 日建立。由各藩及学校选拔出来的公议人构成，有权提出议案。同年 7 月改称集议院，1873 年废止。

休矣。毕竟此物不过供虚饰而已。方今国家镇定，皇运日益隆兴，以良法正内，以兵制守外，当此之际应砥砺礼节，改变粗暴杀伐之恶习，实现自守道义之良俗化。故自今以后除官吏、军人外应废除佩刀。①

此时，刚刚实施"王政复古"不久，公议所的公议人囿于旧观念，认为如果废刀，将丧失武士精神，毁灭皇国元气，因此一致否决了森有礼的提案，此事甚至导致森有礼被免官。1870 年，政府进一步命令"禁止庶人佩双刀"，实际是对士族佩刀特权的再次肯定。后来，随着文明开化的发展及建立近代军事制度的需要，人们终于感到结着丁髷式发型及佩刀的武士形象已经不合时宜。1871 年 8 月，明治政府发布太政官布告，允许随意选择发型，同时，允许华族、士族除在着礼服时必须佩刀外，平时可以不佩刀。可以看出，至此仍然没有彻底废刀的考虑。废刀的真正实施是 1876 年的事情。1875 年 12 月，时任陆军卿的山县有朋向政府建议颁布废刀令，其理由是：

……大政一新，士已解除文武常职，藩已奉还版籍，明治六年颁行征兵令。兹有年，先设近卫兵卫护禁阙，又有镇台兵镇压七道以备外寇与草贼。又市井村落保安之事，于各府县设巡查以纠察非违，是可谓权力尽保护人民之道也。民者应体朝意安于其间。然华士族仍有不少固守旧习佩刀剑者，盖顽陋而不知时态变迁与兵制更革，自以为防敌护身必有刀剑。此事若不遏制，不消说妨碍国政，军队之外有携带兵器者已事关陆军的权威，愿速下令禁之。②

根据山县有朋这样的要人的建议，1876 年 3 月 28 日，明治政府颁布《废刀令》，规定除了着大礼服的官员、军人、警官以外，禁止任何人佩刀。

① 大久保利謙监修：《森有礼全集》，文泉堂，1997 年，第 15－16 頁。
② 宫内厅：《明治天皇紀》第 3 卷，吉川弘文館，1969 年，第 579－580 頁。

从废刀的过程来看，不论是西化的森有礼，还是作为藩阀的山县有朋，都不是从否定身份制度出发来主张废刀，而是为了改变杀伐风气，以稳定社会秩序，同时考虑到提高军队的权威而提出废刀的。事实上在新政府刚刚发端，就出于社会治安的考虑，于 1868 年 2 月发布《禁止敌讨（意为复仇）令》，①并于 1871 年 8 月，针对“士族之辈对于下民咎其琐屑之不敬，甚至杀之”的情况，宣布禁止江户时代以来武士的“斩舍御勉”。这些举措反映出新政府已经感到佩刀武士的存在是社会治安的隐患，所以，《废刀令》的颁布最主要的目的是出于治安对策，而不在于废除武士的特权。尽管如此，禁止武士佩刀，是对最能代表武士身份与荣誉的特权的剥夺，这是武士们难以接受的。1876 年 10 月，熊本县的旧肥后藩士族 170 多人以暴力反对《废刀令》，袭击熊本县厅及政府军兵营，制造了“神风连之乱”。叛乱士族发表檄文称，政府文武官吏“阿谀丑虏，禁讳我国固有之刀剑”，而刀剑是“守卫国家之重器”，“废刀剑后固有之皇道何以复兴？”②叛乱终被镇压，但反映出士族对特权的留恋。

姓氏特权的丧失　在幕府时代，除了贵族有氏有姓之外，拥有姓氏（苗字）是武士的特权，是否拥有姓氏是区别武士与平民的显著标志之一。明治维新后，新政府为了征兵、征税及制作户籍，于 1870 年发布了《平民苗字容许令》，允许平民使用姓氏。但是，已经习惯了有名无姓生活的平民百姓对此事并不热心，因此在这项法令颁布后的数年内，创立姓氏的工作进展缓慢。于是，新政府不得不在五年后的 1875 年，再次发布《平民苗字必称令》，要求全体国民必须拥有自己的姓氏，并把以姓氏

① 江户时代在履行必要手续后为主君及尊亲属复仇为合法。《禁止敌讨（复仇）令》大要：“杀人乃国家之禁，处罚杀人者乃政府之公权。然自古有为父兄复仇乃子孙之义务之风习，虽出于不得已之至情，而免以私愤而破大禁，以私义而犯公权之擅杀之罪，其弊将致事不问故误，理不顾当否，挟复仇之名义滥相拘害。而今以后，若不幸有至亲被杀害，宜将实情速速诉官，若有泥于旧习擅杀者，处以罪科。”宫内庁：《明治天皇紀》第 3 卷，第 21－22 頁。

② 加藤霁堅：《禁刀令駁議奏稿》，转引自後藤靖：《士族反乱の的研究》，青木書店，1987 年，第 51 頁。

作为正式称呼当作国民的义务和建设近代国家的责任。这项带有强制性的法令的颁布，使诸多没有文化的平民百姓诚惶诚恐，不知所措。于是，不得不委托地方政府的官员、村里有文化的人、寺庙里的和尚等为自己命名。一时间，因居住地、职业及各种事由而产生的姓氏铺天盖地而来，在普通民众中迅速普及。

通过两个法令来强制推行国民皆姓对武士来说却意义深远，即姓氏从此被剥去政治功能，武士不得不与昔日的被统治者为伍，实实在在是失落！1872年（明治五年），根据前一年颁布的"户籍法"，全国开始制定户籍，因这一年是农历壬申年，故名"壬申户籍"。在这个户籍上，国民按照"华族""士族""平民"的身份被登载在户籍账上，其意义不仅是对每人身份的确认，也是作为纳税、教育、征兵、犯罪嫌疑者逮捕等各种社会需要的依据。尽管"华族""士族""平民"本身的划分仍有身份制色彩，但是政府对所有的人同等对待，加以登录，是"四民平等"的最初实现。

（三）军事垄断权的丧失

自从平安时代作为政府军的军团随着律令体制的崩溃而解体之后，日本就再没有作为国家政权的军队。进入幕府时代，遍及全国的分散的、独立的武家家臣团承担了军队的责任。这种家臣团以主从关系为基础，靠个人忠诚的道德约束及恩给的经济纽带来维系其存在。在幕府权利强大时，尚可服从其指挥，一旦幕府统治弱化，则在各地拥兵自重，导致自镰仓时代后期起战乱不断，社会失序。德川家康在江户开府后，通过建立幕藩体制及身份制度强化了主从关系体制，每一个武士，根据家格、俸禄、家职被固定身份，必须忠心耿耿履行其"奉公"的家业。从军事角度而言，在冷兵器时代的中世时期，作战主要是一人对一人，或数人对数人的以刀与长矛之类武器近距离格斗，人数及个人的技能都是取胜的关键。从室町时代后期起，步枪、炸药等热兵器技术的传入，使军事战术也发生了变化，从单枪匹马的弓马之战转向密集的步兵作战，武士的居住形态也随之由分散居住转向集中居住在领主的城下町，由寓兵于农转向兵农分离转化。这一过程始自丰臣秀吉于16世纪末期颁布“刀狩令”和“身份统制令”，在整个德川时代，军事大权彻底被武士独揽。武士之所以位居农工商三民之上成为统治阶级，就在于他们垄断武力。他们的地位、尊严和荣誉无不来自凭借武力所确立的武功和武名。但是随着城居而逐渐都市化、贵族化，加上江户时代基本上天下太平，武士很大程度上从军人转化为行政事务官员，故军事素质下降，与能骑善射、英勇果敢的中世武士渐行渐远。

幕府末期，面对西方列强的压力，幕府与西南各藩已经着手建立近代军队，并实施一些军事改革。倒幕维新在军事上的成功实际上是借用了萨摩、长州等藩的军事力量。明治政府在建立之初并没有自己的军队，不论从实现富国强兵的长远目标考虑，还是戊辰战争刚刚结束后国内紧张局势的需要，都需要建立一支强大的、直属中央政府的新式常备军队。在通过“废藩置县”、摧毁了封建社会组织基础之后，明治政府根据西乡从道及山县有朋等人提出的“国民皆兵”的建议，于1872年11月28日，发布了《征兵诏书》：①

> 朕惟古昔郡县之制，募全国之丁壮，设军团以护国家，原本兵农不分。中世以降，兵权归于武门，兵农始分，遂成封建之治，戊辰一新实千余年之大变革也。当此之际，海陆兵制亦应从时制宜。今基本邦之古制，斟酌海外各国之式，欲设全国募兵之法，以立护国之基。汝百官有司应厚体朕意，将之告谕全国。

《征兵诏书》以复古主义否定了武家封建制度，又以“一新”精神采用西方国民皆兵的征兵制度，这种“复古”与“一新”的结合，构成明治维新的一大特征，也是征兵制得以确立的思想基础。在发布《征兵诏书》同日，明治政府以发布太政官《征兵告谕》的形式将《征兵诏书》晓谕全国。

---

① 由井正臣等校注:《日本近代思想大系・4・軍隊 兵士》，岩波書店，1989年，第67頁。

《征兵告谕》强调古代日本兵制的优点，“我朝上古之制，海内皆兵，有事之日，天子为大元帅，募丁壮可堪兵役者以征不服，解役回家则为农为工为商贾”；接着痛批武士垄断军事的现象：“腰佩双刀之武士，抗颜坐食，甚至杀人官亦不问其罪”。“保元平治以后朝纲废弛，兵权终坠武门之手，国为封建之势，人有兵农之别，降至后世，名分皆泯灭，其弊不可胜言。”在彻底否定了近七百年的武家统治后，“征兵告谕”强调，在大政维新后，“四民渐得自由之权，此乃平均上下，齐一人权之道，亦即兵农合一之基也”。于是，“兵非从前之士，民非从前之民，均为皇国一般之民，报国之道本无其别”。《征兵告谕》号召说：“国家若有灾害，人人皆分受其害，故人人须竭尽心力防止国家之灾害，亦即防自身灾害也。有国家则有兵备，有兵备则人人应就其役。”①《征兵告谕》体现出四民自由平等，人权齐一的西方近代思想。从此武士作为特殊阶层的意义自然就不存在了。封建身份制的废除，可以说由此得到了最后的实现。

《征兵诏书》与《征兵告谕》发布后不久，1873（明治六年）年 1 月 10 日，明治政府颁布了《征兵令》，规定征年满 20 岁之国民以充海陆两军，其中陆军分为常备军、后备军、国民军。常备军在每年征兵中以抽签形式决定，服役三年；后备军以结束三年常备军役者组成；国民军即把全国在常备军、后备军之外的所有 17 岁到 40 岁的男子皆编入兵籍。《征兵令》的颁布与征兵制的实施以法律的形式废除了武士的军事垄断权，消除了武士与平民的区别，具有深刻的、划时代的意义。从此，明治政权按照富国强兵的目标开始了近代军队的建设。

在武士独享的各种特权中，与佩刀、姓名这些荣誉性特权的丧失相比，军事垄断权的丧失对武士的打击是更为实质性的、致命的。近七百年的武家统治时期，是武力可以解决一切的时代，这种社会环境养成了武士对平民百姓在政治上和社会上的特权及伴随而来的尊严性与荣誉

① 由井正臣等校注：《日本近代思想大系 4 軍隊 兵士》，第 67－68 頁。

感，而长期生活在身份社会中的平民阶层同样认同武士的尊严与荣誉。实施以四民平等为基础的征兵制度，意味着昔日的被统治者农工商顷刻间就可分享武士七百年的荣誉，成为军人，而平民地位的上升则意味着武士沦为昔日被统治者的平辈，使他们严重心理失衡，“以国家之防护为己任的士族耻于与匹夫、伧父之卑下农工商为伍”①。因此，在酝酿实施征兵制过程中的 1869 年，兵部大辅大村益次郎(1824—1869)因主张实施征兵制遭到心怀不满的士族的暗杀。颁布《征兵令》的 1873 年当年，全国各地就先后发生了十八次反对征兵制的骚乱。② 对新政的不满，最终导致 1877 年爆发了西南战争。明治政府动用了 6 万兵力，耗时 6 个月，倾 4 100 万日元(占当年税收的 85%)军费平息了这场由“维新三杰”之一西乡隆盛(1827—1877)领导的最大规模的武士叛乱，也是日本历史上最后的内战。总之，“国民皆兵”的征兵制的实施，标志着统治日本近七百年的武士阶级不复存在。

除上述内容以外，1871 年，平民还被允许骑马，撤销因身份不同而产生的服装、职业等方面的禁制，平民自此获得了选择职业及迁徙的自由。新政府还允许华族、士族与平民互相通婚，平民与士族间在身份上的平等逐步体现在社会生活各个方面。

(四) 经济基础的丧失

如果说剥夺武士荣誉特权使武士从高高在上的统治者地位跌落下来的话，那么秩禄处分则使武士阶级被彻底埋葬。

中世时期武士地位的高低、势力的强弱是由拥有多少领地来表示的。自从丰臣秀吉实行“兵农分离”政策以来，直到整个江户时代，居于城下町的武士被割断了与生产资料——土地的联系，其对于主君“奉公”

---

① 宫内庁:《明治天皇紀》第 2 巻，第 798 頁。

② 青木弘二:《百姓一揆総合年表》，三一書店，1971 年，第 352－355 頁。

的报偿是从主君那里获得"俸禄"。这种俸禄不是直接取自领地,而是被折合成一定数量的米谷,取自领地农民的年贡。俸禄的多少根据武士的"家格"决定,用"石"这一计量单位表示,如某某武士常常被称为"食禄××石武士"。

德川幕府灭亡后,旧藩士与藩主的主从关系被解除,武士被政府所接管。过去威风凛凛、高高在上的统治阶级,突然间变成徒劳无用之人,对武士来说面临着巨大心理落差及生存压力。官民舆论也普遍鄙视士族,认为"华族及士族今日对国家已无常职,却衣食租税,甚背公理(岩仓具视语)"①,"以终岁不劳之身,分食冬冻夏渴之纳税农民之膏血"②(千叶县令柴原和对管内士族之告谕)。对于新政府来说,废除封建俸禄制度势在必行。然而在当时,解决士族问题的重要性,丝毫不亚于对旧贵族及诸侯的安置。从经济上对武士进行剥夺,比剥夺武士的荣誉及其他特权要难得多,这是武士作为一个阶级存在的最后堡垒。为此,明治政府对此付出了更长的时间与更多的精力及巨大的代价。对武士的经济剥夺——秩禄处分的过程相当复杂,大致分为如下几个阶段。

第一阶段,大幅削减武士的俸禄。当时,新政府刚刚建立,基础尚不稳定,各藩旧武士还有相当大的实力,不可能对武士进行彻底剥夺。1869 年"奉还版籍"之后,旧藩主改任"藩知事",明治政府决定各藩以年贡米收入的十分之一作为藩知事的"家禄",把藩收入与藩知事的个人收入分开。同时,要求各藩进行适合藩情的禄制改革。同年 12 月,制定了新的禄制,实施俸禄削减,并一律用现米支付,使武士俸禄与领地收入彻底脱离。新禄制大要为:③

禄分二十一等,士族止于十八等,旧禄九千石以上未满一万石者给二百五十石,以下递减,八十石者以上未满百石者给

① 多田好問:《岩倉公実記》中,原書房,1968 年,第 831 頁。
② 深谷博治:《华士族秩禄処分之研究》,高山書店,1941 年,第 53 頁。
③ 宮内庁編:《明治天皇紀》第二卷,第 233 - 234 頁。

十三石。卒定三等，六十石以上八十石以下者给十一石，四十石以上六十石以下者给九石，三十石以上四十石以下者给八石，以下者照旧。

这个新禄制（见表 2－3）明显上严下宽，即原来俸禄越多，则被削减的越多，下级武士俸禄被削减幅度相对小一些。在削减俸禄的同时，新政府鼓励士族归农归商，根据 1870 年的太政官指令，对于自愿归农归商者一次性发放相当于五年俸禄的现金或公债，总额达 122 万余日元。此时共有约 4 500 余士族自愿归农归商，返还俸禄 33 000 余石。[①] 由于禄制改革的实施，对士族发放的俸禄由维新前的 1 300 万石减少了约 400 万石，到 1871 年实行“废藩置县”时，降至 490 万石，不足幕府时期的 2/5。[②]这次对士族俸禄的削减是相当苛刻的，对武士的经济生活产生了重要影响，但这仅仅是秩禄处分的开始。

表 2－3　1869 年 12 月 2 日士族禄制表[③]　　单位（石）

旧禄	新禄	旧禄	新禄
9 000 以下	250	8 000 以下	225
7 000 以下	200	6 000 以下	175
5 000 以下	150	4 000 以下	135
3 000 以下	120	2 000 以下	105
1 000 以下	90	800 以下	75
600 以下	65	400 以下	55
300 以下	35	200 以下	28
150 以下	22	100 以下	16
80 以下	13	60 以下	11
40 以下	9	30	8
30 以下	如旧		

① 大島清等：《人物・日本資本主義(2)殖産興業》，東京大学出版会，1983 年，第 19 頁。
② 大島清等：《人物・日本資本主義(2)殖産興業》，第 18 頁。
③ 修史局編：《補正明治史要付録表》，第 57 頁。

第二阶段，实施家禄奉还。虽然明治初期的禄制改革效果比较明显，但是明治政府仍不得不倾岁入的1/3支付占全国人口5.77%①的士族的家禄，同时，还要对王政复古及维新的功臣支付“赏典禄”90多万石。1872年，政府岁出中支付士族的俸禄达到16 072 616日元，而同年陆军军费却是7 346 649日元，大大少于用于武士的俸禄。可见，这些无官无职、坐食俸禄的武士，依然是国家财政的沉重负担。在“废藩置县”实施后，藩制解体，武士阶层顿时丧失其所，对新政府来说，有了进一步改革的政治与社会基础。1873年2月27日，明治政府发布实施家禄奉还的太政官布告，决定实施“家禄奉还”。根据同时颁布的“家禄奉还资金下发规则”，对家禄不满100石的士族申请奉还家禄者发给偿金，享有永世禄者，一次发给六年禄量；享有终身禄者，一次发给四年禄量。此项“家禄奉还”政策的实施于翌年11月进一步扩大到持一百石以上俸禄的士族。禄米额按1873年各府县的米价换算成金额，一次性发放给士族，以充当产业资金，其中一半支付现金，另一半以八分利息的秩禄公债证书支付。同时，为鼓励士族归农，半价出售官林、田野和荒地。考虑到会有人不愿奉还家禄，政府专门发布太政官布告，宣布征收家禄税，将家禄从5石到65 000石②分成335个等级，按最多征收35%，最少征收2%的税率征收家禄税，目的是迫使士族奉还家禄。对于新政府的政策，各地反应不一。士族势力强大的西南诸藩奉还家禄者不到一成，鹿儿岛藩几乎无人响应，而新潟、三重等藩则超过半数。此次“家禄奉还”的资金是以曾任大藏少辅的吉田清成(1845—1891)在英国募集的240万英镑的外债(当时相当于1 171万日元)为主，反映出新政府解决武士问题的决心。到1875年7月终止家禄奉还为止，共有士族135 883人奉还家禄。政府

---

① 据《補正明治史要付録表》1872(明治5)的数字计算，修史局编：《補正明治史要付録表》，第28-29頁。

② 之所以还保留如此高额家禄，是由于各藩在前段禄制改革中实施效果参差不齐，故征家禄税主要是针对未被削禄和较少削禄的高额俸禄所持者。

为此共支付了现金 1 932.68 万日元及秩禄公债额 1 656.59 万日元。[①]家禄奉还的意义在于将无限期的家禄变成有期限的公债，士族奉还了家禄，意味着从此进入平民之列，使旧武士阶层开始实质性的解体。

第三阶段，废除禄制。在 1873 年开始实施的"家禄奉还"中，基本上是根据自愿"奉还"家禄，实际上响应政府号召奉还家禄者只占士族总人口的 1/3，效果并不十分理想。1875 年 8 月，日本军舰在朝鲜近海挑起了"江华岛事件"，最后胁迫朝鲜缔结《江华条约》，攫取到在朝鲜的一系列特权，但政府内也因征韩问题而陷入纷争。国内不时发生士族叛乱，致使新政府内外交困。动乱之源都来自士族，迫使新政府下决心彻底解决士族问题。1876 年 3 月，新政府发布了《废刀令》，剥夺了武士最后的荣耀。接着，采纳大藏卿大隈重信（1838—1922）的建议，于同年 8 月，以太政官第 108 号布告发布《金禄公债证书发行条例》，宣布"家禄、赏典禄有永世、终身或年限之分，今改其制，自 1877 年（明治十年）起，一次性下赐金禄公债证书"。根据这份条例，不管"自愿"与否，所有"家禄"必须"奉还"，由政府一次性发给相当俸禄额 5 至 14 年的"金禄公债"，年利 5%—7%。自发行后第六年起每年抽签还本付息，30 年内偿付完毕。如表 2-4 所示，此次发放金禄公债过程中，5%利息公债的受领者为旧藩主阶层（占总人数 0.17%），其利息收入只相当于原收入的 33%—44%；6%利息公债受领者为士族的上层及中上层（占总人数 14.34%），相当于原来的 46%—74%；7%利息公债的受领者为下层士族，相当于原收入的 88%—98%。即家禄越高，发给之年份越少，利率也越低。表面看来，此项措施对下层士族有利，实际上，据统计，占总人数 62.32%的下级士族平均只领到 415 日元公债，平均年收入只有 29.5 日元，也就是说，一天只有不到 8 钱（当时 1 日元等于 100 钱）。据研究日本劳资关系史的学者隅谷三喜男的考证，1877 年，东京的木匠、石匠的日工资为 45 钱，群马的

① 園田英弘、浜名篤等：《士族の歴史社会学研究》，名古屋大学出版社，1995 年，第 79 頁。

制丝工人日工资为10钱。① 可见，被“处分”过的士族陷入了前所未有的贫困及生存危机。

表2-4　金禄公债证书交付情况②

金禄额（推定现持有石数）	利息（%）	年限	受领人员比例（%）	发行额日元比例（%）	人均（日元）	年收入（日元）	与旧收入比例（%）
1 000日元以上（220石以上）	5	5—7年6个月	519 0.17	31 413 586 17.79	60 527	3 026.35	33—44
100日元以上（22石以上）	6	7年9个月—11年	15 377 4.90	25 038 957 14.34	1 628	97.68	46—74
10日元以上（2.2石以上）	7	11年6个月—14年	262 317 83.67	108 838 013 62.32	415	29.5	88—98
买卖家禄	10	10年	35 304 11.26	9 347 657 5.35	265	26.5	
合计			313 517 100	174 638 215 100	557		

以上步骤的“秩禄处分”，完成了对士族的经济剥夺，不仅革除了“以有用之财养无用之人之弊”，而且“使无益之人就有益之业”（大限重信语），这是明治维新之后新政府面临的最大、最难的课题。前述剥夺武士的荣誉及其特权，只是否定了武士作为统治阶级的存在，不论是平民地位的提高，还是武士地位的下降，都意味着向“四民平等”迈进了一步。但是，即使完成了这些任务，武士依然存在，因为作为武士本质特征的家禄仍然是其赖以生存的基础和希望。废除武士的俸禄，是明治新政府的极其艰巨的任务。1871年“废藩置县”的一举完成，曾让新政府成员自信无比，伊藤博文曾在美国旧金山市欢迎岩仓使节团的晚宴上自豪地说：“数百年来牢固的封建制度，未开一枪，未流一滴血，一年以内就被废除了。”③而对武士进行经济上的彻底剥夺，要比“废藩置县”更为艰难。由

① 隅谷三喜男：《隅谷三喜男著作集》第一卷，《日本賃労働史》，岩波書店2003年，第110頁。

② 落合弘樹：《秩禄処分》，第171頁。

③ 落合弘樹：《秩禄処分》，第85頁。

于明治政权的主要领导人都是下级武士出身，他们对昔日的同僚抱有深深的同情，故“秩禄处分”采取了渐进的方式：从削减俸禄，到奉还家禄，再到通过金禄公债彻底废除武士俸禄，逐步剥夺了武士的经济特权。这一政策的实施用了将近十年时间，明治政府不仅为此付出巨大的经济代价，也导致士族的抵制，乃至发生大规模叛乱，西南战争就是旧武士阶层对明治政权新政不满的总爆发。但是，旧武士被历史淘汰是必然的，存在近七百年的武士阶级终于因失去了经济基础而土崩瓦解。

（五）士族的最后出路

明治维新是一场改革，而对于武士来说，则是被革命的过程。不管他们愿意与否，都必须面对一个严酷的现实：作为普通人，告别过去，从头做起，自食其力。时代的变化迫使武士认清形势，改变观念，弃旧图新。为了生存，在新的社会条件下大致选择如下出路。

第一，担任中央、地方政府官吏。

官吏，即政府官员，相当于如今的国家与地方公务员。对于武士阶级瓦解后已经失业的士族来说，政府官员是最具魅力的职业。因为官员有较高社会地位，有稳定的薪俸，与依靠俸禄生活的旧武士有相似之处，故成为士族就业的首选。在推翻幕府统治，建立了以天皇制为中心的中央集权国家之后，中央与地方政权的运转需要大批官员。由于德川幕府时期非常重视武士教育，除了幕府设立的学问所，各藩也都开设藩校，武士都受过教育，有文化，尤其是从江户时代中期以后，越来越多的藩校在教育内容上增加了医学、算术、洋学等内容，使武士文化素质大大提高。又经过幕末维新的熏陶，能较快接受新事物，更养成了让子女接受教育的传统。幕府时代的武士教育客观上成为人才储备，在一定程度上适应了明治维新以后对人才的需要，也为士族进入政府任职提供了机会。

从几组数字可以看出士族担任官职的情况：

士族担任中央政府官员的数字　日本学者园田英弘等人根据修史

局编集的《明治史要附表》及《日本帝国年鉴》，对 1874—1899 年间中央官吏的出身进行了调查。在这段时间里，担任敕任、准敕任、奏任、准奏任、判任、准判任①以上的中央官员从 14 315 人增加到 54 060 人。其中士族出身官员的比率，1872 年高达 81.4%。以后随着教育的发展及“四民平等”的逐渐实现，平民任官者增加，士族任官者递减，但是到 1899 年，仍然超过半数，达 57.9%。在敕任与奏任级别的高等官僚中，士族更是压倒多数(见表 2-5)。

表 2-5　中央官员出身表(判任官・准判任官以上)②

时间	官员构成(人)									所占比例(%)		每 1 万人口中的官员数	
	敕任 准敕任		奏任 准奏任		判任・准判任		合计						
	士族	平民	士族	平民	士族	平民	士族	平民	全体	士族	平民	士族	平民
1872	66	2	2 415	156	9 596	2 029	12 077	2 187	14 315	81.4	15.3	64.1	0.7
1880	96	4	3 004	313	14 527	4 495	17 627	4 812	22 556	78.1	21.3	95.8	1.4
1882	127	2	3 688	563	18 216	7 520	22 031	8 085	30 358	72.5	26.6	114.0	2.3
1885	144	6	4 493	854	18 321	6 052	22 958	6 912	30 108	76.3	23.0	118.4	1.9
1888	131	14	5 864	1 533	16 344	9 151	22 339	10 692	33 275	67.1	32.1	113.0	2.8
1891	134	27	6 104	1 936	14 623	6 461	20 861	8 424	29 397	71.0	28.7	103.8	2.2
1894	146	26	6 130	2 484	17 420	9 032	23 696	11 533	35 322	67.1	32.7	116.2	2.9
1895	115	33	6 511	3 154	18 760	10 361	25 386	13 540	39 073	65.0	34.7	123.8	3.4
1897	177	52	7 050	3 778	21 478	13 828	28 706	17 658	46 522	61.7	38.0	137.4	4.3
1898	227	69	7 318	4 238	21 171	14 750	28 716	19 057	47 932	59.9	39.8	136.4	4.6
1899	235	73	7 852	4 787	23 187	17 745	31 274	22 605	54 060	57.9	41.8	—	—

士族担任地方政府官员的数字　在中央政府官员之外，地方官员中士族也占很大比例。如表 2-6 所示，担任地方区郡长官、文书的都是士族占大多数，唯有最下层的户长以平民居多。而且从比例上看，1882 年

① 1871 年官制改革设立，并经过《大日本帝国宪法》确立的官员等级。分为敕任官、奏任官、判任官，其中敕任官、奏任官属于高等官。

② 園田英弘、浜名篤等：《士族の歴史社会学研究》，名古屋大学出版社，1995 年，第 84 頁。

(明治十五年)士族出身者为20.8%,1888年为42%,不但没有降低,反而大幅提高了。

表2-6 地方官吏出身统计(1882—1888)①

时间	区、郡长		文书		户长		合计		
	士族	平民	士族	平民	士族	平民	士族	平民	全体(含华族)
1882	380	151	4 289	2 331	3 833	29 924	8 502	32 406	40 913
1883	369	160	4 449	2 436	3 303	25 831	8 121	28 427	36 548
1884	380	156	4 911	2 812	3 166	10 603	8 457	13 571	22 028
1885	399	146	4 959	2 972	3 423	8 013	8 781	11 131	19 912
1886	378	125	2 886	1 695	3 531	7 644	6 795	9 464	16 259
1887	399	128	3 022	1 793	3 521	7 489	6 942	9 410	16 352
1888	397	122	2 866	1 664	3 485	7 525	6 748	9 311	16 059

此外,园田英弘利用《日本帝国统计年鉴》等资料,对1888年士族任官的情况进行了详细调查。其结果是,在当年中央及府、县道的78 328名官员中(文官、武官、司法官、警察官、监狱官、技术官等),有士族52 032人;在90 266名区、郡町村官吏中,有士族15 524人。即士族在所有官职中占约40%,在中央及府县、道层更高达约70%,从士族阶层来看,在当年425 658户士族中,有官职的占16%。②

士族在高等文官考试中合格比例 根据1893年颁布的《文官任用令》和《文官考试规则》,从1894年开始,日本实施高等文官考试,合格者进入政府各省及官厅任职,所有阶层的人都能平等地参与竞争。研究日本政治的学者秦郁彦曾就1894年到1947年高等文官考试合格者的所有人员出身、学历、职历等进行调查。从调查结果可以看到,一直到1917

① 園田英弘、浜名篤等:《士族の歴史社会学研究》,第87頁。
② 園田英弘:《西洋化の構造 黒船・武士・国家》,思文閣,1993年,第180頁。

年(大正六年),对每个合格者都记载其出身是华族、士族还是平民。[①] 如表 2-7 所示,从 1894 年(明治二十七年)到 1911 年(明治四十四年),士族出身合格者最多的年份占 58.5%,最少的年份为 27.8%,大多数在 30%—40%。从绝对数值上看,平民合格者超过了士族,但如果从士族人口比例只占全国人口 5.1%[②]这一点来考虑,士族任官的比例还是远远超出平民的,这一点当与士族的教育水平有直接关系。

表 2-7　高等文官考试合格者出身统计[③]

时间	合格者出身(人)				比例(%)	
	华族	士族	平民	合计	士族	平民
1894	0	2	4	6	33.3	66.7
1895	0	16	21	37	43.2	56.8
1896	0	26	24	50	52.0	48.0
1897	0	24	30	54	44.4	55.6
1898	0	24	17	41	58.5	41.5
1899	0	12	19	31	38.7	61.3
1900	1	21	36	58	36.2	62.1
1901	0	17	25	42	40.5	59.5
1902	0	18	23	41	43.9	56.1
1903	0	21	32	53	39.6	60.4
1904	3	15	36	54	27.8	66.7
1905	2	26	36	64	40.6	56.3
1906	0	24	39	63	38.1	61.9
1907	0	24	53	77	31.2	68.8

① 秦郁彦:《戦前期日本官僚制の制度・組織・人事》,東京大学出版会,1981 年,第 447-475 頁。

② 此数字为 1880 年的统计结果。当时全国人口 35 928 821 人,士族 1 838 486 人。修史局编:《補正明治史要付録表》,第 215 頁。

③ 秦郁彦:《戦前期日本官僚制の制度・組織・人事》,第 447-475 頁。

（续表）

时间	合格者出身（人）				比例（%）	
	华族	士族	平民	合计	士族	平民
1908	2	33	71	106	31.1	63.7
1909	0	48	82	130	36.9	63.1
1910	1	46	83	130	35.4	63.8
1911	2	42	95	139	30.2	63.8

以上数字可以说明，在武士阶级瓦解后，其中很多优秀的个人能够顺应时代的变化，实现自我更新，用自己的知识与才能从原来侍奉主君转变为服务国家和社会，成功实现社会角色的转型。

第二，变身警察与军人。

在中央与地方官吏之外，警察与军人是最受士族青睐的职业。这两种职业都具有“武职”的特色，有薪俸，尤其适应武士的“名誉意识”，与武士有某种天然的联系。从近代国家军队与警察建设的角度来说，士族具有尚武传统、服从意识、勤奋精神，正是警察与军人这两种职业所需要的。

明治新政权建立以后，社会秩序并不稳定，暴徒事件、袭击外国人、暗杀政府官员等各种治安事件时有发生。为维护社会安定，1870 年 12 月，东京府向太政官提出设立警察的申请。1871 年 7 月实施“废藩置县”仅仅两个月后，新政府就决定首先在东京设立维护社会治安的“逻卒”，任命萨摩藩出身的川路利良（1834—1879）为逻卒总长。最初的“逻卒”共 3 000 人，其中有 2 000 人来自萨摩藩（鹿儿岛县），1 000 人来自勤王的其他府县，这就是日本近代警察的开端。1872 年，在司法省设置了警保寮，统一指挥全国警察事务。1874 年 1 月，司法省警保寮划归内务省，由内务卿统一指挥，同时建立了东京警视厅和分布于全国各府县的警察网。1875 年，“逻卒”被改称为“巡查”。

日本的警察从一开始就是以武士为基础建立起来的。由于《废刀令》颁布以后允许巡查佩刀，这一点颇能满足士族的“名誉意识”。警察最低可以领到6—10日元的月俸，虽然收入不高，但与没有收入来源的情况相比是难得的生存之道，更何况警察还有制服穿。从警察选拔的角度来看，除了身体条件、年龄条件外，还要求有一定的经验，要求能写字，能读书，有的地方如群马县还要通过算术考试。① 在这些条件面前，士族显然具有优势。所以，警察这份职业吸引了大量士族。1874年东京警视厅成立时，警官被分为17个等级，第4等少警视以上的敕任官、奏任官全部士族出身，巡查中的90％来自士族。② 到1884年，日本已经有1 951名警官，23 786名巡查，总计25 737人③，其中80％出身于士族。④

与警察相比，军人这个职业对于武士来说更具有吸引力。本来，“武职”就被武士垄断，明治维新以后，通过颁布《征兵令》，实现了国民皆兵。实行征兵制，意味着武士垄断军事的特权被废除，但并不意味着士族不能当兵，而是从此所有成年男子都有当兵的权利。实际上，在实行征兵制初期，不仅遭到士族的怨恨，也遇到平民的反抗。士族自信地认为除他们之外别人不会打仗、作战，“土百姓，素町人，安能作战?”⑤不满自己从此与庶民为伍。过去长期与军队及武装绝缘的平民则担心军队的生活艰苦，不愿当兵，想各种办法逃避服兵役。士族出身者当兵反倒比较踊跃。如1874年日本出兵侵略台湾时，各地踊跃报名参军的都是士族出身的青年⑥，石川县士族斋藤定之报名出征，因身体检查不合格，失望

① Wilhelm Hoehn:《地方警察巡回復命書》。由井正臣等校注:《日本近代思想大系・3・官僚制 警察》，第268－270頁。Wilhelm Hoehn，俄国警察少尉，1885年应内务省招聘来日，任警官训练所教师，1890年任警视厅警察事务顾问。

② 由井正臣等校注:《日本近代思想大系・3・官僚制 警察》，岩波書店，1990年，第480頁。

③ 山县有朋:《警察官訓練につき上申》，1884年2月。由井正臣等校注:《日本近代思想大系・3・官僚制 警察》，第303頁。

④ 安田三善郎:《社会移動の研究》，東京大学出版会，1985年，第308頁。

⑤ 坂口二郎編:《曽我祐準翁自叙伝 :天保より昭和—八拾八箇年》，曽我祐準翁伝記刊行会，1930年，第238頁。

⑥ 松下芳男:《明治軍事史》，国書刊行会，1988年，第279頁。

之余，写下一句“吾心寒白如霜露，今朝染红似枫叶”后切腹自杀。[①] 此事一方面说明武士具有好战性，同时也说明士族能够接受征兵制，与平民规避兵役形成反差。据《陆军省统计年报》的统计，19 世纪 70 年代的军官中，华族与士族出身者要比平民出身者高出 4—5 倍，这个数字直到 20 世纪 20 年代才发生逆转，士族与平民的比例变为 2∶3。[②] 从具体数字上来看，1899 年，在职军官共有 8 704 人，其中士族共 5 060 人，平民 3 562 人；1903 年，在全部 11 062 名军官中，有士族 6 024 人，平民4 930 人，[③]士族出身的军官仍然超过半数，显示出士族对军人这一职业的热衷。

第三，担任教师。

江户时代数百年和平，武士之职能从战争移到治世，为加强自身修养，兼备文武两道，学问成为统治者的必备素质。由于幕府与各藩非常重视武士的教育，武士因此都具备一定的文化素养，很多武士蜕变为知识分子，有的成为著名的学者。江户时代中期以后，随着平民教育机构寺子屋的增加，很多俸禄微薄的下级武士为了贴补家庭生计而开设寺子屋，或到寺子屋当师匠，在江户后期，武士师匠已占寺子屋教师总数的 28.09%。[④] 明治以后，寺子屋大都变为近代小学，过去的师匠则成为学校教师。如表 2-8 所示，1882 年，全国的中学校长、教师中 78%以上都是士族出身，只有小学教师队伍中士族才少于平民。如果从人口因素来考虑，在 10 000 人口中，士族有 167 人担任教师，平民只有 12.1 人，仍然是士族出身的教师多于平民。

---

① 福地重孝:《士族と士族意識》，春秋社，1956 年，第 39 頁。

② 藤原章:《日本軍事史》上，日本評論社，1986 年，第 69 頁。

③ 陸軍省:《陸軍省統計年報》，明治 44 年。转引自園田英弘:《士族の歴史社会学研究》，第 87 頁。

④ 石川謙:《寺子屋》，至文堂，1966 年，第 122 頁。

表 2-8　全国国、公立学校职员出身构成表(1882 年)①

		族籍别构成(人)				占有率(%)	
		华族	士族	平民	合计	士族	平民
中学	校长	0	61	17	78	78.2	21.8
	教员	0	962	260	1 222	78.7	21.3
	秘书等	0	252	70	322	78.3	21.7
	小计	0	1 275	347	1 622	78.6	21.4
小学	校长	0	259	167	426	60.8	39.2
	教员	2	29 507	41 440	70 949	41.6	58.4
	事务员	0	12	0	12	100	—
	小计	2	29 778	41 607	71 387	41.7	58.3
合计		2	31 053	41 954	73 009	42.5	57.5

第四,成为雇佣劳动者。

这是大多数武士的最后出路。在武士的政治经济特权被废除之后,除了一部分人成为政府官员、学校教员、军人和警察外,大多数人没有职业,也无生活技术,不知如何营生。当时有媒体报道:靠金禄"立于稳定生意者,千中不得其一,多数失败于不习惯之商法,或沉醉于花柳,竭财破产陷于贫困者比比皆是"②。除了一小部分上层士族将手中的公债用于投资外,大部分生活贫困的士族将公债抵押或以低于面额的价格出售。有些武士把手中的公债用来经商,大多因自视不凡,不擅经营而失败,世间讥讽为"士族的商法"(武士的买卖),这些昔日威风凛凛的武士,在巨大的生活压力面前,只得面对现实,从生计考虑,成为雇佣劳动者。

贫困的士族成为雇佣劳动者大都走三条路。第一种是士族的子女进入官营工厂做工,成为雇佣劳动者。如官营的群马县富冈制丝厂和信州松代的六工社制丝厂的女工大部分都是士族出身。还有一部分年少

① 園田英弘、浜名篤等:《士族の歴史社会学研究》,第 90 頁。

② 大久保利謙、児玉幸多等:《史料日本史》(史料による日本的歩み)近代編,吉川弘文館,1951 年,第 41 頁。

之士族怀着从工业中寻求立身之路的志向，进入变则学校（职工学校），经过技术培训成为工厂的基层技术人员。第二种是从小生产者变为雇佣劳动者。1877 年爆发的西南战争等一系列士族叛乱使明治政府感到贫困的士族对其统治构成了威胁，遂于 1878 前后年实施了"士族授产"政策，拨出资金用于资助士族从事养蚕、缫丝、棉纺、生产火柴和香烟，试图使之成为独立的小生产者。1881 年，政府实施的财政紧缩政策导致经济停滞，"士族授产"也画上了句号，这些从事家庭手工业的士族逐渐破产，成为手工工场中的雇佣劳动者。第三种是变成日雇工和杂工。如宫城县的贫困士族"无谋生之业，所以什么活都做，或为小工，或搓米，或拉车，或从商，日夜奔走，至今仅能糊口而已"①。

结语

武士阶级的瓦解是明治时代社会改革的最大成就。士族与其昔日的主人——华族的境遇不同，他们丧失了所有特权，仅仅留下写在户籍上的士族称号。但他们并没有被社会彻底淘汰，其中的成员有相当一部分能够跟上时代的发展步伐，运用原有的特长、知识与教养服务于新社会，乃至成为社会精英，从而顺利实现社会转型。

根据明治维新后新政权对身份关系进行的重组，在"四民平等"号召下，为许多没有家系背景的人通过接受正规教育或办实业来提高自己的社会地位提供了可能。不过，在重家系门第的传统观念面前，要使这种可能完全变为现实还是相当困难的，必须要付出巨大的努力。明治维新后官吏的登用，表面上是依据学问才识，不分出身贵贱，实际上明治初年的官吏多是过去的封建家臣。通过华族制度的制定，旧贵族、藩主阶层又获得了新的特权与荣誉，而且不断有维新功臣、高级官僚、大资本家、

① 前田正名编:《興業意見》第 17 卷，收録于《明治前期財政経済史料集成》第 18 卷，明治文献資料刊行会，1964 年，第 837 頁。

军人等成为华族新成员，按其功勋可得到爵位，并可世袭，从而赋予门第、出身以新的内涵。因此，家系和门第仍然在很大程度上左右着人们的生活，拥有不凡的家系照样是高人一等的资本。日本人从过去的世袭制度到真正实现不是靠继承、家族背景，而是靠个人的努力，这一过渡经历了很长时间，直到战后才真正实现。

三 近代“豚尾”形象的日中转换

稍有历史知识的人都知道，当年清朝政府强迫男人蓄辫发，脑后长长的辫子被西洋人讥讽为“猪尾巴”[①]，视其为中国人愚昧猥琐的象征，辫子凝聚了近代中国人的屈辱。然而人们或许并不知道，被骂为“猪尾巴”的不仅仅是中国人，还曾经有日本人。

有日本史书为证。1865 年，热心于西学的广岛藩士野村文夫(1836—1891)与同伴偷渡到英国游学，归国后根据在英国的见闻写了《西洋闻见录》。这部于 1869 年出版的书在介绍西洋风俗时写道：“西洋人奇称本邦男子之结发为ピキテイル，ピキテイル乃豚尾之意，称清国男俗之辫发为ロングテイル，ロングテイル乃长尾之意。”[②]据此资料，研究日本明治时代历史的重要文献《明治事物起原》(1908 年出版)的作者石井研堂断言：“豚尾汉之称，非支那人专有。”[③]至今在日本全国理容生活卫生同业组合联合会官方网站介绍近代理容业发展的内容中，还有把“丁髷”发型与猪尾巴相比的漫画。[④] 而日本人在明治维新后的文明开化过程中剪掉丁髷，自认为已经进入“文明之域”后，便抓住清人脑后的

① 施爱东对西方人以“猪尾巴”侮辱中国人的史实进行了详尽的考察，参见施爱东：《从 Pigtail 到‘豚尾奴’：一个辱华词汇的递进式东渐》，《民族艺术》2010 年第 4 期。

② 野村文夫：《西洋聞見録》，弘通書林，1884 年翻刻本，第 28 頁。“ピキテイル”应为英语 Pigtail 的日语读音，“ロングテイル”为英语 long tail 的读音。

③ 石井研堂：《明治事物起原》上卷，春陽堂書店，1944 年，第 50 頁。

④ 日本全国理容生活卫生同业组合联合会网站，近代理容业篇，http://www. riyo. or. jp/zenri_ren/alacarte. html。

辫子大肆贬损中国人，把“Pigtail”这个西方人发明的骂人词发展为日式表达的“チャンチャン坊主”（读“锵锵”，意为“辫子佬”）和汉字表达的“豚尾”，形成特定的辱华词汇，比西方殖民者所造成的影响更恶劣更深广。

（一）丁髷——前近代日本人的“豚尾”

发型发式作为人类生活方式的体现之一，不仅表现出时代特点，也反映出人的文化修养、精神风貌与生活环境。古代早期日本男性大都把头发用绳子扎成环状伏在耳边，称“美豆良”式。大化改新后，日本人在学习唐朝文化的过程中，也学习唐人的衣冠制度。天武天皇（在位 673—686）于公元 682 年发布诏书：“自今以后，男女悉结发”①，此后，日本人，尤其是男性就模仿唐制结发髻于头顶。进入武家社会后，由于武士在打仗时要戴头盔，为了解决头部闷热的问题（也有人说是为了防止头发散开遮挡视线），便将头顶部的头发剃光，将其余的头发结成发髻向前面弯曲伏在头顶。这种发型从正面看像“丁”字，故称“丁髷”。江户时代的日本已经没有战争，除了少数公卿、神官、学者、医生等人留“总发”头（不剃发，将所有头发在头顶结成发髻）以外，丁髷式发型从武士扩大到全社会，成为成年男子的基本发型，不结发意味着是有罪之人。② 有了这种特殊的剃发、结发习俗，男人们要像刮胡子一样频繁剃掉头顶的头发。到江户末期，仅京都、大阪、江户三地就有大约 25 000 家专门打理丁髷头的结发业者，幕末有识之士、火炮专家山本觉马曾对因结发造成的浪费提出批评③：

> （结发）要花半小时到一小时，徒费时间而已。日本五千万人口，一家五口则一千万家，一家一年花费刮胡子钱、结发钱以

---

①《日本書紀》天武天皇紀十一年春二月条。

② 增田美子：《日本衣服史》，吉川弘文館，2010 年，第 287 頁。

③ 田村敬男：《改訂増補山本覚馬伝》，ライトハウス，1976 年，第 224 頁。

金二分计算则五百万金。应省下如此白白浪费之钱,以往昔自己整发之品格为佳。

在传统农业社会,人们还意识不到蓄丁髷式发型的落后。自从与西方国家有了交往,工作与生活方式发生变化后,人们开始意识到发型的问题。19世纪中期,日本在美国军舰炮口下被迫开国,欧美人随之涌入日本。初到日本的西洋人对日本男人的奇特发型既奇怪又紧张。奇怪的是人们为何都留猪尾巴一样的发型,紧张的是为何日本人都把手枪顶在头顶(最初西洋人认为这种发型像手枪)。更多的人认为这种发型奇怪而丑陋,如俄罗斯作家冈察洛夫作为海军提督普提雅廷的秘书于1853年随战舰"帕拉达"号到日本,在他航海记《帕拉达战舰》中,记载了初见日本人发型的惊讶:"把头部和脸一样剃光,仅将脑后的头发扎起,就像切下来一束,扎得又细又短,结结实实地伏在光头上。对这个既麻烦又难看的发型得用多少心思啊!"①

最早走出国门的人也在海外因为丁髷头而遭遇难堪。前述野村文夫把西洋人称日本男子的发型为"豚尾"写进《西洋闻见录》,当是根据其亲身经历的记载。把头发说成是尾巴,尤其是说成又笨又脏的猪的尾巴,是严重的人格侮辱。1862年,榎本武扬、西周、津田真道等一行十五人受幕府派遣到荷兰留学。每当外出,他们的着装打扮就会受到当地人围观,为此,这些人不顾幕府对留学生在外期间"不得改变衣服发容"的规定,脱下和服换上西服。而头上的发髷却比较麻烦,由于不知何时会突然被幕府招回国内,不敢轻易剪发,只好戴上帽子把丁髷遮盖起来。一次,留学生们进入剧场看剧,按习惯观众在剧场内必须脱帽,观众见到他们头顶的丁髷满场大哗,留学生羞愧难当,当即灰溜溜退场。受到这些刺激的留学生终于不顾幕府禁令,在荷兰全部剪掉了发髷。当时,剪掉丁髷是件十分冒险的事情,不仅幕府有禁令,也有受到尊王攘夷派狙

① 岡田章雄編:《外国人の見た日本》,第2卷,筑摩書房,1961年,第61頁。

击的危险。1863年，长州藩士伊藤博文与井上馨等人无视幕府禁令，打算乘英国船偷渡到欧洲留学。由于伊藤博文等人已剪掉发髷，英国船的船长担心其成为攘夷派狙击的目标，拒绝其登船。直到伊藤博文等人承诺如果遇到这种情况就切腹自杀，英国船长才同意其登船。还有资料记载说，1868年6月，从英国归来的留学人员一行十四人由于全部剪掉了发髷，在横滨登陆后不得不全部戴上假发髷以防不测。① 这些轶事说明，幕末日本已经有了一些断发先行者。

与日本人在国外受到羞辱的同时，在国内已经接受西式军事训练的幕府军队和一些藩兵当中，也感受到丁髷的麻烦。穿着新式军服，却头顶丁髷，随号令操练时，发髷跟着晃动，很不协调。看来，改变农业社会人们习以为常的丁髷头以适应新的社会生活的需要，已经势在必行。

（二）断发——文明开化从头发革命开始

明治维新后，新政府将“破旧来之陋习”作为施政方针之一，把向西方国家学习，改变旧风俗作为文明开化的重要任务，头发革命首当其冲。从海外归国的留学生及与外国人打交道的商人率先剪掉丁髷，留“散切头”(将头发剪短并披散开)。与过去的丁髷头相比，散切头既简便又清洁，深受青年军人、学生的欢迎。在1871年上半年，街巷中就开始流行着这样的歌谣，“敲敲半发头，发出因循姑息声，敲敲总发头，发出王政复古声，敲敲散切头，发出文明开化声”②，虽不能确定地说这是“文明开化”口号的初见，但“文明开化”的实施从剪掉丁髷开始是毫无疑问的。在剪发已被很多人接受的条件下，明治新政府于1871年8月颁布太政官第399号令：“散发、制服、略服脱刀可随意，但穿礼服之时需带刀”，这就是一般所说的“散发脱刀令”③，即允许民众剪去发髷并有选择发型的自由。

① 石井研堂:《明治事物起原》，上卷，第50頁。

②《新聞雜誌》1871年5月，第2期。由于剃掉一半头发，丁髷头也称“半发”。

③ 内閣官報局編:《法令全書 明治四年》，内閣官報局，1888年，第316頁。

虽然是政府发布的命令，但并没有强制之意。随着涉及千家万户的断发的实施，“文明开化”这一新词早在加藤祐一的小册子《文明开化》(1873年)、福泽谕吉宣传文明开化的《文明论概论》(1875年)出版之前就已深入人心。

为推动民众断发，让国民面貌一新，成为“开化之人”，各地方政府或发布告谕奖励断发，或发出禁止结发令，推动民众断发。如大阪府令中宣传断发有益身心健康，“人的精神全部寓于头部，所谓灵液汇集之处，须郑重保护之。改变半发，有利身体健康”；岩城县布告强调要改变日本人在国际上的形象，“方今与万国频频交往，无墨守荏苒野蛮之头型取海外嗤笑之理，当决然断发”。各地还出台相应措施促使人们断发，如若松县发布《半发课税令》，规定留丁髷头者每年要缴纳税费50钱，用作学校的费用；大阪府和山梨县在对剪发店免税的同时向结发店征税[1]。1873年3月，明治天皇剪掉发髷，蓄新式发型，东京的《新闻杂志》专门对此进行了报道。同年10月，御用摄影师内田九一拍摄了明治天皇蓄西式发型、穿军服的照片，作为“御真影”下赐到全国各地的政府官厅、学校，令民众礼拜。明治天皇的表率作用带动了“自上而下的文明开化”[2]，民众纷纷涌向理发店，散切头自此开始大流行。

风俗总是相对稳定的，发型发式是人们在长期的社会生活中形成的习惯、爱好，要想改变数百年来传统的丁髷发型并不能一蹴而就。明治初期经历了生活方式的“和洋混战时代”，如留垂肩发穿洋服却脚踏木屐，留着丁髷头却身着西装。有些人即使剃掉发髷，也对散切头不习惯，便用帽子遮掩，以至于帽子大流行，大阪、神户等地洋货店内帽子往往供不应求。断发虽然是“文明开化”国策中的重要内容，在社会上层和大城市迅速流行，而在偏远地区则行动迟缓，甚至出现了因剪掉丁髷而引起

① 石井研堂:《明治事物起原》，上卷，第57－58頁。

② 芳賀登:《日本生活文化史序論》，株式会社つくばね舎，1994年，第116頁。

的离婚及诉讼。也有顽固不化者视丁髷为日本之“魂”,不愿意断发。外务卿兼右大臣、公卿出身的岩仓具视就是一位传统的捍卫者。1871年11月岩仓具视作为特命全权大使率使节团出访欧美,临出发时虽《断发脱刀令》颁布已三个月,但他仍然留着丁髷头。使节团首站进入美国,其奇特的发型及衣装引起人们的围观,岩仓具视很自信地认为这是自己的个人魅力使然,而他的两个在美国留学的儿子则告诉他,“之所以受欢迎是因为奇怪的发型和具有异国风情的和服,不过是好奇心和让人看热闹的对象,这不值得作为代表日本的大使夸耀,相反应该感觉可耻”①。在儿子劝告下,岩仓具视才在芝加哥剪掉了发髷。更有甚者,著名的实业家、有“矿山王”之称的古河市兵卫直到1900年才剪掉丁髷,被称作“最后的断发者”②。

有学者在评论日本明治初年的文明开化时指出,“在生活方式的转型方面,政府的提倡只是其中一个因素,重要的是经济社会发展所产生的需求”③。文明开化是明治初期日本模仿西方,在社会文化生活上实施改革的风潮。因操之过急,甚至有“全盘西化”之嫌,并非每项改革都很成功。但是放弃落后于时代的发型,则是明治初期的日本实施的文明开化的有益措施,既有政府提倡,也是社会发展的需求,故虽有曲折,但大势所趋,到19世纪80年代初期,大部分日本人已经剪掉头顶的丁髷。尽管改变发型仅仅是移风易俗的一部分,其作用与影响或许无法堪比制度变革,但是这场头发革命反映出日本从上到下改变旧俗,向文明社会看齐的认识与决心。如果连落后于时代的发型都不能改变,还奢谈什么政治经济变革?因此,在明治时代的人们看来,“欧美文明风暴首先在国民头上卷起大旋风,吹跑了数百年来作为国民风俗的丁髷,换成清新自

---

① 泉三郎:《明治四年のアンバッサドル——岩倉使節団文明開化の旅》,日本経済新聞社,1984年,第85頁。

②《報知新聞》,1900年9月25日。

③ 王新生:《日本近代初期的文明开化》,《绿叶》2010年11期。

然的欧美风的散切头，这是明治维新的一大变革”[1]。正是由于 19 世纪 70 年代初期日本人从革除旧发型开始，迈出了如福泽谕吉所说的“以西洋文明为目标”的改革步伐[2]，才会让“腰插双刀、徒步走在东海道上、梳着世界上独一无二的发髷、身着独特民族服装的国民”在 20 年后就“拥有了西方式的国会与法律，建立了德式陆军与英式海军”[3]。故可以说，文明开化从头发革命开始并不为过，至少从移风易俗的角度来说是值得肯定的。

（三）蔑华——“チャンチャン坊主”（辫子佬）的出现

与日本人在明治初年剪掉丁髷，彻底摆脱了被讥讽为“豚尾”的屈辱相比，剪掉清末中国人脑后的辫子却非易事。到 19 世纪 80 年代大部分日本人剪掉丁髷的时候，中国大地上还没有人敢对脑后的辫子提出质疑。直到辛亥革命发生后，中国人才开始告别辫发。头发革命的落后，反映出人们观念的落后与改革步伐的迟缓。1912 年临时大总统孙中山颁布《剪发通令》比 1871 年日本政府发布《断发脱刀令》晚了 40 多年，而中日关系的逆转正发生在这 40 年里。日本人“学欧美人之事先行一步便产生鄙视支那之骄傲情绪”[4]，伴随着对清领土的觊觎，蔑华情绪也日益滋长，清人脑后的辫子成为其诋毁中国人形象的工具。

在近代中日关系的历史资料中，常有在汉字“豚尾”“豚尾奴”的旁边注上“チャンチャン”这一读音的情况[5]，说明“チャンチャン”与“豚尾”是

---

① 石井研堂：《明治事物起原》上卷，第 51 頁。

② 福泽谕吉著、北京编译社译：《文明论概略》，商务印书館，1990 年，第 9 页。

③ 司馬遼太郎：《坂の上の雲》第 2 巻，文芸春秋，2010 年，第 31 頁。

④《每日新聞》1877 年 10 月 10 日文章。芝原拓自等校注：《日本近代思想大系・12・対外観》，岩波書店，1996 年，第 509 頁。

⑤ 如滑稽小说《西洋道中膝栗毛》明治十七年（1884 年）版中，在“豚尾”的旁边，注有“チャンチャン”的假名。施爱东在做相应考察时也注意到日本的报刊上有在“豚尾坊”旁边注音“チャンチャン”的事例。施爱东：《从 Pigtail 到‘豚尾奴’：一个辱华词汇的递进式东渐》，《民族艺术》2010 年第 4 期。

同义语,分别是英语 Pigtail 的日式与汉字表达。但仔细分析“チャンチャン”与“豚尾”“豚尾奴”的产生与演变过程,可以发现其中有些许差异存在,也体现出日本人蔑华情绪的形成与蔓延。

根据《日本国语大辞典》的解释,“チャンチャン”(读音为“锵锵”),在江户时代,有些穿着清式服装的小贩,走街串巷,边敲钲叫边卖糖果,钲发出的声音即“チャンチャン”①。有日本学者认为,江户时代的日本人常用“芥子坊主”等语言称呼留辫子的清朝人,但当时还不包含侮辱的成分。②

中国在鸦片战争中的失败让日本朝野震惊,对中国从敬畏与景仰逐渐转为怀疑、轻视。1871 年《中日修好条规》的签订,日本获得了长期以来梦寐以求的与中国的对等地位,开始滋生蔑视中国的心态,对中国人的称呼也发生了变化。最先出现的与清人辫发有关的歧视性语言是“チャンチャン坊主”(意为“辫子佬”,以下同)。一般认为“辫子佬”的最早出现是在 1870 年出版的滑稽小说《西洋道中膝栗毛》中③。书中描述主人公从日本出发到伦敦参加万国博览会途中,路经上海时所见“男子不分老幼,皆为‘辫子佬’,书中还有把辫子比作‘豚的尻尾’的内容”④。值得注意的是,1870 年这部小说出版时,日本还没有发布《断发脱刀令》,自己的头顶还留着“猪尾巴”——丁髷呢!1873 年,在一本名为《文明开化》的小册子中,作者加藤祐一为了说明剪掉丁髷是文明行为,便拿清人的辫子说事:

> 自汉土到明世皆留全发,鞑靼之片隅小国起而灭明,改世为清,则成鞑靼风之光头和尚。看似不错的光头,实为无品无

① 日本大辞典刊行会:《日本国語大辞典》第 13 卷,小学館,1993 年,第 425 頁。

② 小松裕:《近代日本のレイシズム—民衆の中国(人)観を例に》,熊本大学《文学部論叢》第 78 号,2003 年。

③ 小松裕:《近代日本のレイシズム—民衆の中国(人)観を例に》,2003 年;滝澤民夫:《戦争体験の記憶文化》,有志舎,2008 年,第 167 頁。

④ 假名垣魯文:《西洋道中膝栗毛》,岩城勝蔵,1884 年翻刻本,第 21 頁。

威之下人头型也。吾国之野郎头亦因自爱而习以为常，见怪不怪也。细想之实为怪异之发型，连辫子佬都无法不笑。①

这段话不仅把清人的辫子当“反面教员”，也使用了“辫子佬”这样的词汇，这是“辫子佬”一词首次在政论书籍当中出现。

1874 年 5 月，日本以琉球船只遇风漂流至台湾南部少数民族部落牡丹社，54 名琉球藩民遭杀害为由出兵台湾，迫使清政府赔款 50 万两白银，并放弃对琉球的宗主权，日本朝野认为这是前所未有的“大成功”②，媒体上始现用“辫子佬”称呼中国人的报道。如 1874 年 7 月 22 日的《东京日日新闻》有这样的报道：

开成学校教师菲拉所雇支那佣人何细，在三河町一丁目名“柳汤”之澡堂，受本石町中川广吉“辫子佬”之嘲笑，愤怒至极，遂诉至巡逻之警察，双方被带至屯所（警察署）查问。广吉述称因为你是“辫子佬”我才叫你“辫子佬”，你若不是“辫子佬”的话我也不会叫你“辫子佬”。是“辫子佬”就一定叫你“辫子佬”。因称“辫子佬”按诖违条例第 56 条予以处分。③

这个以骂人者受到处罚而结束的事件，一方面说明社会上以“辫子佬”辱骂中国人的大量增加，以至于见诸媒体；另一方面，也反映出这样的骂人话还不能肆无忌惮地使用，因为当时的日本还没有彻底摘掉东亚弱国的帽子，以自身的实力，对大清国还持有相当的忌惮。如 1874 年 11 月 14 日，《新闻杂志》上发表了题为“即使取胜也不可松懈”的文章：

此度获得赔款，日本人自满得意，“辫子佬”终于屈服。四百余州已是囊中之物，恭亲王、李鸿章之辈如同小儿不足为惧，可追至万里长城飘扬国旗。若以此傲慢神情疏忽大意，则不知

① 明治文化研究会編：《明治文化全集》第 24 卷，評論社，第 5－6 頁。
② 《新闻杂志》1874 年 11 月 14 日发表题为《台湾事件大成功》的报道。
③ 中山泰昌編：《新聞集成明治編年史》第 1 卷，本邦書籍，1982 年，第 185 頁。

何时我们也会支付赔款。支那因此事失去第一名义，在各国面前颜面尽失，“辮子佬”在困窘之际也会痛彻心扉，或许何时会报此恨。无论如何，日本要成就此事，必要明了我们遇到了可怕的强敌，须人人愤励勤勉，极尽富国强兵之手段，在各个方面都要强于“辮子佬”。①

这篇文章中多次用“辮子佬”指代清朝中国人，表示强烈的蔑视，同时又提醒大家不要因为获得清朝的赔款就得意忘形，而要立足于今后与清朝这个“可怕的强敌”的竞争，在各方面胜过清朝。

书刊媒体上公开对清人使用“辮子佬”这样歧视性语言，对民众的恶劣影响与导向作用可想而知。在日清朝人身处其境，极其愤慨，尤其是在华侨集居的横滨，多次发生华侨不满被骂“辮子佬”而与日本人发生冲突的事件。有位到横滨访友的中国人张春舟愤而投书《横滨每日新闻》(1877 年 12 月 7 日)，指出“连道德社会的报纸都把辫发用片假名写成チャンチャン，而且满不在乎地使用‘豚尾头’这样的词，助长庶民嘲弄骂辱中国人的倾向。日中之间最重要的是善邻友谊，小事在不知不觉间会酿成大麻烦”②。

(四) 辱华——“豚尾奴”的使用全民化

后来的历史不幸被这位中国人言中，用“辮子佬”来羞辱清朝人这样的“小事”不但没有得到遏制，反而从大城市及中国人集居的横滨、长崎等地向全国范围蔓延。如果说起初“辮子佬”在侮辱人方面多少还有些隐晦，即“猪”的含义还不十分明显的话，那么在日本与清政府于 19 世纪 70 年代后期进行所谓“琉球交涉”，直到 1878 年吞并琉球前后，日本舆论界开始把中

① 日文原题为“但し勝って兜の緒を締めよう”，直译为“即使胜利了也要系紧头盔上的绳子”，中山泰昌編:《新聞集成明治編年史》第二卷，第 230 頁。

② 芝原拓自等校注:《日本近代思想大系・12・対外観》，岩波書店，1996 年，第 509 頁。

国作为“强敌”，并把清朝人直接同猪联系起来，就是赤裸裸的辱骂了。漫画杂志《团团珍闻》1878 年 1 月第 45 号上刊载了漫画“互相争夺琉球的日本和猪”，画面上的日本人是手持钞票的绅士，大清国则是一头肥硕的猪，这是通过图像把中国人丑化成猪的开始。① 该杂志 1879 年 2 月 22 日第 91 号上的漫画《对日本置琉球县不满的猪》，把琉球画成一大块山芋，把大清国画成一头打算吃山芋的猪。此后，在书报杂志上，以猪来指代中国人的讽刺漫画一发不可收拾，通过绘画、漫画，在原来“辫子佬”的含义里增加了猪的形象，对中国人的侮辱从语言向视觉化、符号化、图像化发展。在利用漫画侮辱中国人的同时，直接采用汉字表述的“豚尾”“豚尾奴”之类的侮辱语言也大量充斥报端。例如，1879 年 8 月 18 日的《东京曙新闻》围绕“琉球处分”发表社论《外战之预备》，其中写道：

> 支那人虽甚缓慢怠惰，兵事乃其短所，然其国之广，其兵马之多，苟万中拔两千，千中抡二百，百中又选十择一，则劲兵精卒得十万廿万岂难，况如左宗棠积年驰驱胡边，梳碛风，沐冰霰，有百战经验，无论如何对豚尾奴不可一概侮辱之。②

这篇社论意在告诫日本人在吞并琉球后不可轻视中国人的实力，直接使用了“豚尾奴”这一词汇。也就是从此时开始，“チャンチャン坊主（辫子佬）”与“豚尾奴”成为彻底的同义语，报刊书籍上也往往在汉字“豚尾”或“豚尾奴”旁边注音“チャンチャン”，以帮助人们识读。虽然“豚尾”或“豚尾奴”与“チャンチャン坊主”意义相同，但仔细分析，两者还是有所区别的，即“豚尾奴”多用于报纸杂志的书面语言，而“チャンチャン坊主”则主要用于口头表达。有学者分析日本人骂中国人为猪有三个因素：首先来自清人脑后的辫子；其次是猪虽体大笨重，实际上却很弱；最后是猪

① 滝澤民夫：《日清戦争後の豚尾漢的中国人観の形成》，《歴史地理教育》，1997 年 4 期；《戦争体験の記憶文化》，第 167 頁。
② 转引自小松裕：《近代日本のレイシズム——民衆の中国(人)観を例に》。

等于“不洁”。[①] 不论哪一点都充满了鄙视与恶意，其中最主要的是拿清人的辫子大做文章。

当今日本发达的动漫产业起步于明治时代的漫画。漫画具有夸张、滑稽、诙谐的表现手法，带来强烈的视觉冲击，受众老少咸宜，读者喜闻乐见，其宣传效果远在单纯抽象的文字之上。“豚尾汉”“豚尾奴”之类侮辱性语言在日本达到大众化普及，自然少不了漫画业的推波助澜，其中1877年创刊的漫画杂志《团团珍闻》可谓“居功至伟”。当时这部杂志极受欢迎，以1879年3月的发行量为例，与《东京日日新闻》2.5万部、《朝野新闻》1.5万部、《读卖新闻》2.7万部相比，作为杂志的《团团珍闻》高达1.5万部。[②] 该杂志创刊后发表了大量把中国人描绘成猪的漫画，尤其是在从甲午战争爆发到《马关条约》签订的九个月里，讽刺“豚尾汉”“辫发豚”“豚兵”的漫画达到泛滥的程度，大多数漫画都拿清人的辫子做文章，以猪和猪尾巴形象表现中国人，极尽羞辱与丑化，该杂志因此被称作“把中国人表象化为猪的本家家元”[③]。令人难以置信的是，《团团珍闻》的创办者正是亲身体验“西洋人奇称本邦男子之结发为豚尾”，并将其写进《西洋闻见录》的野村文夫。想当年，他也有被人骂做“豚尾”的屈辱体验，仅仅不到20多年时间，此公就好了疮疤忘了疼，专门在自己创办的漫画杂志上向当年同病相怜的邻居恶语相向了！

从明治维新到甲午战争前夕，尽管上述对华蔑视的情绪不断增强，但是总体上来说主要表现在政界和传媒界及华人比较多的地区，尚未渗透到广大普通民众当中。在群马县沼田出生并度过少年时代的文学家生方敏郎回忆说：“直到战争开始之日，我们也不认为支那人是坏的国民，我们心中对支那没有丝毫憎恶。”“学校里每天教的都是支那文字，当

① 小松裕《近代日本のレイシズム——民衆の中国(人)観を例に》、熊本大学《文学部論叢》第78号。

② 北根豊監修:《団々珍聞》第1巻，本邦書籍，1981年，第8頁。

③ 小松裕:《近代日本のレイシズム——民衆の中国(人)観を例に》。

时日本文明的九分九厘，若追寻其由来，皆来自中国”，“当时的日本人没有人自负地说要超过支那人，只要不太落后就可以了”。[①] 社会活动家、评论家荒畑寒村自幼生长在华人集居的横滨，他在自传中写道，在甲午战争之前，很会做生意的华人很受欢迎，“在横滨卖和服的支那人，比从富山来的日本药商还有人缘并受到优待”，“大家对他们毫无恶感”。[②]

然而，随着日本人对亚洲近邻侵略野心的步步膨胀，以及日益浓厚的“脱亚入欧”氛围的影响，日本终于在 1894 年甲午战争这场空前规模的军事对决中打败中国，中国的形象在普通民众中也突然发生了逆转。大批前方记者对日军如何英勇及清军如何不堪一击进行连篇累牍地报道，使日本人的民族优越感骤然上升，原有的对中国的仰慕及对自身文化的谦卑一扫而光。福泽谕吉这位曾极力高扬“文明论”的旗手，此时大力支持实践“脱亚论”的战争，不仅带头捐款 1 万日元充作军费，还在其发表的文章里号召要“杀光”“歼灭”“诛戮”清士兵和台湾居民，并多次使用“豚尾奴”“豚尾小儿”“豚犬”等语言辱骂中国人，[③]彻底撕下了“文明”的伪装。在福泽谕吉这样的“精英”及媒体的宣传影响下，普通民众迅速改变了对中国人的态度。根据生方敏郎的回忆，甲午战争爆发后，所有的绘画、歌曲都表现了对中国人的憎恶与敌视，学校里教的歌曲是“征讨吧！惩罚吧！清国是皇国的敌人，是东洋和平的敌人，讨伐它，让它回归正路吧!”节日里玩的打靶游戏以清兵为靶子，剧场里的演出全都换成与战争有关的内容，不外乎少数日本兵与多于自己的清兵作战，清兵必败并哭哭啼啼求饶。处于甲午战争期间的 1894 年末，商店在商品大甩卖时赠送做成中国人头的玩具，玩偶店专门制作中国人辫发头型的玩偶贩卖，人们拎着玩偶脑袋上的“豚尾”在大街上行走。[④] 当时的媒体除《团团

① 生方敏郎：《明治大正見聞史》，中公文庫，2005 年，第 33－35 頁。
② 荒畑寒村：《寒村自伝》上，筑摩書房，1965 年，第 26 頁。
③ 安川寿之輔《福沢諭吉のアジア認識》，高文研，2000 年，第 161 頁。
④ 生方敏郎：《明治大正見聞史》，中公文库，2005 年，第 41 頁。

珍闻》《风俗画报》等杂志刊载了大量辱骂中国人的漫画外，还有民间的讽刺漫画家如小林清亲与滑稽小说作家骨皮道人合作创作了系列锦绘漫画《日本万岁百撰百笑》等作品，这些漫画用夸张的手法，拿清人的辫子和猪的形象侮辱中国人。在流行歌谣、歌曲方面，《チャンチャン征伐当世流行节》《チャンチャン征伐流行歌》《チャンチャン征伐音曲集》等流行歌谣、歌曲集等也大量发行推广。在媒体、舆论的鼓噪宣传下，利用辫子辱华在甲午战争期间达到全民化程度，如在《少年世界》上曾刊登署名"三郎"的七岁儿童写的诗《凯旋(真高兴)》：

> 爸爸是骑兵少佐/爸爸上了战场/爸爸今天要凯旋/真高兴/真高兴……快快见到金鵄勋章/军刀染上血迹了吧/辫子佬的脑袋在哪里/辫子佬的脑袋在哪里。①

一个黄口小儿，怎么会对中国人有如此仇恨，叫嚷着要看"辫子佬"的人头？只能说明当时日本社会内蔑视与仇视中国人氛围之强，程度之深、之广。曾经见过这样的图片：两个中国人被日本小孩子侮辱，旁边虽有警察，却视若无睹。清政府于 1896 年向日本派出的首批十三名留学生到日本后，常常受到"豚尾"之嘲弄，连负责留学生事务的文部省官员都为留学生受到的困扰感到担忧：

> 当学生在市井澡堂沐浴时，往往须将辫发卷于半边秃头上，不得不与木匠泥水匠之徒混浴；又当彼等于寓所附近散步时，往往遭受日本妇孺之辈"豚尾"之嬉笑怒骂，此种"是可忍、孰不可忍"情绪，长此下去会在不知不觉中，伤害其品性，鲜有不流为寡廉鲜耻之徒。②

最终其中四人受不了这番侮辱，中途退学归国。这些事例说明，利

---

① 博文館編：《少年世界》，1895 年第 1 卷 13 期，名著普及会復刻版，1990 年，第 1251 頁。

② 实藤惠秀：《中国人留学日本史》，谭汝谦等译，北京大学出版社，2012 年，第 20 页。

用辫子辱华已达国民化水平，蔑视中国的对华观随着日本在甲午战争中获胜超出政界、军界达到登峰造极的程度，并在民众中普及、定型。

结语

倒退到一个半世纪以前，改变传统发型以适应新的社会生活的需要，不论对日本还是对中国都具有颠覆性意义。中国人剪掉辫子比日本人剪掉丁髷晚了 40 年时间，从空间上来看毋宁说落后了一个时代。尽管日本人结发的历史要远远长于中国人蓄辫的历史，而一旦认识到结发是一种陋俗，日本人断发却走在中国人前面，以新的面貌接受近代工业文明。此后，恃强凌弱的日本人把被西洋人嘲笑为“豚尾”的屈辱全都转嫁到积贫积弱的中国人头上。日本人给中国人带来的伤害除了无法统计的生命、财产损失，借助中日之间相近的地理、文化及文字的便利，其精神伤害也远在西方人之上。2015 年是抗日战争胜利 70 周年，揭开这一伤疤，不仅为了记住仇恨，更为了对历史进行应有的反省。因为脑后的辫子，先被西方人、后被日本人辱骂为“豚尾”，对中国人来说是何等的难堪与屈辱！当我们回顾这段历史的时候，深深为前人的落后与保守而感到痛心。辫子的悲剧实在值得国人认真反思。

四　日本历法的“脱亚入欧”与“时间”的近代化

历史上日本曾长期使用中国的历法，1872 年底明治政府断然实施改历——放弃传统的太阴历，使用太阳历。明治改历既有政治背景，也有文化内涵，更有现实的经济因素。改历是日本“脱亚入欧”的标志之一，它使日本迅速从农业社会走向近代工业文明，并带来“时间”的近代化。

（一）正朔本乎夏时——日本曾长期使用中国历法

中国是世界上最早发明历法的国家之一，对周边国家产生过重要影响，日本也是在相当长的时间内使用中国历法的国家。在中国古代，历法除了科技含量之外，还有复杂的政治特征。历法的制定与改革最重要的目的是要证明帝王的统治权力来自“天命”，具有极其重要的政治意义。历史上新政权建立之初，往往要通过改正朔、定历法等方式，来表示革故鼎新的姿态，希望通过变革历法，达到政治统一的目的。司马迁在《史记・历书》中说：“王者易姓受命，必慎始初，改正朔，易服色，推本天元，顺承厥意。”正朔中的“正”，即一年之始，“朔”即每月之始，所以人们常用“正朔”来代表历法或皇帝的年号。奉正朔即遵从奉行王朝的年号和历法，表示对王朝的效忠和拥戴。周边民族若尊奉中国王朝的正朔，即被认为在政治上表示臣服，在空间上可以将其纳入统治体系，并允许其在朝贡的名义下进行交往。古代日本使用中国的历法，不仅是为了满足人们生产生活的需要，更是为了表达对中国的慕化及向往。与日本对唐代户籍制度、班田制度、科举制度始行终弃一样，古代日本对中国的历法也经历了从采纳到放弃的过程。

在尚无文字的日本古代早期，前言往行靠“贵贱老少，口口相传”。通常认为上古时代的日本使用的是以日月和物候为参照的自然历①。在大和时代，通过与中国及朝鲜半岛国家的交往，日本人已经对历法的重要性及与人们生活的关系有所了解，并希望自己的国家也使用历法。在《日本书纪》中就有6世纪中期的钦明天皇时期，百济向日本派遣历博士的记载。《日本三代实录》清和天皇贞观三年(861)六月条对当时使用历法的情况做了较为详细的记载：

> 十六日己未，始颁行长庆宣明历经。先是，阴阳头从五位下兼行历博士大春日朝臣真野麻吕奏言，谨检，丰御食炊屋姬(推古)天皇十年十月，百济国僧观勒始贡历术，而未行于世。高天原广野姬(持统)天皇十年十二月，有敕始用元嘉历，次用

① 刘晓峰：《东亚的时间・岁时文化的比较研究》，中华书局，2007年，第322页。

仪凤历。高野姬天皇(称德)天平宝字七年八月,停仪凤历,用开元大衍历。厥后,宝龟十一年,遣唐使录事故从五位下行内药正羽栗臣翼贡宝应五纪历经云,大唐今停大衍历,唯用此经。天应元年,有敕令据彼经造历日,无人习学,不得传业,犹用大衍历,已及百年。真野麻吕去斋衡三年申请用彼五纪历。朝廷议云,国家据大衍历经造历日尚矣,去圣已远,义贵两存,宜暂相兼不得偏用。贞观元年,渤海国大使乌孝慎新贡长庆宣明历经云,是大唐新用经也。真野麻吕试加复勘,理当固然,仍以彼新历比较大衍五纪等两经,且察天文,且参时候。两经之术,渐以麁疏。令朔节气既有差。又勘大唐开成四年、大中十二年等历,不复与彼新历相违。历议曰,阴阳之运,随动而差,差而不已,遂与新历错者。方今大唐开元以来,三改历术,本朝天平以降,犹用一经。静言事理,实不可然。请停旧用新,钦若天步,诏从之。

根据这段文字,再参照其他史书的记载,我们可以大致了解古代日本使用中国历法的情况。

中国历法传入日本最早的记录是公元 602 年(推古天皇十年),这一年,百济的僧人观勒来到日本,带来历本及天文地理书,朝廷专门派书生向观勒学习历法。[①] 成书于 11 世纪初期的《政事要略》记载,推古天皇十二年(604 年)"始用历日",但具体实施情况不得而知。日本实施历法的确切记载是持统天皇四年(690 年),《日本书纪》记载,是年 11 月,"奉敕始行元嘉历与仪凤历"[②],这两部历法是日本最早正式使用的中国历法。

---

①《日本書紀》推古天皇冬十月条。

② 仪凤历:即唐高宗麟德二年(665 年)颁行的麟德历。676 年,唐高宗改元仪凤历。有人推测是在仪凤年间经朝鲜半岛传入日本的,故在日本称仪凤历。对于《元嘉历》与《仪凤历》共用,学者王勇先生解释说,这是日本对中国关系急速转型的过渡措施,"即从中介百济汲取南朝文化,转向直接学习更为先进的隋唐文化"。参见王勇:《中国历术对日本的影响》,载《文史知识》1997 年 12 期。

这里有一个值得注意的细节，即古代日本户籍制度（690年）的建立、班田授受法的实施（692）和中国的历法的使用（690年）都是在持统天皇时开始的，这并不是一种偶然，而是日本人在与中国王朝的交往中已经形成了对中华文明的认同感及对唐王朝的归属感。此时距大化改新已经40多年，日本人已经逐渐加深了对中华文明和中国的典章制度的了解，认识到要改变本国的落后局面，就要学习中国的制度，同时，还要积极向唐王朝靠拢，在向唐朝派遣臣朝贡的同时，使用中国的历法，即“奉正朔”也是十分重要的。于是，在持统天皇时代，各方面条件比较成熟之后，便开始模仿唐朝制度实施一系列建立中央集权体制的措施。显而易见，对于当时的日本来说，历法与户籍、班田同时实施的目的和意义并不仅在于其科技层面，而是以“奉正朔”的形式，表现对唐王朝的归同。实际上，唐代中国人在考察当时的日本时也是首先看其是否“奉正朔”的。如唐代官员、大诗人王维在遣唐留学生阿倍仲麻吕（唐名“晁衡”）归国时曾赋诗《送秘书晁监还日本国》送别，在其诗序中这样写道：

> 海东国日本为大，服圣人之训，有君子之风。正朔本乎夏时，衣裳同乎汉制。历岁方达，继旧好于行人；滔天无涯，贡方物于天子。①

可见，在王维及他所代表的唐朝朝野人士眼里，当时的日本之所以被评价为“服圣人之训，有君子之风”，主要是因为“正朔本乎夏时，衣裳同乎汉制”，这两点的意义等同于“贡方物于天子”，甚至还要重要。作为与唐朝交往密切的日本人对这一点定是十分清楚的。

698年（文武天皇二年），日本废除了南朝何承天编撰的《元嘉历》，仅实行《仪凤历》。公元735年，在唐朝留学18年的吉备真备（695—775）

---

① 杨知秋编注：《历代中日友谊诗选》，书目文献出版社1986年，第3—5页。王维《送秘书晁监还日本国》诗曰：积水不可极，安知沧海东。九州何处远，万里若乘空。向国唯看月，归帆当信风。鳌身映天黑，鱼眼射波红。乡树扶桑外，主人孤岛中。别离方异域，音讯若为通。

学成归国，带回大量典籍，其中就有《大衍历经》及《大衍历立成》。当时由于日本缺乏通晓历学的人才，对《大衍历》这部当时非常先进的历法还不能全部理解，经过多年的研读，直到763年（天平宝字七年），朝廷才下令停用《仪凤历》，并依据《大衍历》编制新历，翌年开始施行，这是古代中国的历法第一次直接传入日本，并被采用。

《大衍历》实施了10多年后，778年（宝龟九年），遣唐使成员羽栗臣翼归国，带回《五纪历》（郭献之762年编制），并报告说唐朝已经用《五纪历》取代了《大衍历》，建议采用《五纪历》。也是因为当时“无人习学，不得传业”而被搁置下来。又过近80年时间，历博士大春日朝臣真野麻吕于857年奏请使用《五纪历》，朝廷答曰：“国家据大衍历经造历日尚矣，去圣已远，义贵两存，宜暂相兼不得偏用”，允许《五纪历》与《大衍历》于翌年开始使用。但在唐朝，早在建中四年（783年）已经用《正元历》取代了《五纪历》，并于822年起使用徐昂编撰的《宣明历》了。

日本自858年开始实施《五纪历》一年后，渤海使臣乌孝慎于859年抵日本，献上唐朝正在使用的《宣明历》，历博士大春日朝臣真野麻吕再次奏请使用《宣明历》，遂于862年停止使用《大衍历》和《五纪历》，开始使用《宣明历》。

《宣明历》是日本历史上最后使用的从中国输入的历法，到江户时代的贞享二年（1685年）使用涩川春海编制的《贞享历》为止，在日本一直使用了823年。关于八百多年未改历的原因，一是895年（宽平七年），宇多天皇根据被任命为遣唐正使的菅原道真的奏请，停派遣唐使，其理由为“大唐凋敝”，从此，日本中断了与大陆王朝官方的联系，宋元时期的中日交往仅限于民间贸易层面，未能取得中国后来编撰的新历法。二是平安时代后期，随着皇权衰落，朝廷的官职与官厅都由特定的贵族包揽，官职家业化的倾向日趋严重，专门培养人才的大学寮名存实亡，学问研究也走向门阀化、世袭化，天文、历学变成安倍家（天文）、贺茂家（历法）的家学，人才匮乏，因循守旧，精通历学者越来越少，远未达到日本人独立编制历法的水平。室町幕府三代将军足利义满时期，曾经有过参照明代历法改历的想法，但是遭到墨守旧套的贺茂家的反对而未能实现。也有人以这样做有奉明朝为正朔之嫌而加以反对。① 三是在镰仓、室町幕府时期，战乱频繁，武士尚武粗野而疏于文道，科技文化事业进入空白期。总之，“正朔本乎夏时”——日本人通过使用中国历法，向唐王朝表示了慕化、归同之意，也积极模仿实施唐朝的官制、土地制度、户籍制度、科举制度等。而随着唐王朝衰落及日本中央集权制度的瓦解，中国历法对日本已经丧失了政治上的意义，曾经实施过的唐朝制度也在日本几近全部付之东流。长期使用过时的中国历法并不是出于日本人对唐文化的热爱(见表 2-9)，只不过是在自己还没有能力造出新历情况下的无奈选择而已。不得不承认，日本的“入欧”始于明治以后，而“脱亚”—“脱华”实际上在平安时代末期就已经开始了。

表 2-9　日本历史上实施过的历法

历法	开始年(西历)	使用年数	编纂者
元嘉历 仪凤历	持统四年(690)	7	宋(六朝)何承天 唐　李淳风
仪凤历	文武二年(697)	67	唐　李淳风
大衍历	天平宝字八年(764)	94	唐　僧一行
五纪历	天安二年(858)	4	唐　郭献之
宣明历	贞观四年(862)	823	唐　徐昂
贞享历	贞享二年(1685)	70	日本　涩川春海
宝历历	宝历五年(1755)	43	日本　安倍泰邦
宽政历	宽政十年(1798)	46	日本　高桥至时等
天宝历	弘化元年(1844)	29	日本　涩川景佑等
现行历	明治六年(1873)	至今	意大利　利里乌斯

① 中山茂:《日本の天文学——西洋認識の尖兵》，岩波新書，1972 年，第 46 頁。

（二）文明开化与明治改历

唐代的《宣明历》在当时是很先进的历法，但在实施了八百多年后，已经和实际天象出现了两天偏差，日食、月食的预报也不准确。随着人们天文知识的增加，与实际天象有一定差误的《宣明历》已不能适应社会的需要。围棋棋手出身的历学者安井算哲（1639—1715，后改姓涩川，号春海）在中国元代郭守敬编制的《授时历》基础上，根据自己20多年的调查实测，制作了新历法，德川幕府于贞享二年（1685年）正式采用，故名《贞享历》，日本历史上第一次产生了由本国人编撰的历法。此后，日本又先后进行了三次改历，即《宝历历》（1755—1797，安倍泰邦）、《宽正历》（1798—1843，高桥至时等）、《天保历》（1844—1872，涩川景佑等）。这几次改历虽然仍然实行太阴历（即阴历），但明显受到西方天文学的影响，在精确程度上有了很大提高。江户幕府天文方（天文官）涩川景佑（1787—1856）制作的《天保历》一太阳年为365.242 22天，一朔望月为29.530 588天，与公历的平均太阳年365.242 19天和平均朔望月29.530 589天已经非常接近，被称为日本史上精度最高的太阴太阳历。①

19世纪中期，欧美诸国已大都使用公历（格里高利历），并视当时使用回历（伊斯兰历）或太阴太阳历（夏历）的国家为落后、未开化及野蛮的象征。明治维新后，鉴于中国在鸦片战争中失败的教训，为了不至重蹈中国的覆辙，修改在开国时被迫与欧美列强签订的不平等条约，建立拥有独立主权的近代国家，首先必须改变落后国家的形象，使欧美国家承认日本是文明国家，因此要实行文明开化，历法的改革也成为新政府的“文明开化”措施之一。

1872年11月初，时任太政官权大外史兼内务省地志课长的塚本明

① 橋本毅彦、栗山茂久等：《時刻の誕生・近代日本における時間意識の形成》，三元社，2001年，第216頁。

毅(1833—1885)向政府提出改历建议书,建议书中指出:“方今国家致力百度维新,革旧习,使国民进入文明之域,如历法者最应改正之……盖太阳历以太阳之缠度立月,虽日子多少有异,而无季候早晚之变,每四岁置一闰日,七千年后仅生一日之差而已,太阴历与此相比其便于不便固不俟论。与各国结交以来,彼之制度文物可资补我治,而未采用者如太阳历,各国普遍用之,独我用太阴历,岂不便耶,应速改历法。”虽然提出改历建议,塚本明毅还是担心骤然改变历法会带来混乱,导致出现“三月犹隆寒,月首或见满月,不免一时扰扰民间,又误耕稼之期”的情况,他建议“暂且在太阳历下置太阴历加以比较,删除荒诞之说法,标注祭典诸日。待两三年习惯后,再删去太阴历,下民必觉其便,时刻也用昼夜中分之时。令天下颁行太阳历之日,亦应改行时钟之制。如此,不仅历法得正,亦助国民之开化”①。

塚本明毅的建议书提出以后没有几天,明治政府便毫无争议地立即予以采纳。1872 年 11 月 9 日,明治天皇发布《改历诏书》:②

> 朕以为,我国通行之历以太阴之朔望立月,不合太阳之缠度,故二、三年间不得不置闰月。闰月之前后于节气有早有晚,终至产生推步之差。尤其历书之中下段所揭载之内容概属荒诞无稽,妨碍人智之开达。盖太阳历依太阳之缠度立月,日子虽多少有异,但无气候早晚之变,每四年置一日之闰,七千年后仅生一日之差而已,比之太阴历乃最精密,其便与不便固不俟论。自今废旧历用太阳历,令天下永世遵行之,望百官有司,体朕斯旨。

根据《改历诏书》,明治政府发布第 337 号太政官布告,具体内容为:③

---

①《権大外史塚本明毅建议》、内閣记録局編纂,《法規分類大全第一編》二,1891 年,第 52 - 53 頁。

② 内閣官報局:《法令全書・明治五年》,内閣官報局,1889 年,第 230 - 231 頁。

③ 同上。

1. 废太阴历，颁行太阳历。以即刻到来的十二月三日作为明治六年一月一日；

2. 一年三百六十五天，分十二个月，每四年置一天为闰；

3. 迄今时刻按昼夜长短分十二时，今后改时辰仪，时刻昼夜平分定二十四时，子刻到午刻分十二时，称午前几时，午刻到子刻分十二时，称午后几时；

4. 时钟自一月一日起更改；

5. 诸祭典等旧历月日一律按照新历的相应日期施行。

1872年改历是日本历史上最大且最后一次改历，与明治年间实施其他社会改革都要经过反复讨论、争议，甚至遇到各种阻碍不同，改历是新政府在几天之内做出决断，比较顺利完成的。之所以如此，归纳起来，大概有以下原因。

第一个原因是进入近世以来，随着西学的传入，人们对西历已经有所接触和了解。江户时代前期，葡萄牙传教士克里斯托弗·费雷拉(Cristóvão Ferreira，1580—1650，和名泽野忠庵)将葡萄牙天文书译成罗马字本，再由长崎人向井玄松、西吉兵卫人等人进行和译、解说，成书《乾坤辩説》，其中对太阳历做了介绍。儒学者新井白石(1657—1725)通过审问被捕的意大利传教士乔瓦尼巴·蒂斯塔·西多契(Giovanni Battista Sidotti，1668—1715)得来的信息，撰写了《西洋纪闻》，其中也介绍了太阳历。江户中期，天文、地理学者西川如见(1648—1724)著《天文义论》，不仅对太阳历进行解释，而且提出有必要改行西历。此后，介绍荷兰风俗的《红毛谈》(著者后藤梨春)、《红毛杂话》(著者森岛中良)等相继出版，其中都有对太阳历的介绍，《红毛杂话》专有一卷谈“荷兰的正月”。在锁国时代的对外窗口长崎，西洋人遵守本国风习过西历新年，并在商馆招待地方官员、翻译等，对日本人产生了一定影响。江户时代后期，兰学家吉雄俊藏(1787—1843)于1823年著书《远西观象图说》，介绍欧洲天文学，其中力陈太阳历的优点，该书多次再版，对后世影响甚大，其中一句“七千二百年误差不足一日”后来被冢本明毅引用在改历建议书中。到幕末，有不少人到欧美国家考察、留学、游历，亲自体验到异国的历法，回国后著书加以介绍，如艺州藩士、兰学家绪方洪庵的门人村田文夫(1836—1891)于1864年不顾幕府的禁令，偷渡到英国，留学四年之久，归国后据所见所闻撰写《西洋闻见录》，其中专设“熟谙西历之法”，对太阳历进行详细解说。经过这些介绍与宣传，人们对西洋历法不断加深认识。1854年(安政元年)，幕府天文方涩川景佑(1787—1856)编撰了《万国普通历》，把《天保历》与《格里高利历》及《儒略历》对照使用，得到幕府的许可，从1856年开始印刷发行，主要用于从事航海、贸易等经济活动的人群。兰学家、仙台藩的藩医大槻玄泽(1757—1827)不仅是著名的兰医和教育家，也是太阳历的拥趸者。宽正六年(1794)闰11月11日，是西历1795年的元旦，大槻玄泽在自己创办的私塾芝兰堂设宴招待兰爱好者，号称“新元会”，新元会祝宴从此成为大槻家的定例，直到其子大槻玄幹时期，连续实施了44次。① 这些事情都表明，明治改历虽然事出突然，但已经有了较为充分的技术准备及广泛的群众基础。

第二个原因是自幕末开国以来，大批欧美国家的军人、商人涌入日本，在与这些外国人的外交交涉及通商谈判过程中，日本人已经深深体会到在历法与时间方面的差异带来的不便。虽然涩川景佑编的《万国普通历》在一定程度上提供了对比上的方便，但在实际使用中仍然很麻烦，如在与各国签订的条约中，必须用两种历法加以记载：

> 《日美和亲条约》：嘉永七年三月三日，千八百五十四年三月三十日
>
> 《下田条约》②：日本国安政四巳年五月二十六日，亚米利加合众国千八百五十七年六月十七日

---

① 杉本勳：《体系日本史叢書 科技史》，山川出版社，1986年，第263頁。

② 指《日美和亲条约》附属协定。

《日美修好通商条约》：安政五年午六月十九日，即千八百五十八年、亚米利加合众国独立之八十三年七月二十九日

明治维新后，新政府奉行积极的开放政策，致力于吸收欧美文明，从欧美国家聘请很多技术专家，与外国人的交往日益增多，往往因为两种历法并用带来麻烦。所以，尽管根据太阴太阳历法制定的《天保历》能精确地反映天候季节的变化，但与公历存在一个月至一个半月的时间偏差给人们日常生活带来诸多不便。因此，放弃旧有历法，使用新历，已成必然趋势，而且，在明治新政府看来，改行西历就是塚本明毅在改历建议书中所说的“革旧习”，是“使国民进入文明之域”的必经途径。

第三是现实的原因。明治改历出于日本人实现文明开化、向西方社会靠拢的愿望是毫无疑问的，在与外国人交往中深感不便也是实情。但当时的日本正处于非常时期，即政府主要领导人都随岩仓使节团赴欧美考察（1871 年 11 月 12 日出发，1873 年 9 月 13 日归国），国内只有留守政府负责日常事务。出于国内稳定考虑，在岩仓使节团出发前，曾与留守政府就国内政务做出一系列约定，其中有“内地事务以大使归国后进行大改正为目标，其间尽可能不要进行新的改革，如有万不得已之事，则应照会派出的大使”①。但实际上，留守政府就改历这样的大事的实施事先并未征求使节团的意见，此次改历因有强制实行之意而被称作“粗暴的改历”。何以如此？在当时担任明治新政府参议、主管财政事务的大隈重信于 1895 年（明治二十八年）出版的回忆录《大隈伯昔日谭》中，披露了当年急切改历的内幕，原来，解决明治政府财政困难是改历的主要原因。

在明治时代以前，官吏的薪俸都是以年度来计算和发放的，称“年俸”，而在维新以后，改为按月发放，成为“月俸”或“月给”。由于太阳太

① 《大臣参議及各省卿大輔約定書》，国立公文書館アジア歴史資料センター，http://www.jacar.go.jp/DAS/meta/listPhoto。

阴历是以朔望立月，每隔几年就会有一个闰月，有闰月的年份就要按十三个月发放官吏的薪俸，这对政府财政来说是个很大的负担。即将到来的 1873 年将有闰 6 月，按照大限重信的说法："当时的国库因种种事情痛告穷乏，连平年的支出额也甚难满足，绝无余地。与平年支出额相比，在有闰月之年份，还要增加十二分之一，明年（明治六年）已迫近，去掉此闰月以济财政困难，唯有断然变更历制。"①当时的财政状况确如大限重信所言，新政权建立后，面临着近代化工厂的建设，旧工厂的改造，建立学校与军队，对士族发行秩禄公债等一系列重要任务，每一项都需要巨额资金，国库空虚可想而知。正在此时，权大外史塚本明毅提出了改历建议，恰好为苦于财政紧张的留守政府解决实际问题提供了一个现实的办法，在明治六年已迫近的情况下，留守政府顾不得与远在欧洲的政府首脑商量，当机立断实施改历。就这样，塚本明毅的建议被迅即采纳，在冠冕堂皇的"文明开化"的口号下，兜售了明治新政府的见不得人的"私货"——不仅明治六年（1873 年）由旧历的 13 个月变成了新历的 12 个月，为政府节省下一个月的诸经费，而且只有两天的明治五年 12 月份也被抹去，使 1872 年成为历史上唯一的只有 11 个月的一年。改历的结果是为政府省下两个月的财政支出，对政府来说在很大程度上解决了财政困难。

诸种因素促成了明治改历。根据久米邦武撰写的《特命全权大使米欧回览实记》的记载，正在法国访问的岩仓使节团通过英国伦敦弁务公使的电报得知了日本改历的消息，他们"如晴天霹雳，委细之情实难判定"②。震惊之余，使节团成员平静地接受了本国改历的现实，或许他们在此次欧美之行中已经深深体会到本国旧历与西历不同带来的不便。1873 年元旦，使节团一行前往凡尔赛宫，与其他各国使臣一同聆听法国

① 大限重信，圜城寺清：《大限伯昔日譚》，立宪改进党党報局，1895 年，第 602 頁。

② 久米邦武：《久米博士九十年回顧録》，久米邦武編，田中彰校注：《特命全權大使米欧回覽実記》第三册，岩波書店，1993 年，校注第 365 頁。

总统祝贺新年的“万里同风之祝词”(伊藤博文语)。在他们心中,改历肯定是意味着日本向欧美“先进国家”靠近了一步,是值得庆幸的事情。

在国内,由于改历实施突然,1872 年 11 月 9 日发布《改历诏书》,仅仅 20 多天就要实施新历,1872 年 12 月仅有两天就结束了,各方面都缺乏足够的准备,出现混乱可想而知,尤其是习惯于旧历的民众很不适应。然而,一时的不便与国家的发展大计相比毕竟是小事,大多数国民还是服从并支持了政府的决定。在明治政府实施改历之际,一些知识分子也参与其中积极推行新历,如启蒙思想家福泽谕吉闻听改历决定后,为促使民众理解历法改革的意义,及时撰写了《改历辩》,支持政府的改历决定,阐述阴历与阳历的不同以及使用阳历的便利之处,指出旧历中占卜日子吉凶的弊病,并介绍了西方社会的日、月、钟表时刻等知识。福泽谕吉在《改历辩》中还旗帜鲜明地指出,通过对改历的态度可以区分两类人:“怀疑改历必是目不识丁的愚蠢之人,不怀疑者必是平生留心学问的有识之士。”这部由庆应义塾出版的小册子在改历引起的混乱中成为畅销书,很短时间内发行了十多万册,起到改历启蒙作用。此后,大量介绍新历知识的启蒙读物相继出版,民众也在实践中习惯了新历。当初为避免改历带来混乱,采纳了塚本明毅提出的在日历上新旧历并记的建议,到 1909 年(明治四十二年),旧历被完全放弃。

(三)“时间”的近代化

明治改历在使历法“脱亚入欧”的同时,还带来了日本人时间意识的变化。在与西方国家的交往中,日本人开始审视自己生活方式中存在的问题。当时日本人的假日很多,大隈重信在回忆录《大隈伯昔日谭》中,专门谈到了这一点:

> 当时以一、六日为诸官省休假日,休假的日数月六回,年七十二回,加上五节句、大祝祭日、寒暑的休假、其他种种因缘的休假,合起来多达一百数十日,而当时一年平均为三百五十余

日，实际工作日数仅仅不过一百六七十乃至二百日。即一年有半数或者至少五分之二作为休假日而消化掉，此种事情自然增长怠惰游逸之风，会波及至一般社会。且政务涩滞之弊也日益增多，终将形成国家之祸患。①

另一方面，由于传统计时法的使用，也带来人们时间意识的淡漠。日本历史上曾长期使用中国的“百刻制”（把一昼夜均分为 100 刻）与“十二时辰”（一天分 12 个时辰，采用地支作为时辰名称）并用的定时法计时，从室町时代开始，改为使用“不定时法”，即将日出到日落、由日落再到日出间各自分为六等分，根据季节的变化，时间长短有不同，白天与夜晚长度也不尽相同。这种计时法是根据日出日落判断时间，农民更是日出而作，日落而息，人们没有精确的时间概念。幕末在长崎海军传习所工作过的荷兰海军军人威廉·卡特迪杰克（Willem Kattendijke 1816—1866）在《滞在日记抄》中称，“日本人的不紧不慢程度简直令人吃惊”，“日本人热心、谦虚，但有些地方让我失望，（在时间观念）这一点上连我所希望的一半达不到，甚至想离开这里”②。在 1873 年 1 月 1 日改行西历的同时，日本也导入西洋的 24 小时制计时法。使用 24 小时制，对于东方国家民众的生活方式来说是革命性的变化，过去的时辰被精确的时、分所取代。明治改历后，时钟的普及、全国标准时刻的设定彻底改变了人们的时间意识，社会节奏因此大大加快，也促进了与时间关系密切的近代交通事业的大发展。

明治维新以后，政府官厅、军队、学校都聘请了不少外国人，很多外国人都坚守母国的生活习惯，要求实行周休日，与本国的逢一、逢六休息（俗称“一六日”）产生矛盾，也影响了政府部门的办事效率。在改历后不久，也对传统的休日进行了改革。1876 年 1 月 7 日，明治政府发布太政

① 大限重信、圜城寺清：《大隈伯昔日谭》，第 602 - 603 頁。

② 橋本毅彦、栗山茂久等：《時刻の誕生・近代日本における時間意識の形成》，第 3 頁。

官布告，决定“从 4 月份开始以星期日为休息日”，从此，全国的政府部门、学校等公共机关率先实行周休制度，此后逐渐普及到企业，

在明治政府领导人看来，休息日的改变，是“为了洗除弊患”，不致使“国家民人沉沦于不利不幸之境遇”，实际上是为使本国与欧美“先进国家”全面接轨，以实现国家的发展与强盛。1873 年“明治改历”是“脱亚入欧”的重要举措，所谓“脱亚”，说到底是脱离了以“奉正朔”为核心的中华文明的轨道。从“明治改历”至今已过去 138 年，当年荷兰海军军人威廉・卡特迪杰克对“日本人的不紧不慢程度简直令人吃惊”的评价已成杞忧，当今的日本早已成为世界经济强国，在时间的现代化方面走在世界的前列——最大的钟表生产国家之一；机场航班最守时的国家；日本铁道准时率居世界第一的国家；最早开发、生产出电波表（自动接收无线电波传送的标准时间信号，并自动校准手表走时），并占领全球市场的国家……许许多多世界之最，使日本人以高效、守时而载誉世界。抚今追昔，1873 年的明治改历，就是日本“时间”近代化的开端。

结语

历史实践证明，引进西历和周休制度是对东方国家传统生活方式的共同挑战，日本于 1873 年走在了前面，20 多年后，朝鲜李氏王朝也在 1895 年末宣布以当年阴历十一月十七日为西历 1896 年 1 月 1 日，朝鲜半岛从此告别了已使用了约两千年的阴历。1912 年，随着中华民国的建立，中国最终也改行西历。与日本不同的是，虽然朝鲜半岛与中国改行西历，但传统的阴历在社会生活中仍发挥着重要作用，传统节日仍用农历。日本社会在使用太阳历后，原本密切反映自然节气转换的节日与季节感和天候变化拉开了距离，传统节日的文化内涵也在淡化，这一点曾饱受诟病，这毋宁说就是“脱亚入欧”的代价吧。

五　近代日本的人口状况与人口政策

人口问题是困扰当今日本的严重社会问题，从历史上看，也是一直挥之不去的阴影。近代日本的人口问题与政治、外交有着密切联系，也与对外侵略息息相关。

（一）前近代日本人口状况

日本在中国文化的影响下，曾经有短暂的户籍与人口统计的历史，[①]但随着中央集权制度的瓦解及近七百年中中央政权名存实亡，便不再有全国统一的户籍与人口统计。从11世纪开始，日本进入阙户籍时代，数百年内没有进行全国性的人口调查，使当时的人口状况处于无从可考的状态。这种现象直到江户时代才有改变。德川幕府为了禁止基督教的传播和加强对民众的统治，从1671年起要求每年检查民众的宗教信仰，并按村登记"宗门改帐"，"宗门改帐"在当时实际上起到了户籍的作用。1721年，德川幕府第八代将军德川吉宗为解决财政危机进行"享宝改革"，其内容之一就是要求各藩上报领内的人口。1726年，再次进行了人口调查。1726年是丙午年，此后每六年，即在子年和午年进行人口调查成为定制，故德川幕府的人口调查被称作"子午改"。从1726年至1846年，共进行了19次全国人口调查，并留下了记录，成为了解江户时代人口状况的宝贵资料。

根据这些资料，可知进入17世纪（江户时代前期），由于全国统一后社会安定，经济发展，民众的生活大有改善，出现了人口急速增长。据推算，1600年全国人口在1 200万（历史人口学者速水融观点）至1 800万（历史地理学者吉田东伍观点）之间，而到120后的1721年，以年平均

---

① 关于日本律令时代的户籍制度，见李卓《日中古代户籍制度浅议》，《历史教学》1987年9期。

5‰—10‰速度增加到 3 100 万人[①]，历史人口学家鬼头宏称江户时代前期为“人口爆炸”时代。但是，人口高增长的趋势并没有持续多久，进入 18 世纪即江户时代中期，人口出现了零增长甚至负增长。如 1756 年为 3 128 万人，1786 年人口为 3 010 万人，1792 年人口为 2 986.9 万人。1846 年江户时代最后一次进行人口调查时，人口约3 229万人，在一百多年时间里，人口增长极其有限。

江户时代中后期为何出现人口停滞的现象？首先是自然灾害频发带来人口损耗。据梅森三郎编撰的《凶荒志》记载，从庆长年间（1596—1615）到明治以前，发生了水灾、旱灾、冻害等各种灾荒 130 次，基本上是两年一次。[②] 据小鹿岛果编撰的《日本灾异志》记载，1783 年，连续发生了浅间山火山爆发、洪水、低温等灾害，关东地区“饿死十万两千余人，疫死三万余人，迁往他处二万余人，全家死绝致空宅者三万五千余家”[③]。其次是在自然灾害发生的同时，又有疫病发生，造成人口减少。在既缺乏医疗设施，又没有科学的健康、卫生观念的情况下，一旦有疫情发生，立即在一个地区甚至在全国蔓延。富士川游在《日本医学史》中描述了江户时代疫病流行情况。如 1822 年、1858 年、1862 年，日本爆发三次大规模霍乱，有记载说，1858 年第二次霍乱大流行时，仅江户一地从当年 7 月 27 日到 9 月 23 日的 50 多天中，有 28 万人到各寺院办理丧葬（此数字难免有夸张成分，且也包含其他原因的死亡），也有“死亡者 120 578 人”“八、九两月间死亡 31 229 人”的记载，“因霍乱全家皆亡，绝嗣、死产者数不胜数”。[④] 此外，江户时代还多次发生麻疹、天花、鼠疫、流感、伤寒等传染病，对人口的生命安全造成巨大损害。造成人口减少的第三个原因，是在贫困及生活压力下，百姓为生活所迫，人为地进行人口限制。方法

---

① 鬼頭宏:《人生 40 年の世界：江戸時代の出生と死亡》，http://phi.med.gunma—u.ac.jp/humeco/anthro2000/kito.pdf。

② 関山直太郎:《近世日本の人口構造》，吉川弘文館，1958 年，第 159 頁。

③ 同上书，第 160 頁。

④ 同上书，第 170 頁。

为在怀孕后堕胎，或在孩子出生后将其弃于屋外，致其死亡或出生后立即溺死，这种被称作“间引”①的行为在当时是比较普遍的现象。江户后期经济学者佐藤信渊曾在《镕造化育论》中写道：“百姓困穷，十室之邑年年堕胎阴杀赤子者，不下二三人，或一国及七八万者往往有之。况于四海之大，可胜算乎？然皆惯习，绝无有咒其国君之不仁者。”②贫困是造成堕胎、溺婴、弃婴的主要原因，但当一种做法成为习俗，恐怕还有经济之外的原因。通过一些资料记载可以得知，江户时代堕胎、溺婴与弃婴行为不仅在农民百姓中普遍存在，即使在生活较有保障的武士家庭和较为富裕的町人家庭中也有这种情况。“富家也不过三四子，有生五人以上者，则为世之稀罕，合璧四邻皆怪而谤之。”③据日本法制史专家服藤弘司对《诸士系谱》的考证发现，在近世前期的武士家系图中，在嫡子以外还有次子、三子的记载并不少见，但在近世中期以后，除了继承家督的嫡子以外，已经很难看到次子、三子的名字了。根本原因是武家社会也限制生育，即只要有了一个儿子，就不再生育。④ 这就说明，生活贫困只是“经济上的原因”之一，而“家”的利益的需要也是不可忽视的原因。

（二）维新后从多生多死向多生少死的转变

明治以后，民众的生活条件大大改善。从 19 世纪后期起，出现了继 17 世纪以来又一次人口增长高峰。1872 年，日本始建近代户籍制度，据此得知当时有户籍人口 3 481 万人，此后人口逐年增加，到 1900 年，达到 4 385 万人，到明治末年，超过 5 000 万人。根据 1920 年第一次近代人口普查的结果，得知当时人口为 5 596 万人。进入昭和时代，人口增加势头

---

① “间引”，本意为植物栽培过程中的间苗，以此形容通过堕胎、溺婴、弃婴等手段限制子女的人数。

② 转引自関山直太郎：《近世日本人口の研究》，竜吟社，1948 年，第 199 頁。

③ 鍋田三善：《盤城志》，转引自児玉幸多：《近世农民生活史》，1957 年，第 272 頁。

④ 服藤弘司：《相続法の特質——幕藩体制国家の法と権力・5》，創文社，1982 年，第 526 頁。

更猛，至 1936 年，人口数字已经超过 7 000 万。从人口增长率来看，明治初年在 5‰左右，从 1897 年起超过 10‰。明治维新之后仅仅 70 年时间，日本人口就增加了一倍。

就人口状况的特征而言，江户时代是“多生多死”（高出生、高死亡）的时代。进入明治时代，这一特征发生了变化，即由“多生多死”向“多生少死”转变，从而带来人口增加。“多生少死”是在民众生活水平提高，文明开化带来社会生活改变这样的大气候下实现的，而破除堕胎、“间引”陋习、近代“卫生”观念的导入、近代医疗制度的建立等诸多因素尤其重要。

破除“间引”旧习与堕胎罪的设立　如前所述，江户时代的堕胎、溺婴、弃婴等人为的限制人口做法，阻碍了 18 世纪以来人口的增长。明治维新后，为根除这一“弊风”“恶习”，明治政府在 1880 年颁布《刑法》和 1907 年修改《刑法》时，都规定了“堕胎罪”：对妊娠中的女子服药或通过其他方法堕胎及受人委托帮助其堕胎者，都要处以徒刑。在这一背景下，一切对堕胎罪的反对呼声都受到压制。如 1915 年，女权组织“青鞜社”成员原田皋月在《青鞜》第五卷第六号杂志上发表了题为《狱中女写给爱人的信》的小说，采用书信的形式，描写由于堕胎罪而入狱的女人与法官之间的对话，强调女性有生与不生的自我决定权，主张废除堕胎罪，由此而引发了一场“堕胎论争”，刊载原田皋月这篇小说的《青鞜》第五卷第六号被禁止出版。此后不久的 1922 年，美国节制生育活动家玛格丽特·山额夫人（Margaret Sanger1883—1966）到日本宣传节制生育，受到了日本政府方面的阻挠，甚至一度拒绝其登陆，她携带的宣传品大部分在横滨港口码头被没收，撰写的《避孕方法》也被禁止在日本出版。在日本发动的对外侵略战争中，为确保人力资源，进一步严格禁止终止妊娠。战后，日本政府制定了《优生保护法》，放宽对人工流产的限制。但刑法上的“堕胎罪”一直保留至今。

除了在法律上严格禁止堕胎之外，中央与地方政府亦出台各种政策鼓励生育，保护儿童。1871年，发布第300号太政官布告“弃儿养育米给予方”，作为政府的救助事业，对0岁—15岁弃儿发放救助米年七斗。1873年，又对生第三个孩子的家庭发放5日元的一次性补助金。这些政策对人口的增长无疑是有推动作用的。

近代“卫生”观念的导入 在文明开化及学习西方文化的过程中，近代意义的“卫生”概念被引入日本。1871年，肥前国大村藩（于长崎县）藩医出身的兰医长与专斋（1838—1902）作为文部省官员随岩仓使节团赴欧美诸国考察医学教育及卫生行政制度。在考察中，欧美国家“预防重于治疗”的卫生理念令长与专斋深有感触。结束考察回国后，长与专斋于1874年就任新设的文部省医务局局长，次年医务局从文部省改隶于内务省。长与专斋认为医务局这一名称与该局的职能不尽相符，在翻译德文的医疗卫生资料时，对德语中具有“保护生命与生活”概念的“Hygiene”一词，选用了《庄子·庚桑楚》篇中“卫生之径”中的“卫生”作为和译，医务局也随之改名“卫生局”。卫生局成立后，着实推进垃圾处理、市街道路清扫等公共卫生事业，开展传染病的预防。随后，近代“卫生”概念与这一词汇在日本被广泛接受，卫生和健康问题也从关乎个人生理机能的私事，转而成为政府施政的要务，近代卫生事业获得了长足的进步。清末驻日外交官黄遵宪曾据其亲身观察，在《日本国志》中记载了卫生局的职能①：

卫生局，以大书记官为局长，其职在保护人民使无疾病。凡粪除街衢、疏通潴郾、洁净井灶，皆督饬府县官及警察官使地方人民扫除污秽，以防疾病。凡医生必经试验给予文凭，方许行医。凡通都大邑必有病院以收养病民，院长时察其病况，上之本局。凡有以丹膏丸散营业者，必以化学剖验无有毒害方许发卖。凡人民兽畜有传染时疫者，必速由地方警察所电报于本

① 黄遵宪：《日本国志》，吴振清等点校整理，天津人民出版社，2005年版，上卷，第359页。

局，而设法以预防焉。

通过对霍乱的防治可以说明近代日本“卫生”观念的传播及公共卫生事业的发展。明治时代，霍乱是最为凶猛的传染病，1877 年、1879 年和 1886 年曾发生霍乱大流行。霍乱的流行多是由于病人的排泄物污染水源。为防止霍乱流行，长与专斋及卫生局从 1877 年即致力于推动铺设近代上下水道建设①，1882 年，主持了第一条欧式下水道——神田下水道的修建，1883 年，又从水道技术发达的英国聘请技术专家亨利・斯宾塞・帕拉玛（Henry Spencer Palmer 1838—1893）指导修建了横滨上水道的建设。防止霍乱流行成为推动近代供水系统和排污系统建设的主要原因，也在防病中发挥了巨大作用，到 20 世纪 20 年代日本上水道系统完备后，基本上制止了霍乱的流行。在“防重于治”的观念下，对于霍乱等传染病开展积极的预防工作及宣传教育。如 1879 年，颁布了日本防病史上第一个统一的预防规则《虎列刺病预防临时规则》，1880 年，又颁布了《传染病预防规则》，是为日本第一个传染病预防规则。卫生行政部门还及时发布预防霍乱的办法，消除居民的恐慌心理。经过多年的努力，终于使霍乱在大正年间得到有效遏制。

近代医疗制度的建立　在明治时代以前，日本的医学一直以汉方医学为主，遇到霍乱、天花、痢疾等传染病大流行时，治疗效果并不明显。在幕末时期，以兰学为代表的近代西洋医学对日本产生了重大影响，长崎养生所、顺天堂医院等近代医院已经开始出现。明治维新以后，西方近代医学随着文明开化的潮流传入日本，1868 年，以设在横滨的“军阵病院”（治疗鸟羽、伏见之战中的伤员）为基础，与原幕府的医学所合并，建

① 日本最早的上水道是德川家康 1590 年入府江户之际建设的神田上水道，此后，相继建立了以多摩川和利根川为水源的玉川上水道、龟有上水道、青山上水道、三田上水道、千川上水道，号称江户六大水道，17 世纪末基本完工。水道为利用高低差的“自然流下式”，地下铺设木制水道，通过井口取水。江户当时的人口约 100 万人，此六大水道基本上满足江户市街居民的给水。虽不是近代式上水道，但在当时堪称世界上最发达的供水系统。

立了“东京大病院”(1886 年改为东京大学医学部),并聘请德国人担任教师,从此,日本有了近代医院及医学教育机构。1874 年,为发展近代医学,明治政府颁布了《医制》,确定了近代医疗制度的目标:建立卫生行政制度;实施以西医为基础的医学教育;建立以西医教育为前提的医生开业许可制度;建立近代制药业和培养药剂师,以医药分业为目标。《医制》的颁布是日本正式导入西洋医制的开始,一直持续到今天。据 1875 年的统计,当时有医师 27 650 人。尽管在当时仍然是以汉方医师为主且平均 1 000 人才有 1 个医生,但毕竟在及时救治民众疾病方面发挥了重要作用。到 1880 年,注册医生数量增至 36 000 人,1898 年达到 43 000 人。在妇产科方面,明治以前产妇难产时多母子双亡,而接生婆则束手无策。1874 年的《医制》中,明确规定了助产妇的资格取得、业务规范,1875 年,各地开始兴办助产妇养成所,向助产妇进行近代接生方法的教育。1889 年,取得正式官方许可的助产妇有 619 人,加上旧有的接生婆,东京的助产妇超过 3 000 人。① 1899 年,又公布了《助产妇规则》,规定助产妇女必须是年满 20 岁以上、经助产妇考试合格者,必须在地方长官管理的助产妇名簿上登记,否则不得营业;未经一年以上的助产术专业学习,不得参加助产妇考试等。1914 年,全国的助产妇增加到 31 000 人,其中 23 000 人毕业于正规学校。② 对助产妇要求的提高及严格管理,同时近代妇产科学技术的进步(如日本于 1852 年进行了第一例剖宫产手术),与过去相比,母婴安全有了进一步保证,从而使“多生少死”有了可能。

(三) 缓和人口压力的对外移民与殖民地移民

明治维新后殖产兴业、富国强兵、文明开化政策的实施,带来了日本

---

① 中部家庭経営学研究会:《明治期家庭生活研究》,ドメス出版,1972 年,第 298 頁。

② Irene B. Tabuter 著、每日新聞社人口問題調査会訳:《日本の人口》,每日新聞人口調査会,1964 年,第 54 頁。

国民生活水平提高，医疗卫生状况得到明显改善，加之禁止堕胎及鼓励生育政策的实施刺激了人们的生育热情，使日本的人口迅速增加，长期因人口不足而一筹莫展的日本人到 19 世纪晚期至 20 世纪初，突然感到不曾有过的人口压力：在狭窄且资源贫乏、可耕地很少的国土上，人口激增，成为当时世界上人口密度最大的国家（见表 2 - 10）。

表 2 - 10　发达国家经济起飞时期可耕地人口密度①

国家	发达国家经济起飞时间	农业就业者比例（%）	可耕地人口密度（人/km²）
英国	1765—85	35.9（1801）	23(1841)
法国	1831—40	51.7（1856）	39(1856)
德国	1850—59	54.1(1852/58)	66(1882)
意大利	1865—69	57.5（1861/71）	69(1871)
美国	1834—43	64.3（1839）	2(1840)
日本	1886	71.2（1885）	319(1885)

工业化的结果使一大批农民失去土地，成为无业游民。人口增长速度较快，带来就业不足，人们生活质量下降，尤其是农户平均耕地面积越来越狭小，农村日益穷困。1873 年实施“地租改正”后形成了寄生地主制，越来越多的农民沦为佃农，致使“佃农争议”时有发生，社会矛盾尖锐。人口压力与农村问题迫使日本政府寻求对策，对外移民也就成了解决当时日本经济社会危机的有效手段。近代以来日本移民主要分为两个方面：一是为解决人口及劳动就业问题为目的的海外移民，二是殖民地移民。

海外移民　在德川幕府推行锁国政策时代，人们没有迁徙自由，连走出村庄都受到严格限制。1853 年，日本在列强的压力下实施开国，1868 年，第一批日本人移民关岛、夏威夷。1885 年，第一批“官约移民”

① 昭和 60 年国勢調査モノグラフシリーズ：《日本人口の成長と経済発展日本人口成長与経済发展》，総務庁統計局，1991 年，第 27 頁。

派往夏威夷,1886 年,日本与夏威夷签订了《日本与布哇国政府缔结之渡航条约》,并基于此条约分 26 次,派出"官约移民"约 3 万人。1894 年,由于中日甲午战争爆发,官约移民停止派遣,个人经营的移民公司开始竞相向夏威夷移民,至 20 世纪初期,向夏威夷移民进入高峰,每年大约有 1 万至 2.5 万人移民至此。为了缓解人口压力,推进移民事业,日本政府于 1894 年 4 月颁布了移民保护规则,并于 1896 年进一步制定了移民保护法。20 世纪初期,由于日本移民越来越多,造成当地劳动力工资下降,引起当地人的不满,美国政府遂对日本移民进行了限制,从 1907 年起,不再对新移民发放签证。正当移民美国受阻之时,南美洲大国巴西向日本提出了移民要求,以解决当地劳动力的不足,日本政府一拍即合,大力支持。为了移民,日本专门成立了皇国殖民会社。1908 年,首批移民 781 人(男 600 人、女 181 人)乘"笠户丸号"客船从神户出发前往巴西圣保罗州桑多斯港,这是赴巴西的首批日本移民,从此开始了日本人有计划移民巴西的热潮,巴西也成为海外"日系人"最多的国家。据巴西官方统计,从 1908 年派遣"笠户丸号"起,至太平洋战争爆发的 1941 年最后一次派遣移民为止,前往巴西的日本移民达 188 986 人。[①] 从移民总体情况看,从 1868 年到 1945 年,移民北美各国的日本人有 411 409 人,移民中南美各国的有 244 536 人。[②]

明治以来的海外移民政策除是以解决人口及失业问题为目的外,还具有如下特点:第一,移民地远离日本本土,如明治 20 年代移民地主要是美国、加拿大、澳大利亚、斐济及西印度诸岛,明治 30 年代主要是墨西哥、秘鲁、菲律宾,20 世纪后以巴西为主。第二,是在政府的政策保护之下,往往按照国家之间的协定实施移民,如最初移民夏威夷就是以"官约

① 巴西驻日大使館:《日伯交流の歴史》,http://toquio.itamaraty.gov.br/ja/rrrrrrr_historia.xml。

② 外務省:《海外移住の意義を求めて:ブラジル移住 70 周年記念》,外務省,1979 年,第 326-332 頁。

移民”形式派遣。日本政府及移民当地政府都对移民提供一定数量的补助，如日本政府对从事海外移民的民间公司发放补助金，以鼓励移民事业的普及；向移民提供补助费，在向巴西最初派遣移民的时候，向移民支付包括准备金、交通费、旅途住宿费等在内的补助费 132 日元 25 钱。[①] 第三，在移民所到之处，为求得生存，不仅要面对自然环境的改变，还要适应当地的文化，服从当地的社会规范，甚至要忍受种族主义歧视，不能为所欲为。移民后来大部分在移居地定居，并加入当地国籍，融入当地社会，为当地社会、经济做出了贡献。以巴西为例，日本移民在很大程度上改变了巴西的农业面貌，还建立了不少大企业，现在他们不仅控制了巴西许多重要经济部门，而且不少人跻身于政界和军界。[②] 在日本，散居世界各地的这些日本移民及其后代被称为“日系人”，据财团法人海外日系人协会网站公布的资料，到 2005 年为止，海外日系人大约有 260 万人。综合以上特征，可以认为近代日本移民海外是在当时国力还不强大的情况下，实现解决人口问题的诉求，而无法实现领土的诉求，殖民色彩尚不明显。

殖民地移民　如果说近代以来日本向以美洲国家为主的人口移动是“移民”的话，那么，日本在“九一八”事变后向中国东北地区移民就是地地道道的“殖民”了。“殖民”与“移民”，都是将一个地方的居民移到另一地方定居，以获得别处的财富，实现自己的生存为目的，这也是“殖民”与“移民”的相同之处。但移民是按照别人的规则去获得财富，而殖民是将自己的规则强加给别人，然后掠夺财富，这是“殖民”与“移民”的最大区别，实施移民的国家与移民前往的国家有无统属关系也是区别“殖民”与“移民”的根本标志。与“移民”相比，“殖民”的特征一是依靠国家力量实施移民过程，并伴有军事、武力的强制；二是具有明显的领土野心，并

① 国立国会図書館電子展示会：ブラジル移民の100 年，http://www.ndl.go.jp/brasil/s4/s4_1.html。

② 吕纪庆：《日本移民是如何立足于巴西的?》《国际展望》，1990 年 12 期。

以掠夺财富为目的；三是殖民过程建立在对被移民国家压迫的基础之上，对殖民地造成极大破坏，阻碍当地的社会经济发展。

日本在明治维新后通过学习西方，实现一系列改革，在东方国家率先实现了资本主义工业化。但日本推行"脱亚入欧"政策，在刚刚摆脱了沦为半殖民地国家的危机之后，便与西方列强为伍，在甲午战争与日俄战争中取胜，更加奠定了其跻身世界列强的地位。日本是资源匮乏的岛国，具有强烈的扩张性，日俄战争以后，日本继承了俄国在中国东北南部地区的所有权利。为了壮大日本在中国东北的实力，并通过东北辽阔的土地解决日本的"人口过剩"问题，在日俄战争后不久，就通过"南满洲铁道株式会社"实施向中国东北移民。"九一八"事变后，在关东军的策划和推动下，日本政府开始实施"武装移民"政策，从1932年到1936年，先后五次向中国东北派遣近万户"武装移民"。"武装移民"派遣具有明显的军事目的，移民的募集以"在乡军人"为骨干，在接受一定时间的军事训练后进入吉林、黑龙江两省，"武装移民"承担着镇压东北人民的抗日斗争，巩固日本军事占领的任务。1936年，广田弘毅内阁制定了"百万户移民"计划，即从1937年开始，在20年时间内向中国东北移民100万户，500万人，这一作为当时"七大国策"之一的移民计划被称作"民族大移动"。此计划的制定不仅具有国防目的，还包括解决人口与就业问题，缓和国内的社会矛盾，故移民募集不再以"在乡军人"为主，而变为以农民为主。1937年，日本发动全面侵华战争，国内被应征入伍和投入军需产业的劳动力急剧增加，"百万户移民"计划并没有顺利实施，如表2-11所示，第一期计划比最初的10万户设想减少到72 600户，而实际上只募集到42 635户。① 太平洋战争爆发后，移民募集难度更大，计划根本无法实现。随着1945年日本战败，作为"国策"的满洲移民政策以彻底失败而告终。

① "滿州国通訊社"編：《滿州国開拓年鑑》，"滿州国通訊社"，1944年，第129頁。

表 2-11 "百万户移民"第一期实施情况(1937—1941)

年度	实行计划(A)	移民户数(B)	B/A(%)
1937	4 690	3 741	79.8
1938	6 000	4 689	78.2
1939	12 270	7 334	59.8
1940	19 085	9 091	47.6
1941	30 555	17 780	58.2
合计	72 600	42 635	58.7

在日俄战争之后到日本战败近40年时间里，数十万日本人被移民东北。[①]"满洲移民"政策的实施，不仅是解决国内劳动力过剩这一人口问题，更主要是包藏着吞并东北的领土野心及对东北实行统治的政治野心。一方面，"满洲移民"是日本军国主义政权实施侵略政策的工具，他们强占土地、房屋、劳动工具，致使中国农民流离失所，生活无着。从表面上看来，移民是这些土地的耕种者，实际上他们是日本政府移民侵略的实践者。在战争需要时，移民立即成为军人。另一方面，移民也是日本侵略政策的牺牲品，他们大多数是下层农民及低收入者，希望通过移民改变贫困的状况，背井离乡来到气候、环境等都不习惯的地方，面临着很大生活压力，疾病时有发生，不少人患上"屯垦病"(因思乡、失望和不满造成的精神疾病)。由于他们侵占当地老百姓的土地与房屋，必然受到中国人民的反抗和抗日武装力量的袭击，死伤人员时有出现。在太平洋战争的最后阶段，这些移民大多数被应征入伍，直接参与到战争中，成为战争的牺牲品。尤其是战败时，大多数移民被他们的政府抛弃，许多人在撤退回国途中病死、累死、饿死，其子女成为被遗弃在大陆的"残留

① 关于"满洲移民"有多个数字统计：如(1) 日本在东北移民总数达166万人，其中农业移民达32万人(关亚新、张志坤：《日本遗孤调查研究》，社会科学文献出版社，2005年)；(2) 30余万人(高乐才：《日本"满洲移民"研究》，人民出版社，2000年)；(3) 241 374人(王胜今：《伪满时期中国东北地区移民研究：兼论日本帝国主义实施的移民侵略》，中国社会科学出版社，2005年)；(4) 27万余人(满洲开拓史刊行会：《满洲开拓史》，文明印刷株式会社，1966年)等。

孤儿”。总之,日本的“满洲移民”政策对中国东北地区的社会经济及人民的生命财产造成了巨大伤害,移民自身也付出了惨重的代价。

(四) 侵略战争中的人口政策

明治维新之后,日本的人口增长速度超过当时的主要资本主义国家。人口的迅速增长使日本统治者痛感国土的狭小,因此,力图通过战争解决问题,以扩大生存空间。而一旦发动战争,尤其是太平洋战争爆发后,战线被无限延长,国内青壮年大部分被送上战场,又显现出人力的匮乏。因此,在侵略战争中,日本的统治者极力推行人口扩张政策,使其服务于战争。

1937 年,日本发动全面侵华战争,受战争的影响,一年中增加的人口仅仅 38 万多人。日本政府感到有人口减少的危机,1938 年 1 月,内阁设立了厚生省,专司有关国民健康的行政事务,厚生省的工作任务就是“供给强有力的战斗员和扩充生产力需要的劳动力”。1938 年 4 月,近卫文麿内阁颁布了《国家总动员法》,国民成了“为了达到国防目的”的“人的资源”。为确保“人力资源”的质与量,1939 年 9 月以厚生省预防局民族卫生研究会的名义,向全国发布了《结婚十训》:

(1) 选择值得信赖一生的伴侣;

(2) 选择身心健康的人;

(3) 选择没有不好遗传的人;

(4) 避免盲目结婚;

(5) 避免近亲结婚;

(6) 不要晚婚;

(7) 不要迷信旧习;

(8) 接受父母长上指导熟虑果断;

(9) 婚礼简素在登记当天举行;

(10) 为了国家生吧,繁殖吧!

《结婚十训》的核心是鼓励生育，增加人口。其最后一条“为了国家生吧，繁殖吧”是战争期间人口政策的核心及具有强烈蛊惑性的宣传口号。

1941年，近卫内阁制定并发布了《人口政策确立要纲》。该要纲把“建设大东亚共荣圈并谋求其健全发展”作为全国的使命，以“谋求我国人口急激且永远的发展增殖及其资质飞跃向上”为宗旨，以“确保高度国防国家的兵力及劳动力的需要”和“对东亚诸民族的领导力量”为目的，要求在20年内(即到1960年为止)，全国人口要达到1亿。因此，要大力增殖人口，具体目标就是每对夫妇要生5个孩子。①

为增殖人口，首先要实行早婚早育。根据人口问题研究所进行的“出生力调查”，要达到一对夫妇生五个孩子的目标，有必要将结婚年龄提前。针对当时平均结婚年龄为男28岁、女24岁的情况，要求青年男女将结婚年龄提前三年，即男25岁、女21岁。同时，大张旗鼓地进行“结婚报国”“育儿报国”的宣传教育，要求妇女们把过去的《女大学》的精神化作近代化精神。《人口政策确立要纲》中强调要“排除以个人为基础的世界观，确立以国家和民族为基础的世界观”。舆论界也大肆鼓吹“结婚是比任何事情都重要的奉公”，早婚多育被置于“国策”的位置上。为了贯彻“结婚报国”“育儿报国”的政策，结婚报国恳谈会之类的组织在各地相继成立。此时的报纸杂志也连篇累牍地发表《早婚名人促进结婚座谈会》《战时促进结婚座谈会》等消息和文章。尤其是与伤残军人结婚被作为“美谈”而大力宣传，“成为这些勇士的妻子，做他们的杖、他们的柱而度过一生”成为“日本妇女最崇高的任务”。② 在这种舆论的引导下，许多士兵都是出征前仓促结婚，双方连基本的了解也没有。至于那些被迫嫁给伤残军人的女性完全是出于一种“道义”，实际上毫无感情可言。

---

① 赤沢史朗等編:《資料日本現代史・12・大政翼賛会》，大月書店1984年，第357頁。

②《周報》292号，转引自女性史総合研究会:《日本女性生活史・4・近代》，東京大学出版会1990年，第209頁。

《人口政策确立要纲》发布后,“生吧,繁殖吧”成了家喻户晓的口号,在全国上下展开了大张旗鼓的“人口战”。新闻媒介大造舆论,宣传“国力的基础在于国民的人口”。当时在妇女界影响颇大的《妇女新闻》发布社论指出:“增殖人口是国民肩负的唯一平等的义务。孩子不是‘我的孩子’,而是‘国家的孩子’。”另一较有影响的报纸《周报》也发表文章,宣传“在胎中孕育着国之宝贝、肩负着日本未来的孕妇,怀中哺育着婴儿的产妇,作为女性……在从事着国家性的工作”,“每年有几百万女性作为母亲为了国家在‘奉公’。由于分娩,每年大约有五千位母亲死亡,这种牺牲可与战死的男子相比”。[①] 自江户时代以来,女性美的标志一直是“瓜子脸,白皮肤,溜肩细腰”,而战时舆论则要求女性改变旧观念,提出新时代美人最重要的是充满“健康美”(即胸部丰满,臀部肥大)。在“生吧,繁殖吧”这一国策下,以增殖人口为己任,一个接一个生孩子的被称为“翼赞美人”。报纸上甚至公布所谓“充满健康美多产型翼赞美人十项标准”[②],首相东条英机的夫人、生有7个孩子的东条胜子带头宣传“生孩子是一种快乐”,并呼吁女同胞为了扶养大家族而放弃一切奢侈。在早婚多育这一“国策”之下,女性美与生儿育女已不是单纯的夫妻家庭生活和人口增殖的自然行为,而成了与国家的发展前途联系在一起的政治行为。当时,舆论界称小孩子为“宝宝部队”。婴儿降生后,“恭喜,又是一个战士”成为时髦的话语。

为了推进人口增殖,从1940年开始,厚生省连年表彰“优良多子女家庭”,首次表彰了10 336户。“优良多子女家庭”的条件是育有满6岁以上的子女10人以上,子女无死亡(战死及因天灾等不可抗拒的事故而死亡者除外)且身心健全,父母及子女都品性善良。在受表彰者中居首

① 東京歴史科学研究会婦人運動史部会:《女と戦争——戦争は女の生活をどう変えたか》,昭和出版,1991年,第258-263頁。

② 1941年1月21日《中外商業》,入江徳郎編:《新聞集成昭和史の証言·15·太平洋戦争·一億総決起》本邦書籍,1985年,第40頁。

位的一户竟生了16个孩子，被称为“拥有9名未来军人和7名军国之母的大部队”[①]。促进早婚多育的措施还包括控制雇佣20岁以上女子，设置奖励结婚和结婚费用贷款制度，对“优良多子女家庭”的子女入学提供学费补助等。由于上述作为“国策”的婚姻和人口政策的实施，使日本在战争体制下一直保持了较高的人口增长率。尽管在战争中有310多万人（其中战斗人员233万人，非战斗人员约80万人）死亡，但到战败的1945年，日本全国总人口仍有7 220万人。[②]

战时的婚姻与人口政策是国家权力介入家庭生活的极致，家庭成了国家用于侵略战争的人力的生殖资源，女性则成为一架生殖机器，人性被彻底抹杀。这种婚姻与人口政策的副作用很快就显现出来。战后，人们面临的是多达187万人的战争未亡人（据1949年厚生省的统计）和迅速提高的离婚率（从1943年的0.68‰，上升到1947年的1.02‰）。[③] 这就是战争带给为增殖人口立下汗马功劳的日本妇女的悲剧性结局。

六　近代日本女子教育发展原因探析

日本从明治维新后只用了短短几十年时间就发展为资本主义强国，与教育事业的发展有着直接的联系，其中女子教育事业的发展是尤其值得称道的事情。1907年，日本开始实施六年制免费义务教育，同年女子入学率达到96.14％[④]，同时，女子中等教育与各种专科教育也有了长足进步。分析近代日本女子教育快速发展的原因，对于加强我国的女子教育具有借鉴意义。

---

① 入江徳郎編：《新聞集成昭和史の証言・14・大政翼賛・紀元二千六百年》，本邦書籍，1985年，第450頁。

② 有泽沢广巳、稲葉秀三編：《資料戦後二十年史・2・経済》，日本評論社，1973年，第498頁。

③ 総務省統計局：《男女別人口、人口増減及び人口密度》，明治五年—平成十六年，http://www.stat.go.jp/data/chouki/02.htm。

④ 文部省：《学制百年史 資料篇》，帝国地方行政学会，1975年，第497頁。

（一）前近代日本女子教育的基础

女子教育，广义上指基于一定的女性观，以女子为对象所实行的教育，狭义上主要指对女子的学校教育。日本以女子为对象的学校教育虽然在明治维新后才迅速发展起来，但在江户时代已经奠定了较为深厚的基础。历史事实证明，日本人之所以较之其他东方国家最先实现女子教育的现代化，除了明治政府具有开放而长远的目光，把教育作为立国之本，在法律、经济等各方面采取有效措施促进教育事业发展等原因之外，也与在江户时代业已形成良好的以实用主义为特色的大众启蒙教育传统具有密切关系。

1600 年德川幕府建立，结束了战国时代混乱的局面，日本从此进入近三百年的和平时代，社会稳定，经济繁荣，为江户时代的教育发展提供了良好的外部环境。由于严格的身份制度的存在，士农工商的身份不可逾越，加之律令时代仿照唐制实行的科举制早已瓦解，对于身处任何一个阶层的人不存在通过考试改变身份和提高社会地位的预期，使教育在政治方面的功利性被大大削弱。不管是作为统治阶级的武士，还是作为被统治者的普通民众，学习知识的目的在于掌握自己从事的职业所需的技能，实用也就成为教育的最高价值。江户时代教育发展的最大特色是以寺子屋为中心的平民教育迅速发展，据统计，江户时代后期寺子屋的数量已经达到15 506所，①遍及全国各地，大约有 45％的男子和 15％的女子都识字，有统计说江户时代已经有1 140家集刻版、印刷、贩卖于一身的书店，19 世纪初仅江户就有 656 所出租书店，②足以证明当时人们读书的需求已经相当高了。这种教育水平甚至连一些欧洲发达国家也望

① 石川謙：《寺子屋》，至文堂，1972 年，第 88 頁。

② 佐藤健一等：《江戸の寺子屋入門——算術を中心として江户的寺子屋入门》，研成社，1996 年，第 9 頁；大石学：《江戸の教育力 近代日本の知的基盤》，東京学芸大学出版会，2007 年，第 104 頁。

尘莫及，故江户时代被称作“教育爆发的时代”①。

平民性与实用性教育的发展，是江户时代女子教育得以发展的重要原因。从古代社会以来，由于佛教视女子为孽障的思想的影响，女子教育不被重视，官方教育机构皆将女子排除在外。但是在文化繁荣的奈良、平安时代，尽管学校教育不以女子为对象，但贵族社会内却形成了让女孩子从小接受教育的传统。那时的女子教育被局限在家庭中进行，由其母或祖母担任教师的角色，教其修身、礼法及各种技艺，上流贵族家庭多聘请教师到家里来教授女子经书、诗文、和歌、书道、音乐等。贵族们对女儿进行女才教育的目的是把女儿作为攀龙附凤的工具，让女子具备一定的才学可以增加其身价。这种并非纯正的教育动机促成了古代上流社会女子在政治、文艺、宗教等各方面都很活跃的景象。进入江户时代，儒家思想被作为官学受到幕府的大力提倡，男尊女卑的观念影响日益深广，但是“女子无才便是德”的观念却没有在日本生根，由于分处于武士、商人及手工业者、农民不同阶层的人们家业经营的需要，女子具有一定读写能力在一定程度上受到提倡，比如在一些女训中可以看到提倡女子学习文化的内容：

> 如不晓文习字，见识浅薄，便难于相夫教子。
>
> 女人不分地位高低，各有所爱，然首先应学艺、写文章。如不谙此道，则一生中不识善事也不辨恶事，既无乐趣，又无慰藉。②（《女式目》）
>
> 品优不为贵，以心正为贵，容姝不为贵，以有才为贵。③（《女实语教》）
>
> 出嫁的女子，若不通文字，即使容貌娇美，娘家富足，也会

---

① 如2006年，江户东京博物館专门举办了“江户的学习——教育爆发的时代”特别展览。

② 黒川真道編：《日本教育文庫・女訓篇》，日本図書センター，1977年，第649、672頁。

③ 三井為友編：《日本女性問題資料集成・4・教育》，ドメス出版，1976年，第77頁。

被丈夫及其亲族蔑视。[①]（《女子手习状》）

这些对女子的训诫表明，即使是在歧视女性的年代，很多日本人对女性掌握文化知识也是持鼓励态度的，因此才有了女子接受教育的动力。据资料统计，在13 816所能知道具体学生人数的寺子屋中，招收女子学生的有8 636所，人数148 138名，占学生总数的20%。[②] 在江户、大阪、京都等商业发达的大城市，招收女学生的寺子屋明显多于其他地区，且在寺子屋中，女学生比率也比较高，有的寺子屋中女学生甚至超过男学生。江户时代女子教育的发达还有另一个明显特征，即江户时代后期，在江户、大阪等大城市涌现出很多女性经营的女教师（师匠）。到明治初年，由女性经营的寺子屋广布于全国。尽管江户时代女子教育形式及内容都有难以逾越的时代局限性，而且当时能够上学的多是上层社会及有钱人家的女子，但寺子屋作为一种教育机构，已经把女性作为教育对象，在教育机构的准备、教育人才的储备、入学动员等方面，都为明治以后的现代女子教育的普及奠定了良好的基础。

（二）明治以后女子教育政策的不断调整

与同时期欧美国家相比，明治初期日本的教育水平并不逊色，但维新改革派及新政府成员仍然感到本国教育的不足，尤其是教育内容、教育体制及学校数量上远远不能适应"富国强兵"这一明治维新总目标的要求。1871年7月，新政府成立最高教育行政机构文部省，将建立近代教育体制作为自己的重要任务，并开始关注女子教育问题。12月，文部省颁布设立女子学校公告："人所以能昌其家业者，端赖男女各知其职分也。今虽有男子学校，而女子之教未备，故此番雇西洋女教师，开官立女

① 转引自志賀匡：《日本女子教育史》，琵琶書房，1977年，第320頁。

② 石川謙、石川松太郎編：《日本教科书大系·往来物篇·第15卷·女子用》，"解説"第7－8頁。

子学校。自华族至平民,若纳资费皆可许其入学。”[①]这一公告表明女子教育被纳入近代学校教育体系,使日本成为东亚国家中女子教育起步最早的国家。在文部省的积极推动下,东京女子学校、京都府立的新英学校及女红场(后改称京都府女子学校)、开拓使女子学校三所女子学校在1872年内相继成立,这是近代日本最早的一批官立女子学校,从此拉开近代日本女子教育事业的序幕。

1872年8月,参考欧美国家的教育制度起草的日本近代史第一个教育法令——《学制》正式颁布。在《学制》及与学制有关的一系列法律、法令中,女子教育被摆在重要位置。如1872年6月向全国公布的《学制施行计划书》中指出,要“兴小学之教,洗从来女子不学之弊,期兴女学之事与男子并行也”[②]。

《学制》否定了封建时代的等级制度与男尊女卑观念,体现了男女平等实施初等教育的原则。《学制》颁布后,各级政府从办小学开始大力兴办近代教育,到1876年,在全国已设置了24 947所小学。但是,在近代教育起步的时候,女子教育发展得并不顺利。从入学率来看,1873年为15.1%,1879年仅为22.5%,始终没有达到男童入学率的一半(男童入学率1873年为39.9%,1879年为58.2%)。[③] 地处偏僻、经济落后的秋田、青森、宫城、长崎等县甚至在10%以下,[④]离既定的“邑无不学之户,家无不学之人”的预期目标相去甚远。造成这种现象的主要原因,一是发展教育操之过急,忽视了现实的教育基础及人们的传统观念,全盘模仿欧美教育体制及教育内容,大量采用翻译教材,脱离了实际需要,因而受到民众的排斥;二是根深蒂固的男尊女卑观念阻碍了女子迈向学校的大门,不少人宁可把女孩子送入民间私塾学习,也不愿让其进入男女共

① 三井為友:《日本婦人問題資料集成·4·教育》,第142-143頁。

② 三井為友:《日本婦人問題資料集成·4·教育》,第144-146頁。

③ 文部省:《学制百年史》,第195頁。

④ 深谷昌志:《良妻賢母主義の教育》,黎明書房,1981年,第47、51頁。

学的学校；三是学费较高，当时小学学费为 25—50 钱，对民众来说是不小的负担，如果一家有几个孩子，一般都优先让男孩子上学；四是劳动力因素，当时农村人口占 80%，农业生产以家庭为主，女孩子要帮助家里劳动，尤其是要照顾弟弟妹妹，这就使很多农民家庭不愿意让女孩子上学。

针对《学制》体制超前，教育发展并不理想的情况，明治政府及时调整教育政策，1879 年 9 月，宣布废除《学制》，同时颁布《教育令》。有关女子教育的内容，首先是改男女共学为男女别学，规定“凡于学校之内，男女不得处于相同教场”，虽然允许小学校中可以男女同校而学，但在中等教育中实施严格的男女别学体制，男女双轨学校体系由此产生。原来在男女共学制的中学里就读的女学生或退学，或转学，到 1884 年，在普通中学里女学生的身影彻底消失，这种现象一直持续到日本战败。此外，为适应女学生的特点及社会需求，吸引适龄女童入学，《教育令》将裁缝课列入小学校的正规课程中，增加了教育的实用性。但是总体看来，女子教育的发展仍不尽人意，到 1890 年，女子的小学入学为 31.13%。①

日本女子教育真正得以发展是在《学制》制定 20 年之后的 19 世纪晚期。一方面，由于日本在中日甲午战争中获胜，刺激了产业革命的发展，女子就业的机会大大增加，社会对有文化的女性的需求也随之增加，女子小学入学率迅速提高，1897 年已超过 50%。另一方面，经济的增长也促进政府加大教育投入。从 1872 年颁布《学制》以后，教育经费一直是“受益者负担主义”，即由学生的父母、监护人缴纳学费。1890 年颁布的《小学校令》规定实行三年到四年的义务教育，同时规定市町村有设立小学并负担包括小学教师工资在内的教育费用的义务，即由“受益者负担主义”向“设置者负担主义”转化，但学生入学仍然要付学费，因此影响了学生入学。这种情况的彻底改变是在 19 世纪末期，1899 年，日本政府制定了《市町村立小学校教育费国库补助法》，由国库支付小学教师工资

① 文部省:《学制百年史 資料篇》,497 頁。

的不足部分。同年，制定《教育基金特别会计法》，以甲午战争后清政府赔偿金的3％约1 000万日元设立教育基金，其利息用作每年普通教育费的补充，这就明确了国家对教育费应负的责任。有了政府的财政支持，1900年，日本开始实施四年制免费义务教育，这是促进女孩入学的最根本的措施，当年，女子的小学入学率达到71.7％（男子为90.55％）。到1907年，又将义务教育的时间延长到六年，当年女子的小学入学率就达到96.14％（男子为98.53％），几乎达到适龄儿童全部入学的程度。

小学入学率提高了，希望进一步学习的人也随之增加，发展女子中等教育成为必然趋势。在"学制"时代，明治政府对于女子中等教育基本上持放任自流的态度，也出现了少量实施中等教育的女子学校。直到1891年，通过《中学校令》的颁布，规定"高等女学校对女子进行必要的高等普通教育，归入寻常中学校之列"①，女子中等教育始被纳入国家教育体系之中。1899年2月，根据日益增长的女子教育的需要，明治政府颁布了《高等女学校令》，规定高等女学校是以"传授女子必需的高等普通教育知识"为目的的四年制女子学校，②教育对象是12岁以上高等小学二年级以上的女学生。同时还规定到1903年之前，全国各府县至少要设立一所公立的高等女学校。名曰"高等女学校"，实际上是女子中学，意味着对女子实施的最高教育。在《高等女学校令》颁布的1899年，日本全国只有7个县设有高等女学校，到1903年，所有的县都设立了一所以上高等女学校，完成了"高等女学校令"的预定目标。1907年，日本已经有官办高等女学校108所，在校学生33 776人。③ 中等家庭竞相把女

① 文部省:《学制百年史 資料篇》，第130頁。

② 文部省:《学制百年史 資料篇》，第134－135頁。

③ 高等女学校研究会:《高等女学校の研究—制度的沿革と設立過程》，"資料二"，大空社，1990年，第30頁。

儿送入高等女学校，以至于入学竞争相当激烈。① 在战前日本，尽管后来也出现了一些女子专门学校（相当于大专），但对大多数女子说来，高等女学校实际上是最终教育机关。到 1925 年，高等女学校达到 806 所（其中包括一部分实科高等女子学校），在校学生 301 447 人，首次超过了普通中学的男学生人数（296 791 人）。②

（三）民间办学是官办女校的重要补充

在政府大力推动女子教育发展的同时，民间人士也致力于办女子学，创建了一大批私立近代女子学校，论数量远远超过了官立女校，其中许多女子学校延续至今，在日本女子教育事业中发挥了重要作用。民间办女子学校之所以发达，一是得到法律制度的保障，二是得益于人们对发展女子教育的重要性有较为明确的认识。

公私并举的双轨制教育体系与男女双轨制学校体系促进了民间办学

如前所述，江户时代的平民教育机构寺子屋是近代教育的基础，在近代日本教育体系中，私立学校始终有着合法地位，这是私立女校得以发展的制度保证。1872 年颁布《学制》的时候，就将"持有小学教科之许可者在私宅教学的""小学私塾"列入学制规范下的小学之列。在这一点上，倒是体现了新政府对当时教育现状的准确把握。由于设立新学校需要大量资金，中央及地方政府财力有限，只能利用和改造江户时代的寺子屋，直到 1875 年，小学校中仍有 40％借用寺院，30％借用民家③，有些以江户时代寺子屋基础的私立学校得以发展起来。《学制》将"私塾小学"纳入近代学校体系，表明政府承认和鼓励民间私人办学。1879 年废

① 当时高等女学校的竞争率以 1902 年为例：东京第一高等女学校为 1∶4.3；市立名古屋高等女学校为 1∶4.2；高知高等女学校为 1∶3.9。见深谷昌志：《良妻賢母主義の教育》，第 184 頁。

② 文部省：《学制百年史・資料篇》，第 484－489 頁，"第 4 表""第 5 表"。

③ 文部省：《学制百年史》，第 194 頁。

除《学制》，颁布《教育令》时，明确提出了“公立学校”“私立学校”的概念，赋予私立学校的合法地位。1899年8月，出台《私立学校令》，是第一个以私立学校为对象的教育法令，该法律的意义在于把私立学校与官、公立学校同样纳入以“教育敕语”为中心的教育体系中，同时也说明了私学在近代教育中的合法性。此后，尽管不断修改相关教育法令，但公立、私立并举的双轨制教育体系一直延续至今。

除了民间办学具有制度保障以外，男女别学制度的存在也为私立女子学校提供了发展空间。1879年颁布的《教育令》改变了1872年《学制》规定的男女共学制度，要求除小学之外，“凡于学校之内，男女不得处于相同教场”，《教育令》开创了日本教育史上的男女别学体制，此后又多次强调在中等教育中实行男女别学，并通过高等女子学校对女学生进行中等教育。当时官立、公立女子教育机构尚不发达，官方开设的最高层次的学校只有女子高等师范学校，很难满足社会需求，而私立女子学校填补了由于政府忽视而带来的女子高等教育的空白，客观上刺激了私立女子学校的发展，使私立女子学校一直占据培养高层次女性人才中的主导地位。

民间办学热情是近代女子学校发展的动力

发展女子教育，除了政府的政策与制度支持，更需要全社会的大力支持。在近代日本教育史上，始终有一批有识之士积极主张发展女子教育，在近代教育发展的不同阶段，都有不少教育家提出各自的女子教育理念，有的还亲力亲为办女校。如在文明开化浪潮中，启蒙思想家批判儒家女子道德，把一夫一妻制之下与男子具有同等权利、在教育子女方面颇有见识的西欧女性作为理想的母亲形象，提出造就在人格上与丈夫平等、具备足够的教育子女的教养与知性的母亲是社会的重要任务。福泽谕吉不仅批判男尊女卑的观念和女子无学的落后状况，倡导男女同权，还在委托其学生建立的庆应义塾幼稚舍(私立小学，1874年成立)中实行男女共学(但后来因受到反对而放弃)。另一位启蒙思想家中村正直于1875年在《明六杂志》上发表了题为《造就善良的母亲说》的文章，文中指出“子女的精神心术大体与其母亲相似,连后来的嗜好癖习也多似母亲。人民改变情态风俗进入开明之域必须造就善良的母亲,只有绝好的母亲,才有绝好的子女”,而“造就善良的母亲要在教女子”。中村正直还提出,为了实现“造就善良的母亲”的目标,要男女受到一样的教育,实现共同进步。[①] 中村正直在东京创办同人社女子学校(1874 年),亲自实施女子教育的实践。1885 年,留美 13 年的牧师木村熊二联合《横滨每日新闻》主笔岛田三郎、历史学家田口卯吉、评论家岩本善治等人共同创办了明治女子学校,意在通过实施新式教育提高女性的地位,诗人北村透谷、马场孤蝶、作家岛崎藤村等人都曾在此执教,在此毕业的有实业家相马黑光(面包店新宿中村屋创始人),日本第一个女记者、女子学校自由学园的创立者羽仁元(音)子,作家野上弥生子等杰出的女性。

近代日本官办女学基本上止于高等女子学校即女子中等教育,而没有在中等教育发展到一定程度后继续发展女子高等教育,到 20 世纪初期,舆论的主流依然认为办女子大学为时过早。在政府不认可官办女子高等教育的情况下,民间的有识之士开始自发创办女子高等教育,出现了在女子高等教育中私立女校独树一帜的现象,可以说,日本女子高等教育首先是从私立女校开始的。最有代表性的是著名女子教育家成濑仁藏及其创办的日本女子大学。身为男性的成濑仁藏毕生从事女子教育,它曾长期到美国考察女子教育,在阐述其女子教育思想的《女子教育论》(1896 年出版)中提出要把“妇女作为人来教育,作为女人来教育,作为国民来教育”[②]作为教育方针,并于 1904 年创建了日本女子大学,被誉为日本女子高等教育第一人。该校秉承“信念彻底”“自发创生”“共同奉仕”纲领,培养了集结于女性杂志《青鞜》周围的近代日本第一个妇女运动团体,该杂志创始人平塚雷鸟正是由于读了成濑仁藏的《女子教育论》

---

① 湯沢雍彦編:《日本婦人問題資料集成·5·家族制度》,ドメス出版,1976 年,第 348 - 349 頁。

② 成瀬仁蔵:《女子教育》、三井為友:《日本婦人問題資料集成·4·教育》,第 329 頁。

才选择进入日本女子大学学习，而在《青鞜》杂志的五位发起人中，有四位是日本女子大学的毕业生。成濑仁藏的《女子教育论》及日本女子大学的成立在全国影响深远，此后一批从事女子高等教育的私立学校相继成立，但是文部省对此只作为专门学校加以认定，升格为女子大学还是战后的事情。

办教育离不开教育者，得益于前近代女子教育的积累和近代教育事业的发展，日本女性已经不仅仅是被动的受教育者，许多人成为教育家，开办女子学校，从事女子教育事业。女性办女校是近代女子教育的突出特色。由女性办女学，更能准确掌握女性的心理与生理特点，实施适合女性特点的教育。

在上流社会人士积极办女校的同时，普通民众中也有不少人热心女子教育事业。从 1872 年制定《学制》起，女孩子就有了就学的权利，其父母亦有送孩子上学的义务。但是现实中不少贫困家庭的女孩子要么帮助父母带孩子，要么很小就给别人家帮工带孩子，因此无法到学校上学，这是明治前期女子入学率低的重要原因之一。为了解决这部分女孩子的上学问题，民间开办了一些让女孩子能背着弟弟妹妹或帮工的主人家的孩子到校上课的学校——“子守学校”（日语词，中文没有相应的词汇）。最早开办“子守学校”的是茨城县青年教师渡边嘉重于 1883 年在其家乡开办的“小山村子守学校”，受到当时的文部大臣井上毅的表扬。这种学校兼具女子初等教育与幼儿保育机能，上课时间及上课形式也比较灵活，学习年限不固定，只要考试及平时成绩达到寻常小学的水准便允许毕业，且大多不付学费，因此很受下层社会欢迎，并在全国得到推广，据长田三男的《子守学校的实证研究》可知，这种学校一直存在到昭和初期，共有 318 所“子守学校”分布于全国 36 个都道府县。[1] 从事这种

---

① 转引自斎藤泰雄:《初等義務教育制度の確立と女子の就学奨励——日本の経験》，広島大学教育開発国際協力研究センター:《国際教育協力論集》第 13 卷 第 1 号，2010 年。

教育的多是深知下层社会疾苦的基层人士，他们为女子初等教育的普及所做的贡献是最直接、最现实的。今天，我们偶然可以从一些日本影视作品中看到女孩子在教室中背着幼儿认真听课的场景，那是在一百多年前的明治时代的事情，从这道难得一见的风景线中，既看到近代日本女性求知的渴望，也展现出民间教育者的办学热情。

（四）培养良妻贤母的目标使女子教育得以立足

近代日本女子教育侧重对女子的性别教育，“良妻贤母主义”的教育理念贯穿于女子教育的始终。在明治初期，女子教育的起步是从培养有知识的“良母”做起的。如前所述，启蒙思想家中村正直于1875年提出“造就善良的母亲，要在教女子”，另一位启蒙思想家森有礼也认为，“女子教育比之男子教育更重要”。1887年，他作为文部大臣在视察地方的教育情况并发表演说时明确指出：“女子教育的重点在于培养女子为人之良妻，为人之贤母，管理家庭、熏陶子女所必须之气质才能。国家富强之根本在教育，教育之根本在女子教育，女子教育发达与否与国家安危有直接关系。”①森有礼从实现国家繁荣富强的角度认识女子教育，突出了女子教育的社会作用。

在明治初期大力吸收西方文明的所谓欧化时代，启蒙思想家心目中的良妻贤母是像西欧社会，尤其是基督徒那样的与丈夫有平等人格的妻子、具备足以教育子女之教养的母亲。为了培养这样的良妻贤母，当时的女子教育颇具欧化色彩。学校教育实行男女共学，教科、教材也完全相同，甚至使用翻译教材。然而，从明治中期开始，日本放弃了文明开化政策，国家大力宣扬的国家主义与儒家伦理相结合的主流意识形态也反映在女子教育政策上。19世纪晚期，明治政府一方面努力提高女子小学入学率，另一方面通过办高等女学校发展女子中等教育。在战前日本社

① 大久保利謙：《森有礼全集》第1卷，宣文堂書店，1972年，第611頁。

会，女子大都在十六七岁结婚，而结婚之前在高等女学校的学习阶段被认为是培养良妻贤母的最佳教育时期。1899 年 2 月颁布《高等女学校令》后，当时的文部大臣桦山资纪这样阐述办高等女子学校的目的：

> 只以男子的教育是不能达到健全的中流社会的，要有善理其家的贤母良妻，才能增进社会的福利……高等女学校的教育在于培养学生于他日嫁到中流以上家庭后成为贤母良妻的素养，故而在涵养优美高尚的气质和温良贞淑的性情的同时，要令其通晓中流以上生活所必需的学术技艺。①

继任的文部大臣菊池大麓也将推进女子中等教育作为重要任务，1902 年，他在高等女学校校长会议上的演讲中指出："良妻贤母是女子的天职……高等女学校是为了实现这种天职而进行必要的中流以上的女子教育机关。"②桦山资纪和菊池大麓两位文部大臣的公开讲话将高等女学校的办学思想和教育目标说得非常明确，仅仅有男子是不能实现国家的发展的（即所谓"中流社会"），必须培养与之相适应的良妻贤母。《高等女学校令》的颁布，标志着培养"良妻贤母"已经成为国家公认的教育理念。这种教育观念一经提出，便左右了近代日本女子教育的发展方向。不仅在各高等女学校得到贯彻，各私立女学校也积极响应。对女子的性别教育被固定化，家务、裁缝、手工艺授课内容增加，教学内容注重家庭实用技术的培养，而外语、数学、理科的内容相应减少。

结语

"良妻贤母主义"教育是畸形的日本近代化的一个矛盾产物。它一方面将女性的作用局限在家庭之内，有保守、落后的一面，同时也强调女

---

①《教育時論》，1899 年 7 月 25 日。
②《教育時論》，1902 年 5 月 5 日。

子教育的必要性，有知识、懂学问是女子贤与良的重要标准，有其积极、开明的一面。唯其如此，近代日本女子教育才与国家的大环境相符，与人们的传统观念相符，直到战败为止，培养良妻贤母这一总方针一直没有动摇。这种教育固然有益于提高家庭生活质量，也对子女教育有利，但作用毕竟只限于家庭层面，培养出来的女学生大多知识和视野有限，社会适应性较差，最终都在家务劳动中终其一生。战前女子参政不发达、劳动就业率低与这种教育有着直接的关系。

本章第一部分原载《四川大学学报》2016 年第 6 期；

第二部分原载《世界近现代史研究》第 11 辑，社会科学文献出版社 2014 年版；

第三部分原载《南开学报》（哲学社会科学版）2015 年第 1 期；

第四部分原载《世界近现代史研究》第 8 辑，社会科学文献出版社 2011 年版；

第五部分原载《日本研究》2011 年第 4 期；

第六部分原载《南开学报》（哲学社会科学版）2012 年第 2 期。

第三章　家制度与家的传统

一　从“家”到“家庭”：跨越三个时代的艰难历程

——日本家庭关系的演变

在日本家族制度史上，“家”到“家庭”，一字之差，其变革却跨越三个时代，历经千年。封建时代独具特色的家制度旨在保证家业的完整与延续，却充满了不平等；近代以后家制度不仅未被摈弃，反而被法制化，并成为全体国民家族生活的准则；直到日本战败，经历民主改革，家庭才得以彻底解放。回顾日本家庭关系的演变过程，有助于了解日本家庭乃至日本社会的特色，并认识日本近代化过程中社会改革的滞后性。

（一）封建时代：非儒化的“家”制度

由于中国文化的影响，封建时代的日本在家族制度方面与中国呈现一些共同的表象，如父权家长制，以孝道为家族伦理的核心，妇女地位低下等。而如果进行深入考察，就会发现在这些共同的表象背后，中日两国在家庭形态、家的秩序等方面存在明显的差异。

封建时代的日本没有家庭这一词汇和概念，只有“家”制度。日语中的“家”读作“Ie”，其古义是以灶为中心而生活的一个家庭。[①] 家制度在日本有一个演变过程，至迟在10世纪至11世纪之间，首先形成于贵族社会。到战国时代至德川幕府时期，成为在武家社会通行的家族制度。“家”是在家长统帅之下，以特定的家业为中心的社会集团，具有如下明显的特征。

第一，家是以家业为中心的共同体

在日本人的观念中，家业不是房屋土地、金银财宝之类物质上的东西，而主要是人们赖以谋生的职业与技能。虽然家业与家产有关联，但两者的意义并不完全一致，家业里面包含家产，家产却不是家业的全部。对于武士来说，家业一般是指武艺。拥有武艺的武士被纳入封建关系，与特定的主人结成主从关系，尽“奉公”义务，才能获得“御恩”——最初是领地与官职，后来变成赖以生存的俸禄，因而“奉公”就是武士的家业。对于商人来说，家业不仅包括祖先传下来的财产，还包括积累这笔财产的买卖及经验，甚至包括代表这些东西的商号。农民的家业是代代从事农业的技能和作为其基础的土地。进而可以说，家业的断绝并非是指自然意义的断子绝孙，而意味着一定社会关系的消亡，比如武士失去了主人，被取消了俸禄，商人经营破产，农民失去了土地，指人们失去了赖以生存的基础。说到底，家并不等同于男女结合、生儿育女的具体家庭，家庭不过是家的存在形式而已。所以，家除了组成家的人员之外，还包括房屋、家产、维持家业的生产手段和埋葬祖先的墓地等。正因为家有如此重要的内涵，日本人才使用与英语中的“Family”或“Home”并不相同的“Ie”这一概念，“家”这一汉字表达不过是假借字而已。

第二，重祭祀轻血缘

祖先崇拜是日本人家族生活的重要内容。以自己家的佛坛和神龛为中心举行的家庭祭祀是日本人经常和最主要的祭祀活动。通过朝夕

① 竹田旦：《〈家〉をめぐる民俗研究》，弘文堂，1970年，第3頁。

礼拜来培养家族成员的敬祖之心，使日本人的祖先崇拜意识可谓深入骨髓。而日本人并没有严格的血缘观念，参与祭祀的家的成员可以是非血缘关系者。因为日本的家是以家业为核心的经营体，故血缘关系并不是构成家的唯一纽带，由配偶关系和血缘关系结成的家仅仅是家业的载体而已。与中国的家在血缘传承方面的封闭性相比，日本的家相对开放。最突出的表现是家业继承人的选择可以不受血缘关系的限制，以有能力的外人取代无能不才的亲生儿子，在有女无儿家庭，可以招婿上门，在其改成妻家的姓氏后，以婿养子的身份堂而皇之地继承家业。传统家庭中养子很多，多到什么程度？仅举一例：江户时代第一大藩加贺藩的藩士由养子继承家业的高达半数。① 所以，有日本学者说“除了天皇家族之外，几乎所有日本人的家族都有与异姓混血的历史”，“即使再出色的家族，也不可能把血缘关系上溯到数代以前，因为家系和血系是很难一致的”。② 也就是说，不论哪一家，如果没有养子继承的话，都无法持续长久。这里引出了“家系”和“血系”的概念，是日本独有的，“家系”指“家业延续的系列”，是社会性的，“血系”则是指“家族血统的系列”，是血缘性的。一个家族家系的延续往往与数个家族血系有关，故考察任何日本人的家都是既要考察其家系，也要考察其血系。

第三，重纵向延续轻横向关系

在日本的家中，同胞兄弟之间存在明显的上下尊卑，甚至主从之别。这是因为，为了实现家业的长久延续，实行家督继承制，即在数个子女当中，只能由一个人继承家长权、家业与家产的大部或全部，还要继承牌位、墓地等。虽说家督的本意是指长子③，但日本的“家督”却不惟长子，有可能是次子，也有可能是养子、婿养子。在这种制度下，通过牺牲兄弟姐妹的利益，建立起一种单一的、纵式延续的家族序列。在这一序列中，

---

① 服藤弘司：《相続法的特質：幕藩体制国家的法と権力 5》，創文社，1982 年，342 頁。

② 太田亮：《家系系図の合理的研究法》，立命館大学出版部，1930 年，第 5 頁。

③《史记》越王勾践世家：“家有长子曰家督”。

亲子关系重于夫妇关系和兄弟姐妹关系，家业继承人与非继承人之间存在着严重的不平等，家业继承人之外的人自出生之日起便被入了另册，日本的家不像中国的家那样具有凝聚力和亲和力，原因即在于此。

在家督继承制度之下，家不论从精神上，还是从形态上，都是指纯粹的从祖先到子孙的一脉的纵式延续，而不包含相同辈分中的横向关系。从家族社会学的角度来讲，这样的家族被称作“直系家族”或“纵式家族”。为了昭示家的纵式传承，通常使用与中国人的“辈分排行制”截然不同的命名方式：祖孙袭用同一个字，我们姑且将其称作“祖孙连名制”。例如，战前有名的财阀三井家族，在从17世纪创业起至二战后被解散为止的三个世纪中，11代家长的名字为：

高利——高平——高房——高美——高清——高佑——高就——高福——高朗——高栋——高公

从这一世系中除了看出纵向延续性，根本无法了解其中的辈分关系。

第四，重集团轻个人

日本的家是以家业为中心、以家产为基础、以直系的纵式延续为原则的家族共同体，是具有法人性质的集团。因此，家的每个成员都被置于家的利益约束之下。如家长制被称作“家的父权家长制”[①]，即拥有极大权力的一家之长，要明确自己的角色是“祖先的手代”[②]，只不过是家业的一时的管理者，所以他也要自觉维护家的利益。在制约家长的措施中最实际、最有效的就是实施家长的“隐居”制度。所谓隐居是指在家长因病及身体老衰或品行不端，不堪家长之任时，将其承担的公、私职务让给身体健壮及有能力的继承人，使本来在死后发生的继承行为在生前发生，简言之就是家长生前让位，即家内“退休”。伴随隐居，家长过去曾经

① 川島武宜：《イデオロギーとしての家族制度》，岩波書店，1957年，第32頁。

② 伴篙蹊：《主従心得草》，吉田豊編：《商家の家訓》，第31頁。“手代”即商家的管家。

拥有的所有权利随之丧失。隐居制是对家长“终身制”的否定，使家长制成为任期式的存在，能够促进老朽者退而新锐者进，使家长权的新陈代谢处于一种良性循环之中。

作为家的一员，是附属于家的存在。比如，青年男女结婚，不是“某某先生”与“某某小姐”结婚，而是“某某家”与“某某家”结婚。墓碑上刻的名字，不是“某某人之墓”，而是“某某家之墓”或“某某家先祖累代之墓”，这些传统一直保留到今天。最甚者是不能继承家业的人连家名（姓氏）也无权使用。例如，在日本茶道的三个“千”家（表千家、里千家、武者小路千家）都有不成文规定，即不管有几个儿子，只能由一个儿子继承“千”姓，其他人则要改姓。因此，在日本同族而不同姓，血缘相同而姓氏不同的现象毫不奇怪。

家庭关系是一个国家或民族传统文化的重要组成部分，对人的作用、影响和约束最直接，也最具体。封建时代日本的家既是一个血缘亲属集团，更是从事特定家业的机能集团，其规范、原则都与儒家伦理格格不入。

（二）近代社会：走向瓦解的家制度被法制化

明治维新后的一系列改革，带来社会结构的变化，使家制度受到强烈冲击。

武士阶级的覆灭从根本上动摇了家制度的基础。家制度本来盛行在武家社会，后对平民社会产生影响。明治政权建立后不到十年时间，武士的特权就被剥夺殆尽，成为居皇族、华族之后的“士族”，仅在户籍登录上保留了一些荣耀。

西方家庭观念对日本产生了影响。明治维新后，在知识分子的推动下，日本出现了传播自由民主思想的资产阶级启蒙运动。西方社会以一夫一妻为核心的家庭观传入日本。福泽谕吉等启蒙思想家批判家制度，主张“家的根本在夫妻，先有夫妻而后有亲子”。1875 年 2 月 6 日，政府官员森有礼带头践行婚姻自主，在福泽谕吉见证下与士族女儿广濑常签订结婚协议，这桩“契约婚姻”在当时引起了轰动。

近代工业的发展带来家庭结构的变化。明治维新后，随着身份制度的废除，人们有了选择职业的自由和受教育的机会，公共交通事业的发展也为人口流动提供了条件，求职、求学带来都市人口的增加。随着产业的发展和城市的扩大，依靠工资收入维持生计的家庭比例逐年增加，在 1888 年只有 11.2%，1909 年增至 33.5%，至 1920 年已达 45.3%。[①] 在社会变动面前，旧的家制度不得不面对这样的现实：家族成员离开祖先的墓地和过去赖以生存的家到外地就职、求学；亲子别居；次子、三子成家另过；以一对夫妇为核心的小家庭（日语称核家庭）的数量逐渐增多。1920 年日本首次进行的人口普查的结果表明，小家庭在亲属家庭中已占 59.1%。[②] 这种小家庭从经济上摆脱了家的束缚，家长权与旧制度日益落后于时代发展潮流。

从 19 世纪 80 年代中期开始，由于越来越多的家庭成员和小家庭与户主或父母分居异处，人们开始使用具有“Family”或“household”意义的“家族”（日语中的家族及家庭）这个概念。[③] 也是从这一时期开始，在家庭关系中，“主人”与“主妇”的称呼开始流行，即把妻子作为与丈夫对等的存在，将其置于“家政担当者”的地位，不仅反映出女性地位的提高，也凸显了小家庭的成长。同时，《家庭丛谈》（1876 年）、《家庭杂志》（1892 年）、《日本之家庭》（1895 年）等家庭杂志先后创刊，各类报纸也纷纷开辟家庭专栏，批判旧的家族制度与陈旧的家观念，赞扬充满夫妻恩爱的家

---

① 大橋隆憲：《日本の階級構成》，岩波新书，1971 年，第 26－27 頁。

② 根据国立社会保障・人口問題研究所：《人口統計資料集》2013 年，表 7－11《家族類型別世帯数および割合：1920—2010 年》计算。http://www.ipss.go.jp/syoushika/tohkei/Popular/Popular2013.asp?chap=7&title1=%87Z%81D%90%A2%81%40%91%D1。

③ 1872 年美国传教士詹姆斯・柯蒂斯・赫本在出版辞书《和英语林集成》第二版时，把“household”译成“家内、家族”，在 1886 年出版该书第三版时，把“family”译成“家内之人”“家族”等。広井多鶴子：《家族概念の的形成——家族とFamily》，《実践女子大学人間社会学部紀要》，第 7 集，2011 年。

庭。这些变化表明，旧的家制度已经落后于现实，不适应新社会的发展，传统的家走向瓦解是历史发展的必然趋势。

明治维新是在西方殖民主义压力下，由一群不满幕藩统治的下级武士与朝廷公卿中的改革派联合发动的，他们在建立新政权后，根本不想进行彻底的社会变革，人们常说的明治维新改革的不彻底性，莫过于封建时代家制度在近代的延续，而且是通过法律的强制而完成的。主要表现在两个方面。

第一，通过制定户籍把家制度均质化

户籍是了解家庭现状的依据。制定户籍曾经是律令时代模仿唐制实施的建立中央集权制度的措施之一，但仅仅在8世纪实施得比较正规。随着中央集权制的衰落和私有制庄园的兴起，从11世纪起，日本就进入了“阙户籍时代”，日本历史上也因此从未有过准确的家庭与人口记录。明治维新之后，为了建立近代军队和得到稳定的财政收入，拥有完备而翔实的户籍是非常必要的。1872年(农历壬申年)，日本有史以来第一次制定全国统一(北海道及琉球除外)的“壬申户籍”。户籍的记载以户为单位，以血缘关系者为基本成员，也包括非血缘关系成员。户籍的编制根据居住地原则，官私无别。“壬申户籍”的制定对近代家制度的产生具有重要意义。主要表现在每户设户主作为户的统帅；户籍的记载顺序以户主为中心，按尊卑、男女、长幼的顺序来记载，表明新政府通过户籍制度规定了家的范围，确定了户主与成员的关系。传统的家秩序通过四民平等的户籍登录被规格化。如果说前近代的家制度主要是实施于武家社会的制度，那么，“壬申户籍”的制定是近代社会家被均质化——将全体国民都纳入家制度之下的起点，其实质是“身份登录的制度”①。

“壬申户籍”的制定是在明治新政权成立后不久仓促完成的，此后一直在修订中。其中最重要的一次修改是在《明治民法》颁布后的1898年

① 福島正夫:《福島正夫著作集》第2卷《家族》，勁草書房，1996年，第15頁。

(明治31年)制定“明治三十一年式户籍”。这个户籍的最大特点是体现了家制度的原则,以家为户籍的编成单位,即一家由“户主”与“家族”构成,并改变了此前按居住地登录的原则,实行“原籍地主义”,户籍所在地、前户主、与前户主的关系、成为户主理由、家庭成员的情况一一记载。在户籍簿之外,同时设有《身份登记簿》,涉及本人身份及社会关系的内容,包括出生、死亡、结婚、离婚、收养、解除收养等均要详细记载。该户籍将概念上的、抽象的家具体化,使户籍成为人们具有“家籍”的证明,对于维护家制度发挥了重要作用。

日本在结束了长期闭关锁国,实行维新改革以后,通过建立近代户籍制度,实现了对国民基本情况的总体把握,使富国强兵政策有了基本的人口依据,但从“壬申户籍”到“明治三十一年式户籍”(后来还有大正四年式户籍),尽管登录样式发生了变化,但均以家制度贯穿始终,表现出维护家制度和家长制的意图。在战前的旧户籍用语中,“户主”“隐居”“家督继承”“私生子”“庶子”“废家”“绝家”等反映家制度的词汇大量存在。在许多家庭成员离开户籍所在地进入产业工人的行列,一夫一妻的小家庭日益增多的情况下,以家为中心进行登记的户籍与现实相悖,且限制了个人的自由。这种现象直到战后民主改革后才彻底改变。

第二,通过制定民法实现家制度的法制化

明治维新以后,以欧洲诸国法律为蓝本编纂近代法律,建立健全近代法制,是“文明开化”的重要内容,也事关收回外国人的治外法权,提高国际地位。但是有关家族制度的民法的编撰过程一波三折,从1870年就开始起草工作,其间几经推倒重来。1890年,以法国民法为蓝本的民法草案正式公布,并确定1893年1月1日开始施行。而这部迟来的民法却因为其中有关家族制度的规定稍有革新性质,被指责为无视日本“固有的淳风美俗”,破坏了家制度,有的法学家甚至提出措辞严厉的“民法出则忠孝亡”的口号,坚决反对民法的实施。其结局是重组起草班底,参照德国民法重新起草民法,拖拉到1898年7月才开始正式实施。这一事实说明对封建时代的家制度不要说废除，即便是有所触动也是很难的。《明治民法》中有关家族的定义是："户主的亲属且在其家者及其配偶，谓家族（第732条）"①，包括六等亲内的血亲及配偶、三等亲内的姻亲（第725条）。可见民法框架下的户并不是一夫一妻小家庭，而是若干小家庭组成的大家庭，从而反映出明治家族法的基本前提是维护以户主为中心的家制度，家制度下特有的家督继承制、隐居制等都被法制化，近代家族之内继续演绎着各种不平等。

家长与家庭成员之间的不平等。家长制是家制度的突出特征之一，尽管《明治民法》用"户主权"取代了"家长权"这一字眼，以突显其法律的近代性，但户主权就是实际上的家长权。它包括指定家族成员的居住地点；家族成员不得违反户主之意而自己决定其住所；若不服指定，户主可免除对该成员的扶养义务，直至使其离籍（第749条）。在当时许多人离开父母和家乡，进入工商业各部门，造成大家族制度的解体的情况下，这样的规定无疑是逆潮流之举。户主权还包括家族成员的婚姻和有关实行收养等事宜，要经户主允许（第750条）；有关继承、分家事宜也要经户主同意（第743条）；等等。家族成员几乎没有独立的人格与权利。

同胞兄弟之间的不平等。《明治民法》规定家督继承人继承前户主拥有的全部权利义务，家谱、祭具、坟墓的所有权是家督继承的特权（第986、987条），继承人的选择要遵循男子本位、嫡子本位、长子本位的原则。虽然规定同等顺位的继承人在继承财产时继承的份额相等，体现了平等精神，但同时也规定被继承人财产的二分之一为法定家督继承人的"遗留分"（在法律上必须为一定的继承人保留的遗产），财产均分并不能真正实现。非继承人仍然是家中多余的人，人格上受到歧视。

男女之间的不平等。《明治民法》中将家族定义为"户主的亲属且在

① 湯泽雍彦编：《日本婦人問題資料集成・5・家族制度》，第240頁。以下关于《明治民法》的内容均引自此书。

其家者及其配偶”,将配偶列在家族成员的最后,体现了近代法律对女性的定位。根据《明治民法》第746条“户主及家族称户主家之氏”和第788条“妻因婚姻而入夫家”的规定,女性结婚后就自动放弃了娘家的姓氏而改称夫家的姓氏,丧失了独立人格;对丈夫的遗产,妻子是次于直系卑属的第二位的继承人,实际上继承丈夫遗产的希望极其渺茫;作为母亲,只能在“父不明时、死亡时、离家时或不能行使亲权时”才能行使亲权(第877条),对子女毫无管辖、约束能力;单方面要求女性的贞操,法律规定可以认领私生子,区别在于丈夫认领的私生子称庶子,妻子认领的称私生子,庶子在家督继承的顺序中居私生子之前(第970条)。不仅表现了男女之间的不平等,也在事实上承认了婚外的性关系。

总之,《明治民法》中有关家族制度的法律徒具近代的外表,直到战败,日本人的家庭关系一直处在家长制、家督继承制、男尊女卑的制度约束之中。

(三) 战后至今:家庭从解放到弱化

确立以民主、平等为基础的家族法,否定家对个人的控制,树立与此相适应的家族道德,本应是明治维新的任务之一。然而它却被人为地大大延误,并导致近代日本步入歧途,直到战败后在外力的强制下,这场社会改革的任务才痛苦而又艰难地完成。

1945年,日本战败投降,随之,在美国占领当局的直接干预下,进行了一系列民主改革,旧的家族制度亦得到清算。1946年11月,公布了《日本国宪法》,就家庭、婚姻等问题在第24条中专门规定:婚姻基于男女双方之合意即得成立,且须以夫妻享有同等权利为基础,以相互协力而维持之;配偶的选择、财产权、继承、居住之选定、离婚以及其他有关婚姻及家庭之事项,法律应以个人之尊严及两性平等为依据而判定之。根据新宪法的精神,新民法(1948年1月1日开始实施)就有关家族制度的内容(亲属编和继承编)进行了重大修改:首先,废除家制度,户主的权力、家督继承、隐居及有关家制度的内容亦随之被全部取消。其次，改革婚姻制度，保护成年男女婚姻自主的权利；姓氏由双方协议确定；夫妻互负同居的义务。再次，改革继承制度，继承仅因死亡而发生，仅涉及财产继承，而不再有家长权利、义务、地位的继承，并由子女平等继承遗产。最后，保障女性权益，配偶者有不贞行为时，即可提起离婚诉讼，不因其为夫或妻而不同；离婚时当事人的一方有权向另一方要求分割财产；被继承人的配偶有权继承被继承人的财产；母亲成为亲权人。战后家族制度的改革，使自幕府时代以来充满不平等的家制度归于瓦解，家庭关系发生了根本变化。

第一是小家庭获得了真正的独立

根据 1947 年 12 月颁布的户籍法，于 1948 年开始制定“昭和 23 年式户籍”，以基于婚姻关系的一对夫妻与其未婚子女为单位进行登录，实行一本户籍一对夫妇原则，子女一旦结婚，必须另立户籍。这样，以法律促进了大家庭的解体，一夫一妻的小家庭（也称核心家庭，包括一对夫妻家庭、一对夫妇与未婚子女家庭、单亲与未婚子女家庭）拥有了单独的户籍，从家制度下的大家族脱离出来。此后，随着大家族的分裂及人口向大城市的迁移、结婚等原因，小家庭在亲属家庭中的比例逐年提高，1955 年为 62%，1960 年为 63.4%，1975 年为 74.1%，1990 年为 77.6%，2000 年为 81.1%，2010 年达到 84.6%。①

第二是家庭规模缩小

战后家庭彻底告别了封建时代的大家族，1950 年平均每个日本家庭的人口为 5.02 人，到 1975 年，已经下降到 3.48 人，到 1990 年，进一步减少为 3.01 人，2010 年，降至 2.46 人。② 导致规模缩小的原因，除了小家

---

① 根据国立社会保障・人口問題研究所：《人口統計資料集》，2013 年，表 7－11《家族類型別世帯数および割合：1920—2010 年》计算。http://www.ipss.go.jp/syoushika/tohkei/Popular/Popular2013.asp?chap=7&title1=%87Z%81D%90%A2%81%40%91%D1。

② 根据国立社会保障・人口問題研究所：《人口統計資料集》，2013 年，表 7－4《世帯的種類別平均世帯人員：1920—2010 年》。

庭确立和人口流动的促进作用外，还由于年轻人独立性增强，既达成年就脱离家庭独身生活的日益增多。此外，出生率下降也是一个重要原因。从20世纪50年代开始，日本的出生率急速下降，每个家庭孩子的平均人数越来越少，1950年为3.60人，1960年3.20人，1970年为2.71人，1977年已经降到1.89人。[①] 由于一般家庭至多只生两个孩子(一个男孩，一个女孩)，故人们将此称作“长男长女时代”。

第三是女性在家庭中地位的变化

在以男子优先、父子关系为本位的家转变为以男女平等为前提、以夫妇关系为本位的家庭以后，女性在家庭中的地位普遍提高。她们有了结婚、离婚的自由，有了财产继承权，就业比例也逐年提高，[②]改变了过去忍气吞声、逆来顺受的形象。虽然传统的“男工作，女家庭”的社会分工并未彻底改变，但是男人应该参与家务劳动的观念已经深入人心。[③] 在绝大多数的日本人家庭中，都是由主妇“拉着钱口袋绳子”，掌管家计，安排家庭的生活。

毫无疑问，战后日本的家庭已经从传统家族转变为现代家庭，这不仅是战后民主改革的成果，也是战后日本经济发展带来的人们生活方式的巨大变化。但是随着日本经济发展带来的社会保障制度的完善，人们越来越追求个人享乐及独立，同时随着生活成本的提高，职场工作压力增大等原因，家庭关系弱化的倾向也凸显出来。

晚婚与不婚、不育 虽然现行日本法律规定男18岁、女16岁即可以结婚，但人们普遍晚婚。据厚生劳动省的统计，2010年平均初婚年龄

---

① NHK广播舆论調查所:《図说战后舆论史》，日本放送出版協会，1982年，第42頁。

② 女性雇佣者占全体雇佣者的比例:1985年为35.4%，2005年为41.5%，2010年为42.9%。平成22年《働く女性的実情》，http://www.mhlw.go.jp/stf/houdou/2r9852000001c7u6—att/2r9852000001c7vn.pdf。

③ 根据NHK放送文化研究所的舆论調查，认为“男人应该做家务的”，1973年为53%，1988年为72%，1998年为84%，2003年为86%。NHK放送文化研究所:《日本人の意識変化の35年の軌跡——第8回〈日本人の意识2008〉调查から》，http://www.nhk.or.jp/bunken/summary/yoron/social/030.html。

为男 30.7 岁，女 29.0 岁。与此同时，不婚者也呈增加趋势。男性的终身不婚率从 1975 年的 2.12%增至 2000 年的 12.57%（女性为 4.32%和 5.82%）。[①] 在日本广播协会（NHK）实施的每五年一次的舆论调查中，认为“人生中应该结婚”的，从 1993 年的 45%降到 2008 年的 35%，而认为“没必要结婚”的从 51%增加到 60%，其中在 25—29 岁年龄段的女性中竟高达 90%。[②] 选择“单身贵族”生活是单身家庭大幅增加的重要原因之一。[③] 还有不少人甘当“丁克”族，结婚却不生孩子，2008 年，已婚但没有孩子的家庭已经占所有家庭比例的 22.4%。[④] 晚婚、不婚、不育不仅挑战了家庭伦理，也带来少子化和人口下降的严重后果。

离婚率提高　长期以来，日本一直以维护传统，重视家庭，离婚率低的形象示人。自 20 世纪 90 年代中期以来，日本的离婚率明显上升，从 1999 年开始，连续十年年离婚总数超过 25 万件，其中 2002 年接近 29 万件，创造了 2.3‰这一自 1898《明治民法》颁布以来离婚率最高纪录，较之 1960 年的 69 410 件，增长了 4 倍多。[⑤] 人们惊呼，每三对夫妇中就有一对离婚的时代已经到来。引人注意的是，在离婚热中，婚龄在 20 年以上的中老年夫妇离婚（日语称“熟年离婚”）成为仅次于 10 年以下婚龄的最大离婚群体。中老年离婚的特征一是多由女性提出，二是多伴随男性退休而发生。居高不下的离婚率及中老年离婚热，对日本社会产生了较大震动与影响。从家庭关系角度而言，一般被认为是弱者的女性，在丈夫退休之际提出离婚的现象反映出有“企业战士”之称的男性在家庭生

---

① 平成 17 年《国民生活白書》《子育て世代的意識と生活》，http://www5.cao.go.jp/seikatsu/whitepaper/h17/01_honpen/html/hm01010003.html。

② NHK 放送文化研究所：《日本人的意識変化的 35 年的軌跡——第 8 回〈日本人的意識・2008〉調査から》。

③ 1960 年日本社会的单身家庭占 4.7%，至 1990 年增至 20.2%，2010 更增至 31%。

④ 厚生労働省：《平成 20 年国民生活基礎調査の概況》，http://www.mhlw.go.jp/toukei/saikin/hw/k—tyosa/k—tyosa08/1—1.html。

⑤ 伊藤陽一等：《男女共同参画統計データブック 2009——日本の女性と男性》，行政出版社，2009 年，第 26 頁。

活中角色的缺失,离婚后带来贫困、流浪者增加、自杀人数居高不下等社会问题,也引起社会对传统婚姻、家庭模式的思考。

传统家庭养老优势缺失 在以家督继承制为核心的传统家制度下,尽管存在着各种不平等,但强调权利和义务的完全匹配,在赡养老人问题上责权分明,即家产与家业的继承者必须负担被继承者的老后生活,其他没有继承权的子女则没有赡养义务,他表现得如何都不会受到社会的指责。战后,家督继承制被废除,法律规定家庭子女不分男女,都有平等的继承权。但实际上平均继承并未完全实现,而是按照父母的意愿优先分给某个继承人(一般是长子),在父母年迈的时候,这个继承人自然而然地就应该赡养父母,这种观念在战后很长时间里都存在。据日本广播协会1975年进行的舆论调查,认为“家是需要继承人的”的占63%,有39%的人认为“最好由长子继承家并承担照顾双亲的义务”①。实际上,一方面,抚养和照料父母的责任都落在长子身上。2005年《读卖新闻》进行舆论调查时,多数人将长子置于“继承人”的位置,并认为长子应该履行赡养父母的义务。② 由于与老人同居,照料其生活并不轻松,所以当今许多女性不愿嫁给长子,使长子,尤其是农村家庭的长子处于结婚难的境地。另一方面,长子以外的人往往既不负赡养义务,却又主张继承财产的权利,最后只得诉诸法律,本来就不亲密的兄弟姐妹关系就更加淡漠了。

结语

综上所述,家,在日本并不是一个温馨的字眼,它绵延存在千年以上时间,直到战后改革才被废除,家庭从此获得了真正的独立。一方面,从家到家庭的变革过程,艰辛而又漫长,体现了日本社会保守与固守传统

---

① 日本放送協会、放送世論調查所編:《図说戦後世論史》,日本放送出版協会,1982年,第42頁。

② 2005年5月25日《読売新聞》。

的特点。另一方面，战后日本近70年经济的发展创造了发达的福利制度和安居乐业的社会环境，让人们减少了对家庭的依赖和养老的后顾之忧，西方文化与生活方式对传统的家庭关系与家庭观念造成强烈冲击，社会已经进入“上不必养老，下不想养小”①的状态。而一个国家中既不想承担家庭责任，也不愿承担人类再生产社会责任的人多了，社会何来可持续发展？想来严重人口下降的现实已经让日本人感到了深刻的家庭危机。

二　日本传统家庭的传统

日本是有着深厚家族传统的国家。依托于祖先之灵的、纵式的、连续的、观念式存在的“家”，是日本传统家族制度的根本特征。“家”是“超越世代，经营一定的行业乃至为换取恩给和封禄而提供服务的集团”，是人们赖以生存的基础。这种家族制度经过长期存在与发展，积淀出深厚的文化传统，它是日本传统文化的一个组成部分，其重要性不仅表现为在整个传统文化体系中的地位，还突出表现为它与每个生活在家族社会中的日本人关系密切，直接影响着人们的精神生活和一切行为。

（一）重家系

家系即家的血统、门第，是每个人乃至整个家族的根据，历来为人们所重视。重家系在日本有着久远的传统，其根源，最早可溯及大和时代的氏姓制度。氏姓是古代日本的社会组织和政治制度，它以氏区分贵族血统，以姓鉴别等级高下，维持统治秩序。氏姓，在古代史书中一般都同时使用，如“物部连”“苏我臣”“倭直”“水取造”，实际这里包含着两个概念，其中“物部”“苏我”“倭”“水取”为氏，而“连”“臣”“直”“造”为姓。氏

---

① 陈立行：《不必养老不想养小的日本社会》，2013年8月16日新华网，http://news.xinhuanet.com/2013—08/16/c_132636430.htm。

是自阶级社会形成以后自大化革新前的统治集团，每个集团都崇拜同一祖神，其内部包括氏人（血缘亲属）和部民、奴婢等被奴役者，首领称氏上，各个氏都世袭某一职业，其称呼或氏于居，即根据居住地得名，如葛城氏、平群氏；或氏于职，即根据所从事的职业、技术得名，如中臣氏（从事祭祀，中臣为神人之中介之意）、物部氏；或氏于族，如秦氏、汉氏，其中以地名、职业为氏者居多。由此看来，氏是职业、世系、血统的标志，称氏的非皇族即贵族。

姓基于氏产生并服务于氏。在中国，“人所以有姓者何？所以崇恩爱，厚亲亲，远禽兽，别婚姻也，故纪世别类，使生相爱，死相哀，同姓不得婚娶，皆为重人伦也”[①]，可见姓的作用在于区分血统。日本的姓则与中国的姓大相径庭，“其姓氏者为人之根本”[②]，是根据贵族的出身世系由天皇下赐的荣誉称号，用以标志贵族的等级尊卑，带有爵位的性质。姓主要有以下几类：“臣”“连”姓赐予天皇后裔和神别诸氏（神别系传说中天孙降临时的五个随从的后裔）；公（君）姓一般是皇族后裔的姓；地方首领国造以“直”为姓，品部的首领以“造”为姓，“首”大多是地方上的县主和村落首长的姓。姓的尊卑标志着贵族地位的高低，得到赐姓是莫大荣幸，一人得姓则恩及全族，且世代相传，若玩忽职守、犯上作乱，则夺姓、贬官。大化革新之后，日本虽然借用了中国的官僚制度，却没有采用中国的通过科举选拔官员的做法，而是沿用所有等级和地位都由出身世系决定的本国的传统，姓仍被作为家系、门第的象征。684年，天武天皇“更改诸氏之族姓，作八色之姓”[③]，实际上得姓者多是旧氏姓贵族。后来，随着皇权的衰落，属于皇裔的“真人”姓的地位也日渐低微，相反，大贵族独占的“朝臣”姓反而青云直上，至平安时代，“朝臣”被作为姓之最，变成权

① 《太平御览》卷362，人事部，姓名。

② 《令義解》卷一，职员令。

③ 八色之姓：一曰真人，二曰朝臣，三曰宿祢，四曰忌寸，五曰道师，六曰臣，七曰连，八曰稻置。《日本書紀》天武天皇13年条。

力的象征，像藤原氏那样居高官高位者都以此称之。

从平安时代中期起，朝廷式微，皇权旁落，姓也逐渐销声匿迹，但是，"一切已死的先辈们的传统，像梦魇一样纠缠着活人的头脑"①，它给后来的历史以极大的影响。在氏姓制度下，社会的等级划分是根据出身世系，以姓的尊卑为标志而确定的，姓带来了贵族在朝廷、官府中的爵禄官阶。随着社会结构的变化，等级的划分很快变为按照家族式的主从、亲疏来划分。比如，镰仓时代的武士有御家人、非御家人之分，在德川时代的统治阶级内部，根据与幕府将军血缘的远近与关系的亲疏，分为御三家、御三卿、御家门及亲藩、谱代、外样，如何进行这种划分，家系自然是不可缺少的依据。这种基于家系的等级划分是日本历史上阶级关系的重要特征，因而，家系代表一家之社会地位，具有无可替代的作用。在人们心目中"人无高贵家系，不能出人头地，出人头地者，必有高贵家系"②，家系左右着人们的婚姻、仕途、升迁。即使在武士双方兵戎相见时，也要首先通报各自的家系，炫耀一番，然后一决雌雄，似乎家系高贵是能够克敌制胜的精神力量。久而久之，形成了一种僵化的观念：家系是人们立身出世的根本，贵族、武士与平民之间永远有一种不可逾越的鸿沟。

在日本封建社会，家系门第观念自始至终支配着人们的行动。在律令时代只有氏姓贵族才能跻身于公卿之列，在武将秉政时代的幕府更替之中，仍然是只有显贵才能染指将军之位，从来没有家系卑微的人通过战争或者暴力夺得政权、建立幕府的。唯一有所例外的是丰臣秀吉，虽然他足智多谋，威望过人，基本完成了统一大业，却终究未敢染指将军之职，恐怕与出身卑贱——其父只是一个"足轻"不无关系。在丰臣秀吉的政治生涯中，曾极力对自己的家系进行美化，随着他的步步得势，其家名也在不断变化，最初称木下，后改姓羽柴（因敬慕武将丹羽长秀、柴田胜

① 《马克思恩格斯选集》第1卷，人民出版社，1972年，第603页。

② 井上和夫：《家族制度と日本法》（上），厳翠堂，1942年，第5－6頁。

家,各取二人姓之一字为姓),不久又称平秀吉、藤原秀吉,任太政大臣后,便以天皇赐姓的形式称丰臣朝臣,这一过程暴露了丰臣秀吉对自己出身的自卑,也说明他对高贵家系的崇尚,不断更名改姓表面是个人行为,实际上是当时的社会风气使然。"大名的儿子是大名,足轻的儿子是足轻,水吞百姓的儿子是水吞百姓,乞丐的儿子是乞丐"①,权利世袭成为铁的规律,封建社会的结构自始至终都建立在权利世袭制度的基础上,尤其是在德川幕府统治的近 270 年中,"经历了世界上最严格、并切实地得到加强的世袭制度"②。在这种制度下,重门第,子承父业,家族永续的门阀观念为封建家长们胥肝不忘,名门望族互通婚姻,不惜以子女、亲属为"政略婚姻"的工具,以维持长享富贵、世代荣宠的地位,致使社会空气一片浑浊。

正因为家系主宰了人们的社会生活,所以,在日本历史上,颇有些人为了平步青云,伪造家系往自己脸上贴金,更有些人背弃祖先,购买名门家系以炫耀于人,因此,辨别家系的真伪,维护家系的尊严,自然而然受到人们的重视。早在公元 5 世纪,大和国家的统治者就曾对氏姓的真伪进行过一种叫作"盟神探汤"的"神判"③,使假冒氏姓的人受到处罚,维护了氏姓制度的严肃性。为做到对家系有证可查,有迹可依,7 世纪初年,圣德太子与诸大臣一起编纂"天皇纪、国纪、臣连伴造国造百八十部本纪",该书实际是皇室及诸贵族的谱牒。9 世纪初,朝廷针对社会上"新进本系多违故实,或错综两氏混为一氏,或不知源流倒错祖次,或迷失已祖过入他氏,或巧入他氏以为已祖"④的情况,主持编纂了《新撰姓氏录》,这部官撰氏族志如同法律,既是选官的依据,也是贵族地位的证明。自此以后,大小贵族群起仿效,追根寻祖,制作系谱(家谱),一时间成为一种

① 西岡虎之助等:《鄉土研究講座·3·家》,角川書店,1958 年,第 56 頁。
② 赖肖尔著,孟胜德等译:《日本人》,上海译文出版社,1980 年,第 168 页。
③ 盟神探汤:日本古代原始的审判方法,即在瓮中置沸水,令犯罪嫌疑者将手投入其中取石子,以手是否烫伤判定有罪与否,《日本書紀》允恭天皇纪 4 年条。
④《新撰姓氏録》序,佐伯有清:《新撰姓氏録研究》本文篇,吉川弘文館,1974 年,第 146 頁。

社会风气。南北朝时期，由历任左大臣、右大臣的洞院公定主持编纂了集诸氏系图之大成的《尊卑分脉》，该书记载了中央贵族及其他诸氏的家系。封建社会后期，德川幕府为了维护严格的等级制度，曾两度大规模调查诸大名、旗本、幕臣的谱系，进而编纂了《宽永诸家系图传》(1641—1643 年编纂)、《宽正重修诸家谱》(1799—1812 年编纂)。官方—朝廷或幕府主持全国规模的修谱，是日本修谱事业的一大特点，它从一个侧面反映出日本人对家系门第的重视及系谱对于统治阶级维护等级制度的重要作用，这些官修谱牒的编纂流传，不仅使注重家族传统的日本人能轻而易举地将自己的家系上溯至数百年乃至上千年前，更使后人能够掌握各个家族的发展脉络，从中了解日本历史的发展过程。

明治维新之后，"四民平等"的实现，为许多没有家系背景的人通过接受正规教育来提高自己的社会地位提供了可能，不过，在重家系门第的传统观念面前，要使这种可能变为现实是相当困难的，必须要付出巨大的努力。华族制度的制定，使旧贵族、藩主等人又获得了新的特权与荣誉，而且，不断有维新功臣、高级官僚、大资本家、军人等成为华族新成员，按其功勋可得到公、侯、伯、子、男的爵位，并可世袭，因此，门第观念仍然在很大程度上左右着人们的生活。拥有不凡的家系照样是高人一等的资本，很多人的眼光依然注视着贵族的家谱，从过去的世袭制度到由教育来决定等级地位的过渡经历了很长时间。日本人真正实现不是靠继承、出身、家庭背景，而是靠个人的努力和接受正规教育获得在社会上完全平等的地位，还是在战后的事情。

(二) 贵家名

每个人都有姓有名，姓与名是人的社会生活的标志。在不同的国家中，姓与名有着不同的作用。比如在姓名的排列上，西方人是先人名，再父名，最后是家名，从中反映出西方人个人至上的特点。在中国人的传统中，姓代表了家族的徽号，祖先的荣誉，子孙的延续，被作为一个人的根据而不得更改,所以中国的传统是先族名,再辈名,最后是人名,可见中国人注重的是家族与家庭。与中国人重视姓这一情况相类似,日本人重视的是家名。中国的姓与日本的家名,两者的共同之处在于都是以同一称呼将祖先及其子孙贯穿起来,具有唤起超时代的联系感的作用。然而,两者不同的是,家名是依附于家的称呼,只要某人属于或可以继承某个家,那么,他就与家名有关;中国的姓则是附属于个人的称号,家不外是同姓者形成的集合体,因此,"日本人从家名所想到的是自己的社会地位,是祖先遗业的结果,中国人由姓所感觉的是在自己或同族的体内有继续存在的祖先的生命"①。

日本的传统家庭是以家业为核心的,其外部特征就是家名。家名本身代表了一定的社会关系,而且是超世代的、长期的代表一定的社会关系,换言之,正因为日本传统家族制度是一定社会关系的反映,所以才产生了家名。谈到日本人的家名,不能不谈日本人的姓名。在日本家族史中,家名和姓名曾经是相通的,日本人姓名的历史,实际就是家名的历史。如上所述,"姓"这一字眼,早在大和时代就已出现,不过此时的"姓"与一般理解的姓名是不同的概念,它不是用于区分血统,而是贵族身份尊卑的标志,在古代社会里人们用来区分血统的不是"姓"而是"氏",大大小小的氏集团是大和国家的社会基本单位。大化改新前后,随着社会的发展,这种氏集团逐渐分裂为以家族为基础的一支支小的集团,每个集团都以特定的称呼(多根据官职、历史地名,或根据自然现象、地理地形命名)称之,家名即来源于此,而且最初只是在贵族中使用。武家社会形成后沿用了这种做法,并随着土地的开发和不断的移居使这一做法在地方上也流行开来。在日本封建社会,拥有家名是贵族和武士的特权,平民百姓只能称名而不能称姓,只是到了封建社会后期,德川幕府为了维护统治,对于一些忠于职守的町村官吏和对反抗幕府的人揭发、告密

---

① 尾藤正英:《中日文化比较论》,第 36 页。

者及有捐款等突出表现者，作为表彰，允许他们拥有“苗字”，极少数平民因此而有了家名，一些商人也开始用屋号作为商家的标志，至于广大平民百姓拥有作为家名意义的姓还是在明治维新后作为贯彻四民平等的措施才实现的。不过平民百姓多是取地名、住所、田名为姓而称其家，没有姓近卫、鹰司、西原寺等贵族姓的，更没有姓德川、松平、岛津、毛利之类领主姓的。所以，家名代表了一个人的身世、地位和家族的历史。

家名附属于家而非个人，故与它相联系的不是家的生物性延续，即家名断绝并非自然意义上的断子绝孙，而意味着一定社会关系的消亡。对于武士来说，家名断绝是指被取消了封禄，对商家来说则可以理解为屋号消灭，意味着经营破产。显然，家名代表的这种社会关系不是由于个人的存在而得以确立和维持的，而是作为人的活动的结果而建立并维持的。也就是说，家名是先祖以来历代家庭成员努力的结晶，是家庭成员生命的一环，与人们身份、地位、荣誉联系在一起。正因为如此，作为家长代表家名或作为家庭成员享有家名都是一件很光荣的事。同时，因为家名断绝是“家”的最悲惨的结局，家名很容易被子孙的懈怠或劣迹所破坏，故维持家名这一珍宝，使之代代相传便是家庭成员的首要任务。在日本家族史上，家名极受珍重，并有不少保护家名不受损害的措施。比如，剥夺家名使用权是对有不端行为的家庭成员的最严厉的处罚手段，《结城家法度》规定，“对不忠者要与其断绝关系，削其名字”①；又如，千方百计维护家名的尊严，只有家督继承人才有权继承家名，而不得他人染指，室町幕府将军足利义诠曾指令丰后国守护大名大友氏，“大友名字乃能直（大友氏初代）以来总领之号，故庶子随意自称之甚无理由”②，因此，总领家之外不得称大友氏，而只能称诧磨、志贺等别名，德川时代的富商三井家的家训《宗竺遗训》也明确规定“次男以下分家之时，不得

① 《豊田武著作集》第 8 卷，《日本の封建制》，吉川弘文館，1983 年，第 133 頁。
② 豊田武：《日本史小百科 7・家系》，近藤出版社，1990 年，第 176 頁。

使用三井之家名”[①]；再如，家名世袭（袭名制）的习俗，即子孙代代承袭同一名称，只称第几代，这一习惯大多用于商家、艺能家，如歌舞伎中著名的宗家——市川家，代代都称为市川团十郎，从 17 世纪下半期至今已传了十几代。一些从大商家发展而来的财阀家族的家名也有类似之处，如三井财阀从 17 世纪起至战败为止凡 11 代，总领家的家长一直称“三井八郎右卫门”，住友财阀的本家则袭称“住友吉左卫门”，鸿池财阀的家长称“鸿池善右卫门”，这些措施充分反映出家名的重要及人们对家名的极度珍重。

最能反映日本人重视家名的事实是家徽在人们生活中的作用。所谓家徽就是家的标志。在历史上，欧洲的贵族或神父虽有家族或集团的徽章，但没有一个国家像日本那样——大多数人都有自己家族的象征——家徽（日语称纹章）。

家徽最早问世于平安时代的公卿贵族当中，最初是用在他们上朝或参加社交活动时所乘车辇的所用道具上，还有的织在衣服上，以区别彼我。后来，随着贵族社会注重门第之风日长，家徽便作为家族世系的标志展现在正式场合及公众面前。武士阶级兴起并掌握政权后，家徽的重要性进一步显示出来，在频繁的战争中，为区别敌我，武士们受到贵族家徽的启发，在战旗、武具、车棚幕布乃至衣服用具上印上家徽，对于出生入死的武士来说，家徽既是一种标志，也是祈求保护、诅咒敌人的精神寄托。到了德川时代，天下太平，幕府为了维护统治，制定了严格的等级身份制度，即使在武士阶级内部也等级森严，告别了战争的家徽从此又成了身份的象征，在“参觐交代”或举行登城等公开仪式之际，大名、武士必须穿上印有家徽的服装，使人们对其身份一目了然，大名、武士也只能根据各自的身份施以不同的礼节，并得到不同的待遇。家徽最初只是植

---

① 《宗竺遺訓》，ジョン・G・ロバーツ 著，安藤良雄，三井礼子監訳：《三井——日本における経済と政治の三百年》，ダイヤモンド社，1976 年，第 421 頁。

物、数字等简单的图案，后来渐渐演变成与家的信仰有缘或与家有关的图案，偶尔也有根据传说绘制的图案或由君主授予的图案，因此，植物、动物、文字、自然现象、花纹，家徽的图案五花八门，种类繁多，最后竟多达 1.2 万多种。①

家徽以美的形式浓缩了“家”的名誉与荣耀，象征着家世，其作用颇似中国的家谱。所不同的是，家谱是对家系的文字记录，而家徽则是非语言文字形式表示家的存在的标志，对人们有着无声的约束作用。身穿有家徽的衣服，使用有家徽物品，不必通报姓名，他人就可知晓他是谁家的人，所以，家庭成员都要维护自己家的利益和形象，行动上小心谨慎，不致因个人行为的不端而玷污家的名誉。

家徽作为家族门第的象征、家名的直接表现，受到社会的广泛重视，它是维护家族荣誉的精神武器，在人们心目中是至高无上的。正因为有如此重要的意义，家徽的使用范围逐渐超出皇室、贵族和武士，在平民中也开始使用。比如，商人们积极采纳武士以家徽志家名的办法，把家徽印在“暖帘”上，作为商号来使用。商号具有代行家名的作用，是商家家业的象征，在商人的心目中，印有家徽的“暖帘”甚至比财产还要重要。

对家名的尊重与崇尚，反映出日本人对“家”的依赖，“家”的盛衰荣辱与每个人的命运息息相关。经过这种家族传统的长期熏陶和家族式社会结构的制约，形成了日本人对集团的强烈归属意识和日本文化的群体性格。人们习惯于以“我家”来称自己的工作单位、所属的组织或学校，几乎所有大中企业或学校都将社徽、厂徽、校徽制作成大大小小的徽章，佩戴在工装或校服上，不论走到哪里都表明他们属于某个集团。标志代表一个集团的名誉和团结，具有强有力的统合作用，日本人之所以如此重视标志，“家”的传统和对家名的尊重是其深刻的历史根源和社会根源。

① 樋口清之著，王彦良等译：《日本人与日本传统文化》，南开大学出版社，1989 年，第 35 页。

（三）祖先崇拜

在影视作品中或在日本人的家中常常可以看到日本人的现实生活中有一种现象，即许多人的家中都设有佛坛，供奉着祖先的牌位，不仅逢年过节要进行祭祖活动，即使平时出门之前、回来之后或发生重大事情时，都要在牌位前默立，虔诚地与祖先之灵交谈，以求得保佑和心灵上的安慰，即使生活快节奏的大都市的人们也是如此。在日本狭窄的国土上，零零星星分布着一块块家族墓地，不时有人前来修整打扫，馨香凭吊。这些情况不能简单地用迷信或什么别的字眼来解释，它根源于日本人的祖先崇拜传统。

祖先崇拜是父权家长制的产物，在一切实行父权家长制的国家中几乎都存在过祖先崇拜。自古以来，日本人就是虔诚的祖先崇拜者。在古代氏族社会里，人们按照自己的民族宗教——古神道教的规矩一丝不苟地进行氏族之内的祭祀。有血缘关系的、有共同祖先与职业的大大小小的氏族，都有整个氏族共同崇拜的守护神，即氏神，在一些规定的日子里，氏族成员集合到供奉守护神的神社里，由氏族首领率领着进行祭祀，感谢神的恩惠，祈求神的祝福。直到今天，在农村中还保留着这种宗教仪式。

随着社会生产力的进步和人们文化水平的提高，尤其是在日本传统家族制度形成及永久不灭的“家”观念产生之后，祖先崇拜便被赋予了新的内容，人们对自己的直接祖辈的崇拜取代了对远古的祖先的崇拜，经常的和最深刻的宗教体验便“始终是以自己家的佛坛和神龛为中心举行的家庭礼拜”①。至江户时代中期，在农家当中供奉祖先的牌位已经成为普遍现象，“牌位的存在与家制度的发达几乎是同行的”②。

---

① ルース・ベネディクト:《菊と刀》，社会思想社，1975年，第228頁。

② 中根千枝:《〈家〉の構造》，大河内一男:《家》（東京大学公開講座），東京大学出版会，1976年，第1頁。

祖先崇拜是日本传统家族制度的基础，贯穿于日本"固有之家、国体制的根本之柱，是祖先崇拜之大义"，"家的观念是在祖先崇拜的大义上产生的"。① 许多日本人认为，祖先是"我身承继下来的血脉之根本，我家之始也"，"尊敬祖先是我国风美之所在，于一家之中亦如此，故一家大事必先奉告祖先，而后决行"。② 因此自日本传统家族制度形成以后，祖先崇拜便成了日本人家族生活与精神生活中的必不可少的内容，许多家规、家训中都有有关敬祖、祭祖的严格规定。

与中国的包括立宗庙、建祖宗祠堂和一系列烦琐的祭祖礼仪相比较，日本人的祖先崇拜活动简洁而朴素。通常"敬祖是在家庭起居室的佛坛前进行的，这与神社完全不同，佛坛里只祭奠六七位最近逝世的人。在日本，不管属于哪个阶级的人，每天都要在佛坛前行礼，为那些至今仍记忆犹新的已故父母、祖父母或近亲供奉食物"③。显然，日本人崇拜的并不是远古的祖先，而是已故的父亲、祖父这样的近亲。在日本人的心目中，已故祖父、父亲不仅是在血缘、辈分上高出自己的人，是自己的本源，还因为他们是"家"的直接开创者和传续者，是最为重要的、最该供奉的偶像，也是最好的、最可靠的、最有力的精神寄托者。因而对这些直接的祖先有着十分现实而深厚的感情，有无限的敬仰，有一种本能的内心折服感和依赖感，日本人之所以对祖先感恩戴德，敬若神灵也正因如此。20 世纪 50 年代，曾有一位苏联的记者记下了一个叫作山田的码头工人勤于祭祖的情况，"他，一个普通农民的儿子，似乎从来就没有使他的祖先的灵魂恼怒过或激动不安过，他虔诚地遵守着那种普通的但是根本的敬祖先的礼仪，那种礼仪像他们日本人所说的那样，是永远比山高比海深的。每天早晨，他在那供着祖先灵牌的家庭灵坛上，放着两小盅水和

---

① 穂積八束:《国民道徳の要旨》，文部省編:《日本教育史基本文献・史料叢書・4・国民道徳ニ関スル講演》，大空社，1991 年，第 25 頁。

② 第一勧銀経営センター編:《家訓》，中経出版，1979 年，第 386 頁。

③ ルース・ベネディクト:《菊と刀》，第 62 頁。

一两撮米，以供他们的饥渴，山田对他的祖先的记忆始终特别虔诚”①。这不过是日本人祖先崇拜传统的一个缩影。

祖先崇拜的传统之所以能够长期存在，是因为它对维护传统家族制度具有重要作用。这种作用主要表现在：第一，奉行孝道，即祖先崇拜与孝顺家长、服从家长相联系。祭祖表面是祭死去的人，其实质却在于对活着的家长表示顺从与尊敬。“孝意味着祖先崇拜，孝就是祖先崇拜”，“对父母尽爱敬之情，就必须对父母的父母尽爱敬之情，对全体祖先、无限际的祖先尽爱敬之情，这就是孝。”②对死去的先祖的敬仰无疑需要，也必定滋生对活着的家长的信爱，对死人顶礼膜拜，必须对活人尽孝，崇拜就是崇孝，因此，在一些家规、家训中，敬祖先与孝父母是互相联系着的，孝成了百善之首，它要求人们遵守祖宗的家法，顺从祖先的后继者即家长的意志。第二，祈盼家的延续，这里指的是家的生物性生命的延续，中国儒家“不孝有三，无后为大”的观念同样为日本人接受，某人如果没有后代，就是不孝之子，就等于没有留下祭祀祖先的后代而使家系断绝，“不能将祖先传之家督首尾相续乃对祖先的不孝和子孙不繁昌之故”（《鸿池家训》）③。因此，为了在死后每天有人在起居室的佛坛的牌位前祭奠其亡灵，为了永世不断传宗接代并维持家族的荣誉与财产，“每个日本男子必须有个儿子”④。这样，日本人便通过生物性繁殖和宗教性祭祀将家、祖先、子孙整合在一起，每个人都是“家”的一员，死去的人是现在的人的祖先，现在人将是子孙的祖先，把“家”的过去、现在、将来都维系在一个圈子之中，致使任何人都不敢抛弃祖先。第三，扬名显亲，以求家业世代永在，这种观念与中国人的光宗耀祖的观念极为相似。“思子孙者思家之故也，思家者思先祖之故也，思先祖者，家之继承之本意也”

① 科仁：《日本见闻录》，上海文艺联合出版社，1955 年，第 13 页。

② 井上哲次郎：《国民道德大義》，東京府内務部学務課編：《修身科講義録》，大空社，1991 年復刻版，第 156 頁。

③ 第一勧銀経営センター編：《家訓》，第 300 頁。

④ ルース・ベネディクト：《菊と刀》，第 294 頁。

(《伊势贞丈家训》)①,“家业繁昌乃天地自然之道”(《繁田家训》),祭祖、敬祖活动,实际上是家长教育子女的一种手段,即以作为家的代表或象征的祖先为楷模,通过祭祖活动,使子女向祖先认同,现任的家长死后当然也就成为子孙认同的对象,以此来保证“家”的代代延续和发展。日本人经常教育子孙“不可忘天恩、宗祖父母之恩、师恩”,“忘却先祖之艰难虚度时光则败家产,子孙遭灾”(《繁田家训》)②。这种教育的目的是明确的,这就是家庭成员人人都要像祖辈那样,励精图治,继承祖先的遗志,完成其遗愿,使家业代代发扬光大,做到这一点,最好的办法之一就是纪念、拜养祖先。在这里,祖先是维系家族团结的纽带,是家族成员进一步发家守业的精神源泉与动力。第四,祈求祖先保佑,防灾免祸。日本人相信,祖先是家业的开创者,后代子孙皆受祖先的恩惠,只要精诚祀之,祖先之灵必能保佑子孙后代生活平安,事业成功。除了对祖先有一种敬仰感,同时也有一种深深的畏惧感,他们认为祖先既能保佑子孙,也能惩罚子孙,“怠慢先祖之时,将子孙不繁昌,出现各种灾祸,其身难保”。还有人认为,“人有两个灵,即魂魄也,人死之时,魂灵消散,魄灵则留于其家,永远存在,其证据是世上所谓幽灵即死人之灵的表现,又所谓死灵怨灵等缠住所恨之人、令人烦恼之事,即魄灵留于此世、所施着数也”,所以“怠慢了先祖,先祖之魄灵将作祟,使各种灾害不断,身、家、子孙都面临危险”(《伊势贞丈家训》)③。如何避免这种可怕的局面,只有“不怠而祭之”,才能保证平安。

祖先崇拜不仅在于表达人们对祖先的感激和怀念之情,也不纯粹是一种对血亲关系确认、追溯的冲动,各种形式的祭祖活动也不仅是出于简单的祈祷亡灵赐福保佑的迷信观念,而是有着十分重要的文化价值,它反映出人们的信仰归属和文化、心理定式,反映出人们的意识趋向、内

---

① 第一勧銀経営センター編:《家訓》,第229頁。

② 第一勧銀経営センター編:《家訓》,第317頁。

③ 第一勧銀経営センター編:《家訓》,第229頁。

心追求和精神寄托，说明人们对家族关系无限崇尚。它包含着对家族繁衍与家业兴旺的期待，是保证家族和人生的过去、现在、未来之间连续性的纽带，是至高无上的"家"观念作为一种潜意识在支配着人们的祭祀行为。祖先崇拜的传统又在维护着"家"观念，二者有着密不可分的联系。当今，日本经济高度发达，已很少有人相信祖先有灵之类的说法，但是大多数人仍在自觉不自觉地参加各种祭祖活动，说明人们头脑中崇拜祖先的意识连同"家"的观念仍然存在，并已经沉淀在文化的深层结构中了。

结语

家庭为人们生活的基本单位，具有特定的生活方式及调整家族关系的行为规范，因此，在一定意义上说，家族传统是一个特殊的文化系统，在传统文化与人们的关系中，家族传统对人们的作用、影响、约束最直接、最彻底，这就是重家系、贵家名、祖先崇拜之类的家族传统长期制约日本人的政治生活和家庭生活的原因。随着近代化和战后民主化的发展，日本的传统家庭早已瓦解，但是，传统家庭的传统却没有销声匿迹，仍然在一定的程度上影响着人们的思想和行动。

三　日本传统社会人伦关系中的"非礼"因素

礼是中国传统社会中的社会规范和道德规范。在中国古人的世界观中，"有天地，然后有万物；有万物，然后有男女；有男女，然后有夫妇；有夫妇，然后有父子；有父子，然后有君臣；有君臣，然后有上下；有上下，然后礼仪有所错"①，说明婚姻家庭制度自古就是礼的组成部分，维护家族人伦关系，是儒家礼教的重要内容。日本作为中国的近邻，在国家形成及后来发展、繁荣的过程中深受中国文化的影响，但是在人伦关系的

①《周易·序卦传》。

很多方面却一直与中国传统格格不入。本文所要谈及的“非礼”不是指现代汉语中的“不合礼节”“不礼貌”，而是与儒家礼教背道而驰之意。

（一）近亲通婚习俗

同姓不婚，是中国古代最重要的婚姻禁忌之一，周代礼制中有着严格的同姓不婚的规定。① 这一禁忌的出现，主要是出于生物学上的理由。中国古代姓氏合一之前，姓代表着同一血缘团体，如果同姓联姻，则等于族内通婚。古人虽然还不能科学地解释近亲通婚的危害，但是已经认识到族内通婚将带来人种退化的危害，②所以禁止近亲通婚，以防产生不良后代。在中国古代社会，同姓不婚原则为人们严格遵守，直至被写进法律，如唐律规定“诸同姓为婚者，各徒二年，缌麻以上以奸论”③。唐律还在“十恶”中设“内乱”罪，近亲相奸被视作禽兽行为。然而，随着社会的发展、人口的增加和宗族的分化，同姓人之间未必都有直接的血缘关系了，同姓不婚的原则也就逐渐失去原来的意义，因而不得不做一些相应的调整。到了清代，已经变为“同姓者重在同宗”④，即禁止同宗之内通婚。

古代早期，由于社会发展的滞后，更由于人类学知识的欠乏，日本的皇室为了维护家族血统的纯正，一直遵循从皇女中遴选皇后这一不成文的传统。大致看一下从 5 世纪前期的第 17 代天皇履中天皇（400—405 年在位）到第 45 代天皇圣武天皇（729—749 年在位）之前的 22 代男天皇的皇后情况，就可以了解这一特征。之所以选择这一阶段，是因为从履中天皇起，中国及日本史书对日本历史有了比较可信的资料记载，到圣

① 如“娶妻不取同姓，故买妾不知其姓则卜之”（《礼记·曲礼》）。“娶妻避其同姓”（《国语·晋语》）。“男女辨姓，礼之大司也”（《左传》昭公元年）。

② 如“男女同姓，其生不蕃”（《左传》僖公二十三年）。“同姓不婚，恶不殖也”（《国语·晋语》）。“内官不及同姓，其生不殖，美先尽矣，则相生疾，君子是以恶之”（《左传》昭公元年）。

③《唐律·户婚律》。

④《大清律例·户律》。

武天皇时期，皇后必须出自皇族的传统被贵族藤原氏打破，这一时期恰好处于日本皇位继承的“原生态”时期。这22位男天皇中除一人皇后情况不详(武烈)、五人未立后(清宁、反正、崇俊、弘文、文武)外，其他16代天皇的皇后都是在皇族中产生的(见表3-1)。

归纳起来，这17位天皇与皇后的关系是：

1. 天皇与同父异母妹二人：敏达、用明；
2. 天皇与姑姑四人：履中、雄略、安闲、宣化；
3. 天皇与从妹四人：允恭、安康、孝德；
4. 天皇与再从妹一人：仁贤；
5. 天皇与侄女四人：钦明、舒明、天智、天武；
6. 天皇与远房妹一人：继体；
7. 天皇与远房侄孙女一人：显宗。

表3-1 古代天皇皇后关系一览表①

代数	天皇名	皇后名	皇后之父名	与天皇关系	备注
17	履中	草香幡梭皇女	应神天皇	姑姑	
18	反正	未立后			夫人津野媛
19	允恭	忍坂大中姬命	稚渟毛二派皇子	堂妹	
20	安康	中蒂姬命	履中天皇	堂妹	
21	雄略	草香幡梭姬皇女	仁德天皇	姑姑	
22	清宁	无偶			
24	仁贤	春日大娘皇女	雄略天皇	远房妹	
25	武烈	春日娘子	不详	不详	
26	继体	手白香皇女	仁贤天皇	远房妹	
27	安闲	春日山田皇女	仁贤天皇	远房姑姑	
28	宣化	橘仲姬皇女	仁贤天皇	远房姑姑	

① 参照児玉幸多:《日本史小百科·天皇》制作，近藤出版社，1978年。

（续表）

代数	天皇名	皇后名	皇后之父名	与天皇关系	备注
23	显宗	难波小野王	丘稚子王	不详	
29	钦明	石姬皇女	宣化天皇	侄女	
30	敏达	额田部皇女	钦明天皇	同父异母妹	推古女帝
31	用明	穴穗部间人皇女	钦明天皇	同父异母妹	
32	崇俊	未立后			妃大伴小手子
34	舒明	宝皇女	茅渟王	侄女	皇极、齐明女帝
36	孝德	间人皇女	舒明天皇	堂妹	
38	天智	倭姬王	古人大兄皇子	侄女	
39	弘文	未立后			妃十市皇女
40	天武	鸬野赞良皇女	天智天皇	侄女	持统女帝
42	文武	未立后			夫人藤原宫子
45	圣武	藤原安宿媛	藤原不比等		

本表中未纳入的第 33 代（推古）、35 代（皇极）、37 代（齐明）、41 代（持统）、43 代（元明）、44 代（元正）天皇为女天皇。

这里体现出古代皇室婚配的两大特征。第一个是近亲通婚，最近者乃是同父异母兄妹通婚，如在第 29 代钦明天皇的子女中，出现了两对夫妻（第 30 代敏达天皇和他的异母妹，后来成为推古天皇的额田部皇女；第 31 代用明天皇和他的异母妹穴穗部间人皇女，他们结婚后生下圣德太子）。第二个特征是不同辈分的乱伦婚配。有四位天皇的皇后是亲侄女，属血缘卑亲属；四位皇后是天皇的姑姑，属血缘尊亲属。近亲通婚加上乱伦婚配，使得皇室内的人伦关系变得极其复杂。如第 41 代天皇持统女帝（686—697 年在位）与第 43 代天皇元明女帝（707—715 年在位）本是同父异母姐妹，而持统女帝当了叔叔天武天皇（673—686 年在位）的皇后，所生之子草壁皇子长大以后，又娶元明女帝为妃，姐妹二人就变成了婆媳。天智天皇与天武天皇兄弟及其子女的婚姻，更具近亲通婚加上乱伦婚配的典型性。天智天皇(626—671年)有十个女儿,在婚姻情况有明确记载的八个皇女中,有四人成了同胞弟弟天武天皇的妻室(其中第二皇女鸬野赞良皇女是为天武天皇的皇后,在天武天皇去世后,即位为持统天皇),有两人的婚姻对象是天武天皇与其异母姐所生的皇子,另有两人分别与天武天皇的其他两位皇子结婚。八人中,有四人的婚姻是亲叔侄通婚,四人是堂兄妹通婚。这是典型的族内婚,日本学者称之为"父系近亲婚"[①],保留了浓厚的原始社会族内婚特征。

贵族社会也毫无例外地实行近亲通婚。如发动大化改新的功臣中臣镰足之子藤原不比等及其族人的女儿除了与皇室通婚之外,大都是与本族男子结婚。藤原不比等本人的妻子就是同父异母妹。他先让女儿藤原宫子给文武天皇当夫人,生下首皇子,后来成为圣武天皇。接着,藤原不比等又把另一个女儿光明子立为圣武天皇的皇后,以达到控制天皇的目的。于是,藤原宫子与藤原光明子这一对同父异母姐妹也变成了婆媳。

带有浓厚的原始社会族内婚色彩的近亲婚之所以在日本长期存在,与日本社会直到大化改新前都实行"访妻婚"有直接关系。所谓"访妻婚",即指男女双方结婚后并不在一起居住,而是各居母家,过婚姻生活则通过男到女家造访来实现。在这种婚姻形态下,父亲不是家族的一员,子女也各随生母在异处生长,同父异母之兄妹实则与外人无异,通婚也就成为自然。而生活在一起的母子、母女关系和同母兄弟姐妹这种"同胞"关系则最亲密,最受重视。故访妻婚下唯一的禁忌就是同父同母兄弟姐妹之间的婚姻关系。如据《日本书纪》所载,允恭天皇的太子木梨轻皇子因与同母妹轻大娘皇女发生了性关系而受到了严厉惩罚,[②]这就是同父同母兄妹之间通婚禁忌的反映。除此之外,同父异母兄弟姐妹之

---

① 西野悠紀子:《律令制下の氏族と近親婚》,女性史総合研究会:《日本女性史・第1巻・原始、古代》,東京大学出版会,1982年,第116頁。

②《日本書紀》允恭纪二十四年条。

间、叔侄之间的婚姻关系都是正常的。所以，当古代日本人制定律令的时候，尽管在许多方面都模仿了唐制，但对于同姓不婚的禁忌和近亲相奸的“内乱”罪都毫不犹豫地舍弃，就连参与制定《大宝律令》《养老律令》的重要人物藤原不比等也是与同父异母妹结婚，说明日本人未将同姓不婚的禁忌写入律令绝不是偶然的疏漏，而是这种法律根本就不符合当时日本的风俗，因而对此排拒之。

上述古代日本皇室与贵族的近亲通婚，依中国的礼教看来都属于不折不扣的乱伦，但在日本却能长期存在，且对后来影响很大。皇族内近亲通婚的习惯一直延续到近代以后，造成皇族成员血质不良，人丁不旺。民间长期存在的叔侄之间通婚的习俗直到1898年明治民法颁布实施才被禁止。至今堂兄妹、表兄妹结婚在日本不仅为法律所允许，而且为民众所接受。日本人对男女私通能持较宽容的态度，风俗业的发达、性开放的程度即使与欧美国家相比也有过之而无不及，这些都能追溯到日本古代的婚姻传统，却是无法用中国的儒家礼教来衡量的。

（二）辈分意识欠乏

在以血缘为纽带、聚族而居的中国宗族社会当中，血缘秩序具有十分重要的意义，故维护血缘秩序的规范——辈分应运而生。辈分虽然是以血缘关系为基础的，但“不是纯生物学意义上的，它具有社会学和政治学上的意义”①。辈分在宗族结构中的意义在于：第一，辈分体现了宗族内部的等级制度，意味着家族内部的权势划分，辈分高者为尊，辈分低者为卑。这种等级区别不会因年龄而改变，尊卑关系永远不得混淆；第二，辈分是族人履行个人在血缘等级关系中的权利和义务的依据，抚养义务的轻重，荫庇的大小，政治荣誉的得失，法律惩治的宽严，赋役的多少，继

① 王沪宁：《当代中国村落文化——对中国社会现代化的一项探索》，上海人民出版社1991年，第82页。

承权等，无不与辈分所代表的亲属关系远近、亲疏有关，传统的五服制度就是辈分原则的集中体现；第三，辈分也是决定收养、继承、婚姻等事宜的关键，尤其是立嗣必须选择辈分适当的人，在收养养子的原则上，与“异姓不养”并重的是“昭穆”相当。

古往今来，辈分紊乱一直被中国人视为人伦之大忌。但是这一伦理观念在日本就不能为人们所接受了。前面提到的日本古代皇室、贵族的乱伦婚配便说明，古代日本人在社会发展水平上还处于较低的阶段，尚未彻底摆脱原始群婚，当然也就没有严格的辈分意识。日本人以隋唐为样板制定律令的时候，也把昭穆制度写进法律，不过这仅仅是形式上的，在现实生活中倒错辈分是普遍现象。如《养老令》的“户令”明确规定：“凡无子者，听养四等以上亲于昭穆合者”，但《养老令》的官撰注释书《令义解》把“昭穆”解释为：“谓昭者为父，故曰明也。穆者，敬也。子宜敬父也。”于是，昭穆制度中规范血缘秩序的实质内容就被忽略不计，只剩下“子宜敬父”的道德约束了。当时日本人的习惯是，如果在近亲中没有合适的人选，便选择年龄相差 15 岁的弟弟或堂弟做养子。据 9 世纪后期编纂的《令集解》载，“今时人，多以已亲弟、从父弟等为养子”。《令义解》对此解释为，“凡取养子者，年齿须相适，……男子十五听婚，既定夫妇，理当有子。然则年十五者，则于三十者，有为子之道。年四十者，则于二十五者，有为父之端”，也就是说，在日本人的眼中，相差 15 岁的兄弟就有为父为子之道了，变兄弟为父子乃是正常的收养行为。根据对日本古代贵族系图《尊卑分脉》的考证，“到平安时代中后期，这种无视血统、辈分的复杂收养关系不胜枚举”①。如平安时代后期左大臣藤原赖长做了其兄藤原忠通的养子，其后赖长的儿子藤原师长又做了其祖父藤原忠实的养子。这样，如果从藤原赖长这里说，藤原师长是藤原忠实的孙子；可如果从藤原忠通这里说，先把弟弟作为养子，那么，养子的儿子复又成为

① 参见官文娜：《日本历史上的养子制及其文化特征》，《历史研究》2003 年 2 期。

自己父亲的养子，也就是说，藤原忠实与藤原师长又从祖孙关系变成了父子关系。

紊乱辈分的现象是与儒家礼教格格不入的，而且这种现象在日本历史上曾经长期存在，尤其是在近世严格的“家”制度下，成为继嗣延续的重要补充手段。如在德川幕府十五代将军中，正常的继承（子继父）只有七代，其他则全部是由养子继承。较为典型的是第七代将军德川家继七岁早夭，御三家之一的纪伊藩第五代藩主吉宗便被选作养嗣子继任了第八代幕府将军。德川吉宗不仅年龄要大于其养父 25 岁，而且论辈分属于祖父辈。因这种年龄大于养父母的“年长养子”或辈分高于养父母的“尊属养子”严重违背人伦，故在江户时代中期以后为幕府和各藩禁止，但孙辈作祖父养子的则不稀罕。江户时代儒学家、有“近江圣人”之称的中江藤树就是父亲虽健在，但被祖父收为养子，从而继承祖父的武士家业的。另一儒学家熊泽蕃山（本姓野尻）也是从小被作为外祖父养子而抚养，长大继承其家业的。与祖孙养子相比，以弟弟作哥哥养子的更为常见。比如，室町幕府第八代将军足利义政因无男性子嗣，便以其弟足利义视为养子，没想到不久其妻又生下男孩足利义尚，足利义政遂欲改变原来的决定，立亲生儿子为继承人。当时，任幕府重职三管领之一的武将畠山家也面临着同样情况：畠山持国因长期无嗣而以同父异母弟畠山持富为养嗣子，不想 40 岁时，得一妾生庶子，便立其为继承人。于是，两位继承人及其支持者展开了殊死争夺。将军家与重臣家的继承人之争搅在一起，最终酿成长达十年、波及全国的大规模战乱——应仁之乱。近代以后，“不得把尊亲属或年长者收养为子女”被写进《明治民法》，但祖孙养子、兄弟养子仍存在，并得到法律的承认。如财阀三井家总领家第十代家长三井高栋（1857—1948）本是第九代家长三井高朗的弟弟，因为三井高朗体弱无嗣，他便当了长兄的养子，于是二人由兄弟变成了父子。

中国人对辈分秩序的重视与日本人辈分意识的欠乏，源于对“代”的不同理解。中国人所说的“代”是依据人类血缘关系的繁衍而划定的，所谓同辈，即指兄弟姐妹，上一代，肯定是父辈，无论发生什么情况，这种客观存在的辈分关系都是不能改变的，这不仅是法的规范，也是礼的规范。而日本人所说的“代”是按家业继承情况而划定的，因此即使是生就决定了的人伦关系——祖孙、父子、兄弟，也可以因家业继承的需要而改变之，在这里，根本见不到“礼”对日本人的约束，展现在人们面前的是十足的功利主义和对现实利益的追求。

由于家业永续观念和长子继承制的存在，人们最关心的是家的纵向延续，因此，日本人的祖孙一体的概念，不论从精神上，还是从形态上，都是指纯粹的从祖先到子孙的一脉相承，相同辈分中的横向关系则受到排斥。从家族社会学的角度来讲，这样的家族被称作“直系家族”。为了昭示家族的传承，日本人使用“祖孙连名制”，即祖孙袭用同一个字来命名，这种独特的命名系统与中国人使用辈字标志辈分的做法截然不同。例如，室町幕府历代将军的名字如下：

尊氏——义诠——义满——义持——义量——义教——义胜——义政——义尚——义伊——义澄——义晴——义辉——义荣——义昭

仅仅通过这一连串名字，人们无从知晓这些称“义”字的人的辈分，中国人很容易误认他们是同一代人，而实际上从辈分上说，这十五代将军属于八代人，时间跨度为 235 年！可见日本人只注重世系的延续，而没有中国人那种严格而明确的辈分概念，实则重视家的整体，忽视个人的存在。日本人还有一种与此相关的世袭家名传统，即在一些名门世家，为了保持家族的荣耀，由子孙代代承袭同一名称。如传了 12 代的歌舞伎中名家成田屋的“市川团十郎”，茶道里千家传了 16 代的“千宗室”等。这种现象说明祖辈的名字已经成了家业的象征或一笔无形的精神财富，个人即使存在，也完全被淹没于家族之中。

（三）模拟血缘关系

在中国封建社会，人们受宗法观念的影响，非常重视宗祧继承。在继承宗祧时，要严格实行的嫡长制，自古有所谓“立嫡以长不以贤，立子以贵不以长”①的原则。如果无子，则要人为地设立后代，是为立嗣。封建时代的立嗣制度与近现代的收养制度有着严格的区别，其目的是上以事宗庙，下以继后世，以保证祭祀、家统不绝，及至养老送终。立嗣的条件相当严格，强调的是“血的共同”，注重的是“昭穆”秩序，通常是采用过继的方式，即在本家族内部进行调节，在同姓中从近亲依次到远亲，取辈分相当者，若立异姓则为封建礼法所不许。固然，在中国封建时代，除了为继嗣这一目的外，也有一般的养亲子关系，如为了添人手，壮门户，养老送终等。但在习惯上、舆论上，都是异姓不养，中国封建法律也严格禁止收养异姓养子的行为。之所以异姓不养，主要是出于对血缘关系的维护。自古以来中国人就有“神不歆非类，民不祀非族”的思想，如果以异姓入继，就是对祖先神灵的亵渎，“纵有异姓之子能奉香火，然神不歆非类，宁得感通，有后名存，实为绝嗣”②。为了维护家族血缘的纯洁性而奉行异姓不养的原则，是“礼”的直接体现。

日本人收养养子的目的，与其说是为了继嗣，莫如说是为了实现家业的延续。在幕府时代，以养子继承家业在武家社会形成了通例，更有以弟弟或孙子做养子的情况。也有不少武士集团的首领，把家臣或家臣的孩子收为义子，双方结成干亲关系，将模拟的父子关系与主从关系结合起来，以此作为扩大势力的重要手段。让养子与女儿结婚，从而成为婿养子的做法也开始出现，这种做法更加深了养父与养子之间的关系。战国时代，社会秩序混乱，大名之间为达到争霸天下的目的，收养养子也

---

①《春秋·公羊传》隐公元年条下。

②《元典章》17·承继。

成了与“政略婚姻”一样的扩大势力或遏制对手的手段。例如，织田信长在攻占伊势地方的神户城时，受到神户氏的抵抗，最后不得不以第三子织田信孝作为神户城主神户具盛的养子之条件（改名神户信孝）与神户氏媾和。到江户时代，由于确立了严格的家制度，养子之制达到前所未有的程度。其表现一是养子的形式多样化，除了在无儿无女情况下从同族人中选择的“通例养子”之外，“顺养子”是承袭过去的老习惯，以弟弟做哥哥的养子；“婿养子”即把女婿作为养子，使女儿的婚姻与收养合二为一；“末期养子”（也叫“急养子”）是在临终前或病重危笃之际，为避免一家绝嗣仓促认领的养子；“临时养子”是在没有继承人的情况下临时外出离家，为防种种不测而临时指定的养子；“心当养子”是防止 40 岁以上的家臣突然去世而无继承人，为保险起见收养的养子。养子制度发达的另一表现是养子的人数大量增加。据竹内利美根据《宽政重修诸家谱》（德川时代直属将军的大名、旗本、幕臣的谱系）对 128 家大名家族的 3 023名男性成员的调查，江户时代前期，大名家的男子给他人当养子的为 8%—9%，而到江户时代中期，这个数字已经达到 31. 3%。[①] 普通的武士家庭也同样盛行养子制度，据考证，1708 年，冈山藩的藩士约三分之一由养子继承家业，[②]加贺藩在宽政至天保年间（1789—1843）由养子继承家业的则高达半数。[③] 另据玉城肇对静冈县滨名郡坪井村 1872 年户籍的考察，在 126 名户主中，有 29 人是养子，占 23. 1%，[④]说明在庶民阶层中收养养子的也不在少数。

在日本历史上，尽管中国儒家“异姓不养”原则也常常被人提及，但在现实生活中却流于形式化。自律令时代有了明确的关于养子制度的规定起，就与“异姓不养”原则发生了背离。如前所述，《养老令》的户令

① 竹内利美:《家族慣行と家制度》，恒星社厚生閣，1969 年，第 98 頁。

② 谷口澄夫:《岡山藩政史の研究》，山陽新聞社，1981 年，第 444 頁。

③ 服藤弘司:《相続法的特質:幕藩体制国家的法と権力 5》，第 342 頁。

④ 玉城肇:“养子制度的目的”，中川善之助教授還暦記念家族法大系刊行委員会编:《家族法大系・中川善之助教授还历纪念・4・親子》，有斐閣，1966 年，第 267 頁。

规定“凡无子者，听养四等以上亲于昭穆合者”，这一条的原形显然是唐户令“诸无子者听养同宗于昭穆相当者”。这一变化的意义在于，中国的“同宗”是指同一祖先的男性后代，日本的“四等以上亲”则包括在中国被列为异姓、从而不能成为收养对象的姐妹之子、妻妾前夫之子。尤其是在幕府时代，收养养子成为一种政治手段，哪里还顾得上同姓异姓？异姓养子得到社会的广泛认同。到江户时代，异姓养子越来越多。比如在清末藩的藩士中，养子的人数达到四成，其中三分之一是异姓养子。[①] 据家族社会学家汤泽雍彦对埼玉县春日部市若干个村明治初年户籍的考察，在 20 岁到 69 岁的男子当中，有四分之一是养子，而且几乎全部是异姓的婿养子。据此他推测从江户时代到明治时期，日本男子的四分之一是养子，且主要是婿养子，汤泽雍彦本人的父亲与叔叔也是婿养子。[②]

明治维新是一场不彻底的改革，“在明治家族法中，旧的家族制度被保存最多的部分就是养子制度”[③]。《明治民法》保留了传统的“家”制度，出于延续家业考虑的养子制度也继续盛行于近代社会，明治初期的《征兵令》规定免除户主及其长子兵役，次子以下成员为逃避兵役而到无子家庭当养子，也是养子多的原因之一。所以，我们可以看到在各界的知名人士中，有许多人都是养子。如政治家岩仓具视、文学家芥川龙之介、社会活动家大山郁夫、实业家古河市兵卫、海军大将山本五十六等。在任过首相的人中，是养子的可以举出寺内正毅、高桥是清、加藤高明、滨口雄幸、吉田茂等人的名字。养子制度发达造成的结果就是，“除了天皇家族之外，几乎所有日本人的家族都有与异姓混血的历史”，“即使再出色的家族，也不可能把血缘关系上溯到数代以前，因为家系和血系是很难一致的”。[④] 也就是说，任何家族，如果没有养子继承的话，都无法持续

① 磯田道史：“藩士社会の養子と階層移動—長門国清末藩の分析”，国際日本文化センター紀要《日本研究》，第 19 集，1999 年 6 月。

② 湯沢雍彦：“日本における養子縁組の統計的大勢”，《新しい家族》，1983 年，第 3 号。

③ 高柳真三：《明治家族法史》，日本評論新社，1951 年，第 69 頁。

④ 太田亮：《家系系図の合理的研究法》，立命館大学出版部，1930 年，第 5 頁。

长久,一个家族家系的延续往往与数个家族血系的延续相联系。

深受中国文化影响的日本为什么背离了"异姓不养"的原则？笔者认为最根本的原因还是出于日本人根深蒂固的家业观念。日本的家不单纯是以婚姻和血缘关系为纽带的具体家庭,而是立于这种具体家庭之上的家族经营体。与血缘的延续相比,日本人更重视家业的延续。平安时代贵族的家业包括身份、官位、家号乃至家产,在武家秉政的幕府时代,经过天下大乱到天下大治的过程,武士阶层也完成了由族向家的转变,通过向主君尽忠——"奉公"而换取俸禄成为武士家业的核心,也是武士赖以生存的基础。贵族与武家的家制度与家业观念对庶民社会产生了很大影响,尽管身份制度带来一系列不平等,但同时也使农民与町人在自己的"分限"(身份允许的范围内)内为各自家业的繁荣而努力。所以,不管对何种身份的人来说,家业都是最重要的。这种家业观直接左右了日本人的血缘观,在中国人眼中至高无上的血缘关系在日本是服从于家业需要的。收养养子的目的不仅仅是弥补血缘关系的缺陷,更重要的是延续家业,而且,不一定是在无嗣的情况下才收养养子,有儿子,照样可以收养养子。如果亲生儿子不成器的话,很可能被养子或婿养子取代,这就是日本养子之制的独特之处。有的时候,即使已经"断子绝孙",也能进行人为地调整,从而避免"绝家",幕末勤王志士坂本龙马就是一例。坂本龙马被暗杀时没有子女,为了不让倒幕的功臣断嗣,在他去世四年后,明治政府命令由坂本龙马姐姐的长子高松太郎改称"坂本直",从而继承了坂本龙马这一系统。"香火"已断,家名犹存。血缘与家业孰重孰轻？日本人选择的是后者。所以,日本的家就像竹子一样,外壳坚硬,笔直地生长,内部却是空空的,没有血缘的内涵。家名、家宅和家业是长久存在的,可是住其家、袭其名、从其业的人彼此之间可能没有任何血缘关系。①

① 陈其南:《婚姻、家族与社会》,台北允晨文化实业有限公司,1986年,第17页。

结语

日本人接受了儒家文化，却只吸收了有益于统治的部分政治伦理，而对作为儒家人伦根本的婚姻、家族伦理加以排斥，或进行变通。本节所涉及的近亲通婚、辈分意识欠乏及异姓养子大量存在的事实都与儒家伦理规范相去甚远。这些"非礼"因素之所以存在，除了两国历史进程、社会结构、家族结构存在差异之外，一个很重要的原因就是日本人是一个很注重现实利益的民族。当人们将家业的发展置于最重要的位置时，血缘关系、辈分秩序都可以根据现实利益的需要进行人为的调整。不能否认，日本人在家族人伦关系的很多方面摆脱了儒家礼教的束缚，因此，他们的家族关系较为开放，建立在此之上的人际关系与社会关系也相对简单，在面对近代化挑战时，所遇到的障碍也就比中国小得多。

四　妇产科医生世家贺川家的家系继承

——关于日本家族制度的一个实证考察

日本虽然是深受儒家文化影响的国家，但在风俗文化、社会习俗方面多有与儒家文化的故乡中国格格不入之处。本节拟通过对日本妇产科医生世家贺川家的继承情况的实证考察，说明日本家族制度的特征。

(一) 贺川家对日本近代妇产科学的贡献

贺川家是日本自江户时代至明治时代久盛不衰、赫赫有名的妇产科医生世家。要了解贺川家，首先要从贺川家始祖贺川玄悦说起。

贺川玄悦(1700—1777)，字子玄，生于近江彦根藩(于今滋贺县)。本姓三浦，祖上是代代侍奉彦根藩藩主井伊家的家臣，至其父三浦军助长富时，已是三浦家第五代。根据当时彦根藩"庶子不能继承家禄"的藩法规定，妾腹所生的玄悦无缘继承下级武士的家业。七岁时，玄悦的生母去世，于是被母亲的娘家贺川家收养，从此成了贺川家的养子，并改姓贺川。

有关贺川玄悦生母家的情况，基本上没有记载。但从拥有“贺川”姓氏这一情况来推断，贺川家是归农的武士。玄悦成为贺川家养子后，即被“教以稼穑之事”①。长大以后的玄悦才华出众，他不愿于农家老死一生，于是暗自学习针灸与按摩技术。大约 25 岁前后，“自奋思立功德以及人也”②，为了学医而离开家乡到了京都，在一贯町一边做旧铜铁器的买卖，同时从事针灸按摩，以维持生计，一边钻研古医方。③ 经过勤学苦练，不仅创造出独具特色的号称“贺川流按针法十二针”的针灸按摩方法，同时，对古医方的汤剂之方也颇有造诣。贺川玄悦为了钻研医道而殚精竭虑，因恐分散精力而三年不与妻子同衾之事被传为美谈。

大约在贺川玄悦 40 岁左右的时候，一个偶然的机会，使他涉足妇产科，并因此创造了挽救产妇生命的“回生术”。当时，邻居一个妇女难产，胎儿的手已经露出，却无法继续分娩。看着产妇濒死的样子，贺川在认真思考后，用古秤上的铁钩将已经死在母体内的胎儿引出，从而保住了产妇的生命。这一大胆的举动堪称日本最初的产科手术，现在看来此种手术是很残酷的，但是在仅仅依靠药物加巫术、咒语的当时的助产界，是一个了不起的开拓。

通过抢救这个产妇，贺川玄悦悟出了一个道理，即难产之际仅靠药物是无济于事的，必须依靠手术。从此贺川玄悦进一步钻研助产术，使“回生术”不断完善。他“大治产妇，日数百人。凡世医所难，先生无不治，治皆无不全”④，被人们视为“救生之神”，声振京师。1768 年，贺川玄悦被阿波藩藩主峰须贺氏聘为藩医，从此加入士籍。

---

① 《産論》附賀川玄悦伝，賀川玄悦顕彰記念出版，1977 年。

② 賀川子玄先生墓碣銘，賀川明孝：《賀川玄悦の系譜とその周辺》，1995 年，第 4 頁。

③ 江户时代的中医学派。自中世末期以来，日本医学界以脱离临床实践、重思辨的“后世派”占主导地位。“古医方”主张按照尊重经验与实践的古代医学精神进行治疗。江户中期以后，此学说进一步推广，在西方医学传入日本以前成为医学的主流。

④ 《産論》附賀川玄悦伝。

发现正常胎位，是贺川玄悦对医学界的又一重大贡献。通过做产科手术，并得益于长期从事按摩业的经验，贺川玄悦否定了医学界对胎位的错误认识。此前，不论东方西方，都认为胎儿在子宫内是头部朝上，臀部朝下，在分娩开始后，头部才开始转向下面。贺川通过触诊，提出正常胎位是上臀下首。在今天看来，这些不过是普通常识，而在当时不啻为重大发现。这个发现几乎与西方人同时①，是近世日本医学界"可以夸耀于世界的三件大事"之一。②

1765 年，贺川玄悦在 66 岁时，总结多年临床经验，著书《产论》。该书分四卷，在"孕育""占房""已娩"三篇中，详细论述了孕妇的妊娠、分娩、产褥各阶段疾病的诊断及治疗、护理的方法。第四篇为"产椅论"与"镇带论"，力陈当时产妇在产后于产椅上正坐七天，不得躺卧风俗的弊害，呼吁孕妇为了胎儿的正常发育，抛弃使用腹带束腹的习惯。这是日本最早的妇产科学著作，由此开创了日本近代妇产科的先河，并奠定了近代以后接受西方妇产科学的基础。1825 年，贺川玄悦的妇产科医术被著名的兰医、德国人希波尔德(Philipp Franz von Siebold 1796—1866)介绍到欧洲，贺川玄悦因其突出贡献被誉为"日本近代妇产科学奠基人"。

贺川玄悦于 1777 年病逝，在此后至今的三百多年历史中，其后人皆秉承祖先衣钵，代代以妇产科医生为业。贺川家的家系在贺川玄悦之后，首先分成由养子继承的贺川家正系(也称阿波贺川家，现住德岛县，传十二代)和由长子继承的贺川家嫡系(也称京都贺川家，现住京都市，传八代)，后来又从贺川家嫡系分出北贺川家(现住冈山县，传七代)、押小路贺川家(因无嗣而绝家)、大阪贺川家(现住大阪府堺市，传七代)、东

① 1754 年，英国人威廉·斯梅利(William Smellie)著书"A set of Anatomical Tables with Explanations and an Abridgment of the Practice of Midwifery"，书中第一次提到正常胎位是下首上臀，但此书传入日本是在 1774 年。

② 在日本近世医学中三件"可以夸耀于世界的大事"：第一，华冈青洲发明全身麻醉(1805)，第二，贺川玄悦正常胎位的发现(1765)，第三，大矢尚斋的肾脏机能的实验(1800)。阿知波五郎：《医史学点描》，思文閣出版，1986 年，第 192 頁。

京贺川家(因无嗣而绝家)。[①] 贺川家后人不仅继承了贺川玄悦创造的妇产科医术,而且不断完善、补充,使其发扬光大。其中贺川家正系作为贺川家的本家,对于弘扬贺川玄悦的妇产科医术更是有着不可磨灭的贡献。第二代贺川玄迪是贺川玄悦的高徒,也是妇产科名医。玄迪著书《产论翼》,补充了贺川玄悦《产论》中的不足之处。到第三代贺川子全时,在任阿波藩医的同时,又被提拔为宫中御医。在处于明治初期动乱中的 1869 年,第八代贺川玄道奉阿波藩主之命,离开贺川家居住了一百多年的京都,举家迁往阿波藩所在的德岛,从此开始在当地设置医院,并从事医学教育。明治维新以后,贺川家后人仍致力于近代医学,第九代贺川玄庵先后参与创立了藩医学校(现德岛大学医学部前身)、德岛共立病院、县立德岛医学校及附属县立病院,并担任德岛助产妇养成所校长。第十代贺川一郎不仅深受家学熏陶,而且接受了近代医学教育,在刻苦研究的基础上,发明了“贺川式篦形穿颅器”、“妊娠呕吐镇静钳子”及“妊娠呕吐镇静呼吸法”,取得了令人瞩目的成果。贺川一郎还长期担任德岛市助产妇会的会长,从事助产妇的培训工作。贺川家的十二代人中,绝大部分都活跃于妇产科医学界。如今,取得了东京医科大学医学博士学位的贺川润(1951—)是贺川家的第十三代,现在德岛的脑外科医院工作,曾担任日本赴南极越冬考察队的随队医生,虽然离开了祖先代代从事的妇产科,毕竟没有离开医生这一职业。

从江户时代中后期到明治时代的一百多年间,贺川家一直位居日本全国妇产科宗家的地位,[②]各地的妇产科医生中,十之八九都学习贺川流妇产科。1977 年 9 月 14 日,在贺川玄悦逝世 200 周年之际,日本妇产科

---

① 本文涉及的贺川家家系传承截至贺川家正系第十二代贺川明孝編撰的《賀川玄悦的系譜とその周辺》出版的 1995 年。

② 杉立義一:《賀川玄悦と賀川流産科》,賀川玄悦顕彰記念出版:《産論・産論翼・読産論》,出版科学総合研究所刊,1977 年,第 46 頁。

学会、京都妇产科医生会、日本医师会、日本医史学会、日本母性保护医协会等团体共同在安葬贺川玄悦及其后人的京都玉树寺举行纪念大会，缅怀贺川玄悦及贺川家对日本妇产科学发展的贡献，并竖立了题铭为“日本近代产科学之源”的贺川玄悦逝世200周年纪念显彰碑。

（二）贺川家的家系继承

在日本的“家”制度下，家业的延续是第一要务，因而对家业继承人的选择不唯血缘关系。如果没有男性继承人，或亲生儿子不适宜继承家业，人们可以打破血缘关系的限制，选有能者做养子以弥补血缘关系的缺陷或亲生儿子才能方面的不足。因此，在日本的各行各业，都有很多传袭数百年而不辍的世家，其中医业尤为突出。

中国有一句同样被日本人崇尚的老话，“医不三世，不服其药”①，意思是说，作医生的要经过几代相传才能积累可靠的经验，如果不是这样，就不可轻易服他所开具的方药，这句话说明了医业家系传承的合理性与重要性。但是，在中国历史上，由于受传子不传人、传媳不传女思想的影响，要想找到世系明确的三代以上的医生世家恐怕不是一件简单的事情。但在日本，由于上述继承制度的原因，医业世袭的现象可谓屡见不鲜，即使是在现今社会，医业世袭继承的比率也高达30%，②远远高于其他行业，贺川家的继承就是一个典型的实例。通过以下对贺川玄悦以后贺川家正系（本家）历代继承人基本情况的介绍，就可以知晓贺川家是如何延续三百多年的了。

第二代：贺川玄迪，字子启（1739—1779）。本名冈本义迪，出身于出羽国（今秋田县）的一个医生家庭。20岁时到京都，入贺川玄悦门下学习妇产科。贺川玄悦在创立了新的助产术之后，立志“荡涤世医陋习而用

①《礼记・曲礼下》。

② 井上俊：“医者の世襲—歴史と現実—”，《医療と社会研究会会報》，第6期，1990年。

兴一家”[1]，将“贺川流妇产科”发扬光大，但是却为继承人问题而烦恼。贺川玄悦虽有两儿一女，但长子玄吾性情顽固，为贺川玄悦所不容，“以不中意绝之”[2]，让其离开家建立了别家，经营其父原来的旧铜铁器买卖。次子金吾不喜欢医学，干起了别的行当。在“翁之诸子皆不可其意”的情况下，贺川玄悦将延续家业的希望寄托在平日“刻苦勉学”“笃信勤苦”的弟子冈本义迪身上。玄悦“见玄迪大爱之，以为非此人不足继业也”[3]，决意选择冈本义迪为自己的继承人，让其与自己的女儿结婚，使其成为婿养子，并改名为贺川玄迪，是为贺川家正系第二代。贺川玄迪果然不负众望，继承并发扬了贺川玄悦的产科医术。

在冈本义迪改名为贺川玄迪继承贺川家家业之后，贺川玄悦的长子玄吾也在其父声名的刺激下，从 33 岁开始学习妇产科，后来成为著名的妇产科医生，其后代也是代代行医。第二代贺川满定、第三代贺川满崇均任职宫中典医、女医博士，第三代贺川满崇还在明治天皇诞生之际担任侍医。为了与贺川家正系相区别，这一支被称作贺川家嫡系。与贺川家正系不同的是，贺川家嫡系的代代继承人都是贺川家的亲生子。

第三代：贺川玄昌，字子全（1760—1804）。本名冈本延昌，是贺川家第二代贺川玄迪在秋田老家的弟弟冈本玄通的儿子，两人实际是冈本家的叔侄关系。15 岁时，延昌到京都从伯父（已经成为贺川家养子的玄迪）学习医业。延昌“为人沉默而性宽厚，见者多以为痴，惟祖玄悦谓彼其器有可观者矣”[4]。玄迪有三个女儿，没有儿子，就将延昌作为嗣子，并让延昌与自己的女儿结婚，从此改名贺川玄昌。至此，贺川初代（玄悦）以来的三代人实际上主要是秋田冈本家的血统。

① 賀川子启墓碣銘，賀川明孝：《賀川玄悦的系譜とその周辺》，第 116 頁。
② 賀川子玄先生墓碣銘，賀川明孝：《賀川玄悦的系譜とその周辺》，第 4 頁。
③ 賀川子启墓碣銘，賀川明孝：《賀川玄悦的系譜とその周辺》，第 116 頁。
④ 賀川子全墓碣銘，賀川明孝：《賀川玄悦的系譜とその周辺》，第 134 頁。

第四代:贺川延年,字子永(1784—1810)。是贺川家第三代贺川玄昌的儿子。尽管纯粹的贺川家的血缘已经很稀薄了,但延年还是被视为贺川家的第一个嫡生子。延年自幼从父学习妇产科,21 岁时因其父病故而继承祖业,26 岁时病逝。

第五代:贺川玄岱,字子修(1787—1821)。本姓押切,出身于秋田的一位町医家庭。13 岁时到京都贺川家师从贺川家第三代贺川玄昌学习妇产科,进步甚快。贺川家第四代贺川延年 26 岁去世时,其子赖孝年仅 6 岁,无法继承家业。一族人商量的结果,将已经在贺川家学习妇产科 11 年、时年 24 岁的玄岱作为养子,与延年的寡妻结合,并继承了贺川家的家业。此举避免了因继承人年幼而导致贺川家的衰败。贺川玄岱继承家业 15 年,其助产术日益精通,门人也越来越多。

第六代:贺川赖孝,字子德(1804—1830),是贺川家第四代贺川延年的儿子。赖孝 6 岁时父亲去世,于是,贺川玄昌的弟子玄岱被作为养子,成为贺川家第五代,赖孝遂被玄岱作为弟弟抚养,并教以妇产科医术。赖孝 17 岁时,玄岱病殁,于是在玄岱门人辅佐之下继承了贺川家家业。26 岁时因病去世。

第七代:贺川为宪,字子成(1816—1835)。第五代贺川玄岱之子。第六代贺川赖孝去世时,为宪仅仅 14 岁。继承家业五年后早逝。

第八代:贺川文焕,字子达(1811—1873),本姓奥。奥家祖上是石清水八幡宫(位于京都府八幡市男山)的社司。到文焕祖父时,将家督继承权让给其弟,自己师从贺川玄悦学习产科技术。文焕 3 岁时丧父,从此被叔父收养。因叔父也是贺川家弟子,故从小就随叔父学习医术,尤其是贺川产科学。由于第七代贺川为宪不到 20 岁即早逝,贺川家出现了继承危机。于是,尚健在并支撑贺川家家业的贺川家第三代贺川玄昌的妻子贞诚院与文焕的叔父奥劣斋商量,收养一直学习贺川流产科、时年 25 岁的文焕为贺川家养子,贺川家遂有了第八代继承人。

第九代:贺川玄庵,字子元(1841—1904),本姓菊池,出身于南部藩

(岩手县)藩士家庭。18岁时离开家到京都学习西洋法医学。22岁时,与贺川家第八代贺川文焕的独生女儿结婚,成为贺川家婿养子。1871年,养父贺川文焕隐居,从此成为贺川家第九代。

第十代:贺川一郎(1865—1941),贺川玄庵的长子,是贺川家接受近代医学教育的第一人。曾入其父开设的德岛医学校,后入冈山第三高等中学医学部医科(现冈山大学医学部前身),毕业后曾到东京某医院妇产科实习,然后回到家乡帮助父亲经营妇产科,年轻有为的他在当地颇有声望。1904年,其父病故后继承家业。1933年,因病隐居。

第十一代:贺川丰市(1898—1948),本姓幸田,在德岛地方专卖局供职。第十代贺川一郎有一男六女(其中有二女儿和四女儿早逝),但长子玄一没有继承妇产科之祖业,而是做了高中教员,长女和三女先后出嫁,于是,继承贺川家业的任务落到了五女贺川清子(1902—1956)肩上。贺川清子在德岛县立高等女学校毕业后,入东京女子医学专门学校(现东京女子医科大学)。毕业后进入东京赤羽济生会病院,师从该院院长、曾任日本妇产科学会会长的中山安博士学习妇产科。回到家乡后协助父亲贺川一郎进行妇产科诊疗,当时女性医生非常少见,因而很受世人瞩目。由于清子继承了祖业,不能出嫁,于是招幸田丰市为婿养子,1927年幸田丰市在与清子结婚后改姓贺川。实际上贺川家第十一代是唯一以女性行医的一代。

第十二代:贺川明孝(1920—2009),本姓新居。陆军中尉,在太平洋战争中曾到中国作战。战后长期从事电气通讯工作,并因此功于1990年被授予勋四等瑞宝章。1949年被贺川家招为婿养子,与第十一代贺川丰市、清子的独生女儿悦子(从事钢琴教育)结婚,故改姓。不知是否与战争时期的混乱有关,贺川明孝与贺川悦子是贺川正系中唯一离开医业的一代,但其长子贺川润已从东京医科大学毕业,并获医学博士学位。

表 3-2　贺川家继承情况简表

代数	姓名	本姓	身份
初代	贺川玄悦	三浦	养子
二	贺川玄迪	冈本	婿养子
三	贺川玄昌	冈本	婿养子
四	贺川延年	贺川	三代玄昌之子
五	贺川玄岱	押切	养子
六	贺川赖孝	贺川	四代延年之子、五代玄岱养子
七	贺川为宪	贺川	五代玄岱之子、六代赖孝养子
八	贺川文焕	奥	养子
九	贺川玄庵	菊池	婿养子
十	贺川一郎	贺川	九代玄庵之子
十一	贺川丰市	幸田	婿养子
十二	贺川明孝	新居	婿养子

贺川家系传承

(1) 玄悦→(2) 玄迪→(3)玄昌—(4) 延年→(5) 玄岱→(6) 赖孝→(7) 为宪→(8) 文焕→(9) 玄庵—(10) 一郎→(11) 丰市→(12)明孝

注:连线“→”为养子,“—”为亲生子。

从以上贺川家家系继承的实例,可以看出日本继承制度的若干特点。

第一,弃农从医的贺川玄悦是贺川流产科的开创者,所以,尽管其本人是归农武士贺川家的养子,但依然被尊为贺川家的始祖。这就是日本人特有的家族传统——某种家业的开创者,就是这一家的祖先。可见,日本人祭祀与崇拜的祖先并不是遥远的、虚无缥缈的存在,而是极其现实的、对后代有着直接恩泽的人,具体说来就是现存家业的开创者。这种祖先不仅具有血缘的、生物学的意义,更有其社会的意义。

第二，继承人之选择，最主要的是考虑有无继承家业的能力。例如，贺川玄悦放弃了两个亲生儿子而选择了得意门生冈本义迪做家业继承人，“举其术与产，不授其子，而授子启，令以畴其学”①。第十一代的情况也有类似，有儿子，但不懂医道，便让女儿继承家业，并招婿养子上门。也有的是自家亲生儿子年幼，无法管理家业，便选择弟子中的有能者继承（如第五代贺川玄岱）。

第三，血缘关系自始至终居次要地位。尽管贺川家的十二代继承人中绝大多数都是养子或婿养子，如果按照血缘的标准来衡量，贺川家的血缘实际上早已经断绝了，但不论是谁都确信，这就是近代妇产科之父贺川玄悦创立的贺川家，人们仍然一直尊他们为贺川家的正宗。② 说明贺川家实际上只是一个家业的概念，贺川家的后继者继承的只是贺川家的家名而已。

（三）贺川家的家庭关系

在家业继承之外，绵延三多百年的贺川家在家庭关系方面也充分体现了日本特色。

第一，简单的家系，复杂的血系

为了延续家业，可以让非血缘关系者进入家庭继承家业，这是日本人都认可的、在日本历史上非常流行的做法。如前所述，日本历史学者太田亮把日本家族的延续分成“家系的延续”和“血系的延续”，把祖先分成“家的祖先”和“男性的祖先”，即家系是家的祖先的代表，血系是男性的祖先的代表。考察任何日本人的家族都离不开对其家系与血系的考察，而且，考察日本人的血系关系比考察其家系关系要复杂得多，贺川家

---

①《産論翼》序，賀川玄悦显彰纪念出版。

② 在 1977 年于京都召开的贺川玄悦逝世 200 周年纪念显彰会上，自贺川玄悦去世后 200 多年基本没有来往的贺川家后代各支聚会于贺川玄悦墓前。尽管有延续贺川家血缘的嫡系后人参加，但代表贺川家后代致谢辞的是贺川家正系第十二代、养子贺川明孝。

的情况就是如此。

翻开由贺川家第十二代继承人贺川明孝编写的介绍贺川玄悦及其家族的著作——《贺川玄悦的系谱及其周边》，可以看到，由于收养养子和招婿的关系，贺川家与若干家族有着血缘上的联系。所以，书作者在介绍贺川家的同时，不得不对这些相关家族做详细介绍，否则就无法说明贺川家的家系发展。

贺川玄悦的出身家族——三浦家

贺川玄悦本姓三浦，祖上是彦根藩的藩士，曾追随德川家康，后仕奉武将井伊直政，到贺川玄悦时已经是第六代。值得一提的是，贺川玄悦的生身父亲、三浦家第五代三浦军助是战国武将、越前金津城主沟江景逸的后代，后来做了三浦家的养子。因此，确切说来，三浦家出身的贺川家初代贺川玄悦，所具有的是另外一家——沟江家的血统。一个人在家系或血缘上同时与三个家族有着直接联系，怕是中国人绝难想象的事情。

第二代、第三代的出身家族——冈本家

贺川家第二代玄迪与第三代玄昌叔侄都是秋田冈本家人士，有意思的是，玄迪之父、玄昌之祖父本来姓小野寺，是冈本家的婿养子。叔侄二人都是首先作为贺川家的弟子，在得到贺川玄悦的赏识后作为婿养子而继承贺川家家业的，秋田的冈本家因此与贺川家有了密切的联系，以至于在贺川玄迪的出生地、现秋田县雄胜町内的横崛町，赫然立有“贺川流二代贺川玄迪先生生诞之地”显彰碑，公然向外人昭示已经改了外姓的族人事迹。碑文写道：

贺川玄迪，元文四年(1739)年生于雄胜郡横崛村，是为冈本玄适之长子。二十岁时上京，师事贺川流产科之祖贺川玄悦翁，学问大进，后应玄悦翁之请，成为其嗣子。玄迪继养父玄悦

翁之著《产论》之后，编纂《产论翼两卷》以奉公……①

第五代的出身家族——押切家

第五代贺川玄岱是秋田一位町医的第三子，入贺川门下学习多年。在第四代贺川延年早逝后以养子身份成为贺川家第五代，其子贺川为宪后来成为第七代。实际上，从第六代贺川赖孝去世，贺川家虽家系尚存，但还有多少贺川家的血缘呢？即使后来进入贺川家的冈本家的血缘也已经被稀释殆尽了吧？

第八代的出身家族——奥家

押切家的血脉仅仅持续了两代便告终止。第七代贺川为宪早逝之后，出身于奥家的文焕做了养子成为贺川家第八代继承人。由于文焕进入贺川家，结束了贺川家继承人连续早逝的局面，挽救了家业的颓运。至此，贺川家又一次融进了新的血统。

第九代的出身家族——菊池家

第九代贺川玄庵出身于岩手县世代行医的菊池家，其父本姓山崎，是菊池家的婿养子。玄庵作为第四子，无缘继承家业，便离家外出学医。第八代贺川文焕无子，便招玄庵为婿养子。

第十一代的出身家族——幸田家

德岛县美马郡出身，穴吹町会议员幸田真七的第五子。

第十二代的出身家族——新居家

德岛县板野郡应神村东贞方邮局局长新居加贺助的第五子。

从家业开创以来延续十二代的贺川家家系，竟包容了贺川家以外的七家人的血系（还不包括各家与外人的混血关系）！它已经远远超出了中国人传统观念中以血缘标准来衡量的家的范围。不管你信与不信，这就是真实的贺川家！日本人就是能够如此：许许多多没有血缘关系的人，在家业的号召下而成为一家人，从而使家业代代延续成为现实。

① 賀川明孝：《賀川玄悦的系譜とその周辺》，第21頁。

第二，近亲通婚

贺川家初代贺川玄悦 77 岁去世，堪称长寿。但从第二代开始，直到第七代为止，基本上都是早逝：

第二代玄迪 40 岁，

第三代玄昌 44 岁，

第四代延年 26 岁，

第五代玄岱 34 岁，

第六代赖孝 26 岁，

第七代 19 岁。

为什么会出现这种情况？直到 1977 年，秋田大学校长、曾任日本产科妇科学会会长的九嶋胜司在有关方面召开的贺川玄悦逝世二百周年纪念显彰会上发表题为《阿波贺川家的后继者们》的演讲，[①]才揭开了贺川家继承人连续早逝之谜：原来都是近亲通婚惹的祸。在贺川家族史上，至少有两次近亲通婚的经历。

第一次近亲通婚

如前所述，贺川家与秋田的冈本家有着非常密切的关系（第二代与第三代都出自冈本家），因此，考察贺川家的家庭关系必须要考察冈本家的家庭关系。

根据九嶋胜司的考证，秋田的冈本氏的先人原是关原合战时石田三成的部下宇喜田秀，关原之战后，宇喜田秀一族辗转到了秋田，后来又繁衍出冈本、户部、桐田等新支。根据户部家现存资料《冈本氏附京师贺川氏》的记载，冈本家第二代冈本孙太夫有一女二子，两个儿子都是医生。长女与户部家的儿子、当地有名的学者一憨齐结婚。按系图所载，此二人生下女儿，女儿又生下外孙女。而此外孙女却与冈本孙太夫的小儿子冈本三的结了婚，这是冈本家出现的第一次近亲通婚。如此说来，在冈

① 賀川玄悦先生没後二百年記念顕彰会：《賀川玄悦》，賀川玄悦显彰会，1978 年，第 9－12 頁。

本家的血统进入贺川家之前,已经有了一次近亲通婚的经历。

冈本三的与姐姐的外孙女结婚之后,生下一个女孩。由于没有男孩,便从小野寺家招小野寺玄适为婿养子,与女儿结婚。婚后生下三个儿子,长子便是后来作为婿养子进入贺川家的贺川家第二代贺川玄迪(本名冈本义迪)。

第一次近亲通婚的结局,就是其后代多身体病弱,在 30 岁至 40 多岁之间去世(冈本义迪 40 岁,义迪弟玄通之子玄昌 44 岁,义迪弟之孙 31 岁),而冈本义迪的父亲小野寺玄适因未受近亲通婚的影响是在 69 岁去世的。冈本家先辈人的近亲通婚,就这样通过婚姻殃及贺川家。

第二次近亲通婚

如前所述,贺川家初代贺川玄悦有两子一女,但是贺川玄悦对自己的两个儿子都不满意,于是,选中了自己的得意门生——来自秋田的冈本义迪作为婿养子,让其继承家业,成为贺川家第二代。由于贺川玄迪婚后没有男孩,只有三个女儿,便选择了自己的亲侄子、同是贺川家弟子的冈本玄昌为嗣子,让其与自己的女儿结婚,改称贺川玄昌。贺川玄昌与堂妹结婚后生下六男二女,其中七人夭折,寿命稍长的延年只活到 26 岁,延年之子、第六代贺川赖孝也没有逃脱早逝的命运(26 岁去世)。

据九嶋胜司推断,贺川家后人早逝的直接原因,很可能是近亲通婚带来的血液性疾病所致。

至于贺川家第五代贺川玄岱(养子)与其子、第七代贺川为宪与贺川家及冈本家没有任何血缘上的联系,却也都是早逝,是何原因?因资料所限不得而知。要想搞清,尚有进一步考察贺川玄岱父子上几代(押切家)的婚姻与血缘关系的必要。

血缘近的男女结婚生育率低,后代的死亡率高,并常常出现先天畸形和遗传性疾病。近亲结婚对后代生长不利的道理,早已经被人类发现。而贺川家的事例说明,近亲通婚的危害在当时还没有被充分认识,导致即使是医生世家(不论是贺川家,还是冈本家都是医生)也存在近亲通婚的现象。不过在当今日本社会，表兄妹之间仍可以结婚就有些令人费解了。

第三，辈分倒错

中国人在婚姻、继承、祭祀、收养、命名等问题上，非常重视辈分的原则。辈分的紊乱一直被视为人伦之大忌。但是在日本历史上却并不如此，看贺川家(及有关的冈本家)的家系，就可知日本人辈分观念的欠乏。

祖孙辈成婚之例

如前所述，在秋田冈本家的血脉进入贺川家之前，曾经有过一次近亲通婚，造成后代在 40 岁前后去世。更奇的是，此次近亲通婚的双方是弟弟与姐姐的外孙女，即一方是舅老爷，一方是外孙女，按照中国人的辈分排法，属于祖孙辈成亲，非常不合辈分，甚至有乱伦之嫌。

弟弟变成儿子

贺川家的第四代贺川延年 26 岁早逝，留下孤儿寡母，时其子赖孝年仅 6 岁，难挑家业重担。于是，长年在贺川家学习助产术、24 岁的押切玄岱被族人选作贺川家养子，并与延年的寡妻、赖孝的母亲结婚，成为贺川家第五代掌门人。按理说，玄岱与贺川延年之子赖孝应该是养父与养子的关系，但是，据贺川家家系图记载，赖孝“实养方弟，依养父玄岱生前之愿，于文政四巳年继家督”，说明最初两人是作为兄弟相处的，且当时贺川家也是按照兄弟关系向藩中申报的。问题在于，如果二人是兄弟，弟弟赖孝的母亲却是哥哥玄岱的妻子，显然这是非常尴尬的关系。后来，出于家系继承的需要，在贺川家系图上又出现了“为玄岱养子”的记载。①据《贺川子修墓碣铭》所见，贺川子修(玄岱)之墓，也是“孝子赖孝建”，弟弟一下子就变成了儿子。贺川家第六代与第七代之间也有同样的问题。第七代贺川为宪是第五代贺川玄岱的儿子，与第六代贺川赖孝是同母异父的兄弟。贺川赖孝生前未婚，在他去世后，弟弟便以哥哥养子的身份

---

①《賀川氏成立并系図》，賀川明孝編：《賀川玄悦的系譜とその周辺》，第 200 頁。

成了第七代继承人。

祖孙辈可以通婚，父子、兄弟关系可以互换，这种中国人伦关系中所不容许的事情，在日本却常有发生。关键的区别在于中日两国人对"代"的理解截然不同。严格的辈分制度是中国家族制度的一大特色，中国人所说"代"是依据人类血缘关系繁衍而划定的，辈分就是血缘关系的阶梯，所谓同辈，即指兄弟姐妹；上一代，肯定是父辈；上两代，毫无疑问是祖辈，无论发生什么情况，这种客观存在的辈分关系都是不能改变的。而日本人的"代"是按家业继承情况的需要而划定的，因此即使是生就决定的人伦关系——祖孙、父子、兄弟，也可以因家业继承的需要而改变之，因此，不仅近亲中不同辈分男女的通婚常有发生，弟弟变成养子的事情也就毫不奇怪了。

上述贺川家家系继承的一些做法，有些是积极的选择，有些则是出于无奈。但从客观效果上来看，贺川家的妇产科医生的家业能够延续近三百年而不缀，在继承人问题上打破了血缘关系的限制是其根本原因。贺川家的家业继承是个案，但不是孤案，它是日本历史上"家"制度的缩影。

五　日本的家训及其基本特征

家训是家长对家庭成员或长辈对晚辈的训诫。以家训齐家、教子是中国传统文化的显著特色，也是东邻日本在吸收中国文化过程中积极借鉴和模仿的内容之一。在日本，家训最盛行的时期，正是日本封建制度从确立到瓦解的时期，也是日本传统文化与民族性格走向成熟的时期。透过家训条文，我们可以通过贵族、武士、商人乃至近代企业家们的手笔，捕捉到许多堪称日本文化特性的因素，了解从治家到治国的理念及制度的演变过程，感悟各个社会阶层在不同历史时期的人生观、价值观。由于中日两国社会结构，尤其是家族结构不同，尽管日本人借鉴了中国古人创造的家训这一家庭教育形式，但在实际运用中，日本的家训在内容、功能、教育对象、编撰形式等方面与中国的家训有很大不同。熟悉中国家训的人，再读日本的家训，会有似曾相识又似是而非的感触。比较起来，日本的家训具有以下显著特征。

（一）家训存在各个阶层

通观中国历代的传世家训，尽管各个时代有不同的特点，但有一个明显的共同之处，即以官僚仕宦家训为主，不少作者是正史中立传的人物。而由于日本社会结构变化、社会阶层更替的缘故，家训遍及日本各色人等的“家”之中，贵族、武士、商人、农民之家皆有之。

皇室、贵族家训　有“古今家训之祖”之称的《颜氏家训》在问世一个半世纪以后，日本也有了第一部家训——奈良时代吉备真备（695—775）所撰的《私教类聚》。吉备真备作为遣唐留学生和遣唐副使两度到唐朝，并在唐朝生活二十多年，后官至朝廷的右大臣。《私教类聚》为吉备真备晚年所作，原文虽已散失，但通过各种书籍逸文的记载，也可知其大概。文中多处引用《论语》《礼记》《史记》等中国典籍的内容，并倡导儒家思想和佛教，宣传忠孝之道。《私教类聚》以后，陆续在皇族与贵族中出现一些对后代的训诫。比较有名的有宇多天皇于897年让位于12岁的醍醐天皇后，总结自己的政治经验而书赠新天皇的《宽平御遗诫》，它一直被后来的天皇奉为金科玉律。此外，还有朝廷大臣菅原道真（845—935）的《菅家遗训》（一说是伪书）、贵族藤原师辅（908—960）的《九条殿遗诫》，等等。不过，皇室与贵族家训的特点一是数量少，二是内容简单，尚未形成体系。自平安时代开始至整个幕府时代，皇室与贵族势力（即所谓“公家”）逐渐衰落，造成日本历史上皇室、贵族家训没有发达起来。

武家家训　进入幕府时代，掌握了政权的武士仿效贵族社会的做法，开始制定家训。之所以如此，首先是出于武士自身教育的需要。在幕府建立以前，受教育是贵族社会的特权，除去贵族出身的武士之外，多数武士都疏于文道。在武士阶级成为统治阶级后,加强自身道德和文化修养成为当务之急。另一个更重要原因是当时的武士团是以家族为中心的集团,建立在血缘的和模拟的血缘关系基础上的主从关系是武士团的纽带,必须以一定的规范来约束一族成员,家训即起到这样的作用。初期的武士家训有很强的宗教色彩,注重道德训诫。自镰仓幕府末期至室町幕府时期,社会动荡,武士集团内部纷争不断。面对严峻的现实,作为家族内部行为准则的武家家训开始转向实用主义,家训的内容趋于具体,切中现实。《菊池武茂誓文》《竹马抄》《今川了俊制词》《伊势贞亲教训》等都是如此。战国时代以后,日本各地处于割据状态,大名领国的"家"与"国"融为一体,既约束家族成员也约束家臣的"分国法"(亦称战国家法)开始出现,国法与家法实现了统一。《伊达家尘芥集》《武田家甲州法度》《今川假名目录》等是战国家法的代表作。德川时代天下统一,随着社会趋于安定,家训的风格也为之一变,家训中明确体现出治国安民的思想,对家臣品行的要求超过了对"弓马之道"的强调。

商家家训 近世社会严格的身份制度加深了社会对商品经济和商人的依赖,商人因此势力大增。但是,商人被置于士、农、工、商"四民"之末,在严格的身份制度束缚下,他们对得来不易的家业与家产格外珍重,延续家业的愿望之强烈丝毫不亚于武士,故武家社会以家训治家的传统被商家广为接受。商家家训开始引人注目是在德川时代中期以后,在"元禄繁荣"中发了家的富商纷纷制定家训,其作者或主持制定家训的人一般都是奠定了家业基础的初代(家业创始人),或者是扩大了经营规模、实现了家业振兴的人(日本人习称中兴之祖),他们将自己的经营理念、生活信条总结成文,作为家训传与后人,以期家族世代繁荣。三井的《宗竺遗训》、住友的《住友总手代勤方心得》《鸿池家家训》都是此时期商家家训的代表作。在商家家训中反映出的不仅是道德观念、经营理念的抽象说教,而且有防止家产分散、家族成员生活准则、家业运营与管理、与佣人的关系的具体规定,颇具家法的色彩。随着商家经营规模扩大,家政和经营渐渐分离，作为家训副产物的店规、店则也随之产生。但当时的经营与家政的分离并不彻底，所以家训与店则并没有严格的区分，往往在家训中包括店则，在店则中也有家训的内容。商家家训既受武家家训的影响，也反映了庶民阶层的价值观，而且数量多，流传广，在日本家训发展史上占有重要的地位。

农家家训　到江户时代，一些农民家庭也有了成文家训。但农家家训与武家家训和商家家训相比，数量少且不普遍，主要存在于富裕的上层农家。农家制定家训的目的与武家和商家同样是希求"家"的长久延续与家业繁荣，所不同的是因为身份制的限制和职业的关系，农家强调的是"我家常以锹镰为职"①，注重把农业知识和技术传与子孙。

由上述可见，日本的家训肇始于皇族与贵族社会，发达于武家社会和町人社会，从对后世的影响而论，以武家家训与商家家训最具典型性。

（二）训诫对象超越血缘

中国的家是基于血缘关系形成的集团，从一夫一妻的小家庭，到聚族而居的大家族，都是血缘单位，家庭教育与受教育的关系，是以血缘关系为前提的，家训的训诫对象是血缘亲属。也就是说，先有血缘关系，然后才有教育关系，超出了家族血缘成员的范围，家训就失去了意义。

与中国的家在血缘传承方面的封闭性相比，日本的家相对开放。出于对延续家业的强调，人们并不排斥非血缘成员进入家庭。比如，入赘的女婿可以作为"婿养子"取得家业继承权，毫无血缘关系的佣人也可成为家的一员参与家业经营。在本家与分家之间，家长与血缘的、非血缘的成员之间，都带有明显的主从关系色彩，可以说这种超血缘的"家"本身就是一个独特的社会集团。

---

① 越后岩船郡豪农渡边家《家之掟》，入江宏：《近世庶民家訓の研究：〈家〉の経営と教育》，多賀出版，1996 年版，第 355 頁。

日本家族制度的这一特点在家训上的反映，就是家训的训诫对象并不局限于家族成员，也包括服务于该家族的非血缘关系成员，使家训具有明显的社会功能。在武家家训中，与家长教育子女的内容相比，更多的是主人教育家臣的内容。如江户初期福冈藩主黑田长政写的《黑田长政掟书》中，主要是告诫“身为国主”“一国之主”“为主将者”如何加强自身修养，统御臣下，同时要求“家中诸士”恪守本分、尽心奉公。

在武家社会内，臣下或仆从忠心效劳于主人，以作为对得到的恩顾的报答被称作“奉公”。同样，商家的佣人因服务于主家也被称作“奉公人”。商人家庭雇佣佣人进行经营，是商人家业经营的需要和家业扩大的结果。由于近世日本通过行会培养经营人才和熟练工人的制度始终没有发展起来，所以，商家只有自己培养经营人才。佣人一般在十岁左右进入主人家，经过二十年左右的学徒、见习才能成为经营者。佣人虽与主人家无血缘关系，却是商人家业经营不可缺少的部分。

对佣人的培养与管理是关系到商人家业前途的大事，自然也是商人家训中的重要内容。首先，通过家训约束与规范佣人的行为。如在以经营小百货起家、后经营衣料及皮棉贩卖的近江商人市田家由十条构成的《家则》中，有五条内容专门是针对佣人的，从佣人的升进，到日常收支结账，乃至佣人的着装，都做出详细规定。① 其次，要求家人善待佣人，奉行“家内和合”的精神。如住友家家训中专门有“慎重培养丁稚（学徒）”一条：“对于町家来说，丁稚极其重要。为了将来让他们尽忠义，使用上定要爱惜。”善待佣人，表现在方方面面。如要关心他们的衣食住行，“注意奉公人朝夕的饮食，无论如何也要让他们吃应季的蔬菜和鱼”（《町家式目》）；要照料好有病的佣人，因为“如果对病人简单对待，就会导致他对主人的不忠”（《住友总手代勤方心得》）；要对佣人进行必要的文化教育，“每晚由手代轮流教丁稚打算盘和习字”（《水口屋店方掟书》）。当然，并

① 吉田豊編：《商家の家訓》，第 94 頁。

不是所有商人从一开始就能做到善待佣人的。如近世初期博多商人岛井宗室就在家训中提醒家人注意:"凡下男、下女皆盗贼也。"随着商业的发达和商人经营组织的复杂化,粗暴对待佣人的办法已不适应商人家业经营的需要。正因为商人在认识到佣人的培养关系到商人自身家业的盛衰这一道理之后,才重视并发展家族式的主从关系的。这一点对日本近代以后的企业经营有着深远的影响,在近代家族企业的家宪中也多有关于善待佣人的规定。如若尾家家宪中有"佣人如树的枝叶,宜给予优遇而图一家之繁荣"的内容,《嘉纳家家宪》甚至规定"主人要与雇人共同劳动",《滨口家家宪》要求"家族成员要与雇人吃同样的饭菜"。鸿池家不仅把"对雇人要与家属同等对待"这一点写进家宪,还在宅内设教室,聘请家庭教师对一族子弟和佣人一起授课。商人如此对待佣人,得到了事主忠诚的经营者,并因他们参与家业经营,实现了自身的发展。

(三) 编纂风格简单随意

中国传世家训的作者,非饱读经书的宿儒,就是久经官场的老臣。这些人不仅涉世颇深,而且有着很高的文化修养。尤其是在科举制度下,诗书文章的水平与个人仕途紧密相连,因此以官僚士大夫为主要作者的家训多为佳作美文,文采飞扬,其中不乏入木三分的分析,切实可行的忠告,精彩的至理名言,体现出中国诗书传家的价值观与传统文化的博大精深。比较而言,日本的家训不论在思想内涵方面,还是在编撰形式方面,都难以与中国的家训相比。熟悉中国家训的人再读日本家训,会感到语言苍白,不成体系,可读性较差。历史上,武士阶级统治了日本近七百年,他们不仅掌握权力,也掌控教育,武家家训的编纂水平可以反映日本家训的整体水平。武家家训往往不拘形式,有的是郑重的书状,有的是遗言或谈话记录,有的甚至写在匾额或壁题之中。

从体例来看,有的只是寥寥数条,如战国武将加藤清正制定的《加藤

清正掟书》只有七条：①

1. 奉公之道不可大意。

2. 在外游乐，仅限于猎鹰、鹿狩、相扑。

3. 衣着只穿棉布，于衣饰耗费银钱，以致家计困穷，当判其罪。

4. 与同僚交往，一主一客之外，莫置旁人，食用糙米。

5. 作战之法，为侍须知。有追求奢华者，当判其罪。

6. 禁止一切舞蹈游艺。操刀只为杀人，万事系于一心。是故，有武艺之外执刀习舞者，命其切腹。

7. 学问须精励。要紧在读兵书，励忠孝，禁止读诗作歌。

这样的内容给人的感觉是没有条理可言，随意性很强。也有的家训篇幅很长，如武田信繁的《古典厩寄语其子长老》洋洋 99 条，没有分类轻重，大到侍奉主人、修习弓马之道，小到武具装备、豢养马匹，事无巨细，皆有涉及，各条内容缺乏逻辑上的联系，杂乱无章，让人感觉家训作者没有具体、清晰的思路，想到哪写到哪。

从修辞来看，更缺乏文采，大多叙述直白。如战国武将多胡辰敬在家训中强调“家”之团结和睦的重要性时说：“家如房舍，一家之主为房顶，亲属为横梁，家老、代官为柱，奏闻、传达者为大门，家中往来奔走之佣人为内门，其他人为庭中草木篱墙，百姓为榻榻米铺板。欠缺一处，则家不为家。”语言极为简单平实，毫无修饰及夸张。《今川了俊制词》是武家家训的代表作，作者今川了俊是室町幕府时期的武将，也是日本历史上有名的和歌诗人。该家训后来被作为庶民的道德教科书和习字课本广泛使用。全文 23 条内容均是家训作者的人生经验之谈，只是各条之间没有内在的联系，更谈不上思想性，有的内容还前后重复。或许由于

① 拙著《日本家训研究》（天津人民出版社 2006 年版）附有部分日本家训译文，本文所引家训内容均出自此书，恕不一一注释。

该家训最初是写在墙壁上(因而称《今川壁书》),不是一气呵成写完,因此表现出很强的随意性。

武家家训的编撰与写作水平是与当时武士所处的社会环境有着直接关系的。武士最初多来自社会基层,赖以生存的是武力,对弓马武艺的追求远远超过诗书文章。尽管他们在成为统治阶级后逐渐认识到修文与尚武同等重要,但环境的局限及其社会现实的需要,使武士很难具有中国士大夫那种深厚的知识修养。江户时代实现了数百年和平,武士得以利用掌握的文化资源接受教育,以丰富修养,许多人转变为知识分子,但尚武毕竟是武士的最高价值。还有一个重要的原因,即日本没有实行科举制度,幕府时代又是严格的身份制社会,不存在通过考试改变身份和提高社会地位的预期,作为统治阶级的武士也就没有必要在饱读诗书、做精美文章上下功夫。因此,相对于文辞来说,武士更重视行动。当然,从发展的眼光看,武家家训的水平也随着武士文化水平的提高而有所提高,例如,江户时代中期的典制学者、幕臣伊势贞丈所做的《伊势贞丈家训》就分门别类进行阐述,语言明显丰富起来,思想性也大有提高。著名的朱子学者室鸠巢撰写的《明君家训》更是引经据典,思想深刻,讲述作为家臣的行为规范,在江户时代中后期广泛发行。尽管有一些家训名作,但总体来说日本武家家训的编撰水平很难与中国的士大夫家训媲美。

近代以后,武家家训随着武士阶级的灭亡而退出历史舞台,商人家训取而代之成为近代家训的主体。随着近世以来庶民教育的发展,商人的文化水平普遍提高,商人家训在思想内涵上丰富起来,在文采方面明显改观。如安田财阀创始人安田善次郎在"家训之铭"中告诫继承人:"主人乃一家之模范,我勤众何怠,我俭众何奢,我公众何私,我诚众何伪",该家训意义深远,充满哲理,表述也很到位。再如,生产酱油的茂木家将家训编成"忠孝带"这一教训歌:

> 每天将这腰带,好好系整齐。

重要的是注意，不让它松落。

干了又干，仍干不完，工作就是这样。

做了又做，一做到底，幸福便在其后。

被称为日本实业界泰斗的涩泽荣一亲自撰写《涩泽家家宪》，在“处世接物纲领”“修身齐家要旨”“子弟教育方法”三则下，分别进行教诲，表现出很强的系统性，堪称近代日本家训的典范。

（四）齐家治世融会贯通

修身、齐家、治国、平天下，是中国人的政治理想。尽管在历史长河中，无数富有哲理、充满启迪的家训文献已经跨越了家族的界限，衍化为全社会共同信守的价值观念，并与治国理念得以统一，但家训始终是用以规范家庭成员行为、处理家庭事务的准则，并未脱离家庭教育的范畴。中国家训的社会功能只是相对的、客观性的存在，即制定家训的主观意愿并未直接与“治国、平天下”联系起来。

在这一点上日本的家训与中国的家训有很大不同，通读日本的家训，可以看到很多关于治世的内容，在一些家训中治世的内容甚至远远多于治家的内容，其中武家家训尤为典型。这是因为，作为统治阶级的武士，其社会组织与家族组织是融为一体的。不论是幕府前期的“族”，中期的“大名领国”，后期的“藩”，都是建立在血缘、拟血缘关系之上，并以主从关系为纽带而形成的集团。这种集团对于武家社会而言是作为“家”而存在的，“家”对于幕府是社会基本单位，对于武士是基于主从关系的归属，是构成武家统治的政治单位和经济实体，因而具有强烈的政治和社会功能。在这种“家”中，“私”的家庭生活只是其生活的一部分，重要的是奉公——为主君服务的社会生活，即治世任务远远重于教育血缘家庭成员的治家任务。

于是，作为武士伦理道德、行为规范载体的武家家训中就体现出齐家治世融会贯通的显著特征，治家与治世、治国密切相连，甚或可以说治家就是治世、治国，治世、治国也就是齐家，两者是相通的。因此，在武家家训中，与大量的治世之训相比，有关处理家庭内部事务的训诫反倒不多。如战国武将武田信繁的《古典厩寄语其子长老》的 99 条家训内容中，只有“父母不可不孝”“兄弟不可稍有轻慢”两条是此类内容。安土桃山时代著名的武将岛津义久所做的《岛津义久教训》全部 20 个条目中，有 15 条是谈为君者如何“使民”，只有 5 条涉及如何做人，根本没有涉及家庭内部事务。

最能体现家训治世功能的就是战国家法。战国家法（也称分国法），是战国时代各大名领国制定的法律。由于当时的大名领国实际上是以大名及其家族为核心的家臣集团，是家族的扩大，故国法就是家法，家法又等于国法。战国家法虽从家训发展而来，但比家训更为严格，更具实际操作性。江户时代以后，战国家法发展成为各藩的藩法，进一步体现出武家社会“家国一体”的特征。

分析了武家家训后，再来看看商家家训。在身份制度下，商人虽有财富，但没有社会地位，商人制定家训完全是为了自律，目的是维护家业并使其延续。从主观上来说，商人的社会地位决定了商人家训不可能有“治世”功能，但由于商人集家族组织与经营组织于一身的经营特点所决定，商人家训也在客观上具有明显的社会功能，其表现就是在有关家庭成员行为规范、处理家庭关系准则之外，还有很多关于经商原则的规定。江户时代中后期，出现了很多店规、店则型家训，内容已不局限于家族事务，而是对店铺经营管理做出具体规定。店则型家训虽然因家而异，但基本内容涉及遵法、信用、商才、俭约、和合等。由于近世商家的家政与店铺开始分离，此中已经孕育了近代企业的萌芽，上述家训内容中体现出的经营理念具有充分的合理性，不仅为当世商人遵守，为资本主义企业及其经营者的产生奠定了基础，也对近代企业经营产生了深远影响。这是商家家训独特的社会功能之所在。

（五）治家传家重在实用

中国家训的内容涉及修身做人、勉学成才、治家之道、交友处世，其核心与精髓是对子孙进行伦理道德教育。当然并不是说中国的家训没有涉及经济问题的内容，只是它无法与道德伦理的内容相比，有些本身是经济方面的内容也往往作为伦理道德的一部分而被提出来，充分体现了中国传统文化的重礼节欲、重义轻利的特征。

日本的家是以家业为中心的，家训的制定也是出于延续家业的目的，被运用于家业管理。这一特点使得家训能够适应社会阶层和家族制度不断发生变化的情况而长期存在，并发挥有效的作用。家训的内容不仅停留于伦理道德方面的说教，而是有实实在在的具体内容，使人们有章可循，有法可依，因此具有现实的约束力。

与中国官僚仕宦家训居多这一点不同的是，日本的武士、商人家训比较发达。而武士与商人分别处于“四民”之首与末，两者之间社会地位相差悬殊，其人生观、价值观截然不同，在家训的内容上也有着明显的不同。作为统治阶级的武士是寄生阶级、特权阶级，同时在武士阶级内部又有着严格而复杂的等级秩序。处在各个等级序列上的武士唯有忠诚奉公，才能根据按家格确定的固定数量从主君那里领取禄米，他们离开了主君就无以为生。对于食封食禄的武士来说，实现领地内统治的安稳，就能保全家业，因而武士的一切活动就是为了维护“奉公”这份家业而展开的，故武家家训最强调的是事主以忠，“对上忠信，对祖先尽孝”之类的训诫及与此有关的伦理道德的训诫是武家家训中的主要内容。此外，还有日常用度、衣食住行、作战指挥、武具装备、家臣管理、为人处事等各个方面的具体的要求。

若从实用性来讲，商人家训要比武家家训更具典型性。商人以商贾买卖为业，他们虽没有与将军、大名之间的主从关系的约束，完全是依靠自身的实力闯世界，但在严格的等级身份制度之下，能够开创一份家业并在社会上立足实属不易。要维护这份家业，仅靠道德的力量和伦理的约束是远远不够的。商人们虽也提倡服从朝廷、幕府，强调奉公意识，却远远不及武士那样强烈。他们最关心的是如何使自己的家业长久延续下去，十分注重经商致用之道和治家理财的经验，希望得到子孙后代的认同与遵守。所以，与中国官僚仕宦家训偏重道德训诫这一点不同的是，商家家训更多体现了治家传家方面的实用因素。如"正直经商"是商家的信条，如何"正直"？各家家训都有自己的规定，在此仅举几例：

要选购优质商品来贩卖，切勿购入劣质商品。（《山中家慎》）

金银、米谷、药材等商品，绝对不要进行不正当的交易。（《若狭屋掟书》）

对待买一钱商品的顾客要比对待买百元商品的顾客更要热情。（横须贺杂货屋《商训》）

商品的良否要明确告诉顾客，不得有一点虚假。（《高岛屋家训》）

再如，"俭约传家"是商家家训必不可少的内容，不仅是简单的说教，而且有实实在在的规定。如："店内生活万事宜行简素，朝夕食事一菜一汤，不许喝酒"（《住友长崎店家法书》）；"虽家富而安于绵服疏食。裁缝之事一切必家内自办，不可委托他人"（《滨口家家宪》）；"日常饮食，朝夕饭米一年定为一石八斗，如杂以蔬菜与大麦食之，则一石三斗足矣"（《岛井宗室遗书》）；"平素在店内只穿棉布衣服，腰带也勿着绢物"（《伊藤吴服店家训》）。对居家生活、日常用度做出细微规定，有人评价商人这种节俭的生活"极像早期的新教主义"①。

像上述这样既具体又实际的家训内容，对家族成员有着切实的约束

① 罗伯特·N. 贝拉：《德川宗教：现代日本的文化渊源》，生活·读书·新知三联书店，1998年版，第155页。

力，难怪不少家训在制定的同时即规定对家训要熟读、牢记，如商人岛井宗室要求家人“每日诵读两至三次，不可丝毫忘却”，鸿池家规定“每月 9 日与规定之日，集合全体手代（管家），即席诵读，并盟誓遵守”。使日本的家训在一定程度上具有家法的性质，且在家训中处处体现出一种浓浓的家业意识。即使是涉及家族成员道德培养的内容，也染上了鲜明的经济色彩。

（六）延续存于近代社会

进入近代社会以后，中日两国走上截然不同的发展道路。本来是封建时代产物的家训亦随着两国的社会结构与人们思想意识的变化展现出不同的发展趋势。在中国，虽然人们所处的时代已经明显有别于封建社会，但是按照以儒家文化为主轴的社会文化的要求，家训这种深入到家庭的社会意识形态载体，仍然不能超越社会意识形态的主题——用传统的礼法制度、伦理道德规范、行为准则指导人们处理家庭关系，教育子女成长。从家训的内容和形式而言，并未能逾越传统家训的规范，而是因循旧套，少有新意。尽管近代也有像曾国藩那样的家训大家，但很少有超过前代的家训名篇，也少有广为流传之作。有感而发，针对性强的家书成了家训的重要形式。从家训到家书的蜕变，说明家训这种传统而古老的形式已经远远落后于时代，它注定要被送进历史博物馆。

与中国的情况恰好相反，近代以后，日本的家训进入了大发展时期。明治维新之后，武家家训随着武士阶级的消亡退出历史舞台，然而，商家的家训却随着日本近代资本主义企业的兴起而进入一个全新的发展阶段。这是因为近代日本企业有相当一部分是江户时代商家的延续，即使是明治维新后建立的新企业，也无不是在“家”的基础上形成和发展起来的，日本独特的“家”制度在一定程度上适应了家族企业的发展，所以传统的以家训治家的习惯被运用于企业管理当中。于是，过去用于治家的家训，在新的社会条件下有了更广阔的发展空间。

家训在近代的延续首先表现在那些有着较长历史的家族企业，在继承了近世商家以家训治家、管家的传统的同时，针对过去商家家训基本上是以习惯与礼教为准则，内容有欠完备，缺乏可操纵性等问题，纷纷修改或制定新的家训，使其系统化、具体化，乃至注入近代的思想内容。在形式上，近代以后的家训多以“家宪”相称，使家训在家族企业的管理中充分发挥作用。三井家族就是其典型。1722 年，三井家第二代总领（家长）三井高平根据其父的遗言制定了三井家训，因三井高平号“宗竺”，故称该家训为《宗竺遗训》。在此后的岁月里，《宗竺遗训》一直被严格遵守，历经几代人而约束力不减当初。1900 年，为了适应时代潮流，三井家聘请了著名的法学家、明治民法的起草人之一穗积陈重等人制定了新的家训即《三井家宪》。《三井家宪》共分 10 章，109 条。举凡同族范围、家族资格、同族义务、同族会组织乃至婚姻、养子、分家、继承、制裁等内容，无所不包，堪称近代日本最系统、最完整的家宪。

在明治维新后发展起来的新企业则是在充分认识到家训的重要性之后才制定家训的，更能反映出近代日本企业的家族特征。如安田财阀的创始人安田善次郎出身于农民家庭（至其父辈时购买了士籍），当过六年丁稚（学徒）。他从赤手空拳开始创业，在幕末维新的混乱之中，因从事金融兑换业务积累了财富，仅仅几十年时间就确立了安田的财阀地位。在他发了家，成为屈指可数的富豪之后，便汇集诸家家规、家宪，参照比较，于 1887 年制定了《安田家家宪》。三菱财阀的家宪则更有独到之处。1885 年，三菱创始人岩崎弥太郎去世，其遗言被作为《岩崎家家宪》，虽只有约法三章似的几条，却对后人有严格的约束力。

家训与家宪是日本人家族制度与家族意识的真实反映。在企业经营的实践中，日本人深深体会到“家宪的有无直接关系到一家的盛衰兴亡”①。进入 20 世纪尤其是进入昭和时代以后，随着大批新兴企业的建

① 北原種忠：《家憲正鑑》，第 207 頁。

立，人们模仿家宪创造了社训（也称社则、社是）的新形式，将企业的经营理念、指导方针、经营规范浓缩成若干格言，用以约束员工。社训与以前的家训、家宪虽代表的主体不同，约束的对象不同，但其实质的功能是完全相同的，家训、家宪是为了一族永续而定，社训是为了企业永续而定。比较起来，社训、社是更具有简明扼要、感召力强、易于记忆的特点，所以极为流行，在现代企业管理中发挥了重要作用。多数企业把社是、社训装裱在镜框中，悬挂在墙上，也有的则将其制成标语，有的甚至将其刻在石碑上，还有的企业将社是、社训印在公司手帐（记事簿）上，或制作印有社是、社训的小册子、卡片之类发给全体员工，目的是让大家耳濡目染、铭记在心，并化作自己的行动。从家训到家宪，再到现代企业的社是、社训，从形式上看，家训的使用范围离“家”越来越远，而作用却越来越广泛。这一过程体现了日本人对家训传统的继承与扬弃，也反映出传统文化的现代价值。

六　战后日本家族制度的改革

家族制度改革是战后日本民主改革的重要内容之一，是日本有史以来伴随着法律变化而发生的空前深刻的社会变革和观念上的变革。由于家族制度改革的实施，使民主化得以贯彻，最终完成了因明治维新的不彻底性而被大大延误了的社会改革任务。

（一）日本战后民主改革的艰巨任务

明治维新之后，日本在经济领域迅速实现了近代化，但是在社会领域，尤其是在家族制度方面却保留了浓厚的封建色彩。正如“和魂洋才”这一口号所表示的那样，日本人一直热衷于西方国家的科学技术，而强烈拒绝西方的民主、自由观念。经过明治民法所确定的以“家”为核心的家族制度尽管在一定程度上促进了资本主义发展，但总的说来，它保存了大量封建残余:家长权(即户主权)、家督继承制、男尊女卑是其核心与支柱;强调“家”的纵式延续，在“家”中,户主作为家长具有绝对权威;在夫妻关系与父子关系上,强调妻对夫、子对父的绝对服从,由此使家族内部存在严重不平等。这种家族制度是束缚日本人的精神枷锁，影响和制约了整个近代日本历史的发展。

家族制度的延伸与扩大,导致日本特有的国家主义泛滥成灾。明治政府和后来的军国主义政权将传统家族制度引入国家统治中,即把皇室作为臣民的总本家,把天皇作为臣民的家长,把国家的主权喻为家长权。在政府和一些御用文人的鼓吹和宣传下,一国即一家、君主即父母的家族国家观日益深入人心,天皇理所当然地成为日本万民之父,从而构成了所谓天神—皇祖—天皇(父)—(子)这样的统治结构,使近代日本政治具有明显的家族主义特征。封建家族道德被天皇国家利用,作为日本传统道德核心的孝与服从,成为忠孝一致、忠君爱国的家族国家观的基础。家族国家观对日本人造成精神上的毒害,人们将自己作为天皇的赤子,认定自己的所作所为都应向天皇尽忠。日本的家族制度与家族道德在政治上助长了天皇专制主义集权统治,在军事上为法西斯军国主义政权利用忠君爱国、忠孝一致的思想意识轻而易举地实行战争动员创造了条件,这是战前日本军国主义发动的侵略战争极具疯狂性的深刻社会根源。

战前日本的家族制度在经济上阻碍了自由资本主义的发展。财阀是日本传统家族制度与近代资本主义企业发展互相结合、渗透的突出范例。大大小小的财阀几乎无一例外的都是以家族为基础,比如,财阀按照旧商人家族中的本家—分家—别家的序列,实行财阀总公司—直系公司—旁系公司的体制,使财阀形成金字塔型的企业统治机构。财阀家族在财阀企业中发挥着如下作用:不仅居于金字塔顶峰的持股公司及股票为财阀家族所有,而且财阀家族在其下属企业的股份中占绝对优势;财阀所属直系公司的经理和重要职员都由财阀家族担任,外人只能作为代理人参与经营，从而形成家族成员与非家族成员之间身份、地位上的严格差别。这就形成了财阀企业强烈的封建闭锁性与家族性，实际是把近代企业建立在封建家族关系之上。这种财阀家族“康采恩”形成之后，日本经济就处于这些金融寡头的支配之下，它的封闭性、保守性造成近代日本资本主义的畸形发展，从日本经济结构上看，在繁荣的巨大资本背后，是庞大的中小零星企业和停滞不前、贫困、落后的农村。为进一步扩大市场，实现资本增值，解决日本资本主义结构本身的内在矛盾，统治者便采取穷兵黩武的方式为自己寻找出路，这就是日本军国主义政权发动一系列对外侵略战争的根本原因。

总而言之，明治维新以来的家族制度基本上继承了封建社会的家族传统，在近代历史发展过程中影响甚广，它在政治上助长了天皇专制主义，在经济上造成近代资本主义企业的畸形发展，是滋生法西斯军国主义的土壤。家族制度对日本近代化的消极作用与影响，远远超过了在资本主义工业化过程中客观上的积极作用，是导致日本走向失败的重要的社会内部原因。因此，对家族制度进行改革，便成为战后民主改革的重要任务。

长达 15 年的对外侵略战争的结局，是日本被迫接受《波茨坦宣言》，宣布无条件投降，并由美国在“盟军”的名义下实行对日单独军事占领，这是日本有史以来最悲惨的失败。战后初期，日本国民不得不默默地吞食着侵略战争的苦果：战争造成的 300 万人的伤亡(平均每 4 户 1 人，无数家庭破碎；美军的狂轰滥炸吞没了人们的家园、财产，家庭生活的基础丧失殆尽；由于军需企业的停产与军人的复员、遣返等，失业者骤然达到 1 000 万人；经济濒于崩溃，衣、食、住严重不足。然而，长期以来对于社会稳定发挥了巨大作用的家族制度在战败的局面下依然发挥着特有的功能，人们默默地、秩序井然地回到“家”中。这场日本史上空前的灾难并未对国家统治造成根本威胁。战败以后，日本政府依然寄希望于利用所谓“淳风美俗”的家族传统和家族国家观对国民进行统治，以渡过难关。1946 年 5 月 24 日，昭和天皇发表广播讲话称："切望全体国民发扬爱国爱家的优良传统，不计区区利害，从目前的困难局面中迈出祖国再建之道。"政府提出了"男科学，女家务"的口号，让战时在勤劳奉仕的口号下从事后方生产的女性重新回到家庭，实行"以女子失业代替男子失业"的政策，牺牲妇女的利益以解决遍及全社会的失业问题。政府一边呼吁妇女发扬吃苦耐劳的传统，与苦难和享乐文化做斗争，一边沿袭战前的公娼制，大量征集作为占领军性奴隶的慰安妇，并将此事作为"战后处理的国家性紧急措施之一环"。这些事实说明，旧的家族制度与家族观念在人们头脑中仍根深蒂固地存在。

然而，在战后新的社会条件下，"家"再也不是安居的场所。战后初期日本经济处于崩溃边缘，生活极端贫困，社会秩序异常混乱，家族制度已难于改变贫困的局面。同时，民主改革的浪潮，使人们认识到旧家族制度及在其延长线上形成的家族国家给日本民族带来的灾难，积极要求对家族制度进行改革。据《每日新闻》1947 年 3 月进行的舆论调查，工薪阶层的 62%，学生中的 78%，工人中的 58.7%，农、渔民中的 43.3%支持废除"家"制度。① 也就是说，半数以上的日本人支持改革旧的家族制度，要求从"家"的束缚之下解放出来。根据《波茨坦宣言》中"阻止日本国民复活、强化民主主义倾向的一切障碍应予撤除"的要求，对曾经作为日本"民族的绝对信仰对象"②的家族制度进行改革势在必行。

（二）传统家族制度的瓦解

战前日本的家族制度不仅是重要的法律问题，也是重要的政治问题及道德问题，因此，家族制度的改革是一项涉及面很广的综合性社会改革。战后初期，美军对日占领政策的核心是日本的非军事化与民主化，

① 福島正夫：《家族・政策と法》第 1 卷、東京大学出版会，1975 年，第 249 頁。

② 川岛武宜：《日本社会の家族的構成》，日本評論社，1950 年，第 3 頁。

占领日本的最终目的，是“保证日本不再成为美国的威胁”。1945 年 10 月，盟军总司令麦克阿瑟下达“五大指令”，即，1. 赋予妇女参政权，实现妇女的解放；2. 鼓励成立工会组织，加强工人的发言权；3. 实行教育自由化；4. 废除专制机构；5. 促进经济制度民主化。表面上，这五条当中没有一条是对改革家族制度的直接要求，但是，由于长期以来，传统家族制度不仅在法律与道德方面影响和制约着日本人，而且同日本人的经济生活与政治生活息息相关，因此，在新宪法和新民法的颁布与实施彻底否定了封建家族制度的同时，战后初期的一系列民主改革也直接影响到人们家族观念的变化，促进了传统家族制度解体。

在政治上，象征天皇制使近代以来的家族国家宣告瓦解。根据 1946 年颁布的《日本国宪法》，天皇从战前的“神圣不可侵犯”变为“日本国的象征”，从明治宪法体制下的总揽国家大权的地位降至新宪法体制中无任何实际权力的象征性元首地位。象征天皇制的产生对日本家族制度的影响非同小可。战前，天皇被置于“现人神”的崇高位置，明治宪法明确规定“大日本帝国由万世一系之天皇统治之”，确认了天皇家族对全体国民的统治权。而在象征天皇制下，作为“日本国的象征”的天皇的地位，要“以主权所在的全体国民的意志为依据”。这样，至少在法律上，国民的意志成了主宰天皇地位的关键，从根本上否定了战前的君臣父子关系。军国主义政权所构筑的举国为一大家族，皇室是总本家、天皇是总家长、全体国民是家族成员的家族国家体制彻底崩溃。象征天皇制从政治上宣告了长期束缚日本人的封建家长制解体。

战前，天皇制不仅是日本最大的家族制度体系，而且，皇室是日本传统家族制度的总代表。比如，皇室是一个典型的复合家族，规模庞大，其成员不仅包括天皇、太皇太后、皇太后、皇后、皇太子、皇太子妃、皇太孙、皇太孙妃，还包括亲王、亲王妃、内亲王、王、王妃、女王等直系及旁系亲属。1947 年 10 月，根据盟军总部的意见，11 个宫家被剥夺皇籍，禁止他们以皇族名义过寄生生活，51 名皇族成员被废黜为平民，只保留了三位皇弟的皇籍,皇室规模大大缩小。世袭的华族制度也被废除。战前,为了维持所谓“万世一系”的皇统,皇位的继承要与皇室财产、神器等同时由皇室之男系的长子继承,因此,与其说“日本独特的家督继承制对于维持万世一系之皇室的继承是绝对必要的,莫如说正是出于皇位继承的维持和确保皇室的必要,才规定了日本独特的家督继承制”①。这种继承制度是维持以天皇为总家长的“家族国家”和天皇及其以下所有父家长的权威所不可缺少的制度。在象征天皇制下,皇位的继承要根据由国会通过的《皇室典范》来实施。1947 年 1 月 15 日,经国会决议公布的《皇室典范》与旧的《皇室典范》相比较,剔除了宣传“万世一系”“祖宗肇国”之类糟粕,不再将伴随皇位继承的祭祀活动作为天皇神圣权威的标志。同时,根据宪法规定,一切皇室财产属于国家,皇室费用均纳入国家预算,并要经国会决议通过,皇室因此被剥夺了经济特权。皇位虽仍由属于皇统的男系依循长子长孙的次序继承,而家督继承制的实质性内容已经荡然无存。这些改革无疑会对以皇室为楷模、注重家族传统的日本人产生强烈的震撼和影响。

在意识形态领域,随着天皇由神变成了人,维系家族国家与传统家族制度的思想意识也得到清算。在教育改革过程中,由于否定了“教育敕语”,国民的思想道德教育发生了本质的变化,“忠君爱国”“克忠克孝”不再是国民道德的核心,而代之以个人主义、自由主义、民主主义。根据 1945 年 12 月 15 日占领军当局发布的废除国家神道的指令,对“日本天皇因其祖先及特殊起源而优越于其他国家元首”和“日本国民因其祖先及特殊起源而优越于其他国国民”的宣传,都被作为“军国主义和极端国家主义的意识形态”而被禁止。② 同时,宣传家族国家观、鼓吹忠君爱国的《国体之本义》《臣民之道》,以及有关此类书的评论和注释等出版物也

① 玉成肇:《日本家族制度論》,法律文化社,1971 年,第 281 頁。

② 辻清明:《資料・前後二十年史・1・政治》,日本評論社,1966 年,第 23 頁。

被禁止出版。这样,长期以来束缚日本国民的精神枷锁、作为日本法西斯军国主义精神支柱的神社神道,被迫与政治、政权分离。这一举措的重要作用不仅在于废除神道的特权,铲除天皇制意识形态,而且,触及战前日本家族制度的核心。因为长期被称为"祖先之教"的祖先崇拜传统一直是日本家族制度的基础,明治民法维护所谓"淳风美俗"的家族制度的内容都是基于祖先之教的家族观而制定的。因此,废除国家神道的指令虽不是直接针对家族制度的改革,却从思想上、精神上瓦解了日本传统家族制度的基础。

在经济领域,解散财阀的举措给传统家族制度以强烈冲击。战后,作为财阀总公司的控股公司被解散,指定56个财阀家族将所持的有价证券交给控股公司整理委员会,使财阀家族对下属企业的控制基本解除。同时,为防止财阀东山再起,解除了财阀家族在所有企业中的一切职务,并且不允许重新任职,切断了财阀的人事网。通过这些措施,排除了财阀家族对企业的控制,消除了日本垄断资本的封建家族式统治。这些措施不仅对战后日本经济的恢复与发展产生了积极影响,而且推动了社会变革。除此之外,战后农地改革也直接破坏了旧家族制度的基础。明治维新后,日本尽管实行了地税改革,废除了封建领主土地所有制,但是取而代之的是寄生地主土地所有制。农村中盛行半封建的租佃制度,以地主和佃农的"家格"(即门第)为中心的身份制度严重束缚着农村生产力的发展,因此,战前的农村及土地制度被称作"封建家族制度的温床"[①]。经过战后农地改革,消灭了寄生地主制,建立了"耕者有其田"的自耕农制度,从而冲击了在半封建土地所有制基础上维护家长制的旧家族制度和传统习惯。地主失去了大量土地,家长的权威随之一落千丈。佃农获得了土地,摆脱了租佃关系和身份关系的支配与束缚。因此,上述解散财阀与农地改革的意义绝不仅仅限于经济制度的变革,还具有深

① 西村信雄:《戦後日本家族法の民主化》(上),法律文化社,1978年,第5頁。

刻的社会意义。比如使遍布全国城乡的名门望族威风扫地，门第意识受到严重削弱，家长丧失统治权。这是对旧的家族制度与家族传统的深刻革命。

在社会方面，妇女获得了参政权，使一向处于家族最底层的妇女的地位发生了翻天覆地的变化，同时影响着整个家族制度的变革。在战前旧的家族制度下，妇女是丈夫的奴仆，是为实现家的延续而生儿育女的工具。妇女在家中无权，导致在整个社会都处于无权地位。尽管近代以来随着资本主义的发展，妇女的教育与教养水平不断提高，在产业革命及后来的资本主义生产过程中发挥了重要作用，但她们却不能与男子一样拥有参政权，被野蛮剥夺选举权与被选举权，这一点使日本近代资产阶级民主制度大打折扣。战后，占领当局对妇女参政权问题极为关注，在 1945 年 10 月麦克阿瑟对日本政府发出的要求改革的“五大指令”中，第一条就是要赋予妇女参政权。在占领当局的推动下，日本妇女为了争夺自身权益积极行动起来。1945 年 9 月 11 日，成立了战后对策妇女委员会，提出改善妇女地位的具体要求，如要求妇女的公民权、选举与被选举权、妇女的政治结社权、就任公职权等。妇女参政运动的开展，在社会上引起强烈反响，对政府也构成一定压力，因而不得不采取顺应时代潮流的措施。1946 年 4 月 10 日，是日本历史上妇女获得参政权后首次行使投票权的日子。人们曾预想妇女投票率不会超过半数，而实际上 66.97%的有选举权的妇女参加了投票。在这次选举中，在 79 名女性候选人中选出 39 人为日本历史上第一代女众议院议员，妇女当选率之高，在当时世界上也是少有的现象。这次选举促进了日本妇女的政治觉醒，象征着妇女解放的历史开端。

（三）战后家族法的民主化

在近代文明社会实行社会统治的各种手段中，能够最系统而且最强有力地发挥其重要作用的，就是法的统治。近代家族法是调整夫妻、父母子女及其他家庭内部个人与个人之间权利义务关系的法律,其特征是以各种“权力”为出发点与核心。然而,1898年开始实施的明治民法中有关家族制度的内容,实际是对封建家族制度的全面继承与发展。在明治民法的约束下,一切个人均隶属于由户主所统辖的家,家庭内部存在夫妻之间、长子与次子之间、男女之间的严重不平等。日本的统治者将民法中的这种家族制度说成是自古以来的优良风气。他们既无视随着资本主义的发展,明治民法所确定的家族制度已经失去现实基础的状况,又对长期以来进步民主势力要求修改民法的呼声充耳不闻,一意强调要维护“固有之淳风美俗”。所以,改革家族制度的根本措施应是制定一部民主主义的家族法。在占领当局的直接干预下,1946年11月,公布了《日本国宪法》。新宪法针对旧家族制度积弊,在第24条中专门规定了这样的原则:

1. 婚姻基于男女双方之合意即得成立,且须以夫妻享有同等权利为基础,以相互协力而维持之;

2. 关于配偶的选择、财产权、继承、居住之选定、离婚以及其他有关婚姻及家庭之事项,法律应以个人尊严及两性平等为依据而判定之。

这一规定,将新宪法“全体国民都作为个人而受到尊重”和“全体国民在法律面前一律平等”这两种基本思想应用到婚姻和家庭生活方面,意在透过家庭民主而实现政治民主,并打破战前封建色彩甚浓的家族制度。以宪法来规定国民家族生活的原则,在旧宪法中是不曾存在的。新宪法之所以特别对此做出规定,是基于长期以来国民家族生活与政治生活紧密相关的实际状况,还由于民主主义的确立必须以国民个人的教养和自主性格的养成为必要条件,而这些条件又与家族生活不可分离。新宪法关于家族制度的规定不仅是国民树立新的家族道德的依据,也为家族改革规定了方向。

1946年7月,政府成立了临时法制审议会,开始全面修改旧民法。尽管一部分顽固维护旧家族制度的保守派进行了若干抵抗,力图将对民法的修改限制在最小的范围内,但终究不能无视旧家族制度与民主主义背道而驰的现实,也不能对进步民主势力及广大民众要求改革家族制度的强烈呼声充耳不闻,更不能置占领当局的指令于不顾。在一年多的时间里,经过对民法草案进行反反复复的修改(先后提出8次修正案),新民法终于在1948年1月1日开始实施。

新民法根据新宪法的精神,就有关家族制度的内容(亲属编和继承编)进行了重大修改。其修改内容主要有以下几个方面。

1. 废除封建的"家"制度。这是家族制度的最主要的改革,也是新旧民法的最大不同点。明治民法规定的家族制度是以"家"为核心,即以户主(家长)为核心的制度。在这一制度下,任何人必须从属于"家",由户主统率之。户主由家督继承人担任,他一面继承家长的地位,同时继承家的全部财产,因而具有很大权力。"家"的地位虽然如此重要,但所谓"家",并不是实际上生活在同一住宅之内的婚姻、血缘集体,而只是相同户籍的一群。明治民法所界定的家族的概念为"户主的亲属且在其家者及其配偶",这里的"在其家者",其实只是在户籍上属于本家族,并非住在家中之意。所以,父子、兄弟的住宅虽相距百里千里,法律上仍同属于一家。而且,作为"家"之代表的户主未必负担所有家族成员的生活,也未必与所有家庭成员住在一起,却享有从各个方面统制家庭成员的大权。这种"家"制度不仅从理论上无视个人人格,且不合于实际生活,存在各种弊端,所以必须废止。基于上述原因,战后日本的新民法将旧民法中对"家"制度加以确认的亲属编第二章"户主及家族"部分全部删除,户主的权力、家督继承及有关"家"制度的内容亦随之被取消。废除自幕府时代以来的"家"制,实为日本社会制度的大变革。

2. 改革婚姻制度。旧民法的婚姻制度,无视个人尊严与男女平等。新民法对此予以全面修改。在结婚制度方面所做的更改是:其一,保护成年男女婚姻自主的权利。旧民法规定,婚姻不仅要得到户主的同意,而且凡年未满30岁的男子或年未满25岁的女子的婚姻,还要得到父母的同意,新民法则把这些规定删去,改为"未成年子女结婚,应经其父母同意,父母一方不同意时,有他方同意即可"①。其二,姓氏由双方协议确定。旧民法规定,结婚后,妻称夫之姓,由改变姓氏来表示进入另外一家。新民法则规定姓氏由夫妻协议定之(第750条)。确定姓氏的目的,完全在于方便称呼,而不存隶属关系。其三,同居义务的变更。旧民法只规定"妻负与夫同居之义务,夫应使妻与之同居"。这种男女不平等的规定,显然不符合新宪法第24条的精神,故新民法规定:"夫妇应同居,相互协力,相互扶助(第752条)。"从此夫妻互负同居的义务。其四,夫妻共负婚姻生活的费用。旧民法规定:"夫负担全部由婚姻而生的费用,但妻为户主时妻负担之。"新民法以为夫妇既有同等的权利,也应负担同等的义务,故规定夫妇双方共同负担婚姻生活的费用,并按双方的资产、收入等情况决定分担的比例(第760条)。

3. 保障妇女的权益。在明文规定了"法律面前人人平等"的新宪法面前,妻子的无能力制度完全被废除了。新民法亦在各方面保障妻子享有与丈夫完全平等的权利。它主要表现在:第一,新民法实现了离婚原因的合理化。在旧家族制度下,丈夫的不忠不能成为妻子要求离婚的理由,妻子只能为此而哭泣。新民法剔除了这种不平等,改为配偶有不贞行为时,即可提起离婚诉讼(第770),不因其为夫或妻而不同。第二,规定家庭财产系由夫妇协力而得,故不管是协议离婚,还是裁判离婚,当事人的一方,有权向另一方要求分割财产(第768条),这是一项保障男女平等的实质性规定。第三,提高被继承人配偶(妻子)的继承地位。过去,妻子在继承上地位很低。在家督继承方面,不能作为法定家督继承

① 民法第737条。本文所述日本战后民法之内容,均引自王书江等译:《日本民法》,法律出版社,1986年。

人;在财产继承方面,继承顺位在直系卑属之后,即在被继承人无子女或子女死亡及其他丧失继承权,而又无代位继承人的情况下,才能继承丈夫的财产,这种规定显然是不合理的。新民法规定:被继承人的配偶有权继承被继承人的财产,在与子女为共同继承人时,配偶的应继承份额为三分之一;在与被继承人的直系尊属为共同继承人时,配偶的应继承份额为二分之一;在与兄弟姐妹为共同继承人时,配偶的应继承份额为三分之二(第900条)。[①] 此规定使妻子在家庭中的地位真正得到提高,对于妇女来说,“长而又长的黑暗历史总算结束了,妻子从长达几个世纪的隐忍服从的世界里脱身出来,好容易才得以成为财权的主体”[②]。第四,母亲成为亲权人。在旧民法时代,子女的亲权人是父亲。母亲生养子女,为孩子一生操劳,法律却不赋予母亲以任何权利。尤其在不得不离婚的情况下,因为孩子的亲权人是父亲,孩子就是丈夫的,母亲因此无权要求孩子与自己一起生活。新民法结束了这种不平等的状态,在第818条中规定“未成年的子女,服从父母的亲权”。据此,父母在婚姻过程中,共同行使亲权,父母离婚时,为了孩子的利益,确定母亲为亲权者的居多,母亲对孩子的权利得到了保障。根据新民法的上述规定,妻子获得了独立、平等的人格。

4. 继承制度的改革。旧民法的继承有家督继承和遗产继承两种。家督继承因户主死亡、引退等原因而开始,遗产继承因家属的死亡而开始。长子作为家督继承人,一方面继承户主的家长地位,同时又继承家族的财产,他人则难于染指家业与家产。这种制度虽然在客观上可以保全家产,但基本用意是加强家督继承人即户主的权威,与传统的“家”制是互为表里的。这种继承与其说是继承财产,不如说是继承家系,是家

① 1980年,对配偶的继承份额有所修改:子女及配偶为继承人时,配偶的应继承份额为二分之一;配偶及直系尊属为继承人时,配偶的应继承份额为三分之二;配偶及兄弟姐妹为继承人时,配偶的应继承份额为四分之三。

② 佐佐木静子:《妇女法律入门》,群众出版社,1988年,第108页。

族中所有不平等的根源。新宪法公布后，违反平等原则而又妨碍个人自由的家督继承制自然在当革之列。所以新民法的继承编废除了家督继承制，即继承仅涉及财产，而不再有家长权利、义务、地位的继承。废除家督继承制，带来了继承制度的一系列变化，其中主要有：第一，单独继承变为共同继承。被继承人死亡后，由子女共同继承其财产。在被继承人无子女时，则按被继承人直系尊属、兄弟姐妹的顺序继承。同等顺位继承人有数人时，其继承份额相等。这些与旧民法相比，大不相同。第二，继承仅因死亡开始。按照旧民法规定，家督继承开始的原因不仅有户主的死亡，还包括隐居、丧失国籍等。其中的隐居，就是让因高龄、有病而无法行使家长权的人将家长权让渡给家督继承人。这实际是维护"家"制的重要手段，其结果，往往产生前户主与继承人及有关人员之间的复杂的法律关系。由于新民法只承认财产继承，故继承开始的时间也简单化为自继承人死亡时开始，等于否定了传统的隐居制。第三，男女继承权相等。在家长制家族制度下，实行由长子单独继承，女儿取得继承权是在极其有限的情况下才出现的。如果婚生的孩子都是女孩，而非婚生子是男孩，那么，户主的权利、义务、财产、地位便要由非婚生的男孩继承。因而女儿和只生女儿的母亲的地位是不安定的。根据新民法，家庭子女不分男女都有平等的继承权。已婚的女儿，可以与其他子女一样，平等地继承娘家父母的财产。由于实现了继承方面的男女平等，女儿成为财产权主体的机会多了，对于提高妇女的权利和地位有着不可估量的作用。

结语

确立以民主、平等为基础的家族法及与此相适应的家族道德，本应是明治维新的任务之一。然而，由于明治维新的不彻底性，它被人为地大大延误，并导致日本的近代化步入歧途。战后民主改革和新民法废除了封建家族制度，否定了“家”对个人的合法控制，这场迟来的对日本社会组织和社会制度的深刻变革，终于为半个世纪前的明治民法论争画上了一个较圆满的句号，从而痛苦而又艰难地完成了日本社会近代化的任务。经过战后民主改革和新宪法、新民法的贯彻与实施，使家庭逐渐向民主化转变，千百年来以“家”为中心的封建家族制度迅速瓦解。家族制度的改革，大大解放了生产力，提高了妇女的社会地位，直接促进了战后日本经济的发展。

本章第一部分原载《人民论坛》2013 年 8 月(中)；

第二部分原载《日本学刊》1996 年第 6 期；

第三部分原载《天津社会科学》2004 年第 4 期；

第四部分原载北京日本学研究中心《日本学研究》第 13 期，外语教学与研究出版社 2003 年版；

第五部分原载《山西大学学报》2009 年第 1 期；

第六部分原载《南开学报》(哲学社会科学版)1998 年第 6 期，人大复印资料《世界史》1999 年第 1 期转载。

第四章 家伦理在近代的活用与恶用

一 家族制度与日本的近代化

明治以来,家族制度不仅是日本重要的道德问题,也是重要的法律问题及重要的政治问题。明治维新后的日本,尽管在科学、技术、经济等方面都渐渐实现了"近代化",但在社会方面的"近代化"却远远落在后面,传统的、封建的家族制度及由此派生出来的家族观念和家族国家观一直严重束缚着日本人的思想和行动,制约着近代化的发展过程。虽然家族制度在一定程度上适应了资本主义工业化的发展,但是,家族制度的功过,不过如一位日本社会学家所说,"无非是半斤八两,功罪参半罢了"①。

(一) 从明治民法典论争看近代日本的家族制度

明治维新之后,在建立健全近代法制的过程中,围绕家族政策的立

① 福武直著、陈曾文译:《日本社会结构》,广东人民出版社,1982年,第23页。

法，即“民法”的颁布与实施，在法学界展开了一场激烈的争论，史称“民法典论争”，这场论争将明治维新的不彻底性暴露无遗。

早在1870年，明治政府就开始了“民法”的编纂工作，1879年，又聘请法国的自然法学家伯阿索那多（Gustave Emile Boissonade de Fontarabie）参加“民法”的起草。经过各种周折，“民法”终于在1890年正式公布，并决定于1893年开始实施（为区别起见，这部“民法”史称明治旧民法）。它共分人事、财产、财产取得、债权担保、证据五编，有关家族制度的内容收在人事编及财产取得编中。

实事求是地说，明治旧民法中有关家族制度的内容，是在接受人们对最初的草案过多照搬法国民法的指责后，尊重本国的传统，并由日本人自己制定的。它虽在一定程度上反映出法国民法的平等、自由精神，但从本质上说是维护日本封建家族制度的，甚至与后来颁布实施的《明治民法》也没有根本的不同。然而，明治旧民法一经公布，立即引起轩然大波，它被认为具有个人主义、自由主义倾向，有悖于《大日本帝国宪法》和“教育敕语”的精神，因而受到“延期实施派”的强烈指责。“延期实施派”也因其标榜自由主义的英国法而称英国法学派，其代表人物是曾留学德国的东京大学法学部教授穗积八束，他发表了一系列文章，反对“民法”的实施，其中之一就是影响深远的“民法出则忠孝亡”。文中宣扬“我国乃祖先教之国，家制之乡，权力与法皆生于家”，并指责民法，“先排斥国教，继而破灭家制”①。“延期实施派”极力主张以武士家族制度为典范制定近代的家族制度。对于“延期实施派”的攻击和非难，以东京大学教授梅谦次郎为首的一批坚持资产阶级自由主义的法国法的学者组成“断然实施派”，开展拥护“民法”的运动，主张对家族制度进行改革，以适应时代的发展，并撰文一一批驳“延期实施派”施加给“民法”的“七大罪状”。尽管“断然实施派”与“延期实施派”两军对垒，针锋相对，但是“断

---

① 宮川透等:《近代日本思想論争》，青木書店，1963年，第77頁。

然实施派"始终将对"延期实施派"的反击局限于法理的范围内，而实际上这场论争是远远超出法理问题的政治问题，因此，他们的反击显得苍白无力。此外，相比之下，"延期实施派"有着更深刻的社会基础。明治政权的主要支柱是由旧封建藩阀、政商等转化而来的带封建性的特权财阀，其领导集团主要是与财阀密切勾结的旧藩阀，这就决定了这场论争的结局是保守的"延期实施派"与官僚、大地主、政商的同盟军的胜利。1892 年召开的第三次帝国议会决定延期实施"民法"，论争以明治旧民法夭折，"断然实施派"败北而告终。1893 年，明治政府设立法典调查会，重新起草民法，这次不再以法国民法为蓝本，而是参照德国民法，并且充分依据日本固有的习惯，于 1896 年公布了"总则""物权""债权"三编，1898 年又公布了"亲族""继承"两编，由这五编构成的《明治民法》，于 1898 年 7 月开始实施。

"民法典论争"在形式上表现为英国法学派与法国法学派之争，实质则是个人主义、自由主义与家族主义、国家主义之争，争论的核心问题在于是维护封建的家族制度，还是适应资本主义的发展，对其稍做改革。从保守的"延期实施派"在论争中取胜这一结局来看，不要说摈弃被称为"淳风美俗"的封建家族制度，即便是有所触动也是很难的。经过"民法典论争"后颁布的《明治民法》，虽在一定程度上做了一些顺应时代潮流的规定，如财产继承实行均分的原则，废除蓄妾制，给妇女以离婚的权力等，但从本质上说，它维护家族主义和封建传统，以资产阶级法律的形式肯定了自幕府时代以来盛行于武家社会的传统家族制度，并将其强行推行于全体国民。

要了解《明治民法》确立的家族制度，首先要了解近代社会以前的家族制度。日本封建社会的家族制度，概括说来，就是在生儿育女的家族之上，旨在家系代代存续的家长制统治，用日本社会学家川岛武宜的话说，就是"家的父家长制"①。父家长制虽在中国比较典型，但是"家"制

① 川島武宜:《イデオロギーとしての家族制度》,第 32 頁。

度，不论在西欧诸国，还是在中国封建社会的历史上都不曾出现过，而这种独特的“家”制度正是日本家族制度中最重要的内容。所谓“家”，只是一种抽象的家系的延续体，以婚姻和血缘关系组成的具体的家族不过是直系的从祖先到子孙这样无穷无尽繁衍下去的“家”的现象形态而已。“家”伴随着一种信念，即不管其成员发生了什么样的变动（如死亡、婚姻等），都保持其统一性而存在下去，因此，“家”与人们生儿育女的具体家庭并不完全是一回事。以“家”为核心的家族制度有两个最明显的特征：其一，家督继承制，这是“家”制度的集中体现。“家督”的含义既包括家业与应继承家业的人，也包括家长监督和管理家庭成员的权利与义务。为了家族永续的目的，只能实行一子继承（一般是长子），即由这个继承人继承家业与家长权，同时，也继承了家产。其二，血缘纽带与作为生活共同体的家族，有时并不是同一的，家族的血统不仅有生理上的，也有模拟的。如家族中往往包括非血缘者，长期参与家务的佣人、管家之类也可成为家庭成员；再如，以无家族血缘关系的人为养子，或招婿进门让其继承家业也是为人们普遍接受的延续家系的方法。然而不论哪一种方法，都要放弃自己的家系而改称养家的姓，这一点足以说明家名的重要。总之，“家”是基于家族之上的超家族、超血缘的集团，它重家名而轻个人，重家系而轻血缘。在“家”制度下，家长就像是一场接力赛中的选手，他的任务是接过父祖手中的接力棒，再传给子孙。毫无疑问，作为“家”的象征和祖先神化身的家长和家长权是至高无上的，在一切为了家的信念下，家长即使怎样行使家长权也不为过，维护家长权是幕府法律及武家家规、家法中的重要内容。

这种以“家”为核心的家族制度从镰仓时代起初见端倪，室町、战国时代已很盛行，对维护统治发挥了重要作用。明治维新后，在明治新政权的保护下，它由武家社会的习惯，被法律固定下来。在《明治民法》中，作为“家”制度集中体现的家督继承制被法制化，家督继承人的选择要遵循男子本位、嫡子本位、长子本位的原则；家长不仅有扶养家族成员的义务，更拥有监督和管理家族成员的权力。《明治民法》不仅没有摈弃封建家族制度中的很多不合理之处，反而将它合法化，造成家族关系中的两个不平等。

第一是男女不平等，主要表现在纵的父子关系重于横的夫妻关系。明治旧民法曾将“家族”的概念规定为“户主的配偶及在其家的亲族、姻族”，因有提倡夫妻平等之嫌而受到强烈抨击，在《明治民法》中改为“户主的亲族在其家者及其配偶”①，不过是变动了几个字的顺序，便将户主配偶的地位放在了最后。妇女一旦结婚，便成了为夫家繁衍继承人的工具和奴仆，她们无权管理家庭的财产乃至本人的财产。对丈夫的遗产，妻子只能是在没有子孙的情况下才有继承权，实际上等于被剥夺了继承丈夫遗产的权利。家族制度本身决定了妇女一生中在家服从家长，结婚服从丈夫，年迈之后服从儿子的“三界无家”的命运。

第二是长子与次子以下子女的不平等。长子不仅是家业、家产的继承人，还是家长夫妇晚年生活的赡养者，其地位自然而然高于其他子女，在各方面受到特殊照顾。如有的地方称长子为“阿哥”，称次子以下为有蔑视之意的“吃冷饭的”，他们从幼年起就在衣、食上有明显区别，长大以后，次子、三子的出路或是出外闯荡，或是在家苦渡一生，这就意味着甘于对长子的服从，永无出头之日。作为继承人的长子与非长子享受的不同待遇及长子对他人表示出的优越感乃至凌驾他人之上的态度，不会因成年而改变，非长子即使能领到一点家产建立分家，与长子的本家也只能是统辖与服从的关系，甚至是主人与奉公的关系，没有平等可言。

总之，从“民法典论争”及其结局来看，与明治维新后大力移植西方资本主义经济的一系列革新的措施相比，在社会、家族方面的变化则是落后的、守旧的。这种矛盾决定了明治维新不彻底性，也决定了日本这个以家族为社会组织基础的国家近代化的发展方向。经《明治民法》确

① 福尾猛市郎：《日本家族制度史概説》，第 210 頁。

定的家族制度，从法律上精神上束缚广大民众，成为此后半个世纪中日本国民家族制度与家族生活的准则。

（二）家族制度在资本主义工业化过程中的积极作用

明治维新对传统的、封建的家族制度不是破坏、否定，而是维护、肯定，这是由日本历史、社会、经济发展的条件决定的。明治政府对旧的家族制度加以确认和推广的做法是以维护传统为出发点的，这种“功罪参半”的家族制度在客观上及一定程度上适应和促进了资本主义工业化的发展。

首先，《明治民法》确定的近代家族制度有利于为资本主义工业化提供雇佣劳动力。在世界近代史上，西方国家工业革命的发生与发展都是在原始积累比较充分发展的基础上实现的，只有经过这个过程，才能使生产者和生产资料相分离，从而出现资本主义工业化所需要的源源不断的雇佣劳动力大军。而在日本，由于幕末资本主义因素微弱，原始积累基本上是在明治维新后才正式展开，而且是与建立近代产业这一过程同步进行的。在作为原始积累主要杠杆之一的地税改革过程中，并没有发生激烈的农村和土地变革，使农村小生产者同生产手段的分离极不彻底。因此，明治维新以后，日本政府在“富国强兵”“殖产兴业”的口号下，大力兴办近代产业的时候，并没有准备出足够的雇佣劳动者。日本资本主义生产关系的这种先天不足，是在资本主义经济发展过程中，通过内部机制的不断调节来加以弥补的，而家族制度所具的某些功能也发挥了一定作用。

如前所述，在《明治民法》所确定的近代家族制度中，妇女的地位最为低下。女孩子早晚是人家的人，在家里便是多余的累赘，正像“儿承家、女吃饭”这句俗话所说的那样，女孩子除了吃饭以外没有别的本事。所以一般人家尤其是贫苦人家都不会、也无力在女儿身上“投资”太多，倒不如让她们外出找些活干，自己养活自己，还能接济家里的生活。正是这种家族结构，产生了担任日本近代化工业先驱的纺织工业的女工。这个产业之所以能最先发展起来，其重要原因是资本家得以用低工资雇佣大量离家谋生的女工。据日本纺织联合会 1897 年进行的调查，纺织行业的女工中有 64.6%是 20 岁以下的少女，16%是不满 14 岁的幼女①。"家"制度带给她们的命运和家庭生活的重担迫使她们早早加入廉价劳动力的行列。另一方面，"家"制度造成了长子、次子间的不平等，迫使无由继承家业的人们离家另谋生路，随着工业化尤其是重工业的发展，当新兴工厂、企业需要劳动力时，作为非家督继承人的农家子弟便离开农村涌向城市，受雇于工厂、企业。同时，由于地税改革的结果，农民必须缴纳高额现金地租，这些被卷入货币经济而迅速没落、贫困的农民，也不得不把长子以外的孩子送入工厂，成为雇佣劳动者。家督继承制使得农村不仅成为廉价劳动力的巨大供给源，还是失业者的"贮水池"，遇有不景气和经济危机发生，资本家首先采取的就是"归农"政策，将大批工人遣送回家。工人受伤或生病时，回家便是唯一的出路。这一做法使政府和资本家最大限度地节约了用于工人的工资福利、劳动保护和社会救济等方面的资金，得以迅速进行资本的积累。因此，不论是从劳动力的"供给源"，还是"贮水池"的意义上说，日本的家族制度都是有利于资本主义工业化发展的。

其次，日本的家族制度在客观上促进了社会流动和人才的培养。任何社会都应是流动的，而不是静止的，社会越发达，其流动程度就越高。明治维新打破了森严的等级制度，实现了四民平等，创造了社会流动的基本条件，给人们以机遇和机会，而家族制度本身也促进了这种流动。这是因为，如果次子、三子与长子具有同等的家业、家产继承权，被紧紧束缚于土地，或许不能顺利地培养和提供为资本主义工业化所需的人才。家督继承制使得家督继承人之外的人迟早都要离开家，到社会上闯

① 後藤靖等:《日本資本主義発達史》，有斐閣，1979 年，第 67 頁。

荡，通过这种办法改变自己的生活状况和处境。同时，在当时社会上强烈的门第观念影响下，提高自己的社会地位，也是大多数人为之奋斗的目标。因此，在家族中受到的不公平待遇，迫使这些人积极接受近代教育，投身于实业界，在明治维新后较少束缚的社会条件下，一大批积极向上、勤奋刻苦、有知识、有才干的经营人才脱颖而出，所有这些，对资本主义工业化起到十分有利的作用。

作为非家督继承人除了离家谋生，到社会上闯荡之外，还有一条路可选择，即作别人的养子——尽管这种机会只是对少数人而言。一般说来，在没有男性继承人的情况下，家产越多，门第越高的家庭，以养子继承的愿望就越强，所以，对作养子的人来说，无疑改善了生活处境，较之过去增加了受教育的机会，并有了可继承的家业与家产，社会地位也随之提高，无形中多了一条成才之路。事实上，在实业界和政界，有不少人就是养子。后来成了日本首相的吉田茂，若非从小就成了大实业家吉田健三的养子，11 岁继承吉田家的“家督”，并继承了一笔可观的财产，而是一直作为士族出身的生父竹内纲的第五子的话，就不太会引起人们的注意，其生涯也许会是另一番情景。

再次，有利于积累资本主义工业化所需的资金。《明治民法》虽然规定遗产继承实行均分制原则，但是，更强调家督继承制，所以，财产的分割一般都停留在微乎其微的状态。这种长子继承家业与家长权，同时也继承家产的继承制度在资本主义生产关系薄弱、资本积累水平较低的情况下，若与诸子分割家产制比较，更有利于积累资本主义工业化所需要的资金。尤其是在当时的大商家中，为了维护家业、扩大经营，都千方百计避免财产的分割。以三井财阀为例，早在 17 世纪末年，三井就已发展成拥有八万余两巨额资产的富商。三井的第二代家长三井高利遗嘱子女不得分割财产，而是将所有财产作为家族共有。据此，三井家建立了同族十一家的体制，即由长子为总领家，次子以下五个儿子为五本家，通过招婿养子而成的五家为五连家。这种制度从德川时代被带到明治时代,其间三井家数度改组,而三井十一家始终作为一个家族整体,在总领家管辖下共同经营。财产的完整与集中,使三井始终保持雄厚的实力而居于四大财阀之首。不论是累代发展起来的富商,还是明治维新后仅一代就发了家的新兴企业,其共同之处就是资本采取家产形态,而实行严格的家督继承制则是维持这种家产的必要手段。所以,各财阀都在家宪、家规中确定家族成员的家族资格,除上述的三井十一家外,安田是十三家,三菱是岩崎两家,住友则一直采取单一家制,在既定的家族体制下,实行严格的长子继承制,次男以下一分家就成了族外人,虽有财阀家族的血统,却无家族成员的资格,更不能染指家族的财产与商号。这种家产形态下的资本积累,使财阀、富商有能力投资于近代产业。根据1901年的统计,在当时全国持50万元资产的富豪当中,70%—80%是经过数代乃至十多代才形成的,一代富豪只是少数。① 若非有严格的防止财产分割的措施,这些大富豪是难以维持数代乃至十多代而不衰的。

最后,家族企业是日本资本主义工业化的经营主体。以"家"为核心的家族制度不仅是人们家族生活的准则,也渗透到近代的社会关系和经济关系中。与欧洲的工业革命粉碎了各种封建束缚不同,在日本,当明治时代的人们开始资本主义工业化进程时,在组织方面依靠的却是封建时代的家族制度。财阀制度就是将家族制度运用于企业经营的典范。

财阀是日本特有的经济组织,它是近代日本政治、经济的操纵者,是军国主义的经济基础。然而,不能否认,正是财阀以其独特的企业形式,促使日本实现了资本主义工业化。在建设近代产业的明治时期,在既缺乏专门人才,又急需大笔资金的情况下,一些在德川时代起家,或是乘明治维新风云而一代发迹的富商适应了时代的需要。他们不仅积累了大量资本,而且培养和锻炼了经营管理人才,有了较丰富的从事实业的经验。也是出于他们自身的发展需要,在政府的大力扶植下,这些富商积

① 野田信夫:《日本的経営一百年》,ダイヤモンド社,1978年,第13-14頁。

极向产业资本转化，或收买企业，或兴办新的公司，成为日本资本主义工业化的经营主体。

就起源来讲，财阀以代代继承、维持“家”为根本特征，一部财阀的发展史，就是一部发家史。以三井、三菱、住友、安田四大财阀为代表的大大小小的财阀，都是在家族关系的基础上发展起来的，从各方面考察，财阀制度都是援用了家族制度原理。在结构上，财阀是根据家族制度中的本家—分家的系列形成的以“家”为中心的同族集团，将属于财阀家族的企业作为直系公司，旁系公司则是通过股份收买，以模拟的家族关系为基础形成的，财阀本社的社长就是这个集团的家长。在资本形态上，财阀资本几乎全是由财阀家族所有。在企业管理上，各财阀无一例外地实行家族式管理，或实行以资本所有者兼经营者总揽一切的家长独裁，或以长年忠心耿耿服务于财阀家族的管家代行经营权，并制定家规、家宪作为财阀家族成员的行动准则。以家族关系为基础的财阀，至明治中期就已发展成为在生产、流通、金融等各领域均有据点的多角形综合事业体，使日本的资本主义工业化迅速发展，因此，有人评价财阀这种企业形式“正是在闭关自守的日本，乍一接触先进国家的近代经济时，为了适应形势而做出的历史性的英明创举”①。

总之，以“家”为核心的家族制度尽管充满了不平等，但在日本资本主义工业化中发挥了重要作用。之所以如此，是因这种家族制度与日本资本主义工业化的特殊进程合拍，即日本的资本主义工业化是在资本主义生产关系并不成熟的情况下，为摆脱沦为半殖民地的危机，由国家自上而下推动进行的。与西方国家资本主义工业化相比，日本的资本主义工业化显然带有东方国家的色彩。

① 高桥龟吉著、宋绍英等译:《战后日本经济跃进的根本原因》，辽宁人民出版社，1984 年，第 203 页。

（三）家族制度在日本近代化中过程的消极作用

明治维新后确立的近代家族制度，从根本上说来，是落后的、保守的。即使像上述在资本主义工业化过程中发挥过有益作用，也是客观上的、相对的。在对日本近代化的过程进行经济意义考察的同时，也进行社会意义的考察，那么，就会发现家族制度表现出更多的则是消极作用，这是由其本身的封建性质所决定的。

首先，家族制度虽在一定程度上适应和促进了资本主义工业化的发展，但在社会方面却带来很多不利影响，这个问题在资本主义工业化过程中就已突出反映出来，随着资本主义工业化的完成而日益明显。家族制度所造成的农村这个廉价劳动力的供给源和“贮水池”，对于资本家来说具有重大意义。因为家长有扶养家族成员的义务，所以，失业工人的“归农”和伤病工人被遣回家，都是理所当然的，即使是工伤也必须接受，这就是家族制度的功能与道德。这样一来，因经济危机造成的失业，因劳动条件恶劣造成的伤病等一系列社会问题，都被简单地转化为家族问题，农村中的家代替国家和企业成了失业救济机关和伤病休养所。这种情况不仅加重了农村的贫困，还使资本家更加有恃无恐地剥削工人，使劳动条件止步于最低水平，并推迟了社会政策的立法，日本迟至 1911 年才制定《工厂法》，并拖到 1916 年才付诸实施，且实施范围极其有限。

其次，财阀这种家族式企业形式的积极作用只是体现在资本主义工业化的早期。财阀的突出特点是资本采取家产形态，具有强烈的封闭性与保守性，因此，各大财阀虽然采取了把广泛的多种经营加以统一管理、集中控制的股份公司制，然而，财阀资本几乎全是由其家族所有，又意味着它具有可以完全不顾及股份公司制的一面。在日本资本主义走向垄断之后，日本的政治、经济就处在这些金融寡头的支配之下，它的封闭性与保守性是造成近代日本资本主义畸形发展的重要根源之一。从日本近代经济结构上看，在繁荣的巨大资本后面，存在着庞大的中小零星企业和停滞不前、贫困的农村。为进一步实现资本增值、扩大市场，解决日本资本主义结构本身的内在矛盾，就成了日本帝国主义发动一系列对外侵略战争的根本原因，其结局，众所周知，就是日本在太平洋战争中的失败。

最后，明治维新后确立的家族制度是日本近代天皇制统治的重要社会支柱。随着国家主义和法西斯势力的抬头，传统的家族制度和“家”的观念，借助空前统一的中央集权国家的威力得到不断增强，并逐渐渗入国家的政治生活与精神生活，形成家族国家观，它是日本近代资本主义发展过程中的毒瘤。所谓家族国家观，就是传统的家族制度的原理被运用于国家的理论。在天皇专制主义体制表面，披上一层家族关系的外衣，即把政治关系与家族、父子关系等同起来，其实质就是依靠被神化了的天皇的权力，对“臣民”进行家长制统治的国家伦理观。家族国家观的内容有以下两个方面。

一是运用家族关系的模拟方法，将天皇统治正当化，即把天皇与国民的关系比作本家与分家的关系及父子关系，“国君之于臣民，犹如父母之于子孙，即一国为一家之扩充，一国之国君指挥命令臣民，无异于一家之父母以慈心吩咐子孙”，这是东京大学教授、哲学权威井上哲次郎对家族国家观所做的再露骨、具体不过的解释。因此，要求国民要像奉戴父母那样服从天皇的统治。“君臣一家”的观念，经过统治阶级的大力宣扬与提倡，蒙骗、愚弄了不少人，在日本人的精神生活中发挥了不小的作用。

二是强烈的忠孝伦理道德观念。在日本的家族中，孝是所有家族道德的基础，孝为百行之本这种儒家道德教育原理从德川时代起便已普及于广大民众之中。孝被统治阶级利用和扩大，便成为国家道德的基础，这就是忠。由于人们把国家与家等同起来，所以忠和孝也被等同起来，“个人对家之观念的厚薄关系到人民对国之观念的厚薄，爱家之心能成爱国之心，孝亲之心是爱国之心的基础"[①]。鼓吹忠孝一致的真正目的是为了让国民坚持"臣道之第一义"——忠君爱国，就是要完全抛弃个人利益，抛弃私欲，无条件地、绝对地服从天皇和国家。

总而言之，家族国家观是维护天皇制统治和推行对外侵略政策的思想武器，其目的是愚弄民众，使其安于统治、绝对服从。在日本军国主义发动的一系列对外侵略战争中，这种剥夺自我，抹杀人性的家族国家观被作为舆论工具，酿成狭隘的民族主义，造就了无数无知愚昧、野蛮疯狂的法西斯军人。他们只知尽忠于天皇，一切为了圣战，使日本军国主义发动的侵略战争在其疯狂性、野蛮性、残暴性方面，比起西方老殖民主义者有过之而无不及，对中国人民和亚洲各国人民欠下了数不清的血债，同时，也吞噬了大批日本青年的生命。在家族国家观的毒害下，愚昧的忠诚代替了理性，许多人都是抱着"为君而死，此乃报恩于万一"的信念丧命战场。正因如此，日本法西斯才得以创造并推行了世界军事史上罕见的"肉弹战术"和"特攻战术"，恰恰是这些疯狂至极、惨无人道的"战术"，曾被日本法西斯军人引为自豪，特攻队员活着回来就被视为不忠，多少人为了"尽忠"而成了法西斯侵略战争的炮灰。然而，日本统治阶级不遗余力地推行家族国家观，也使自己走向毁灭，日本在第二次世界大战中的惨败，宣告了家族国家观的彻底破产。

结语

综上所述，经《明治民法》确立的家族制度保留了浓厚的封建色彩，它虽在一定程度上适应了发生在日本这个当时的后进国家的较为特殊的资本主义工业化进程，服务于"富国强兵""殖产兴业"的发展资本主义的方针政策，但对国家制度束缚下的日本人来说，并无平等可言，而且，

① 明治43年(1910年)国定修身教科書高等科，石田雄《明治政治思想史研究》，未来社，1964年，第13頁。

家族制度带给人们的不平等还迫使人们去接受整个社会的不平等。作为家族延长的天皇制国家利用家族制度和家族国家观,发动一系列对外侵略战争,因此,应该说,这种家族制度是近代天皇制的支柱,毫无近代色彩。中山伊知郎在其所著《日本的近代化》一书中谈到近代化的概念,指出近代化应包括经济的近代化和社会的近代化两个方面,而且社会的近代化的概念比经济的近代化更广泛,这两个方面有着密切联系,而且社会近代化的意义比经济的近代化更广泛。① 笔者很同意这种观点,没有社会的(包括政治结构、意识形态、社会习惯等方面)近代化,则谈不上经济的近代化。正确评价明治以来的历史,或许用工业化一词更为贴切,因为工业化仅相当于近代化内容的前半部分,即经济的近代化,而社会的近代化则未能与经济的近代化同步进行,家族制度问题就是一个突出表现。只是到了战后,通过占领军主持的民主改革,这种状况才得以在某种程度上进行了解决,家族制度受到了根本性的冲击,民主制度才开始在日本扎根,近代化的任务才最终得以完成。

二　从继承制度看日本经济的发展

——日本企业"家运"不衰的奥秘

家族企业——表现为由资本所有者家族世袭经营者的地位,是世界各国经济发展初期阶段的普遍现象。至今,包括欧美诸国在内的一些国家的小零售商和在组织上采取法人形态的小企业中也常常可以看到家族经营的现象。家族企业在日本资本主义发展史上曾发挥了巨大的作用,像三井、三菱、住友、安田等大财阀,无一不带有浓厚的家族色彩。按照中国人的传统观念,既是家族企业,就很难实现家业长盛不衰,即所谓"富不过三代"。而在日本,"富过三代"却是实实在在的现实:拥有百年以上,甚至几百年经营历史的企业、商店随处可见;在许多传统技艺、民

① 中山伊知郎:《日本の近代化》,講談社,1965 年,第 24 頁。

族艺术领域,可以经历一二十代家传而不中落。日本企业因何保持"家运"长久不衰?在从制度、政策、管理等方面寻找答案的同时,继承制度(包括人的因素)也是一个不可忽视的重要原因。

(一) 日本的长子继承制

世界各国的家产继承制各有特色,但基本上有两种:一是长子继承制,一是诸子均分制。诸子均分制尽管有一定优点,如能保持家庭成员之间的相对平等,带来社会的相对稳定等,但从总体上看,诸子均分家产的制度有着难以克服的弊病。这种继承制使家产随着世代的传递而日益分割,份数越来越多,份额越来越小。在这种细胞分裂式的继承制度下,长久地保持家产的完整和家族地位的稳定是不可能的。不论多么显赫的豪门,都难逃衰败的命运,其结果是使家产失去再投资的功能,进而导致资金紧张。建立在这种继承制之上的经济结构必然是自给自足的小农经济。中国是实行诸子均分继承的典型,诸子分户析产,均等平分的继承制度从多方面制约了社会的发展,成为中国封建社会长期延续的一个基本因素,这一点早已为学术界所公认。而日本是由诸子分割制转而实行长子继承制的。在幕府时代初期,由于实行诸子分户析产,对祖传家产的一再分割,不仅使许多武士变得贫困不堪,也带来社会秩序的混乱。正是在人们认识了分割家产是"末代之乱逆,子孙不和之基"①这一危害后,才逐渐废除了诸子分割继承,实行严格的长子继承制的。即由一子(一般是长子)继承家业与家长权,同时也继承全部或大部分家产,从而避免了财产的分割。在日本有"连炉灶前的灰尘都是长子的"说法。有的家族中,次子以下其他成员也可得到少量家产,但份额有限。大多数人因为与家业和家产无缘,便成为家中的从属者,或者与下人一

① 《世镜抄》(作者与成书年代不详,推定为室町时代中期以后用于教育国人领主子弟的书籍),转引自福尾猛市郎:《日本家族制度史概说》,吉川弘文館,1977 年,第 144 頁。

样劳动，或者离开家去外面谋生，再就是给别人家当养子。明治维新后，法律上虽规定财产继承实行均分制的原则，但是由于没有废除身份继承（即家督继承）的制度，所以财产均分制原则并不能真正实现。长子继承制使家产相对集中，进而使投资扩大再生产成为可能。这一点在明治维新前后资本主义生产关系薄弱、资本积累水平甚低的情况下，对资本主义工业化的实现和发展是有利的。不论是江户时代的富商，还是明治维新后的政商及后来的财阀，其共同之处，就是资本采取家产的形态。为了维护家产并达到增殖，他们千方百计防止家产的分割，实行严格的长子继承制。例如三井财阀从创业到战后财阀被解散的300多年时间里，经历了十几代人，三井家族的事业之所以像滚雪球一样越滚越大，实行严格的长子继承制是其重要原因之一。在三井家族由十一家组成的同族体制中，每一家除长子之外，其他成员均无继承家产的权利，甚至没有家族成员的资格，连使用“三井”姓氏的资格都没有。鸿池家也规定长子继承家产的十之八九，给次子以下成员只留下十之一二，因此使家产能够保持完整。这种在家产形态下进行的积累，使这些富豪、财阀有能力积极投身于近代产业，尤其是三井、三菱、住友、安田四大财阀竟占近代日本企业资产的25%。据20世纪初年进行的统计，在当时全国持50万日元以上资产的富豪当中，70%—80%有着数代乃至十数代发展的历史，一代就发财的只是极少数。[①] 若非有严格的防止财产分割的措施，这些富豪是难以实现长久不衰的。

（二）继承人的选择

日本历史上虽然实行的是长子继承制，但是往往不够严格。人们在选择继承人时，首先想到的是家族的利益。为了家业的延续和发展，往

① 明治34年9月23日《时事新報》。转引自野田信夫：《日本的経営一百年》，ダイヤモン社，1978年，第13－14頁。

往不唯长幼顺序，而首先看是否有继承和管理家业的才干，若以无能不才的长子做继承人有可能危及家业的话，宁可废嫡而另择他人。日本注重继承人选择最突出的表现，莫过于当亲生儿子缺乏继承家业的能力时，就选择无血缘关系的养子取而代之。日本人家庭的养子中，以婿养子最多。婿养子就是通过招婿而成为养子的人，其身份既是女婿，又是养子。在中国，只有“赘婿”，而没有婿养子，由“赘婿”变成养子、进而继承家业是不可想象的。日本的婿养子则完全不同于中国的“赘婿”。女婿上门后，改称妻家的姓，就成了养子，可以顺理成章地继承妻家的家系与家产，成为名副其实的继承人。女婿与养子可以合二而一，实在是日本人的独特发明，反映了日本人重家业而轻血缘的态度。了解了这一点，我们就能理解为什么日本的许多知名人士都是养子，如政治家岩仓具视、军事家大村益次郎、文学家芥川龙之介、社会活动家大山郁夫、实业家古河市兵卫、民俗学家柳田国男，等等。

在中国人的家族观念中，最强调的是“血的共同”，人们皆以家族内部血关系的延续，也就是通常所说的香火的延续为重。在无子嗣的情况下，虽也是以收养养子的形式继承宗祧，养老送终，但必定是“异姓不养”，通常是采用过继的方式，即在本家族内部进行调节，取同姓中辈分相当者，以维护家族血缘关系的纯洁性。显然，中国人收养养子的目的只是用于弥补血缘关系的缺憾，以解断嗣之忧。血缘传承的重要性加强了家族的封闭性，不论多么优秀的家族，都难免出现不肖子孙——或是不务正业、挥霍家产的败家子，或是不善经营的迂腐之辈。祖辈千辛万苦积累下来的财富和家业大多因此而衰败。所以，在中国，历史悠久的百年老店和老企业堪称凤毛麟角，许多先进的工艺技术难于长久推广，以至失传，这种现象似乎成了中国家族的发展规律。对于这种结局，仅仅归咎于政治动荡、社会动乱怕是远远不够的。

日本的养子制度则巧妙地避免了中国家族的这一致命弱点。日本人重视的是以家业为中心的家族经济共同体的利益，所以血缘关系并不是绝对的。家业继承人的选择，可以不必受血缘和系谱关系的限制。甚至血缘系谱可以人为地进行调整，以适合家族经济共同体的运作和维持。以养子或婿养子继承家业这一做法实际上在人的因素这一关键性问题上形成了优选制度，使人们能够以品德和能力标准来选择家业的继承人。尤其是招婿养子，大多是在当事人成年之后，因为要赋予其继承家业的重任，所以，要根据其才能和品德进行选择和安排，从而可以避免由于子孙的不肖而带来家业的衰败。因此，在日本"富不过三代"的现象相对来说要少得多，而拥有百年以上，甚至几百年经营历史的企业、商店却到处可见。我们可以随便举出几个以养子继承家业的事例：安田财阀的创始人安田善次郎虽然有儿子，但是却选择了婿养子作为自己的继承人；松下电器公司的创始人，被称为"经营之神"的松下幸之助将公司交给了婿养子松下正治（本姓平田）；丰田汽车公司的第一任社长丰田利三郎（本姓儿玉）便是丰田家族第一代业主丰田左吉的婿养子。更不用说老牌企业集团三井和住友，从 17 世纪创业起到战败解散财阀为止，之所以维持 300 年而不衰败，某种程度上就是得益于养子继承家业。如果把具有同族关系的企业都包括在内，恐怕在日本很难找到没有养子和婿养子继承的家族企业。在日本传统技艺、民族艺术领域，经历一二十代家传而不衰的现象更是比较突出。如歌舞伎中的名家——成田屋从 17 世纪下半期至今已传了 12 代，其中有 6 代是以养子或婿养子继承（第 3 代、第 4 代、第 6 代、第 7 代、第 10 代、第 11 代）。再如茶道中著名的流派里千家传 16 代而不辍，其中也有养子继承的。正因养子和婿养子在关键时刻起了作用，许多传统的民族艺术、民间工艺虽时代久远，也能流派分明、脉络清晰地保存至今天。因此，有人说日本人以养子继承家业的做法是"富过三代的秘方"①。当然，我们谈论以养子继承家业的有利之处，并不是说由养子（包括婿养子）继承家业的会多于亲生子继承者，事实也恰

① 陈其南：《婚姻、家族与社会》，允晨文化实业有限公司，1986 年，第 95 页。

恰相反。但不能否认,正因为有了这种人们普遍接受的做法的存在,在关键的时候往往对家业和家族企业的发展和延续具有决定性的推动作用。

(三)继承人的教育与规范

1728年,商人三井家族第三代家长三井高房根据京都、大阪50家町人的盛衰,作《町人考见录》,其中以某些町人家族由盛而衰,“父亲劳苦,儿子行乐,孙子讨饭”的事例,提醒人们注意子弟的教育。所以,在三井家的家训中有这样的规定:“同族之小儿要于一定年限之内享受与店员一样的生活待遇,在管家监督之下劳动,不得享有主人的待遇。”“己不通其道则不能率他人,家族子女宜从学徒做起,习熟事物,渐达深奥之际,则于支店代勤,实地任职。”在日本有“实业界泰斗”之称的涩泽荣一曾指出:“子弟教育关系到家道之盛衰,故父母尤要慎重待之,教育之事不可忽视。”1891年,涩泽荣一亲自主持制定了涩泽家宪。在道德品质方面,涩泽对子女的要求大到“不断增强爱国忠君的思想”,小至“口舌乃祸福产生之因,故虽片言只语不可妄言”。在修身治家方面,涩泽要求子女以孝事父母,遵守长幼之序。除此之外,涩泽专门规定了“子弟教育的方法”,内容包括:子弟满8岁就要辞退保姆而附以严正的监督者;要使子弟自幼小之时知世间之难苦,养成独立自活的精神,男子外出时尽可能步行;子弟满10岁以上,虽可给予少量零花钱,但要严格按其身份定其额度,会计要予以注意并监督之;凡男子至成年之前,要与大人区别对待,衣着必着棉服,器具尽量以质素为主,只有女子外出或接待客人时方可穿绢布做的衣服。涩泽荣一是近代日本有名的实业家,可谓腰缠万贯,但是对子女不娇宠,不溺爱。涩泽荣一尤其注重对男孩子的教育和培养,“男子13岁以后,要在假期与品行端正的师友同行到各地旅行”;“男子的教育重勇壮活泼,常存敌忾之心,修内外之学,使其养成在究其事理之后,忠实遂之的精神”。① 三井家家训和涩泽家家宪只是日本人注

① 北原種忠:《家憲正鑑》,第237－242頁。

重对子女教育的一个缩影，一家之兴亡在于子孙，人是延续家业的根本，所以，一般日本人都十分重视对子女的培养和锻炼。作为父母，不仅要把生存的技能教给子女，还要培养他们克服困难的毅力。出于维护家业的需要，一般家族对将要继承家业的长子更是严格要求，重视对他们在教养和掌管家业的资质与能力方面的培养。有的家庭甚至要求长子要到外面做一段时间雇工，以接受锻炼。被誉为“摩托车之父”的本田宗一郎小学毕业就到一家汽车修理厂做工，从背孩子、擦地板做起。对于那些作为家业继承人的长子说来，拥有家业继承人的身份，或者继承了家业并非万事大吉。他们要明确自己所继承的家业只不过是来自祖先的“寄存品”，丝毫不属于自己。他们的任务就是保管好这份“寄存品”，再完好无损地传给子孙。“寄存品”意识促使他们时时刻刻勤劳敬业，不可懈怠。而且，在人们的观念中，只有使家业得到发展，家产有所增殖，才能算是成功者，而只靠祖上积攒，凭遗嘱继承家业，死守老铺或靠店租、债利度世的人，属迂腐无能之辈，被鄙为“靠牌位吃饭”和“不知天命”的人。因此，要做一个合格的家业继承人，必须立足于现实，脚踏实地，努力进取。

家业继承人，实际上就是新一代家长，他们是家族的一时的代表和物质与精神产业的管理人，他们的任务就是接过父祖手中传下来的家业再传给子孙。在日本传统家族制度下，家长虽有很大权力，但是他本人也必须置身于家族利益的约束之中，不仅要求家族成员服从家长的权威，还要求家长自觉维护这种权威。不少家规、家训中都不乏对家长行为的规定。比如，安田家宪把家长作为一家之典范，“主人乃一家之模范，我勤众何怠，我俭众何奢，我公众何私，我诚众何伪”。土仓家家宪写道：“主人是一家之模范，要比他人多勤劳。”爱知县的伊藤家家宪中特别强调：“家庭的风波多生于主人的淫邪，不溺酒色则身家共全，故宜尊奉五戒。”本间家家宪规定：“了解世态人情以养身心乃治理一家之要事，故宗家之子须漫游全国”，实际上是以这种方式促进家长经风雨、见世面，增长经营才干。如果家长不胜其任，也要采取相应措施，如大阪药材商兼墨商若狭屋的家宪规定："继承家业之人，即使是总领，若不热心商卖，对父母不尽孝行，品性放纵，则在家中协商基础上，令其改名隐居。"三井家家训也曾规定，无能者虽为总领（家长），也要与其断绝关系，令其出家。住友家家训要求家长"谨品行，重德义，对不堪维持我一家之任者，虽嫡子亦废之"。诸如此类的内容反映出，家长的言行品德是多么重要，作为一家之长，首先要成为一家的楷模。这是家业兴旺发达的保证。以发明清酒而闻名的关西富豪鸿池家就有罢免家长的实例。在明治维新后，家长第十代鸿池善右卫门不思进取，整日沉湎于俳句与风流之中，不仅影响了家业经营，也损害了自身的健康。鸿池家经过集体决定，不得不让其隐居，并在稍后制定的《鸿池家宪法》中写进了"如果蔑视家名或损害了家产，可依据誓书之明文，废除家长之名义，并使其退身"的条文。①

结语

日本的长子继承制在一定程度上促进了近代日本经济的发展。但是这种继承制度也有不少弊病，最突出的是它带来家庭成员之间的不平等，所以战后终被废除，而代之以诸子平均继承制。但是，日本人重家业而轻血缘的精神，依据品德与才能选择家业继承人和严格教育子女、培养后代刻苦精神的做法却被日本人坚持至今。所以，日本人能够战胜中国人为之无奈的"富不过三代"的规律，实现家族企业的壮大与发展。

三　近代日本企业家族主义经营的形成

日本企业的家族主义经营（亦称经营家族主义）作为一种经营理念、经营习惯，在近代以来日本经济发展中发挥了重要作用，并被视为日本

① 宫本又次：《大阪の研究・4・蔵屋敷の研究・鴻池家の研究》，清文堂，1970年，第703頁。

式经营的核心和基础。本文仅就日本家族主义经营的形成做一粗浅探讨。

（一）家族主义经营的内容

所谓家族主义经营，即把企业这种机能集团类比为家族血缘集团，最高经营者社长、厂长就是家长，所有从业人员都是家庭一员，职工与企业是相互依赖的"命运共同体"。在这个大家庭中，模拟家族关系掩盖了阶级关系，只有经营者与从业员之称，而无资本家与工人之分。这种模拟家族关系在企业中的运用，直接表现为职工对企业的忠诚、依赖和对集体利益的追求。因此，有人说"经营组织类似家族组织"这一点，"是日本的职工勤奋、工作热情惊人之高的原因"①。企业既然是按人伦关系组成的大家庭，那么在其运营的各方面都离不开家族的轨道。具体说来，家族主义经营有以下内容。

雇佣关系上的终身雇佣制。像家庭中的父子关系是终生之缘那样，雇主与雇员也是一种终生关系。职工一旦被企业雇用，只要没有严重损害公司名誉和利益，即使是在经济衰退时期和开工不足的情况下，也不会轻易被企业解雇。同样，职工即使对企业产生不满，社会习惯也迫使他们不愿轻易辞职，因为任何从一个公司辞职到作为竞争对手的另一个公司里去的做法都会被视为背叛，或品质不好，难于再在大企业中找到工薪相等的工作。这种以雇佣双方永久性承诺为特征的终身雇佣制的实施，不仅增强了职工的安定感和对企业的忠诚心，也使企业有了稳定的职工队伍。这一点与欧美诸国工人的高度流动性形成了鲜明对照。

工资制度上的年功序列制。这是根据职工的工龄、资格提薪晋级的工资制度，体现出经营秩序上的身份制。"年功"的意思是说，职工的年

① ［美］阿贝格伦：《日本式经营》，引自占部都美：《日本的経営を考える》，中央経済社，1979年，第151頁。

龄越大，企业工龄越长，则熟练程度越高，功劳越大，工资越多。日本企业在用人上的论资排辈与工资上的年功序列相吻合，同工资的职工在企业内的工龄、学历、职务大体相当。这种工资制度是以终身雇佣制为基础的，反过来又巩固了终身雇佣制，堪称“终身雇佣制或叫作‘企业一家’的经营制度中最基本的体制”①。年功序列制体现了日本人的价值观念，即在封建家庭中，长子为大，长子优先，长幼之序是不可选择的宿命关系，要严格遵守。男尊女卑的观点也直接反映在工资制度上，男女同工不同酬被视作理所当然。年功序列制与终身雇佣制一起，保证了职工生活的相对稳定和报酬上的一定程度的平等，把职工的利益与企业经营的好坏联在一起，因而有利于企业的发展。

生活保障上的企业内福利制。在日本的企业中，除了要求职工对企业的服从和忠诚，也提倡经营者讲究恩情主义。在日本家族生活中，子女对家长要绝对服从，同时，抚养子女也是家长应尽的义务。由此引申而来，在日本的企业这一大家庭中，都有保障其成员生活的较完善的企业内福利制度，以保证职工全心全意为企业效力。这些福利制度包括低房租向职工提供住宅，对水、电、煤气费给予补贴，对职工的休假、医疗以及婚丧嫁娶等家庭事务予以足够的关心，乃至于职工家属、子女也享有福利待遇。企业还经常组织各种俱乐部活动，丰富职工业余生活，定期由公司出资，搞国内外集体观光旅游，甚至有的公司还辟有公司的公墓，作为公司职工的最终归宿。这种企业内福利制度在很大程度上弥补了日本社会福利上的不足，增强了企业的凝聚力和职工对企业的归属意识。

劳资关系中的家族主义意识形态。在日本人的家族观念中，“家”的利益高于一切，要求家庭成员为了家的存续而不惜牺牲个人的幸福。这

---

① 高桥龟吉著、宋绍英等译：《战后日本经济跃进的根本原因》，辽宁人民出版社，1984年，第332页。

种观念被引入企业道德，就成了企业的利益高于一切，“劳资一家”“企业一家”的口号得到大力提倡。企业向职工灌输的是忠与和的思想，要求大家在企业这一命运共同体中有福同享，有难同当。职工对经营者的反抗被视为最大的“恶德”，被企业解雇是与家族中断绝父子关系、将不孝之子赶出家门一样的最严厉惩罚。日本工人都相信，有了企业的繁荣才有个人的幸福，而企业的繁荣是每个人的辛勤劳动换来的。因此，职工与企业经营者的高度一心一意堪称日本家族主义经营与劳动道德的结晶。正如一位美国人所评论的：“对日本人来说，待在一个公司意味着属于这个公司，它既是家庭、村庄，又是俱乐部。在一种以劳动场所为中心而不是避而远之的家族式文化中，为公司辛勤劳动也就是为了自己，这种劳动道德不是供分析研究的社会学术语，而是赖以生活的一种信仰。”①以家族为基本特征、强调集团互助合作的日本企业文化与强调个性和个人才能、采取个人主义经营的欧美文化相比，具有较强的凝聚力，更能有效地激发人们的劳动热情与责任感。它最突出的作用是促进了工人与企业的通力合作，雇佣关系稳定，使企业很少面临欧美国家那种因职工与企业离心离德造成的困境。这些不能不说是日本在明治维新后迅速实现经济的近代化和战后经济高速发展，在国际竞争中取胜的关键因素之一。

（二）近代日本企业家族主义经营的形成

日本企业中的家族主义经营是传统家族制度的产物，它虽形成于近代日本经济发展的过程中，但若从历史的连续性上进行考察，近代企业经营家族主义的形成并不是孤立和偶然的，在德川时代的商家经营中，家族主义经营已成为普遍的习惯。在“商卖繁昌、子孙繁荣”的家业观念

① [美]弗兰克·吉布尼著、吴永顺等译：《日本经济奇迹的奥秘》，科技文献出版社，1985 年，第 21 页。

支配下，商家的一切活动都被纳入家族体制中，堪称德川时代商家经营精髓的一是同族经营（以家业为中心的经营体），一是终身雇佣的习惯（商家丁稚制度）。这些为后来家族主义经营的形成提供了现实的基础。

德川时代商家的同族经营传统虽是近代企业家族主义经营的原型，但并不意味着近代家族主义经营的产生是德川时代商家经营传统发展的必然结果。而且，由于时代背景不同，两者的基本含义也不同，即前者体现了封建的家族制度原理，后者则是受资本原理支配的模拟的家族制度原理，并不是说日本近代资本主义企业一成立，德川时代商家的同族经营传统就自然而然演变为经营家族主义。事实上，这种经营传统正是在被抛弃殆尽后，又被重新认识从而运用到近代企业经营中去的。

日本是个后起的资本主义国家，资本家对工人的残酷压榨和剥削，并不亚于老牌资本主义国家，日本工业化时代的工厂只不过是欧洲工业革命时代那种黑暗的、地狱般的工厂的变种。尤其是从明治 20 年代起，企业逐渐从官办转为民营，民间资本日益扩大，以追逐利润为直接目的，致使劳动条件恶劣，工人工资低且没有保障。因此，许多人不堪忍受，未等契约期满就中途逃跑，造成工人的高度流动性。据 1900 年钟渊纺织兵库支店的调查，该社当年末员工数为 4 020 人，这一年中入社员工 6 085 人，退社 7 701 人。在退社原因中，逃亡的高达 82%[①]，同时，急速的产业革命浪潮自然而然地使文化、技术基础薄弱的日本发生人才不足的现象。资本家深感过去工场主与职工间“亲睦协和恰如师徒的关系渐渐消失”“雇者与被雇者的规律紊乱”[②]，不得不正视劳动力的频繁流动造成熟练工人严重不足的现实，重新采用已被抛弃的德川时代家族主义经营思想，将传统的家族制度与家族道德导入企业的管理，用家族式的温情主义掩盖对工人的赤裸裸的剥削。

---

① 間宏:《日本的経営の系譜》，文真堂，1989 年，第 102 頁。

② 堀江保蔵:《日本経営史における〈家〉の研究》，臨川書店，1984 年，第 96 頁。

到明治末年，劳动条件的恶劣迫使工人团结起来，进行各种各样的反抗，劳资纠纷不断发生，并越来越引起社会舆论的关注，迫使政府着手制定保护工人权益的《工厂法》。但是，《工厂法》的制定从一开始就受到资本家的反对和阻挠，致使这项法案直到 1911 年才在议会通过，且拖到 1916 年才付诸实施。当时，以涩泽荣一为会长的临时商工会议所及周围的资本家们主张，为了使日本能与欧美列强相匹敌，必须发展资本主义，因此，日本的工人应该忍耐。他们还主张，在雇佣关系方面，日本有传统的、温情式的"美风"，不能因《工厂法》的制定而使这种"美风"受到损害。在这种背景下，一些大企业推出了家族主义经营的方针。1909 年，日本铁道院总裁后藤新平提出了"国铁一家"的口号，确定以"完善铁道从业员的家族生活，贯彻重信义、以爱情为主的信爱主义"为从业员管理的基本方针，并以"献身奉公、和合敬爱、修养练磨"作为家族主义的三大支柱。纺织行业的大企业钟渊纺织在当时对纺织业恶劣的劳动条件强烈的舆论指责下，学习美国和德国一些大企业劳务管理的经验，采取了一系列改善劳务管理的措施，如建立乳婴保育所，设立职工卫生基金，设立职工向企业投诉意见的"注意箱"，发行旨在沟通劳资双方感情的社内杂志，并于 1095 年创立了由公司和从业员共同出资、以救济职工为目的的"钟纺共济组合"。钟渊纺织的创始人武藤山治将这套管理体系称作"大家族主义"。他认为，"如吾国的家族制度把一家内每个人之亲密关系推广于社会，任何人都感到满足"。因此，他提倡将存在于家族间的温情实施于雇佣关系中，这样"对双方极其有益"①。从上述可以看出，家族主义经营是为了防止工人运动而产生的。通过改善劳务管理，以体现资本家和企业的家族式温情主义，实际是在构筑一道工人运动的防波堤，正如武藤山治所说，"即使思想如何过激者，在家族内也不能抛弃温爱之情"。日本铁道院的"国铁一家"和钟渊纺织的"大家族主义"曾被作为日本式

① 間宏:《日本的経営》，日本経済新聞社，1978 年，第 91 頁。

劳务管理的典型流传下来。

第一次世界大战前后，以“国铁一家”“大家族主义”为代表的家族主义经营管理受到企业界的广泛重视。原因是世界规模的经济危机使工人的生活受到严重影响，劳资纠纷不断发生。此外，由于企业经营规模的扩大和技术水平的提高，尤其是重工业的发展，对工人队伍的稳定和熟练工人的要求越来越高。在企业之间对熟练工人的激烈争夺中，资本家们认识到除招雇徒工在企业内自己培养外，没有别的办法解决人才的来源问题，因而不得不把作为德川时代商家经营灵魂的终身雇佣思想运用到资本主义雇佣关系中。许多企业都设立了旨在培养熟练工人的见习工制度，见习期满则雇为正式工人，这些人被称为“子饲工人”(意即自己培养的工人)，逐渐成为职工队伍的主体。同时，为了稳定现有职工队伍，也开始出现了定期提薪、发奖金、实行企业内福利制的做法。从大正年间到昭和初年，终身雇佣制和年功序列制已经在大企业中形成惯例。在劳资关系上，“劳资协调”是企业和工会都接受并奉行的解决劳资纠纷的方针。

1937 年，日中战争爆发后，日本全国各行各业都被纳入战争体制，在工厂企业界推行的“产业报国运动”使日本统治阶级极力推行的家族国家观在企业里得到彻底落实。每个工厂企业都要成立“产业报国会”，以厂长和社长为会长，资本家、职员、工人都是其会员。战时体制要求人们发扬事业一家、家族和睦的精神，尽职尽责，为国家和战争服务。在“产业报国联盟纲领”中写道：“我等产业人，确信产业是资本、经营、劳动三者的有机结合体，事业者以至诚当经营指导之任，谋从业员的福利，从业员忠实尽其职分，举劳资一体、事业一家之实，以期产业之健全发展。”在这里，资本家成了“事业者”，资本家、职员、工人都是没有身份差别的“产业人”和“劳动者”，是一个大家庭的成员，阶级观念被彻底抹杀了。在劳资关系上，也由“劳资协调”进一步发展为“劳资一体”。二者的区别在于“劳资协调”是承认劳资双方的对立关系，在相互信赖的基础上达成双方的和解，而“劳资一体”则根本否定劳资双方的对立关系，强调资本、经营、劳动三方是个有机体，因而不仅更受资本家的欢迎，而且更具蛊惑性。在战争体制下，尽管经济上的极度混乱使终身雇佣制、年功序列制等受到剧烈冲击，但是，企业经营中的家族主义意识形态仍达到前所未有的顶峰。

第二次世界大战结束后，废除封建的、传统的家族制度成为民主改革的重要内容之一，经营民主化成为企业经营改革的重要任务。但是，在企业长期的经营实践中形成的家族主义传统却与日本人的传统家族道德一样，并未因法律条文的制定而销声匿迹。尤其是战后民众生活贫困混乱达到极点，只有企业能满足职工对生活安定的强烈希望。因此，战后的贫困状态不仅是形成终身雇佣制的新起点，也成了使企业中的“家”本位制得以进一步发展的客观条件。日本企业的经营管理者巧妙地运用日本人的家族传统与家族道德，将战前企业的经营家族主义移植到现代企业的经营管理之中，使终身雇佣制、年功序列工资制、企业内福利制在“爱社精神”“全员经营思想”等新的经营思想下表现出来，战前的“一切为了家”，变成了战后的“一切为了企业”。家族主义经营在新的历史条件下，经过剔除其中的不合理成分，有力地促进了战后日本经济的复兴和发展。

（三）家族主义经营产生的时代背景

辩证唯物主义的观点告诉我们，一个企业内的经营秩序，不过是一个国家的社会秩序的一部分。企业采取何种经营形态，是由在该企业劳动的人们所处的社会环境、社会秩序决定的。日本近代企业家族主义经营之所以产生，除了它的历史传统之外，还有着深刻的社会背景。也就是说，家族主义经营是在日本近代以来全社会的家族主义氛围中产生并发展的。

在经济上，家族主义经营形成的时期，正处于财阀垄断资本形成并支配日本经济的时代。财阀是日本特有的经济组织,有许多是由德川时代的富商发展而来的。财阀的共同特点是以代代继承、维持家业为根本特征,一部财阀的发展史,就是家族的发家史。从社会结构上看,财阀是根据“家”制度中的本家—分家系列形成的以家为中心的同族集团,将属于财阀家族的企业作为直系公司,通过股份收买,以模拟家族关系为基础建立旁系公司。从资本形态上看,财阀资本几乎全为家族所有,即采取家产形态,以持股公司的形式,居于金字塔型家族康采恩的顶点。从企业运营上看,各大财阀都实行家族式管理,或以资本所有者兼经营者总揽一切,或以长年忠心耿耿服务于财阀家族的管家代行经营权。以家族关系为基础的大大小小的财阀通过各种经营机构,控制了生产、流通、金融三个部门。这就是家族主义经营的经济基础。

在政治上,日本的统治者为维护天皇制和推行对外侵略扩张政策,极力推行家族国家观。所谓家族国家观就是运用传统的家族制度的原理,把政治关系与家族关系等同起来,以实现天皇(总家长)对国民(家庭成员)的家长制统治的国家伦理观。具体说来,就是鼓吹国就是家,家就是国,天皇与国民的关系是父与子的关系、本家与分家的关系,因此,人们在家族中必须遵守的一切伦理道德同样适用于国家的政治关系,忠孝一致成了人们的道德准则,它的最完美的体现就是忠君爱国。家族国家观成为天皇专制主义政权控制民众的工具,在教育及意识形态等各领域中形成了宣传和赞美家族国家、忠君爱国的政治氛围,它使人们安于被统治和服从,积极参加对外侵略战争。家族主义经营在这种形势下产生,不过是家族国家观在企业中的具体实施罢了。

在社会上,自封建时代以来的传统家族制度被作为“淳风美俗”而推行于近代家族生活中。这种家族制度,强调家的利益和延续,实行家督继承制,家长的权力至高无上。1898 年颁布实施的《明治民法》将封建家族制度本身的不合理性合法化,维护家长权和家督继承制,阻碍了人们在家族中平等相处。经《明治民法》确立的日本近代家族制度从法律上、精神上束缚广大民众，这就是企业中家族主义经营的深刻的社会基础。

综上所述，日本企业将家族制度与家族道德原理导入企业经营管理的家族主义经营，是在日本特殊的历史条件下产生的。首先，日本家族制度的传统具有“家的父家长制”的特征，即在日本的家族制度中，不仅有欧美诸国家族制度中并不强调，而在中国十分典型的父家长制，还有中国与欧美家族制度中都不具备的前提——“家”制度。这种制度很容易被利用和扩大，从而服务于某一集团乃至国家的利益。其次，日本有家族主义经营的传统，这就是德川时代商家的同族经营。在国家走向文明开化、兴办近代企业的时候，这些旧商人首先成为合作者。因此，在日本开始资本主义工业化进程时，在组织方面依靠了封建的家族制度。最后，日本的工业化是没有社会革命基础的工业化，虽然在“输入”的基础上建立了近代企业，但是掌握企业运营的经营者乃至出卖劳动力的工人都还未摆脱旧的家族制度的束缚，这就是在日本近代企业中能够产生家族主义经营，并能促进日本经济发展的根本原因。

四　日本企业的社是、社训与传统文化的现代价值

在当今日本的大多数企业中，都有用简明扼要的语言，概括企业经营理念及行为规范的社是与社训。虽然人们习惯将社是与社训相提并论，实际上，两者是有区别的。一般来说，社是偏重于基本的理念，也被称作社宪、经营纲领、经营精神、经营指南等。社训则偏重于行动规范，也被称为信条、誓言、规章等。用富士制铁公司原任社长永野重雄的话说：“社是是公司的理想形象，社训是告诫从业人员如何做的教训。”①社是与社训在推动企业经营，进行员工教育等方面发挥了重要作用，被称为“看不见的资产”“看不见的经营资源”。它与代表企业形象的社徽及

① 坂本藤良：《経営理念集・社訓社是集》，日本綜合出版機構，1967年，第305頁。

鼓舞企业员工士气的社歌一起，共同构成了反映日本现代企业文化特征的独特风景线，形成了一种强有力的经营动力。

（一）社训社是的渊源——传统家训与近代家宪

广泛普及于当今日本企业中的社训、社是，并不是战后以来出现的新事物，它具有久远的历史渊源。考察社是、社训，可追根溯源至封建时代的家训。家训，顾名思义，是齐家之训、家内之训。它是家族之内家长为家族成员、父祖长辈为后代子孙所规定的有关立身处世、居家治生的训诫，是家族成员必须遵守的法则。日本早期的家训是贵族的家训，以奈良时代吉备真备所撰的《私教类聚》为代表。《私教类聚》虽未流传下来，但据说在写作过程中参考了中国典籍，尤其是北齐颜之推的《颜氏家训》。《私教类聚》以后，在皇族与贵族中又出现了一些家训，但随着皇室与贵族势力逐渐衰落，贵族家训没能充分发展起来。

镰仓幕府建立以后，掌握了政权的武士出于提高自身素质的需要，仿效贵族社会的做法，开始制定家训。现存最早，也是镰仓幕府时期仅见的武家家训是《北条重时家训》。室町幕府时期，社会动荡，武士家族内部纷争不断。出于维护武士家族集团内部秩序的需要，武家家训明显增加。《竹马抄》《今川了俊制词》《伊势贞亲教训》等都是这一时期的家训代表作。进入战国时代，战国大名取代原有的守护大名确立了在各国的统治，并与其他大名竞争。各大名从亲身经历中总结经验教训，留下了富有特色的治家之训。此时期的家训，不仅数量增多，而且内容也更加丰富、实用，作为武士家族统合工具的作用日益明显。此时期的家训以《朝仓敏景十七条》《早云寺殿二十一条》《武田信玄家法》《毛利元就书状》等为代表。德川时代以后，随着社会秩序趋于安定，加上朱子学的影响，家训中原有的突出武勇、征战的色彩逐渐淡化，治国安民思想成为家训的核心，对家臣品行的要求超过了对“弓马之道”的强调。

近世以后，和平的社会环境，兵农分离政策的实施以及武士的城居，带来城市的繁荣和商品经济的发展，商人成为新兴的社会力量。在严格的身份制度束缚下，商人们对来之不易的家业与家产格外珍重，也把制定家训作为治家的手段。商家家训既受武家家训的影响，也反映了庶民阶层的价值观念。早期商家家训以博多贸易商人岛井宗室的《岛井宗室遗书》(1610 年)为代表。该遗书模仿圣德太子制定“十七条宪法”的形式，对继承人提出贯穿了实利主义思想的十七条训诫，涉及经商、做人、治家等各个方面，达于吃饭穿衣等细微之处，成为后来商家家训的楷模。至德川时代中期，商品流通机构臻于稳定、健全，豪商巨贾辈出，一些富商集过去武士及商家家训之大成，纷纷制定家训，其作者或主持制定家训的人一般都是奠定了家业基础的初代(家业创始人)，或者是扩大了经营规模、实现了家业振兴的人(中兴之祖)，由他们将自己的经营理念、生活信条总结成文，作为家训传于后人。三井家的《宗竺遗训》(1722 年)、《鸿池家家训》(1732 年)是此时期商家家训的代表作。随着商家经营规模不断扩大，家政和经营渐渐分离，作为家训副产物的店规、店则也随之产生。如《住友长崎店家法书》《水口屋店方掟书》《白木屋享保定法》等等。

家训，本来是封建时代的产物。明治维新之后，武士阶级退出历史舞台，武家家训也由此结束历史使命。然而，由于近代日本企业有相当一部分是江户时代商家的延续，即使是明治维新后建立的新企业，也多是在家族的基础上形成和发展起来的。于是，过去用于治家的家训，随着近代资本主义企业的兴起而进入一个全新的发展时期。那些有着较长历史的老字号企业，在继承了过去以家训治家传统的同时，针对过去商家家训基本上是以习惯与礼教为准则，内容有欠完备，缺乏可操纵性等问题，纷纷修改或制定新的家训，使其系统化、具体化，乃至注入近代的思想内容。在形式上，近代以后的家训多以“家宪”相称，以突出家训作为家之法律的效力。如《三井家宪》的制定就是如此。三井家自从 1722 年由第二代家长三井高平制定家训《宗竺遗训》以来，历经几代人，但约束力不减当初。1900年,为了适应时代潮流,三井家聘请了著名的法学家、明治民法的起草人之一穗积陈重等人制定了新的家训——《三井家宪》。《三井家宪》共分10章,109条。举凡同族范围、家族资格、同族义务、同族会组织乃至婚姻、养子、分家、继承、制裁等内容,无所不包,堪称近代日本最系统、最完整的家宪。

进入20世纪,尤其是进入昭和时代以后,随着大批新兴企业纷纷建立,原有的内容较长的成文式家宪已经不适合现代企业的经营和生活节奏,人们便将企业的经营理念、指导方针、行为规范浓缩成若干格言,创造了社是、社训这一新形式。经过战后民主改革,从根本上否定了企业的家族性和封建性,尤其是随着经济高速成长,新兴企业越来越多,高度概括企业经营方针、经营理念的社训、社是日益普及。

从家训到家宪,再到现代企业的社是、社训,其使用范围离"家"越来越远,而作用却越来越广泛。社训、社是与以前的家训、家宪虽代表的主体不同,约束的对象不同,但其功能是相同的。家训、家宪是为了一族的延续而定,社训、社是乃为企业的繁荣而定。比较起来,社是、社训具有简明扼要、感召力强、易于记忆的特点,带有明显的现代色彩,所以在企业中极为流行。据日本国际行销传播经理人协会(Marketing Communications Executives International 简称MCEI)于20世纪80年代中期所做的"企业经营理念"调查,发现在被调查的157家企业中,拥有社是、社训企业的比例高达93%,①几乎可以说有社就有训。

(二) 从社是、社训看日本企业的经营理念

社是与社训,作为企业经营的灵魂,无声地约束着人们的言行。日本企业的经营理念从社是、社训中得到充分体现。

① MCEI東京・大阪・会社のバックボーン:《伸びる会社の社是・社訓研究レポート》、プレジデント社,1988年,第355頁。

1. 积极向上

作为现代企业，良好的精神面貌是事业发展的关键。许多企业都把积极向上、热情诚意内容置于社是、社训的显著位置。例如：

积极进取、诚实、和(川崎重工)。

保持诚意、创意、热意(家庭食品工业公司)。

满怀诚意，信用第一(朝日涂料公司)。

诚意乃为人之道，精心于所有工作(夏普公司)。

诚实、努力(梅田机工公司)。

梅田机工公司对这条社是内容的解释是，“日本式经营的要义，首先要诚实、勤恳地对待自己所从事的业务，尽自己的最大努力去做。只有这样才算尽职尽责”①。透过这样的社训、社是，能让人感觉到蓬勃向上、积极进取及健康的企业形象。

2. 团结协力

企业如果难以形成一个团结的集体，没有凝聚力，则必定难以实现繁荣发展。日本传统文化历来注重“和”，作为日本传统文化重要载体的企业社训、社是也突出体现了“和”的精神。

例如，信越化学工业公司的社训为“众心维城”，区区四个字体现了该公司以和为贵、团结起来就能克服一切困难的信念。

从事贩卖业的JUSCO公司宪章中规定：尊重信义与团结；尊重自主与责任；尊重交流与互助；尊重集中与分权；尊重创造与革新。其中“信义与团结”“交流与互助”“集中与分权”都体现了对“和”的精神的追求。

著名的帝国饭店拥有一百二十年的历史，在其《帝国饭店十则》中，第二条是“协同”，即“每个员工是所属系统的一员，同时也是饭店整体的一员。要持和衷、协同的精神专念于完善的服务”。以生产立邦漆而闻名于世的日本PAINT公司社是的第一条也是：“我们要基于共存共荣的

① 日本実業出版社：《社是社訓実例集》，日本実業出版社，1982年，第188頁。

理念，举亲和协力之实，通过公司的事业贡献于社会公共福利。”

3. 信用第一

信用是衡量企业经营状况的重要标准，也是企业的无形资本。因此社训、社是对树立良好的企业形象，维护企业信用多有强调，例如：

要发展公司事业，须先努力提高信用（熊谷组）。

满怀爱与诚心和感谢之情，创造被客户喜爱的不二家（不二家）。

重信用，以诚实为主旨，努力钻研技术（清水建设）。

信为万事之本（日清制粉公司）。

全力创造客户信赖、喜爱的日本 COMSYS（日本 COMSYS 公司）。

先义后利（大丸百货公司）。

而信用的树立与维护，是同产品质量与服务质量直接联系在一起的。有关提高服务质量和产品质量的社是、社训内容更是举不胜举。例如：

以优良的商品，便宜的价格提供给消费者，奉仕于丰富的生活（象印热水瓶公司）。

提供美味的和式点心，让顾客高高兴兴地品尝。和式点心全部自家制造，用最好的原材料，制作最高的商品（虎屋公司）。

正规的服装，正规的服务，正规的驾驶（池田运输公司）。

以最高的状态把制品从工厂送到客人的口中（明星食品公司）。

这些内容既具体，又现实，反映出现代日本企业塑造企业形象的良好愿望。

4. 贡献社会

受社会环境的影响，制定于战前的企业社训、社是非常强调报国思想，如成立于1935年的松下电器产业公司所遵奉的“松下七精神”的第一条就是“产业报国精神”。明治乳业公司自1917年创业以来，一直以“营养报国”作为社是。1940年，武田药品公司的社长武田和敬制定了五条社规，至今仍是该企业活动的指导方针，其中第一条就是“以奉公报国为第一义”。战后，随着社会的变化，这类内容越来越少了，而“服务于社会”“奉献于社会之类”的内容被越来越多的企业作为行动宗旨。如明治乳业公司于1978年把“营养报国”更新为“作为‘食品’与‘健康’的提供者，贡献于国民的健康与生活文化的创造”。拥有四百多年历史的养命酒公司的社是只有一句话：“奉仕——通过养命酒，服务于人们的健康生活。”京滨急行电铁公司社是的首条是“通过作为都市生活的支柱事业，创造新的价值，贡献于社会的发展”。还有不少这样的实例，例如：

> 以长达三百五十年间酿造出来的酒为核心，以创造日本新文化的综合食品企业为目标，贡献于社会（月桂冠酿酒公司）。
>
> 深刻认识汽车产业的使命，积极贡献于我国及世界的经济与社会发展（丰田汽车公司）。
>
> 创造更美好的都市（东京瓦斯公司）。
>
> 我公司的制品品质第一。以优良的技术与合理的管理把优质廉价的制品推向世界，贡献于社会（第一制药公司）。

社会与大众，是企业的生命之源。只有服务于社会，服务于大众，企业才能生存，才能发展。这是社训、社是以此为主要内容的根本原因之一。

5. 改革创新

为了在激烈的竞争中站稳脚跟，不断进行技术改造和创新便成了现代企业面临的重要课题。因此，不断改革与技术创新，成为战后企业社是、社训的重点。

战后以来，日本经济长期呈增长趋势，涌现出许多知名的大企业，参与国际竞争的机会越来越多，其竞争能力也越来越强。尤其是20世纪70年代中期以后，日本成为资本主义世界的第二大经济强国，此后制定或修订的社是、社训有一个突出特点，就是追求世界第一，包括创造第一流的产品、第一流的技术和第一流的服务。要实现这一目标，就要不断开拓进取，进行技术创新。如生产照相机等精密仪器的佳能公司把“创造世界第一的产品”作为目标；美能达照相机公司的社是为“提供受欢迎、受信赖的商品与服务，以贡献国际社会”；伊藤忠商事把“联结世界的伊藤忠”作为公司的标语；而理光公司的口号则是“成为值得信赖，具有魅力的世界级企业”；象印热水瓶公司也把“进军广阔的世界市场，扩大企业地盘”作为自己的社是。为了达到上述目标，各企业都以积极的姿态进行新技术、新产品的开发。如索尼公司把“索尼的窗户永远朝未知世界敞开”作为“公司纲领”之一，在这种精神指导下，不断开发新产品，使该企业在电子产品行业一直居世界领先的地位。伊藤忠商事遵循“维持现状就是落后”这一社训，不断开拓业务，从“综合商社”发展为世界著名的跨国集团。丰田汽车公司贯彻“集结公司内外的所有力量，期待‘世界的丰田’着实地发展”这一基本方针，不断进行技术创新与改造，如今已经成为世界第二大汽车制造商。正因为企业的创新与努力，日本企业在国际上一直拥有强大的竞争力。20世纪90年代后期以来，虽然面对经济不景气，但日本企业仍有百家左右位居全球500强（1998年100家，1999年107家，2000年104家，2001年88家）。①

6. 以人为本

企业不仅是一个经济实体，同时也是社会集团，企业的管理，关键是人的管理。以人为本，提倡“人本主义经营”是日本式经营的一大特色。有“日本经营之神”的松下幸之助认为，事业在于人，制造产品固然重要，

① 2011年，日本企业进入世界500强被中国反超，近年来持续下降，2014年57家，2015年54家，2016年52家。

培养人更重要。所以在他亲自制定的“松下七精神”中，除了“产业报国精神”之外，“公明正大精神”“和亲一致精神”“奋斗向上精神”“礼节谦让精神”“顺应同化精神”“感谢报恩精神”①，均是对员工进行思想教化，旨在提高员工道德修养的内容。日本具有深厚的家族主义传统，强调企业与员工之间的共存共荣，谋求公司与员工利益的统一是许多企业奉行的原则。如京滨急行电铁公司将“追求公司繁荣与全员幸福的一致”作为公司的经营理念；象印热水瓶公司社是的内容之一是“劳资双方站在对等的立场，以相互信赖为基础，谋求企业的发展”，朝日啤酒公司把“尊重人”作为经营理念之一，其具体内容为“我公司在事业即人的信念下，尊重人性，实施人才培养与公正的人事，努力创造十二分发挥全体人员力量的自由而豁达的社风”。也有的社是、社训体现出浓浓的家族式氛围，例如：

> 我们要经常注意健康，保持健全的家庭，尽全力于公司事业（ALPS电气公司）。
>
> 我等全员乃一大家族，相互信爱且尊敬，以共苦乐（近电公司）。
>
> 谋求对员工的公平的分配与有品位的生活（砺波运输公司）。
>
> 留意员工的生活安定，为提高工资水平尽最大努力（三和门窗工业公司）。

这类社是、社训与企业的终身雇佣制结合在一起，对增强企业的凝聚力和员工对企业的归属感具有明显的作用。

（三）社训、社是的意义及传统文化的现代价值

有“企业的哲学”之称的社是、社训在日本现代企业中广泛普及。制

① 日本生産性本部：《新版社是社訓》，日本生産性本部，1992年，第290頁。

定社是、社训，不仅仅停留在形式上，更重要的是让它深入人心，落实到员工的实际行动当中。企业通过不同的方式，为此做了大量努力。多数企业把社是、社训装裱在镜框中，悬挂在墙上，也有的则将其制成标语，有的甚至将其刻在石碑上，还有的企业将社是、社训印在公司手帐（记事簿）上，或制作印有社是、社训的小册子、卡片之类发给全体员工，目的是让大家耳濡目染，铭记在心，并化作自己的行动。日本很多企业都有“朝礼”制度，即每天早晨上班铃声响起，人们都在自己的位置上站立，或集中在一起，在值日员的带领下齐声朗诵社训、社是。据说时至今日，著名的松下电器公司的职员每天早上上班时，还要一起背诵70年前由公司创始人松下幸之助制定的“松下七精神”。“朝礼”的目的在于使员工精神饱满地投入一天的工作，齐诵社训则是为了增强员工的责任感。

日本现代企业社训、社是是当今日本企业经营管理的重要组成部分，其制定与运用颇有现实作用，对于我国加强企业经营管理，树立企业形象也有借鉴意义。

第一，以简短、精炼的语句概括了企业的经营理念。较之近世商家家训与近代企业家家宪，现代日本企业社训、社是，语言简练，概括性强。企业通过制定社训与社是，可以让员工非常便捷、准确地了解该企业所奉行的经营理念、企业发展目标。在竞争日益激烈的当今社会，如果不能做到这一点，就很难在竞争中取胜。日本的一些优秀的、具有竞争力的企业，都是通过制定社是、社训，树立了自身的形象。如今，随着信息的发达，许多日本企业都将过去只在公司内广为宣传的社是、社训及经营理念等放到本企业的网站上，以宣传本公司的形象，并接受社会的监督。

第二，增强了企业的凝聚力和员工的归属感。日本的企业极富团队精神，企业社训、社是的创立和运用，有助于日本企业凝聚力的形成。企业要求所有员工必须熟知企业社训、社是的内容，通过这种形式，有效地增强了企业员工的团队意识，进而促进了企业经营的良性发展，使企业在激烈的竞争中立于不败之地。另一方面，企业是现代社会的基本组织单位。在日本，大约每四个人中就有一位是企业的员工，其余的则大多为员工的后备军、家属或退休职工，在终身雇佣制下，企业成了大多数日本人的归宿。日本企业将传统的“家”意识、“忠”的观念等贯彻到企业的社训、社是当中，员工从一进入企业就受到社训、社是的熏陶和影响，通过这一形式，不仅培养了员工对企业的归属意识，培养了员工“爱社如家”的情感，更能激发员工以主人翁的姿态参与企业建设的积极性。

第三，培养了员工对企业精神的认同感。一个成功的企业除了拥有卓越的领导者、先进的生产工艺、出色的推销艺术及人才资源外，更重要的是拥有全体职工的“心”。只有大家齐心协力，企业才能兴旺发达。企业通过制定社是或社训，使全体员工充分了解自己企业的经营理念与追求的目标，并激励他们为此而努力。在社训、社是中体现出来的企业精神，往往把企业的目标同国家、社会乃至人类联系起来，通过反复的灌输，使员工感到参与企业工作不仅是在为自己、为企业工作，而且也是在为社会尽力，是实现自我价值、寻求生活意义和情感归宿的重要场所，从而培养了员工对于企业精神的认同感和对社会的责任感，有效地激发起员工的工作热情。

第四，是企业员工教育培训的重要组成部分。作为企业的员工，仅仅有技术是不够的，更重要的是应该具有适应现代企业需要的良好的道德品质和基本素养——忠诚、勤奋、有合作精神。日本企业非常注重员工的企业内教育，这种教育不仅限于专业知识、技能的灌输，更重要的是对员工进行企业道德教育，培养员工对企业的忠诚心。新人进入公司，首先都要经过严格的入社培训，其重要内容之一就是学习企业社训、社是、社歌，了解企业的创业和发展史。员工从一开始就接受企业的经营理念，在企业文化的熏陶下学习、成长，只有这样才能保证企业的和谐运作与发展。

结语

纵观日本历史可以看到,日本既是对外来文化依赖程度相当高的国家,也是对传统文化保留得最好的国家。社是、社训的存在体现了日本人对传统的扬弃,也反映出传统文化的现代价值。从形式上看,它是传统家训与近代家宪在现代企业中的延续。尽管日本人选择家训这种传统文化的载体得益于对中国文化的吸收,但它在后来的历史实践中,被日本人按照自己的需要不断进行改造,已经完全变成了自己传统文化中的组成部分。正是因为这种改造,日本的家训才避免了中国的家训在近代以后走向衰落的结局,因本身具有较强的社会功能和开放性的特点,在新的社会条件下被运用于近、现代企业的管理。从家训到社训、社是的演变,我们可以看到,日本人在不断发展现代文明的同时,仍能执着地保持和发扬优秀的传统文化,这一点非常值得我们学习与借鉴。从内容上看,社是、社训的内容,除了适应现代企业经营与科技发展等方面的内容表现出"与时俱进"外,在道德伦理、价值观念、心理特征方面仍然体现出典型的日本传统。贯穿于社训、社是中的"和"的精神,忠诚意识,信誉观念等,都是日本人思想意识中根深蒂固的东西,都可以从传统家训及近代家宪中找出依据。传统文化包含着有形的物质文化,但更多地体现在无形的精神文化方面,它内化、积淀、渗透于每一代社会成员的心灵深处,并在新的社会条件下仍然左右着人们的观念与言行。

五　家族国家观——近代日本政治的误区

家族国家观是近代日本的统治者为维护天皇制和推行对外侵略扩张政策,运用日本传统家族制度的原理,将家族关系与政治关系等同起来,以实现天皇对国民进行统治的国家伦理观。它利用了日本人在传统家族制度下养成的唯命是从的精神,驱使他们狂热地支持侵略战争,不仅给中国人民和亚洲各国人民造成难以估量的灾难和损失，也使日本民族几近毁灭。家族国家观及其实践实为近代日本政治的一大误区。

（一）家族国家观的形成

家族国家观是日本近代的一种复古的社会思潮，是力图使天皇统治永久合法化的政治理念。早在幕末时期，就已出现了家族国家观的萌芽，一些主张“尊王攘夷”的后期水户学派学者宣扬“一君万民”的观点，提出“夫君臣者，父子也，天伦之最大者”。这一理论不仅对幕末的维新志士产生了很大影响，也为近代以后家族国家观的形成奠定了思想基础。

经过明治维新，日本虽然走上了资本主义的道路，但是，在维新过程中进行的一系列改革，是以天皇制国家对农民进行掠夺为基础、以保护特权商人和寄生地主的利益为前提的，因而，许多政策的制定和制度的建立，都体现了新与旧、传统与近代文明的妥协。尤其是在政治结构上，实现了后期水户学派“一君万民”的政治构想，建立了“神圣不可侵犯”的“万世一系”的天皇专制主义统治。由《大日本帝国宪法》和《明治民法》所构筑的日本近代国家，一方面呈现近代资本主义国家的外貌，一方面保留了以家族制度为核心的封建遗制。因此有人称近代以来的日本是“家制立宪君主国家”①。维新后不久，“文明开化”运动使西方近代思想如潮水般涌入日本，自由民权运动此起彼伏，直接危及天皇的统治，明治政权执政者们为此大伤脑筋。在采取武力镇压等种种措施的同时，执政者们逐步认识到，仅仅用露骨的专制主义来强迫人们为国家尽忠和牺牲，未必能使人自发地服从，甚至还会引起反感。因此，在对大规模吸收外来文化进行反思后，经过谨慎的选择，终于从德国国家主义哲学和日本传统的儒学道德相结合的角度上，决定了明治政权的思想基调。从

① 古川哲史、石田一良：《日本思想史講座》6《近代の思想》，雄山閣，1976 年，第 225 頁。

此，人们所重视并积极实践的是以德国的国家主义来纠正明治初年以来盛行一时的英美功利主义思想和法国的民权思想，在此基础上恢复了曾被启蒙学者猛烈批判过的儒学。传统的家族制度和家族观念就是在这种形势下借助空前统一的中央集权国家的威力得到进一步增强，从而形成家族国家观的。1890年颁布的《教育敕语》已经明显贯穿了家族国家观的思想，敕语中将以"孝父母"为首的浸透了儒家道德的十多条规范作为"皇祖皇宗之遗训"，要求"子孙臣民俱应遵守"，以达到"义勇奉公，以辅翼天壤无穷之皇运"的最终目的。

《教育敕语》颁布后，哲学界权威、曾经留学德国的东京大学教授井上哲次郎(1855—1944)受文部大臣的委托撰写《敕语衍义》。在这部经过天皇内览、颇具权威性和正统性的敕语注释书中，井上哲次郎综合德国国家主义理论与日本的儒教传统，对"教育敕语"进行解释，指出敕语是由"孝悌忠信"与"共同爱国"这两个要素构成的，"盖敕语之主意，在于修孝悌忠信之德行，固国家之基础，培养共同爱国之心，备不虞之变"①。书中明确提出了家族国家观的思想，"国君之于臣民，犹如父母之于子孙，即一国为一家之扩充，一国之国君指挥命令臣民，无异于一家之父母以慈心吩咐子孙，故我天皇陛下对全国呼唤尔臣民，则臣民皆应以子孙对严父慈母之心谨听感佩"②。在这里，井上将天皇与国民的关系比作父母与子孙的关系，将家作为国的基础，即家是一国之本。1912年，井上哲次郎又出版《国民道德概论》一书，书中将他的家族国家观进一步系统化，提出"综合家族制度"和"个别家族制度"。他指出，日本家族制度的特色是"综合家族制度"(即把国家整体作为一个大家族，天皇是这个大家族的家长)。在"综合家族制度"下，把出自"个别家族制度"的孝的伦

---

① 井上哲次郎:《勅語衍義》,《近代日本思想大系》第31卷,《明治思想集》第2卷,筑摩書房,1976年,第86頁。

② 井上哲次郎:《勅語衍義》,《近代日本思想大系》第31卷,《明治思想集》第2卷,筑摩書房,1976年,第91頁。

理推而广之，就成为“综合家族制度”中忠君的伦理。正因为日本有“综合家族制度”，才能实现孝与忠的完全统一，才有“通古今而不变的国体”。这就是井上哲次郎的家族国家观的基本思想，其中融合了日本传统家族道德、儒家的忠孝之道、天皇万世一系的神道思想和德国的国家有机体观念，构成了“忠君爱国”的天皇专制主义意识形态和“忠孝一本”的国民道德论。

在井上哲次郎从道德方面宣扬家族国家观的同时，另一家族国家观的代表人物、东京大学法学部教授穗积八束也在从法律方面为把家庭作为服从意识的培养源，为家族国家体制的确立而努力。穗积八束是一个十足的国体论者和尊皇论者，在明治民法论争中，用家族国家观的理论攻击1890年公布的、稍有个人本位倾向的明治旧民法，提出“家之扩大成国，国之缩小成家”“法制之源在家”的理论，力图利用日本家族制度中祖先崇拜的传统，以“祖先的威灵”为媒介，谋求家与国、臣与君之间的整合。不难看出，穗积八束所构筑的家族国家的模式是以家为国体和法律的基础，把在家庭中养成的最原始、最自然的“服从”这一“人道之教”，通过“祖先教”的纽带，发展成为国民的道德，使个人、家庭、国家融为一体，从而实现从“孝悌的家庭成员”向“有用的自治公民”再向“忠良的国家臣民”的国民道德的自觉升华，其国家理论和法的理论充满道德伦理的色彩。

自明治末期形成的家族国家观经过天皇制政权的大力宣传，尤其是经过中小学修身教育的彻底贯彻，逐渐渗透到日本国民的精神生活当中。

（二）家族国家观的极端发展

中日甲午战争与日俄战争的胜利显现了家族国家观的巨大威力。进入昭和时代，日本国内法西斯势力日益猖獗，为了转嫁国内的经济危机，实现长期以来对外扩张的梦想，日本帝国主义又发动了全面侵华战争和太平洋战争。从1931年到1945年,日本军国主义者在蹂躏中国人民和亚洲各国人民的同时,也将日本国民拖上战车。在战争体制下,国家要求国民彻底抛弃个人的自由,绝对地、无条件地服从天皇制统治。为了使这种体制正当化,法西斯军国主义政权对家族国家观的宣传和鼓吹愈演愈烈。

1937年,在发动全面侵华战争之前,文部省思想局为强化国民思想统制,进行战争动员,发布了《国体之本义》;1941年,文部省教育局广泛发行了堪称《国体之本义》之姊妹篇的小册子《臣民之道》;1942年,文部省社会教育局又发表了《战时家庭教育指导要项》。在这些出版物当中,极力鼓吹家族国家是国体的精华,"大日本帝国由万世一系之天皇奉皇祖神敕永远进行统治,此乃我万古不易之国体。基于此大义,以一大家族国家亿兆一心奉体圣旨,发挥克忠克孝之美德,是我国体之精华,此国体是我国永远不变之大本"①;宣扬"所谓日本是家族国家,并非把家集中起来形成国家,而是国就是家,各个家族作为国之本而存在"②;强调天皇与国民是本家与分家的关系和家族父子关系,"我国是奉皇室为宗家,古往今来以天皇为中心的君臣一体的大家族国家","皇室是臣民的宗家,是国民生活的中心。臣民以对祖先之敬慕之情崇奉祖先之皇室","义为君臣,情为父子"。③ 法西斯军国主义者进行这些宣传的目的,就是要日本国民恪守"臣民之道",就是要忠君爱国,舍我去私。这样,国民生活皆被置于国家控制之下,并服务于战争。《国体之本义》《臣民之道》《战时家庭教育指导要项》被作为家族国家观的经典。如果说在此之前家族国家观是由官僚、学者积极提倡,并适应了天皇制统治,从而成为国民道德教育基本理念的话,那么,这三种出版物所反映出的家庭国家观则完全

① 文部省:《国体の本義》,《近代日本教育制度史料》,大日本雄辩会講談社,1956年,第7卷,第360頁。

② 文部省教育局:《臣民之道》,《日本妇人問題資料集成·5·家族制度》,第474頁。

③ 文部省:《国体の本義》,《近代日本教育制度史料》第7卷,373、377頁。

是国家战时国民动员政策的集中体现，是战时国民思想统治的工具。经过国家舆论的广泛宣传，比过去井上哲次郎、穗积八束等人的鼓吹更直接、更露骨，影响也更广。这些出版物的发行表明，家族国家观已经从意识形态领域教化国民的需要发展为国家政治统治的需要，并被置于国家意识形态中枢的位置。

自此以后，为了控制国民和进行战争动员，军国主义政权又接二连三地发布"家庭战阵训""母亲战阵训"等各种训令，令国民反复诵读，严格遵守，使全社会都弥漫着家族国家的气氛，家族国家观被发展到极致。在对外侵略战争中，人们将天皇奉为神和父亲，只要是天皇的诏敕和来自军国主义政权的声音，人们都毫无疑问的支持与盲从。当无数青年男子怀着忠君爱国的狂热在战场上虐杀、残害他国人民的时候，法西斯妇女团体"大日本妇人会"动员了全国 2 000 万妇女及其家庭参加"大政翼赞"运动，支援战争，承担后方生产的重担，连结婚、生育都被赋予"报国"的使命。这就是日本法西斯军国主义政权在战败前提出"一亿总动员""一亿总玉碎"口号的思想基础和群众基础。

家族国家观把日本传统家族制度的功能运用于国家政治，将家族道德作为促进国民认同国家权力的媒介和手段，使家族不仅仅作为血缘的关系而存在，还作为具有国家的政治关系、国家的伦理道德关系、统治与被统治的法律关系而存在，位于这种种关系之顶端的就是集父权、君权、神权于一身的天皇。虽然家族国家观的论点未明文写进近代法律条文之中，但却以伦理道德的体系确立了天皇的权威，使法律成为道德的一部分。家族国家观不过是天皇万世一系之国体观与儒家伦理道德的大杂烩，其核心是忠君爱国，其实质是为维护天皇制统治和推行对外侵略政策的舆论工具。本来，随着近代化的发展，家庭结构不断发生变化，传统家族的本来面貌在迅速消失，在这种形势下，家族国家观反而甚嚣尘上，极大地毒害了日本人的思想，造成几代日本人的悲剧。

（三）家族国家观与对外侵略战争

家族国家观是被蒙上家族外衣的、狭隘的国家至上的国家伦理观，在被运用于教化民众、维护天皇制统治的同时，也被日本军国主义政权作为处理对外关系的原则，作为侵略他国的理由和依据。不仅置其他国家和民族利益于不顾，也将本民族的前途孤注一掷。

军队是侵略战争的急先锋。明治维新之后，日本模仿欧美先进军事制度和军事科学技术建立了近代军事体系，而封建制度的残余与近代教育在思想教化方面的"成功"结合，造就了一支忠实于天皇的军队。军队被称作"皇军"，军人们头脑中被灌输的是封建时代武士的效忠精神。1878 年，曾致力于日本近代军事改革的山县友朋发布《军人训诫》，声称"今日之军人，纵非世袭，亦与武士无异，故应遵循武门之习，效忠我大元帅皇上，报效国家"。《军人训诫》中还把"忠实""勇敢""服从"三点作为"军人精神的三大根本"。不难看出，近代国家的军队与天皇专制政权的关系和封建武士与领主的关系实际上如出一辙。在 1882 年以天皇的名义颁布的《军人敕谕》中，进一步明确指出："我国军队世世由天皇统率"，要求军人绝对效忠天皇。在日本军国主义者发动的一系列对外侵略战争中，剥夺自我、抹杀人性的家族国家观被作为军人思想教化的工具，酿成狭隘的民族主义，造就了无数愚昧无知的军人。他们只知效忠天皇，忠君爱国的狂热代替了理性，许多人都是抱着"作为皇国民，应生死一贯扶翼无穷之皇运"①的信念，喊着"天皇陛下万岁"的口号而丧命战场的。正因如此，日本法西斯才视士兵生命如草芥，创造并推行了世界军事史上罕见的所谓"肉弹战术""沉船堵口""特攻战术"。这些曾为日本军人引为自豪的疯狂至极、惨无人道的战术夺去了大量日本军人的生命，把日本国民推向战争的深渊。

---

① 長嶺秀雄：《日本軍人の生死観》，原書房，1982 年，第 159、175 頁。

为了培养尽忠节、正礼仪、尚勇武、重信义、行质素的军人，日本军国主义分子完成了一项在世界军事史上标新立异的创造——将传统的家族伦理道德导入近代军队的内部管理。1889 年监军部（1887 年成立，后改为教育总监部）发布监军训令第 1 号，在强调军队训练要旨时指出："军纪恰如小儿之家庭教育，使其发育德义之心，在军队中亦应形成此家庭教育。其军队中的家庭教育即中队教育，中队长要担当其任，以负责教育上的一切事务，可图我家族幸福荣誉。"①这里明确提出中队（相当于连）即家庭，内务教育即是家庭教育。同时也表现出抹杀士兵的独立人格，只将其看作是依赖于家庭的小儿的军人教育思想。

19 世纪末至 20 世纪初，随着"教育敕语"成为日本国民道德的最高准则，以及中日甲午战争、日俄战争胜利后举国上下的家族国家的氛围，军队也成为贯彻家族国家观的重要场所，"国家既为一大家庭，军队岂能独然"②。为了将家族国家观这一天皇专制主义意识形态落实到军队，1908 年颁布了"军队内务令"，在强调"服从乃维持军纪的要道"等治军原则的同时，正式将家族主义与军队的教育训练结合起来，明确提出"兵营乃共苦乐、同生死之军人的家庭"，要求"各级之上官及兵卒等应各尽其分，营内生活成一大家庭。于融融和乐之间，巩固全队一致团结，士气旺盛勤劳于军务，上下相爱，缓急相救，有事之日，欣然而起，乐于为国事献身，此实乃日本帝国军队之本领，皇室之藩屏，国家之干城"③。当时人们称这种将家族伦理导入军队的做法为"军队家庭主义"。军国主义政权正是利用日本人普遍认同的家族伦理，来强化军人教育，以达到使其"乐于为国事献身"的目的。

1912 年，当时担任步兵第三联队长的田中义一率先在其部队搞起了旨在"兵营生活家庭化"的"改革"。按照田中义一的说法，"中队长是严

① 由井正臣等編：《日本近代思想大系·4·軍隊·兵士》，第 273 頁。

② 田中義一语，引自藤原彰：《天皇制と軍隊》，青木書店，1978 年，第 91 頁。

③《軍隊内務令》，日本文芸社編、出版：《作戦要務令·軍隊内務令·戦陣訓》，1962 年，第 4 頁。

父，中队附下士是慈母，内务班的上等兵是兄长，中队内的气氛若无家庭之温情味，就不能涵养真正的军纪”①。这种“家庭化”的兵营生活很快在军队内得到推广，“严父慈母”也成了在军队内流行的口号，每年年初，在全国各地的兵营，面对怀揣不安的新兵们，中队长例行公事般地第一声高喊就是“中队长是你们的父亲，班长是你们的母亲，老兵是你们的兄长”②。“军队家庭主义”从此成为日本军队的一大特征。

所谓“军队家庭主义”，就是运用家族伦理中的等级观念和孝与服从的伦理来维持军队内部的秩序，以培养军人的服从精神。实际上，“军队家庭主义”只不过是掩盖军队内强制、暴力、惩罚的一个温情脉脉的光环，是将暴力、惩罚合法化的代名词。有人甚至公开主张“作为家庭之父母的将校下士黾勉努力，借惩罚之威力改悛兵卒，以图治理中队家庭”③。在“军队家族主义”的口号之下，军人的尽忠节的本分、无条件服从的精神与封建家长制度、严格的等级身份制度及法西斯武士道精神混杂在一起，使日本军队的生活变得极其残酷与野蛮。上级对下级，长官对士兵，老兵对新兵都有家长般的绝对权威，任何一点口实都会招致“违反军纪”的罪名而遭到辱骂、体罚。日本法西斯军人对自己同胞的态度是“军队和毛毯，都是越打越结实”，他们创造的刑罚五花八门，令人发指，军队内残酷虐待士兵，尤其是新兵的做法却被解释为是出自“骨肉之至情”。军队内的暴力行为不仅在“部下服从其上级不论何种场合必须严格遵守”这一铁的原则下被合法化，而且被标榜为“父母爱”“兄弟情”的所谓“军队家族主义”合理化，上级虐待下级，军官虐待士兵，老兵虐待新兵，士兵只有服从与忍耐。当新兵变成老兵后则将被压抑而积累的能量转而向新兵释放，继续虐待自己的同胞。这种军队生活彻底抹杀了人性，使军人“一夜醒来变成鬼”，兵营被称作“是老兵鬼居住的、蛇在欢笑的世界”，

---

① 高倉徹一編:《田中義一伝記》上，原書房，1981 年，第 374 頁。

② 大江志乃夫:《昭和の历史・3・天皇の军队》，小学館，1982 年版，第 85 页。

③ 武章生:《理想の中隊家庭》，引自藤原彰《天皇制と軍隊》，第 92 頁。

是“人间地狱”，是没有经历过军队生活的人所不可想象的、充满恐怖的、阴暗的精神世界。[①] 由此可见，“军队家庭主义”将下级对上级的服从与对天皇的效忠一体化，通过残酷对待部下而培养造就出无数“虐待狂”式的法西斯军人。一到战时，这些军人就立即将平素所受的压抑转化成凶猛无比的战斗力，向被侵略国家的人民发泄，变成灭绝人性的、残暴无比的破坏行动，使日本军国主义发动的侵略战争在疯狂性、野蛮性、残暴性方面比起西方老殖民主义者有过之而无不及，对中国人民和亚洲各国人民欠下了数不清的血债。

家族国家观就是承认将公共权力扩大延伸到私人领域，那么，通过这条延长线，公共权力可以无限制地延伸到任何领域。因而，家族国家观不仅是日本军国主义者对内维护天皇专制统治的舆论工具，而且被用于对外侵略战争。在侵华战争和太平洋战争期间，日本军国主义者提出“八纮一宇”(天下一家之意)的口号，梦想建立所谓“大东亚共荣圈”。当时外务省的代言人在解释这一口号时，大谈日本的家族国家观，宣扬在共荣圈中，“以日本为本家是当然的”。日本的统治者还宣扬日本民族建设“共荣圈”的真正使命“不仅是大东亚现状的建设，还在于继承永远的家业，使其达于子子孙孙，使万世不朽的文化在大东亚全局内生生发展”。因此，他们要求日本人在“共荣圈”中发扬家族传统中祖先崇拜的精神，“继承祖先的遗业，把祖先之灵移至大陆崇敬之，誓在大陆从事大业”[②]，“坚持以‘家’为中心，在其土地上深深扎根”[③]。这样，日本对亚洲各国的侵略被正当化，横行霸道、烧杀抢掠被说成是“爱的实践”，是“道义的普照”。比如，在侵华战争中一手制造了南京大屠杀、双手沾满了中国人民鲜血的松井石根在远东国际军事法庭的被告席上还在狡辩：“我

① 色川大吉：《昭和五十年史话》，黑龙江人民出版社，1982 年，第 90 页。

② 大本営陸軍部研究班：《海外地邦人ノ言動ヨリ観タル国民教育資料(案)》，《十五年戦争極秘資料集 1 大東亜戦争》，不二出版，1987 年，第 182 頁。

③ 大政翼赞会調査会第五委员会：《〈家〉に関する調査報告書》，《資料日本現代史・12 大政翼賛会》，大月書店，1984 年，第 572 頁。

始终坚信，日中之间的斗争本是‘亚洲一家’之内兄弟之间的争吵，日本不可避免地要动用武力，……这同哥哥经过长期忍耐后赶走不听话的弟弟没有什么两样，采取这一行动的目的在于促使中国人回心转意。驱使这一行动的动机不是仇恨而是爱怜。”①日本军国主义者在侵略战争中以“家长”的姿态对“不服管教”的“子女”血腥镇压，疯狂屠杀，仅中国就有数千万人丧失了生命。日本侵略者还以“本家”的身份大肆掠夺亚洲各国的资源，在语言、民族、宗教等方面都进行严格控制，推行奴化政策。他们在被剥夺了主权的朝鲜实行“皇国臣民化”，逼迫与日本同样拥有祖先崇拜传统的朝鲜人“创氏改名”，此举意味着用以氏为中心的日本式家族制度取代以姓为中心的朝鲜家族制度，对朝鲜人是极大的侮辱。在菲律宾，“他们说菲律宾人是他们的兄弟”，但是他们疯狂地掠夺这个国家，强迫男人为日军劳动，女人遭其凌辱，许多无辜百姓惨遭屠杀，死者逾百万。在印度尼西亚，所有日本人都被称为“日本主人”，仅被“主人”强制抓走的劳工就死亡约 200 万人。这些事实无不说明日本军国主义者在侵略战争中所鼓吹的家族国家观是地地道道的强盗的逻辑。

六　日本军国主义对外侵略与“一亿总动员”

军国主义是把国家完全置于军事控制之下，一切为侵略战争服务的黩武思想和行动。从全面侵华战争开始到发动太平洋战争，日本的国家政治、经济、思想、教育被全部纳入侵略战争的轨道，作为社会构成细胞的家庭及社区组织——町内会、部落会、邻保班也被军国主义政权充分利用，实施“一亿总动员”，把全体国民驱向战争。与青壮年男性作为军人直接在“前方”参战遥相呼应，其他人及家庭按照战争的需要，作为“军国少年”“军国少女”“军国妇女”“军国之妻”“军国之母”“军国家庭”组织

① 田中正明:《松井石根大将陣中日誌》，芙蓉書房，1931 年，第 25 頁。

起来,参加"铳后奉公"(意为后方支援),构成日本发动侵略战争的社会基础与民众基础。

(一)"一亿总动员"中的家庭动员

日本发动全面侵华战争后,日本政府于 1937 年 9 月开始实施"国民精神总动员"运动,继而于 1938 年 4 月颁布《国民总动员法》,要求所有国民进入战时体制。在无数青年男子走上战场的时候,全国2 000万妇女作为法西斯妇女团体"大日本妇人会"的成员参加"大政翼赞运动",承担后方生产,支援前方作战。可以说,家庭动员是日本军国主义政权提出的"一亿总动员"的现实基础。

按照对外侵略战争的需要,军国主义政权对家庭的最高要求是"养育作为皇国民的子女",保证战场兵员,要求作为妻子与母亲的女性把生儿育女作为日本家庭的最高使命,如在太平洋战争中走向衰势的 1943 年 2 月,自由学园学园长羽仁元子(音)在其亲自主办的《妇女之友》杂志上发表文章《日本家庭家族的使命当今达到最高潮》①,鼓励母亲们送子上战场:

> 我从来没有像现在这样认识到作为家族国家之家庭的伟大力量。作为陛下的赤子而生,被历代天皇之仁慈养育的日本人,只要不是持有极其错误的思想和不纯感情的人,都会自然地把日本人的思亲爱子的感情与思国爱国的感情联系起来,思家之心越深,当然爱国之情越甚,所以对自己的孩子不论多么喜欢疼爱,一旦应征,都祝贺他,鼓励他,高高兴兴地把他送上战场。只有作为家族国家的家庭,才能在世界各国的家庭中产生如此真正的模范,在感谢的同时痛感家庭的重大使命和

---

① 羽仁もと子:《日本的家族的家庭的使命は今や最高調に達したり》,引自《鈴木裕子:フェミニズムと戦争 婦人運動家的戦争協力》,マルジュ社 1986 年,第 79 頁。

责任。

在战争中，过去只知相夫教子的旧的贤妻良母形象已经不适应战争的要求，“新贤妻良母”的标准则是“培育日本的小国民，一旦需要则舍命报国”。很多妻子与母亲争相把军国主义政权的号召化作自觉的行动。侵华士兵东史郎在接到征召令即将走上战场的时候，前来送别的母亲没有不舍和难过，反而鼓励他“这是一次千金难买的出征。你就高高兴兴地去吧！如果不幸被支那兵抓住的话，你就剖腹自杀！因为我有三个儿子，死你一个没关系”①。1931 年，侵华日军步兵中尉井上清一的新婚妻子千代子为使丈夫在前线作战没有牵挂而自刎，被誉为“昭和烈妇”在靖国神社祭祀，其“军国美谈”被写进教科书、编成剧本、拍成电影。这只是无数“军国之母”与“军国之妻”的缩影，她们用亲人的生命践行了“忠君爱国”的实践。在太平洋战争期间，政府每年都表彰有两名以上战死者的“皇国之家”，但这种献血换来的美誉无论如何也掩盖不了战争的残酷，战争遗属的生活及子女的扶养都成了战后日本的社会问题。

家庭最重要的功能——生育功能，被军国主义政权赋予政治使命。明治维新之后，增加人口被作为富国强兵的基本国策，1936 年，日本人口首次超过 7 000 万人。由于发动对外侵略战争，且战线不断延长，人力不足的压力日益凸显，日本政府遂推行全面的人口扩张政策。1938 年 4 月，公布了《国家总动员法》，规定“国家总动员即在战时及事变时，为了达到国防目的最有效地发挥国家的全部力量，对人力、物力资源进行统制运用”②，明确指出国民是由国家统制运用的“人力资源”。1939 年 9 月，厚生省予防局民族卫生研究会发布《结婚十训》，核心是鼓励生育，增加人口，其最重要、最具蛊惑性的一条“为了国家生吧，繁殖吧”，成为战争期间家喻户晓的生育动员令。1941 年，近卫文麿内阁制定并发布了

① 津田道夫著、程兆奇等译：《南京大屠杀和日本人的精神构造》，新星出版社，2005 年，第 212 页。

② 赤松良子編集、解説：《日本婦人問題資料集成・3・労働》，ドメス出版，1977 年，第 469 頁。

《人口政策确立要纲》,在这份战时人口政策的纲领性文件中指出:"建设东亚共荣圈,谋求其久远、健全发展是皇国的使命,为达此目的,确立人口政策,使我国人口急速且永远地发展增殖,谋求人口资质的飞跃性提高,确保于东亚的统治能力,合理分配人口是当务之急。"[①]在这个纲领下,确立了20年内总人口达到1亿的目标。[②] 1941年时,日本的人口大约7 200万人,为了实现到1960年增加2 800万人的目标,每对夫妇要生五个孩子。该"要纲"出台后,全国上下立即掀起了大张旗鼓的"人口战",早婚多育被提升为对国家的"奉公"行为,以增殖人口为己任,充满健康美,能多生孩子的"翼赞美女"成为新时代美女标准。1941年,大政翼赞会发起"扑灭柳腰运动",发布"新女性美十则",其中包括"能吃、肥胖";"身体结实,胸部丰满";"腰骨粗大,能够支撑体重","脸庞晒黑也值得骄傲",彻底颠覆了"瓜子脸,白皮肤,溜肩细腰"的传统美女形象。每个家庭都成为一架战争兵员的生殖机器。厚生省从1940年开始表彰"优良多子女家庭",希望借此推动增殖人口,首次被表彰的家庭在结婚20年里生了16个孩子,被称为"日本第一宝宝部队",孩子的父亲表示"十个男孩子全部去当兵"。在战争条件下,所谓表彰,不过是奖状及镜饼(供奉神灵的扁圆形年糕)、肥皂、扇子、包袱皮等一些家庭常用物品。由于国民积极支持与配合了人口扩张政策,使日本在人员大量伤亡及经济状况艰难的条件下仍然保持了人口增长,1937年为7 063.0万人,1945年为7 214.7万人。

对外侵略把所有国民卷入战争体制,家庭生活中的衣食住行亦不例外。"虽一碗饭,一件衣服也非个人之物,即使休闲、睡觉也与国家相联

① 一番瀬康子編集、解説:《日本婦人問題資料集成・6・保健・福祉》,ドメス出版,1978年,第166頁。

② 赤沢史朗編:《資料日本現代史・13太平洋戦争下的国民生活》,大月書店1990年,第487頁。

系，绝非私事。我等需牢记，即使私人生活也要归顺天皇，服务国家。”[①]在饮食方面，在“国防从厨房开始”的号召下，国民“遵守食堂的战时性”，面对粮食供应日趋紧张，吃“国策炊”（在蒸米饭前用水充分浸泡的所谓“增量法”）和“决战非常食品”（用芋头、野菜等制成的食品），忍饥挨饿推广这些“国策料理”。营养不良造成国民体质明显下降，比如，14 岁少年的平均身高从 1939 年的 152.1 厘米下降到 1948 年的 146 厘米，平均体重从 43.6 公斤下降到 38.9 公斤。[②] 在穿着方面，1940 年 11 月，政府颁布第 725 号敕令，实行国民统一着装，要求男性穿与陆军军服相似的“国民服”，取代和服与西服，作为在平日及冠婚葬祭等正式场合穿着的服装。统一服装的目的是唤起人们的“战争非常时期意识”，“只有穿上同样的服装才能灭却个性，激励奉公之心”。虽然没有对女式“国民服”的具体规定，但是女性的长袖长裙又束腰的和服因不便活动而受到越来越多的指责，于是，原本作为东北地区妇女的劳动服——扎腿式的劳动裤成为女性的标准服装。由于棉花在战争期间全被用于生产军需品，在“为了国家而堂堂正正地穿着织入爱国心的衣服”的号召下，人们只能穿不结实、不暖和又易出褶皱的人造纤维做的衣服。太平洋战争爆发后，物资供应进一步紧张，1942 年开始实施衣料凭票供应的配给制度，当时的商工大臣岸信介专门就“决战期的服装生活”发表讲话，宣称“决战服装生活”就是“把纤维变成战斗力”，“有效的利用闲置衣物是决战下的紧要大事”，“做新衣服就等于从前线拿走等值的武器，从前线士兵那里拿走飞机、子弹来打扮自己”。[③] 在这种宣传下，《妇女画报》《主妇之友》等杂志纷纷介绍用旧和服、旧西服改制国民服和女性标准服的做法。

为了进一步强化战争体制，将有限的资财用于战争，1940 年 7 月 7

---

① 文部省教育局：《臣民之道》，湯泽雍彦編：《日本婦人問題資料集成 5 家族制度》，ドメス出版 1976 年，第 473 頁。

②《每日新聞》，数字は証言する，データで見る太平洋戦争，http://mainichi.jp/feature/afterwar70/pacificwar/data4.html。

③ 秋山洋子等编：《战争与性别——日本视角》，社会科学文献出版社，2007 年，第 66 页。

日，日本政府发布了“奢侈品等制造贩卖限制规则”（即“七·七禁令”），禁止制造贩卖战时生活中“没有也无妨”的绢制服装、戒指、领带及各种宝石类装饰品，同时要求人们降低生活标准，对一些生活物品的档次、价格做出规定，如200日元以上的衣柜、60日元以上的梳妆台、80日元以上的西服、50日元以上的手表、35日元以上的皮鞋、5日元以上的钢笔等都属奢侈品。“七·七禁令”发布后，“奢侈是敌人”立即成为流行语，民众群起与“奢侈”开战。东京市内到处可见“奢侈是敌人”的大幅警示牌及“是日本人的话就不要奢侈”等标语。自发组成的“妇女挺身队”“奢侈监视队”上街巡逻，见到穿着华丽的女性就警告其“不要穿漂亮衣服，不准戴戒指”，如有不从者，就强行破坏其装束。在各种各样的“奢侈”行为中，女人烫发成为首先禁止的对象，东京本乡的町内会甚至张贴出“禁止烫发者在我町通过”的告示，如果发现烫发者，就强迫其剪掉。为贯彻“七·七禁令”，日本理发美容联盟指导部专门设计了四种不用火烫、电烫的“淑发”发型加以推广，包括面向事务人员的效率型、时局型，面向主妇的贞淑型，面向少女的活泼型，美其名曰“国策型淑发”。为了支持战争，国民自觉对日常家庭生活精打细算，不论男女老幼积极“储蓄报国”，购买“报国债券”，同时，实行冠婚葬祭仪式的简单化，“节约一根羊毛也是对皇军的感谢”，“睡觉的时间也是奉公”（出于节电的需要而改变晚睡习惯），“国家需要资金，即使只喝稀粥也要储蓄”之类的口号层出不穷。

（二）“一亿总动员”中的社区动员

实现“一亿总动员”，最直接、最有效的手段就是通过战时国民统治的工具——町内会与邻保班对居民进行彻底的组织化。

町内会这种社区组织的最大特点在于既不是通常所说的国家行政组织的最小单位，也不是由政府建立的下属组织，而是由社区居民选举产生、谋求社区共同利益的自愿性社团和自治性组织。町内会的职能是在一定的城市与农村区域内（称部落会）尽可能地将在当地居住或营业的所有住户与企业组织起来，参加共同管理，以解决在该社区内出现的各种问题，社区的所有居民都是它的成员。町内会是近代以来日本最重要的基层社区组织，具有广泛的覆盖面与社会影响力。

实际上，日本的居民组织，尤其是被标榜为“古来之宝贵传统”的“邻保协和”制度，有着很长的历史。虽然“町内会”这一称呼到近代以后才出现，但这种以地域为基础的邻保集团可以追溯到律令时代的“五保”制度。《大宝律令》《养老律令》都做出明确规定：“凡户皆五家为保，一人为长，以相检察，勿造非伪，如有远客来过止宿及保内之人所行诣，并语同保知，凡户逃走者，令五保追访。”江户时代幕藩体制下建立“五人组”制度，即以五户为单位组成一组，每组设一组长。其功能包括防盗防犯，传达贯彻幕府与各藩的法令，取缔基督教，相互监督，交纳税捐，等等，成为领主对领内农民进行有效统治的最基层的组织。

明治维新后，旧有的“五保制”和“五人组”之类组织不复存在。1889年，伴随着市町村制的实施，明治政府实施了町村大合并，把全国 71 314 个自然村合并为 15 859 个行政村。① 由于政府的町村机构很难完成大量的基层行政事务，“行政村”之下的“自然村”便成立部落会，协助处理日常行政管理中的具体事务。在城市，为满足都市化初期生活安定与社会整合的需要，在居民自发意向和政府的支持下，居民组织应运而生。尤其是 1923 年日本发生关东大地震，许多村镇被摧毁，面对灾难，很多地方居民自发组织起来，开展自救、自警，政府也促进这种居民自治组织的建立。据内务省统计，到 1939 年，全国已经有 191 366 个町内会。②

相对于以前谋求社区共同利益的自发的社区居民组织，町内会被制度化，并被作为国民统治的基层组织是在日本发动全面侵华战争之后。

---

① 荒田英知：《平成的大合併で変わる日本地図》，https://www.teikokushoin.co.jp/journals/geography/pdf/200602/geography200602—01—03. pdf。

② 内務省：《部落会、町内会等的整備について》，情報局編：《週報》第 212 号，http://cache.yahoofs.jp/search/cache? c=3jT7R8p3uccJ&p。

针对此前各地町内会部落会尚未全面覆盖(1939年城市部覆盖率73%，町村部覆盖率89%)，有的未能发挥预期作用的现状，1940年9月11日，内务省下达了《关于部落会町内会整备要领》。"要领"指出，部落会、町内会的任务在于：基于邻保团结的精神，将市町村内居民组织结合起来，遵循万民翼赞之宗旨，履行地方共同任务；谋求国民道德之陶冶和精神上的团结；向国民广泛贯彻国策，使国政万般顺利实施；作为国民经济生活的地域性统制单位，发挥统制经济之运用与安定国民生活方面必要的技能。[①] "要领"对部落会町内会的组织结构做出明确规定：在市町村之区域，在村落中成立部落会，市区成立町内会；部落会及町内会由区域内全部家庭组织而成；部落会及町内会是以部落及市区居民为基础的地域性组织，同时也是市町村的辅助性基层组织；部落会及町内会内设会长，会长的任选可以遵照既有习惯由部落或町内居民推荐或其他适当的方法进行，但形式上至少要有市町村长选任并发出告示；部落会及町内会可按必要设职员。"要领"还要求在部落会町内会内设立常会制度，这种常会要求由会长召集，所有家庭都要参加，以在物质与精神两方面对居民生活的所有事物进行商议，并谋求居民相互间教化的向上。

根据这份《部落会町内会整备要领》，在国家总动员的战时体制下，町内会这种以前散存各地的居民自治性街坊组织被法制化、普及化，成为统一的、强制性的基层行政组织，并被纳入以动员民众进行战争为目的的法西斯组织——大政翼赞会的政治系统之中，支持政府，推动战争，并承担起监视社区居民的功能。它既是执行政府命令、贯彻政府政务的基层组织，也是联保连坐的治安组织，又是征税、发放配给物资的唯一渠道，在防空防火、征兵动员、救护伤员、严防间谍等方面均发挥了很大作用，成为军国主义进行战争动员和社会控制的重要工具和战争机器的组

---

① 内務省訓令第17号:《部落会町内会等整備要領》(1940年9月11日)，http://hc6.seikyou.ne.jp/home/okisennokioku—bunkan/okinawasendetakan/burakutyonaikaitoseibiyoryo.htm。

成部分。在战争中，各地的町内会、部落会积极配合政府的战争动员，组织居民投身于后方的战争支援当中。例如，龟冈市筱村马堀地区于 1940 年 9 月成立了部落会，为了支持战争，首先制定了“俭约协议”，其中就有关冠婚葬祭方面做出四条规定：祝贺结婚、出生的仪式，仅限于对长子、长女；终止所有民间节日活动；废除葬礼当天对帮忙者的酒肴招待、葬礼时的上供、答礼；废除念佛和墓地祭拜时的供物。龟冈市安町町内会也于 1941 年 3 月制定了“生活刷新体系”。首先是“精神生活的刷新”，确定在元旦、兴亚奉公日（从 1939 年 9 月到 1942 年 1 月的每月 1 日）、明治节（明治天皇诞生日，每年 11 月 3 日）举行国民礼拜、氏神参拜、慰问出征军人家族和军人遗属等活动。其次是“团体生活的刷新”，要求在集体活动时尤其是遥拜皇宫时严守时间。还有“经济生活的刷新”“冠婚葬祭及庆吊活动刷新”等，要求在婚礼、出生、军人及青少年义勇军的送迎、饯别时实行“坚实质素化”，在葬礼时实行彻底的简素化。[①]

在部落会、町内会之下，还有更为细小的居民组织——邻保班（也称邻组），《部落会町内会整备要领》规定，邻保班由十户左右居民组成，每个邻保班设一代表，并标榜这是尊重历史上的“五人组”之类旧俗而成立的组织。建立邻组制度目的是严密、有效地进行家庭统制。战争期间青壮年男性大部分都上了战场，所以，参加邻保班活动的成员主要是妇女与老人。邻保班的任务是传达和贯彻政府的方针，协助政府进行战争动员、消化国债、欢送出征士兵、慰问军属、防空演习、回收废品等工作，并发挥居民互相监督的作用，揭发对政府与现实不满的人和事。生活必需品也通过邻保班在指定的时间配给。邻保班每月定期召开常会，内容为齐唱国歌、遥拜皇宫、奉读敕语、宣誓、报告、座谈等。从 1941 年 7 月 1 日起，全国各地的邻保班例会都在同一时间召开，一齐随着收音机的广播，

---

① 龟岡市：《戦争遺跡調査報告書・6・戦時の生活》，http://www.city.kameoka.kyoto.jp/contents_detail.php?co=kak&frmId=4815。

遥拜皇宫，悼念战死的军人。

笔者在网上搜索有关日本人当年战争体验的记录时，发现东京都中央区一位叫佐藤治三郎的人写的回忆录。1940年，当时40岁、从事印刷器具制造工作的他被选为邻组的组长，转年又被若干个邻组选为群组长。他深知“过去这些群长、邻组长的事情在今天是不受町会人的欢迎的”，但还是把这段历史记录下来。在他写的“战时下的生活体验”中，特别记载了担任邻组长的情况，在此节录如下。①

——我们在警防团员的指导下，提着水桶排成队进行防火训练，或进行救生训练，这些训练中担架是必要的，于是，就把屋檐下的遮阳棚摘下来，在两边插入竹棍，马上就把担架做好了。在区里的帮助下在三丁目内挖了几处水井，手动取水，就这样频繁地进行防火训练。有时，还进行军、官、民联合训练，邻组员为了守卫自己的町，就利用这些水井进行认真的训练。这些水井至今还保留着战时的名字。

——各群长夜里轮流在町内巡逻，提醒各家庭小心火烛，注意房屋灯光不要外泄，寒冷的夜晚身上真冷啊！

——战时，我担任邻组长兼任群长，还担任军人部干事，每当町内有军人出征，为了祈求武运长久，以町内妇女部的“国防妇女会”的旗帜为先导，在出征军人之后，与町会员一起，高唱“胜利即将来临，勇敢作战”的军歌，向铁炮洲神社行进，在接受神社的修祓仪式后将他们送上战场。

——每天早晨5点30分，为祈愿出征者的武运长久，各邻组成员集中在凑町的大街上，点名之后，邻组成员跟在邻组番号旗的后面，向铁炮洲神社进发，在神社与神官一起祈祷后才

① 東京都中央区平和祈愿バーチャルミュージアム：戦时下の生活体験，http://www. city. chuo. lg. jp/heiwa/shiryo/taikenki/seikatu/seikatu8—2. html。

散会。

综合上述，町内会、部落会、邻保班是彻底的国民动员和国民统制机关，每个人都被置于无所不在、无所不包的层层组织网的严密统治下，每个居民与家庭被迫置身其中，唯有服从与积极支持战争。

（三）“一亿总动员”与战争责任

应该说，在日本军国主义发动的对外侵略战争中，生活在“军国家庭”与“一亿总动员”氛围中的日本国民也是战争受害者，但他们又毫无保留地支持和参与了战争，客观上成为侵略的帮凶。日本何以能够动员全体家庭和国民，实现“举国一致”？其中重要的原因就是军国主义政权利用了国民在家族和集团社会中培养起来的唯命是从的精神。日本人具有强烈的集团性特征，一个集团的全体成员在感情上相互依赖，在行动上休戚与共。这种集团主义不是学校的教科书教出来的，也不是在战争中靠一时的宣传提倡突然产生的，而是在漫长的历史发展过程中形成的悠久的传统。除了岛国的地理环境及灾害频发促使日本比其他民族具有更强的危机意识，需要同舟共济之外，日本人自古以来就生活在共同体社会——家族共同体、村落共同体当中，养成了服从集体的性格。因为他们深知，一旦违背共同体规则，将面对来自集体的孤立，并难以生存。

在对外侵略战争中，传统的家族制度与家族伦理被用来作为国民意识形态统治的工具，发挥了巨大的作用。军国主义政权大力宣传日本是一个家族国家，把天皇与国民的关系比作父子关系及本家与分家的关系，形成世界上独一无二的把政治权力与父母对儿女的支配权等量齐观的家族国家体制。这种宣传的目的，无非是要求国民像子女服侍父母及分家服从本家那样服从天皇的统治，以作为天皇的子孙的虔诚，把积极支持战争化作忠君爱国的实际行动。这种动员达于千家万户，老弱妇孺。可以说，没有“军国家庭”总动员，就无法实现“一亿总动员”。

长期的家族主义、集团主义传统，形成了日本高效的组织形式，也使整个社会“像一块花岗岩一样结合在一起”①。集团主义是把双刃剑，在有着正确的引导、从事正义的事业时会发挥正能量，战后日本经济的迅速崛起、面对大地震的井然有序等，都与集团主义有关。而一旦整个国家的主导处于非理性状态，就会由于大规模的集团行动而造成巨大的破坏。战前日本军国主义正是利用了日本人的集团主义精神，使战争动员达于老弱妇孺，煽起举国上下的战争狂热。

集团主义能把个人的力量放大。集团主义的特点是，个体的力量微不足道，形成集体就非常强势。常有人说，“一个日本人是条虫，一群日本人就是一条龙”。生活在集团社会的日本人在个人单独行事时都小心翼翼，而一旦形成集团行动便胆大妄为，在本集团内部受到压抑而产生的竞争和嫉妒心理在对其他集团的关系上可以得到充分释放，干坏事时没有犯罪感。日本人在国内生活中的温文尔雅和井然有序与在侵略战争中的残忍和野蛮之间的巨大反差就是最好的例证。在侵略战争中，“一亿总动员”“一亿火球”“一亿总玉碎”(所谓一亿实际上是在本国7 000万人之外加上殖民地朝鲜等的人口)之类的口号相继出台，都是不遗余力地进行全民总动员，由此使得“小”日本拥有了“大”能量，将侵略的战火燃遍中国及东亚、东南亚各国，给这些国家带来深重的灾难和难以估量的生命、财产的损失。

集团主义又能把集体的责任缩小。在侵略战争中，对被侵略国家的欺凌、虐杀，既是执行上级命令，又要表现得与大家都一样，于是形成了集体无责任。许多日本人至今不能对当年的侵略战争深刻反省的原因，就是认为没有明确的战争责任者，即大家都有错，战争责任应该由全体日本国民承担。“无论是香烟铺的老板娘还是东条首相，都有一亿分之

---

① 林语堂:《中国人》，浙江人民出版社，1988 年，第 190 页。

一的责任。”①一亿分之一的责任，事实上近乎零，大家都有责任，就等于谁也没有责任。正是在这样的思想基础上，战后初期首相东久迩稔彦又习惯性地抛出“一亿总忏悔”的口号，以表面上的“全民有罪论”，实际上的“全民无罪论”掩盖天皇与战犯的战争责任。20 世纪 50 年代，就有人批评“一亿总忏悔”的口号是“一亿白痴化”。如今我们讨论日本的战争责任问题，或许把“一亿白痴化”用于侵略战争时期的日本人更为合适。这里所说的“白痴”是指当时的人们无条件追随权威，没有理性思维，缺乏批判与反省。一个人被邪恶蒙蔽能干出蠢事，一个民族被一种信念驱使，群体便会疯狂。有了这支庞大的忠孝群体作为社会基础，日本军国主义政权才得以畅行无阻地推行对外侵略政策。

结语

日本战败已经 70 多年了，至今，日本民众对战争进行的反省与批判更多的是出于“被害者”意识，缺乏基于人道主义的、作为“加害者”的自我反省。靖国神社之所以成为日本政治中的一个重大问题，与掌握 140 万遗属家庭、拥有 800 万会员的遗族会有着密切的联系。每年 8 月 15 日，在走进靖国神社参拜的人群中，居心叵测的政客和怀念当年军国主义的人只是少数，更多的人是为缅怀战死的亲人而来的普通民众。在日本人的生死观中，不管多坏的人，他死了罪孽便随之消失，也就变成了神佛。再加上日本现代社会中仍然保留着传统家族中祖先崇拜传统，人们相信“祖先是一家创始之本源，恰如树木之根株，后裔子孙是其枝叶与花实”②，死于侵略战争的亲人也是应该祭祀的祖先的一员。这种观念在很大程度上左右着日本民众对战争责任的认识。他们只强调战争给自己及本国带来的灾难，而很少反思侵略战争带给被侵略国家人民的伤害。

① 加藤周一等:《日本文化のかくれた形》、岩波書店，1991 年，第 28 頁。

② 北原種忠:《家憲正鑑》，皇道会出版部，1920 年，第 38 頁。

2014年，日本遗族会福冈县分会通过决议，正式提请靖国神社将该社供奉的包括东条英机在内的14名甲级战犯与其他战争亡灵分开祭祀，而日本遗族会和靖国神社丝毫不为所动。看来希望日本政府与民众对战争责任有清醒的认识依然路远。

本章第一部分原载《南开学报》(哲学社会科学版)1994年第2期，人大复印资料《世界史》1994年第5期转载；

第二部分原载《现代日本经济》1998年第6期；

第三部分原载《天津社会科学》1994年第5期；

第四部分原载《当代亚太》2006年第12期；

第五部分原载《天津社会科学》1996年第6期，人大复印资料《世界史》1997年第2期转载；

第六部分原载《东北亚学刊》2015年第3期。

第五章　日本国民性研究

一　论日本的孝道与忠孝伦理

孝道与忠孝伦理是维护家长权的行为规范。中国的儒家将忠与孝作为最基本、最重要的德目之一，日本也深受其影响。然而，在日本，不仅孝道有别于中国，而且对忠孝伦理的选择是忠重于孝，进而忠孝能够一致。这种错位不仅与统治阶层及某些政治家、思想家刻意提倡有关，也是基于社会结构的社会意识使然。

（一）孝道在日本的传播

《孝经》何时传入日本已无可考，但是据成书于 8 世纪前期的《日本书纪》记载，应神天皇时期（公元 5 世纪初期），百济国王派遣“能读经典”的名为阿直岐的人到日本，皇太子遂拜其为师。后经阿直岐的推荐，更有学问的王仁被邀请到日本，皇太子又拜王仁为师，学习中国经典。《古事记》还具体说王仁将《论语》和《千字文》带到日本。在 6 世纪初期，又相继有数名“五经博士”到日本，同时带去一批中国典籍。《孝经》很可能随着这一时期"渡来人"的到来而传入日本。而孝道在日本受到重视并被提倡，还是进入律令制时代以后的事。这大概是因为当时的统治者已经在吸收中国文化的过程中逐渐理解了"移孝为忠"的道理，认识到"治国安民，必以孝理，百行之本，莫先于兹"。[①] 757 年（日本天平宝字元年），孝谦女帝"宣令天下，家藏孝经一本，精勤诵习，倍加教授"，堪称日本历史上推行孝道之至举，这一诏令是 744 年（唐天宝三年）唐玄宗令"天下民间家藏《孝经》一本"[②]诏书的翻版。令人惊异的是孝谦天皇的诏书仅比唐玄宗的诏书晚十三年，可以看出当时日本学习中国可谓步步紧跟，且有推行孝道的具体做法。

第一，《孝经》被作为学问的根本。"大学"和"国学"这种培养官僚的教育机构将《孝经》作为必读书，"学令"规定："凡经，周易、尚书、周礼、仪礼、礼记、毛诗、春秋左氏传，各为一经。孝经、论语，学者兼习之。""学令"还进一步规定要使用孔安国、郑玄注释的《孝经》。如果"论语、孝经全不通者，皆为不第"[③]，即不通晓《论语》《孝经》者，不能任官。当时，天皇和皇室成员带头学习《孝经》，833 年（日本天长十年），皇太子行"御读书始"仪式，讲习《孝经》，其后历代沿袭，成为定制。朝廷的提倡与推广，促进了《孝经》在日本的传播，在 891 年（日本宽平三年）编成的《日本国见在书目录》中，有关《孝经》的书竟达二十多种。983 年（宋永观元年），入宋僧人奝然（938—1016）谒见宋太宗时，送上的礼物竟是在中国已经散佚的《郑注孝经》和任希古注《越王孝经》，"皆金缕红罗缥水晶为轴"[④]，足见日本人对《孝经》是悉心珍藏的。

第二，旌表孝行。法律规定"凡孝子、顺孙、义夫、节妇志行闻于国郡者，申太政官奏闻，表其门闾，同籍悉免课役"（赋役令）。还规定国守的

---

①《续日本纪》天平宝字元年条。
②《旧唐书》本纪第九・玄宗下。
③《养老令・考课令》。
④《宋史・日本传》。

任务之一便是彰显管内孝子(户令)。在《续日本纪》等古代史籍中,多有表彰孝行的记载,如714年(日本和铜七年),"孝养父母、友于兄弟,若有人病饥,自赍私粮,巡加看养"的大倭忌寸果安、"立性孝顺,与人无怨,尝被后母谗,不得入父家,绝无怨色,孝养弥笃"的奈良许知麻吕、"事舅姑以孝闻,夫亡之后,积年守志,自提孩稚并妾子总八人,抚养无别"的日比信纱便受到表彰,并被免除课役。①

第三,法律惩治不孝。如前所述,设"不孝"罪列于"八虐",构成"不孝"的主要行为是"告言祖父母、父母,父母、父母在别籍异财,居父母丧身自嫁娶,若作乐释服从吉,闻祖父母、父母丧匿不举哀,诈称祖父母、父母死,奸父祖妾"。对犯"不孝"罪者,要予以惩处,轻者处徒刑,重者至绞刑。

由此可见,"以孝治天下"的儒家思想已经开始对日本统治阶级的思想产生影响。但是由于直至平安时代中期,日本社会仍处于母权制向父权制过渡的时期,父权制家庭尚不成熟,人们头脑中亦无明确的家的观念和严格的父权观念,在普通人的道德观念中,往往是亲子之间的恩爱之情超过子对父母的孝的义务,孝道还没有被日本人普遍接受,也没有成为公认的道德标准。所以,尽管在律令制时代已经有了上述推行孝道的举措,但基本上还处于对《孝经》的学习、理解阶段,且主要是作为"百王之模范",即作为皇室、贵族与官僚的行为规范而存在的。

进入幕府时代以后,随着父权家长制家族的确立,中国儒家的伦理纲常也日渐深入日本社会。幕府将军也特别重视讲习《孝经》,武家子弟一般在六七岁时,从读《孝经》开始进行启蒙教育。镰仓幕府的法律《贞永式目》制定的宗旨就是吸收儒家的"君为臣纲、父为子纲、夫为妻纲"这一伦理教化的根本,实现"臣对君要忠,子对亲要孝,妻对夫要顺",孝敬父母始被作为武士的道德准则。从室町时代起,武家社会家族秩序的混

① 《续日本纪》元明天皇和铜七年条。

乱往往成为社会动乱的根源，因家族之争导致政争的事例不绝于史。严峻的现实使统治阶级更加认识到孝道对维护统治的重要。因此，在大规模的动乱之后，一方面在财产继承方面以长子继承制取代诸子分割继承制，以强化家长的统治，一方面加强了对孝道的推广。到德川时代，随着儒学的兴盛，幕府“专以忠孝立基，遂成二百年太平之业”①。孝为百行之本这一儒家道德，已经不仅是贵族和武士的行为准则，而且普及于庶民百姓之中。幕府既在《武家诸法度》《诸士法度》中强调武士要奉行孝道，“励忠孝，正礼法”“有不孝之辈者，应处罪科”②，也要求平民百姓励行孝道。从1683年开始，幕府在全国各地设立“忠孝札”（布告牌），上书“励忠孝，夫妇兄弟诸亲类相互和睦”“若有不忠不孝者处以重罪”之类的内容。同时，幕府、诸藩大力彰显孝行。《孝经》被大量翻刻，仿照中国宣传孝道的《二十四孝》一书而编撰的彰显日本孝子的书籍也频频出版。如浅井了意的《大倭二十四孝》（1615年出版）、藤井懒斋的《本朝孝子传》（1684年出版）等书颇为流行。《孝经》成为藩校、寺子屋等教育机构的必读书。贝原益轩的“儿童自七岁始读孝经，以教孝悌忠信礼义廉耻”（《贝原笃信家训》）③的主张在社会上很受推重，这一时期自编的《孝经》读物已经超过对中国读物的翻刻本，孝道已成为全民道德教育的根本。

德川幕府时期，经过统治阶级及御用文人的提倡和宣传，孝道更得到理论上的升华，这一点也是前所未有的。唯心主义的阳明学派学者、有“近江圣人”之称的中江藤树（1608—1648）的伦理道德观，首先是重孝道。他提出孝是“三才至德之要道，生天，生地，生人，生万物”，“孝是人根，若灭却此心，则其生如无根之草木”。中江藤树提出“全孝说”，即不仅对父母要孝，还要追溯本源，对祖先、天地、太虚尽孝。④ 另一阳明学者

① 会沢正志斎：《新論》，《日本の思想家》36，明德出版社，1981年，第164頁。

② 石井紫郎校注：《日本思想大系・27・近世武家思想》，岩波書店，1977年，第463、457頁。

③ 第一勧銀経営センター編：《家訓》，第205頁。

④ 中江藤树：《翁問答》，山井湧等校注：《日本思想大系・29・中江藤樹》，岩波書店，1980年，第34頁。

熊泽蕃山(1619—1691),继承了中江藤树的伦理道德观,进一步提出“天地万物皆从孝生”的观点,即把孝作为万善之源,百行之本。同时,熊泽蕃山认为儒教的“格法”(指有关身份、礼仪的规定和标准)有“不合日本之水土,不中人情”之处,主张简化儒家尽孝的礼仪,对儒教礼法中有关葬祭、婚娶等方面根据时、所、位(即时势、国情、地位)予以取舍,提出最重要的是以“心法”尽孝。这些观点反映了他尽力使孝道普及化及庶民化的思想倾向。中江藤树、熊泽蕃山的学说使孝道染上宗教色彩,并使其发展成一种形而上学。日本自古以来的祖先崇拜传统在儒家思想中找到了理论依据。

明治维新之后,新的统治者在奉行“文明开化”政策的同时,并没有放弃以孝道教化民众这一手段。1868 年,明治天皇在由京都到东京的“东幸”中,奖励各地孝子节妇等 152 人。[①] 1877 年,遵照昭宪皇后的旨意,根据侍讲福羽美静提供的资料,由宫内省御用挂近藤芳树编撰了《明治节孝录》,并出版发行。书中记载了日本全国二百多个孝子、节妇、忠仆、慈善家的“美言嘉行”,被称作“国民道德的精华”,该书也被奉为“思想善导,德行涵养上最合适的宝典”。[②] 后来的《大正德行录》(1925 年)、《孝子德行录》(1930 年)均是官方为表彰孝子贤孙节妇而编撰的道德教化书。在中小学教育中,不仅将修身科作为重要教学科目,其教科书中充斥着仁义忠孝的内容,而且要求在学校内悬挂忠臣、义士、孝子、节妇的画像,要求学生从小就牢记“持孝行乃人伦之最大义”。1890 年,以“孝父母”为首的浸透了儒家道德的十余条规范,作为臣民应遵守的德目被写进日本近代教育的总方针——《教育敕语》当中。从此,孝道被推崇极致,成为日本国民道德的核心和道德教育的基础。“克忠克孝”在此后半个世纪中一直是日本国民的思想桎梏。

① 田中彰:《近代天皇制への道程》,吉川弘文館,1979 年,第 233 頁。
② 関口裕子等:《日本家族史》,梓出版社,1989 年版,第 193 頁。

（二）中日孝道之异同

孝道是近乎宗教戒律的伦理观念，产生于社会对家长权利的迷信，是在中日传统家族道德中第一位的、最基本的行为规范。所谓孝，最主要的就是“事亲之孝”，《说文解字》曰：“孝，善事父母者。从老省，从子，子承老也。”老在上而子居下，字义甚明。何为孝？如《孝经》所言：“孝子之事亲也，居则致其敬，养则致其乐，病则致其忧，丧则致其哀，祭则致其严。”①在很多方面，中日两国孝道的内涵是相同的。

第一，赡养父母。退出生产领域的父母年老之后，子女必须尽自己的能力赡养父母，使他们度过安逸的晚年。这是“孝”的观念中最基本的内容。平时晚辈对父母的饮食起居，要精心照料，考虑备至。如遇父母有病，则更要尝药调饵，百般服侍，直至不惜自己的身体和性命。因此，在中国历史上，就出现了许多“割股疗亲”之类用摧残身体来尽孝被立为至孝的典型。由于孝道在日本的普及已经到了德川幕府时期，时代的进步和理性的增加使日本人接受了孝道却摒弃了那些“孝子”典型的愚昧行为。但是，就像《修身儿训》中强调的那样，“尽孝养为人之道”②，日本人也认为子养亲是当然之道。在父母年老或有病、隐居之后，子女必须尽自己的能力赡养父母。从德川时代起，赡养父母已成为“庶民之孝”义务中最重要的内容。尤其要求作为家督继承人的长子要与父母同居，因为他们对父母的扶养义务是与他们的家督继承权相对应的。东京小石川曾有一孝女阿仓，自幼丧父，九岁起就与母亲相依为命，靠糊灯笼扶养母亲，26岁招婿，仅三个月丈夫就病故。此后，为了赡养母亲阿仓终未再嫁，因此成为《大正德行录》表彰的典型人物之一。③

第二，对父母的恭敬与顺从。孔子认为，仅能赡养父母不过是低层

①《孝经·纪孝行章》。

② 浪本勝年等：《史料·道徳教育の研究》，玉川大学出版部，1991年版，第89頁。

③ 石井満：《日本の孝道》，春秋社，1938年，第975頁。

次的孝，它是出于动物之本能的一种行为，也就是说，赡养父母只是对子女最起码的要求，能养不等于孝，敬才是真正的、高层次的孝。这就要做到时时事事持恭顺之心，小到日常出入进退讲究礼节，对父母要绝对恭敬；大到无条件地服从父母对自己的生活乃至婚姻的安排，一切按父母的意志行事。对父母的言行不得有反抗，即使受到父母的斥骂与责打，也不能表示不满。即“见父之执，不谓之进不敢进，不谓之退不敢退，不问不敢对，此孝子之行也”①。这些不仅是中国孝子的规范，也是日本孝子的规范。比如，住在群马县的山田广次是一个孝子的典型。其父不务正业，酗酒、赌博，撇下妻儿四人不管，最终因赌博罪被判刑，服刑期满仍不思悔改。广次不因父亲“无道”而不孝，从 12 岁起就挑起照顾母亲、扶养弟妹的生活重担。直到他 23 岁的时候，父亲终于被感动，从此幡然悔悟，成为一个慈父。广次也因此“孝行”而受到政府的表彰，并被载入《大正德行录》之中。② 为了家的利益和为了对父母尽孝，子女要牺牲个人的幸福与欢乐。子女为生活所迫而被父母卖掉往往成为解救家的困难、对父母尽孝的美谈。曾有被卖掉的女孩子因以身侍养母亲和弟弟的“孝心突出”行为而受到官方表彰的事例。③ 在近代日本，娼妓业十分发达，其重要原因就是得益于政府的保护。“明治维新之元勋”伊藤博文是有名的“色男”（色鬼），他曾在答外国记者问时声言“不希望废除游廓（妓院）”，其理由是，即使从道德角度出发，也应该看到一些妓女的高尚目的，她们是为尽孝心才卖身的。④ 可见，被父母卖身为娼，也被戴上了“尽孝”的光环。

第三，留后。“留后”是为了传宗接代，实际上只是对儿子而言的。敬养、祭祀祖先，其前提条件就是后继有人。没有儿子，就没人继承前人

① 《礼记 · 曲礼》。
② 石井满：《日本の孝道》，第 979 頁。
③ 牧英正：《人身売買》，岩波書店，1971 年，第 145 頁。
④ 老唤：《日本人的背影》，百花文艺出版社，1999 年，第 22 页。

的事业，没有祭祀祖先的人，没有对父祖行孝的人，岂不是对父祖的最大的不孝？因此《孝经》中说“父母生之，续莫大焉”，并从此衍生了孟子倡言的“不孝有三，无后为大”一说，生儿子几乎是中国古代家庭的最大心愿。为了永世不断地维持家族的荣誉与家业的繁荣，生儿育女、传宗接代就成了孝道的内容之一。人们常常可以见到子孙满堂者趾高气扬，缺子少孙者愁眉苦脸。即使在今天，只有儿子才能延续家族的观念在大多数中国人的头脑中仍是根深蒂固的。尽管日本人对血缘关系和家族延续的认识不像中国人那样绝对化，以养子作继承人的大有人在，但是，孝就是延续父母与祖先生命的观念，中国儒家“不孝有三，无后为大”的说教同样为日本人接受。繁衍子孙，使家业代代有人继承，使祖先的牌位永远有人供奉，是子女人生中的首要任务。日本有句俗话“傻瓜也知早生总领（继承人）”，老一辈训示新郎新娘尽量早生、多生孩子，以报父母之恩，直到战前为止始终是日本婚礼的重要内容。在人们的观念中，“不能将祖传之家督首尾相续，乃对先祖的不孝和子孙不繁昌之故”①，如果某人没有具有生物性生命的后代，就是不孝之子，就是人生的失败者，这一点与中国是一样的。结婚的根本目的是为了家族永续，故休弃没有生育能力的妻子或者纳妾，都是天经地义的事情。而且，为了传宗接代，婚外性关系不仅不会受到道德与舆论的谴责，反而会被视为是正当的，甚至是尽了一种义务。

第四，立身扬名。不仅自己尊敬父母，还要使别人尊敬自己的父母，对自己的家予以认同。即通过“立身行道”，以“扬名于后世”，其目的是“以显父母”，为家长带来较之生前更辉煌的声誉和荣耀，使父母身后之名得以不朽。“扬名显亲，孝之至也”②，这种观念驱使人们孜孜以求于光宗耀祖，这是孝的终极目标。日本与中国同样具有扬名显亲的传统。尤

① 第一勧銀経営センター編：《家訓》，第 300 頁。
②《晋书・王祥传》。

其是由于家制度的存在和根深蒂固的家业观念的存在，使得日本人更加讲求立身出世，彰显家业，显亲荣祖。中江藤树在《孝经启蒙》中指出："吾与父母本一体而无间隔，故吾立身行道，则父母鬼神著而享之，吾名传播，则父母之名亦因以光显也。"此所谓"孝行成功尽头处"①。日本人认为，"立身、起家、以继父母祖先之功，是为大孝行，子继父志，谓之大孝"②。这就要求子女除了继承、维护自祖先传来的家业之外，还要通过自己的行动弘扬家名。如某人在某一领域、某一方面取得了令人瞩目的成绩，受到了社会的承认，则不仅是个人的荣誉，也是全家的荣誉，是祖先的荣誉，这就是最好的尽孝。一位日本知名的学者曾对笔者讲过他本人的亲身经历：20 世纪 60 年代末期他考上了京都大学，这在当时被视为对父母最好的孝行。其原因，一是考上了名牌大学，使父母为此而感到自豪；二是作为国立大学的京都大学学费低廉，为此减轻了父母的经济负担，这也是"善事父母"的一个具体行动吧。

孝道传入日本并被日本人接受以后，不仅成为人们的基本行为规范，也成为统治阶级治理天下的重要手段。但是，日本人接受中国的儒家思想，并不是全面照搬，而是有选择地吸收，使之更适合本国的传统，故日本的孝道也与其故乡中国的孝道有不同之处，最突出的差异，日本的孝是以恩为前提的，即日本的孝道主要表现为子女对长辈单方面承担的一种义务。在中国封建社会前期，往往孝、慈并举，既强调子女对父母的孝，也强调父母的慈，即所谓"父慈子孝"，"父母威严而有慈，则子女畏惧而出孝矣"③。在这里，慈与孝似乎是因果关系，而且父慈子孝是各自应尽的、相互独立的义务。而到中国封建社会后期，随着专制主义的强化，随着"天下无不是的父母"思想的产生，"父慈子孝"发展为片面强调

---

① 山井湧等校注：《日本思想大系・29・中江藤樹》，第 259 頁。

② 東久世通禧編：《小学校修身教科書》高等科，转引自川島武宜：《イデオロギーとしての家族制度》，第 97 頁。

③《颜氏家训》，引自陆林：《中华家训大观》，安徽人民出版社，1994 年，第 262 页。

子女对父母的孝，而较少强调父母的慈。这已经远远背离了孝道本来之意。日本人所接受的，并且迟至江户时代才普及的孝道并不是儒家先哲们倡导的孝道，而是被极端化、绝对化、庸俗化了的孝道。所以，日本人对孝道只接受了"子孝"而排斥了"父慈"，正如福泽谕吉所说，"世间只咎子之不孝，而不问罪于父母之不慈"[①]。日本人在接受孝道的过程中，还吸收了佛教学说中的恩的思想，对"身体发肤，受之父母"的孔子之教予以发挥和引申，大大增重了报恩的成分，强调子女对父母尽孝就是报父母的恩。也就是说，因为父母有恩于子女，所以，子女必须对父母尽孝，恩是孝的前提。这种观点在日本极为流行，朱子学派代表人物室鸠巢认为，"凡世间之人，无贵无贱，皆父母所生之人。父母乃我立身之本，不可忘之，况养育之恩比山高，比海深"，此等厚恩报不尽，因而要"尽孝行而养之"。[②] 中江藤树也在《翁问答》中说："欲明孝德，宜先思父母之恩。""父母积慈爱，辛劳养育子女，故父母千辛万苦厚恩达于人子之一身，一发。即使如何愚痴不肖之男女，也知报一饭之恩。"[③]近代以后，以孝报恩的说教更受到提倡。作为小学教育指导方针的《幼学纲要》明确写道："天地之间，无没有父母之人。自其受胎、生诞、至于成长之后，恩爱教养之深，莫如父母。常思其恩，慎其身，竭其力以事之，尽其爱敬，子之道也。故持孝行乃人伦之最大义。"[④]根据《幼学纲要》的要求，反复宣传和强调知父母恩，尽孝行报父母恩成了近代以来中小学修身科教育的重要内容。日本人从小受的教育就是"山高海深总有限，父母恩情大无边"，"父母之厚恩比山高，比海深，故为人子者，要极尽孝行"(东久世通禧编小学修身教科书)。由此，孝就是报恩的思想深入人心。

子女的孝的义务的根据，是父母对子女有恩。因为父母对子女有

---

① 福沢諭吉著作編纂会:《福沢諭吉選集》第5卷，岩波書店，1952年，第321頁。

② 室鳩巣:《六諭衍意大義》，中村幸彦校注:《日本思想大系・59・近世町人の的思想》岩波書店，1978年，第367頁。

③ 中江藤樹:《翁問答》，山井湧等校注:《日本思想大系・29・中江藤樹》，第34頁。

④ 湯沢雍彦編:《日本婦人問題資料集成・5・家族制度》，第353頁。

恩,子女就有报恩的义务,这就是日本的孝的伦理。那么,父母的恩包括哪些内容呢?最直接、最重要的就是养育之恩,生儿育女本身就是一种恩。即使父母没有给孩子多少好处,但仅凭生育之恩,子女就应全心全意为父母服务,对于儿女为父母做出的各种牺牲,父母没有报答的必要,只需享受就可以了。这就意味着一个人从呱呱坠地起,就自然地背上了巨大的债务。除了生育之恩外,父母为子女所做的一切,如养育子女成人,给儿子娶妻成家,给女儿找对象出嫁,帮子女立业,包括将家业与家产传给后代,都属于恩的范畴。对子女来说,这些都是一种债务。由于家业继承人在众兄弟中居优先的地位,也就是格外宠受到父母之恩,所以,他要比别人更尽孝。表面看来,父母的恩与子女的孝是互为条件的,但仔细分析起来,生养子女,抚育其成人,帮其成家立业,这些只不过是父母应尽的义务,也是人类的自然的本能,世界古今皆如此。而这种义务在日本人的家族道德中却被作为恩而刻意强调,要求人们知恩、报恩,以尽孝作为回报。对于每一个人来说,父母之恩都是与生俱来的,那么,孝也就是人们必须履行的义务,这正是家长权的基础。尽孝就是报答父母的恩,就是偿还子女必须偿还的、受之于父母的债务,这种义务是从主动偿还的立场而产生的。强调以尽孝来报恩,实际上是以更隐晦的办法强调家长权,让家族成员心甘情愿地服从家长的统治。所以,在恩的外衣包藏下的日本的孝,与赤裸裸地要求绝对服从的中国的孝相比,其作用是不尽相同的。对于中国人来说,往往是被迫与无奈,而对日本人来说,更多的是主动与自觉。

报恩就是对恩的等量偿还,日本人又称之为“义理”。父母对子女有恩,子女对父母要报恩,在这种终生的恩与孝的关系的延长线上形成了家族之内的永久性恩义关系。即本家对分家有庇护之责任,有永久的恩情,分家永远对本家有报恩即服从的义务。恩与孝的观念同样渗透到日本人的社会生活中。对于一个日本人来说,终身生活在一个“恩”的社会里。在家里是报父母之恩,要求人们孝敬父母。在社会是报老师之恩、主人之恩,要求人们以诚相待。在国家是报天皇之恩,要求人们忠君爱国。不同的场合有不同的"义理"。因此,一个人要偿还数不清的"债务",终身都处于"义理"的约束之中。这一点对日本人的思维观念与行为方式影响甚大。即使在当今社会日本人的伦理观念中,也十分重视"恩"和"情义"。人们崇尚"感恩是修道之始,报恩是众德之揆"[①]。日本人说"我受某人之恩",就意味着"我对某人负有义务",就要时时处处为了"义理"而对他人、社会尽与所受之恩等量的义务。这种情况在战后日本的企业管理中表现得十分突出。企业为实现雇佣关系的稳定,对雇员提供各种保护,包括解决职工住房问题,提供医疗福利,组织各种文体活动,对职工的婚姻、生育表示祝贺,等等。这些都被视为雇主及企业的恩情,职工报恩的实际行动就是全心全意为企业效力。

(三) 日本忠孝伦理的统一

孝道包含着许多人类的自然心理和起码的道德准则,作为家族道德的根本曾经具有历史合理性。中国历代统治者和思想家之所以提倡孝道,不仅仅是为了维护家庭的稳定,更重要的是看到了孝道的社会功能。如果国民人人知孝行孝,把敬爱之心推及他人,尤其是以对待尊长的态度对待君主,也就自然有了国家的祥和稳定,即所谓"忠臣以事其君,孝子以事其亲,其本一也"(《礼记·祭统篇》),"君子之事亲孝,故忠可移于君"(《孝经·广扬名章》),"父之孝子,君之忠臣也"(《战国策·赵策》),中国历代统治者都是笃信"移孝为忠""移孝于君"的,甚至有"求忠臣必于孝子之门"[②]的说法。

孝与忠,都是以服从和维护权威作为最根本的价值准则,它们都要求在一定社会秩序中处于下一等级的人自觉地对上一等级负责,遵循其

---

① 北原種忠:《家憲正鑑》,第123頁。

②《后汉书·韦彪传》。

意愿，不得有任何违背的言行，这是忠孝的相同之处。在实践中，忠孝之道贯穿于人生的各个领域，忠与孝二者并无明显的界限。“夫孝，始于事亲，中于事君，终于立身”①；“忠兴于身，着于家，成于国，其行一也”②。因而，“在家为孝子，入朝作忠臣”“退家则尽心于孝，进官则竭力于君”就是中国传统文化中的理想的人生道路。

然而，孝与忠，本来又是不同性质的道德观念。子孙对父祖的敬爱、尊崇、服侍曰孝，臣民对主君的敬爱、尊崇、仕奉曰忠。其区别在于孝的对象是尊辈血亲，忠的对象则是主人、国家这样的社会关系的客体。孝可移为忠，除了国是大家，家是小国这种家国一体的现实基础外，一个重要的原因就是它们都要求行为者以恭敬、顺从的态度对待行为对象。以孝道来侍奉君王，就是忠诚。可见，中国的儒家思想是以孝为根本，孝移之于国家，才产生了忠。实际上，在家与国尚未分离之前，忠是被包括在孝之中的。移孝为忠的传统的形成，便反映了家与国的分离。孝与忠的对象既然不同，那么，忠孝之道的逻辑统一往往被现实破坏，使当事者难以做出两全的选择。例如，某人在战场上捐躯，对于主君或国家来说是尽了忠，但是按照《孝经》中“身体发肤，受之父母，不敢毁伤”的说教来判断是非，显然应归不孝之列；父母犯了罪，子女匿而不报，虽然符合“子为父隐”的孝道规范，但对于国家却是有害的行为；孝道要求子女“父母在，不远游”，终身侍候在父母左右，那么谁都足不出户，没有人外出经商、求学、做事，何来社会发展？这就是孝与忠的矛盾之处。

正因为孝是忠的起点，忠是孝推之于国家的思想理念，与孝相比是属于第二层次的内容，这就大大抵消了历代统治者竭力提倡忠的实际效果。中国人虽然在理论上重孝也重忠，但在实际上表现出的则是“忠孝不能两全”。而且如同《孝经》所言，忠君本身又是孝的固有内容，所以，

---

①《孝经・开宗明义章》。

②《忠经・天地神明章》。

在中国历史上，虽然强调忠君，但不能与孝相比；纵使忠孝并列，在多数场合，中国人仍将孝放在首位。在孝与忠发生矛盾的时候，也多是舍忠取孝。实际上，中国古代的圣人早已给后人做了榜样。如孔子的弟子叶公设问："吾党有直躬者，其父攘羊而子证之。"（意为我家乡有正直的人，父亲偷羊，儿子告发了他）这个问题涉及王权与父权孰重孰轻，孔子的回答是"吾党之直躬者异于是，子为父隐，父为子隐，直在其中矣"（意为我家乡正直的人不同，父为子隐瞒，子为父隐瞒，正直就在其中了）。[①] 可见，孔子是主张在孝与忠相矛盾的时候，要放弃王法，从而维护孝道的崇高。孟子同样遇到过这样的难题，弟子桃应问曰："舜为天子，皋陶为士，瞽瞍杀人，则如之何？"瞽瞍是舜的父亲，如何处理维护王权与尽孝于父母的关系，实在是一个难题。即使善辩的孟子也难于做出两全的解释，只好说："舜视弃天下犹弃敝屣也，窃负而逃，遵海滨而处，终身欣然，乐而忘天下。"可以看出孟子的选择也是把维护孝道放在首位，在遇到守法与尽孝两难之时，应当选择尽孝，而不是守法。历史上那些声明远扬的孝子们在孝和忠之间也往往选择了孝，而把忠看作次要的。为了侍奉父母而隐居山野之间，拒绝接受君王、朝廷的征召，拒绝为国家服务，这样的行为是被社会所认可的。朝廷、君王也无可奈何，因为这是合乎伦理道德的。

晋代的李密就是弃孝取忠的典型。李密年幼时丧父，母亲改嫁。祖母把他抚养成人，李密对祖母精心服侍，颇有孝名。晋武帝闻之，下诏请他入朝做太子侍马（侍从官）。李密以祖母年高，无人奉养为由，上《陈情表》一篇。文中李密以孝道为主干，恳切陈述了自己对祖母养育之恩的报答之情："臣无祖母，无以今日，祖母无臣，无以终余年"，"臣尽节于陛下之日长，报刘（祖母）之日短也"。[②] 晋武帝读后并没有因其推辞而怪罪

①《论语・子路》。
②《晋书・孝友传》。

他，反而表扬了他，并成全了他的终养祖母之志。李密直到为祖母守丧完毕，才到朝廷做了官。

这个例子说明，孝敬父母尊长与忠于皇帝君主是互相矛盾的。李密之所为，反映了当尽孝与尽忠发生矛盾时中国人的价值取向。他之所以受到赞扬（《晋书》于中国正史首设“孝友传”，李密是入传之第一人），正是由于他的行为符合“求忠臣必于孝子之门”的思想。可见，在中国，忠只能是依托于孝的忠，在对孝的过分强调下，忠的观念已经被大大冲淡了。

忠孝难全与忠孝一致是中国的孝道与日本的孝道的根本区别之所在。[①] 在深受儒家忠孝思想影响的日本，不仅表现出忠重于孝，而且明确提出了“忠孝一致”“忠孝一本”的口号，并以此作为国民道德的根本。由于日本父权制家庭的确立和父权观念的形成很晚，所以孝道虽较早传入日本，但真正普及是在江户时代。而进入幕府时代以后，由于武士集团是集主从关系与家族关系于一体的社会性集团，所以，武士的伦理道德虽也要求尽孝于父母，但是更强调尽忠于主人。在武士中有所谓“父子一世，夫妇二世，主从三世”的说法，即主从关系要比父子关系、夫妇关系深得多。一个武士，一经托身于主人，那么，他的一切便都置身于主从关系的控制之下，为主君奉公就是他的天职。他的事亲之孝，待妻之义，爱子之慈，都必须从属于侍主之忠。若奉公有疏，就要根据其怠慢程度被削掉家名，没收领地或俸禄。此种做法如同父子间的“勘当”“义绝”（即断绝父子关系），意味着丧失了赖以生存的手段，是对不忠者最严厉的惩罚。对于武士的忠孝道德，戴季陶在曾在《日本论》中有过如下论述：“武士的责任，第一是拥护他们主人的家，第二就是拥护他们自己的家，保护自己的生存”，“所以武士们自己认定自己的主要目的就是‘为主家’。”[②]

---

① 沢柳政太郎：《孝道》，富山房，1941年，第36頁。

② 戴季陶：《日本论》，海南出版社，1996年，第42页。

日本人虽然接受了儒家的忠孝观念，但没有像其故乡那样，把孝作为检验人的品行的第一准则，而是把忠作为最高的道德标准。

如前所述，孝就是报父母的恩，这是日本孝道的特色。在主从伦理道德中，报恩意识同样受到重视与强调，即恩与忠是互为条件前提的。武士团的首领与武士，领主与家臣之间的主从关系是“御恩”与“奉公”的关系。所谓“御恩”，就是主人保护臣下的既得利益，对其论功行赏，委以官职，给以土地（后转为俸禄）。所谓“奉公”就是臣下对“御恩”的回报，即出生入死为主君作战，全心全意尽各种义务，可见臣下报主君之恩是忠的同义语。知恩、报恩是一个人，尤其是一个武士道德的根本。江户时代儒学家贝原益轩强调要“舍身忘我仕奉主君”，因为“君之俸禄，非独养我一人，亦养父母妻子，让我使奴婢，使我终身衣服居宅器用万物不乏，享尽世间之安乐。这些皆是君之所赐，其恩大矣。侍奉主君，即要舍身忘我，将我身奉献于主君”。[①] 武士道训诫书《倭忠经》把忠解释为“为人臣者，由主君而得官享禄，以其官禄扬祖先之名，荣耀至子孙。此君恩高如山，深如海，知恩报恩谓之忠”[②]。施恩与报恩是维护封建主从关系的精神纽带，对于主君之恩，臣下只有尽忠和服从的义务，报恩就是要对主君的绝对忠诚。近代以后，报恩的观念随着家族主义意识形态的发展而成为君臣关系的基础。日本人从小受的就是“勿忘恩”的教育，被灌输的是“大日本国自上古由琼琼杵尊[③]受天命而开创至今，万世一系的国君在世界万国皆无此例，故君臣恩义之深亦非万国所比。凡臣民者，须臾不可忘此恩义，而要尽忠义之心”，“凡人臣者，敬其君，爱其国，勤其职，尽其分，以报其恩义，是为常道”。[④] 一条备受主人宠爱的狗每天到车站迎送主人，即使在主人去世数年后仍然矢志不渝，每天去寻找主人的故

① 貝原益軒：《大和俗訓》，引自家永三郎：《日本道德思想史》，岩波書店，1961 年，第 124 頁。

② 南部立庵：《倭忠経》，家永三郎：《日本道徳思想史》，第 124 頁。

③ 琼琼杵尊：日本神话中的天照大神之孙，由高天原降临苇原中国（古代日本的统称），并进行统治。

④《幼学綱要》，湯沢雍彦編：《日本婦人問題資料集成・5・家族制度》，第 351－353 頁。

事，堂而皇之地出现在小学修身教科书上，成了“报恩”的范例，且还有人为“忠犬”塑像。在侵略战争中，法西斯军国主义者利用日本人感恩、报恩的传统观念，把全部的民族感情都聚集到天皇身上，发给部队将士的一支香烟、喝一口酒都被说成是受了“皇恩”。那么，勇猛作战，丧命战场就是报答和偿还皇恩，于是形成前所未有的忠君报国的战争狂热。因此，从一定意义上说，在人们头脑中根深蒂固的以恩为前提的孝道，是战前日本人愚昧的“忠诚”的思想根源。

什么是忠？忠就是要有献身于主人的牺牲精神，这种献身要达到为自己的主君而牺牲生命的程度。在战场上，出生入死、浴血奋战直至战死沙场被人们大加称道，而苟且偷安、弃主而逃则是不忠之至，为世人所不齿。武士的牺牲精神甚至不以主人的死亡而停止。对主君的忠诚正像对祖先的祭祀一样，父母的灵魂要由子女供奉，主人的灵魂也要由他的臣下终身祭拜。甚至主人的灵魂在黄泉之下不能没有侍从，服侍他的人中总要有人与他同死。因而，在幕府时代，为主人而自杀、殉死之风颇为盛行。这实际是一种殉葬，但绝不同于奴隶社会的强迫人殉，而完全是出于一种主从道义、出于愚昧的忠诚。说明根植于武士头脑中的忠的观念的牢固，与主君生死与共不仅是一句空话。耐人寻味的是，日本的武士并非不主张“孝”，但是，在对“忠”的过分凸显之下，“孝”反而退居服从于忠的地位。在中国儒家的观念中，“身体发肤，受之父母，不敢毁伤”是孝道的内容之一。然而，对于日本的武士来说，为主君牺牲生命乃是绝对的义务，它与“孝”并没有矛盾，事实上，在日本历史上为了报效主君或天皇而牺牲个人或家庭的人往往更受人们赞扬。

忠就是要“从一而终”，“忠臣不事二君”是武士的根本道德。在幕府时代，武士的忠是主从之忠，而不是君臣之忠。当主从关系与君臣关系发生矛盾时，主人就是最高的存在，这是幕府时代天皇沦为孤家寡人的重要原因之一。幕府时代，武士之所以敢于藐视天皇，是因为在主从关系约束下，整个武士阶层都欠缺尊皇心。到幕末时，随着阳明学风行日本，儒学家们逐渐觉得主从之忠的不合理，于是开始注重大义名分，强调君臣之忠。水户藩主德川齐昭于1833年在《告志篇》中首倡“忠孝一致”。水户学派的学者藤田东湖提出“人伦无急于五伦，五伦莫重于君父，然则忠孝者名教之根本，臣子之大节，而忠之与孝异途同归。于父曰孝，于君曰忠。至于所以尽吾诚则一也”，藤田东湖进而提出“忠孝一本”的口号。[①] “忠孝一致”与“忠孝一本”经过后来的倒幕维新志士的发展，成为尊王攘夷运动的理论基础。“人君养民，以继祖业。臣民忠君，以继父志。君臣一体，忠孝一致，唯吾国独然”[②]，这是幕末志士吉田松阴在“士规七则”中对忠孝一致的阐述，家族伦理与君臣伦理互相渗透与融合，可谓相得益彰。至此，忠的道德已经从主从之忠转变为君臣之忠。在此思想的推动下，才有了倒幕运动与明治维新。近代以来，日本的统治阶级极力推行家族国家观，“忠孝一致”与“忠孝一本”发展成为日本国民道德的最高准则。在一系列对外侵略战争中，法西斯军国主义者将“忠孝一致”“忠孝一本”绝对化为“忠君爱国”，就是要国民无条件地服从天皇和国家，使军国主义政权得以畅行无阻地推行侵略政策与战争政策。在“忠孝一致”“忠君爱国”思想的毒害下，无数无辜的青年舍孝求忠，丧命战场，完成了所谓“忠孝一致”的实践。弃忠求孝与舍孝求忠，忠孝难全与忠孝一致，是两种不同的思想境界，中国人倾向于前者，日本人看重的是后者。所以，清朝末年不少中国人到日本游学时，看到满街的人手持写有“光荣战死”“为国捐躯”“祈战死”“祈必胜”[③]等字样的旗子和标语欢送军人出征的情景，颇感不可思议。在中国人看来，除“祈必胜”外，其他字句颇不吉利，而在日本则表达了希望将士为国尽力，不胜勿归的忠君爱国之情。这里，孝亲已经完全被融入忠君之中。

① 藤田東湖：《弘道館記述義》下，今井宇三郎等校注：《日本思想大系・53・水户学》，岩波書店，1978年，第444頁。

② 石井満：《日本の孝道》，第90頁。

③ 曹汝霖：《一生之回忆》，香港春秋杂志社，1966年，第34－35页。

忠还表现在要像维护一家的利益那样维护主人的利益，与主人荣辱与共，直至为主人复仇。德川时代著名的“赤穗四十七义士”就是典型之例。长期以来，以这一事件为脚本编成的歌舞伎剧目《忠臣藏》一直是日本人喜爱的故事。相对而言，中国的儒家所推崇的复仇不是弑主之仇而是杀亲之仇，即所谓“父之仇弗与共戴天”①。中国历史上多有因报杀父之仇而留名的孝子，却罕见“赤穗四十七义士”那样的忠臣。

孝是家族道德的主纲，忠是政治道德的主纲，尽管二者是不同社会关系的反映，在日本却能实现高度的统一。人们不禁要问，同样是受儒家的忠孝思想的影响，为什么中国人与日本人在忠与孝孰重孰轻的问题上表现出截然不同的态度？笔者以为，日本家族结构和社会结构是其中重要原因之一。忠是孝的延长，孝是随着父权家长制的形成而确立的，中日两国虽然都存在着父权家长制，但是，两国家族制度的不同导致了两国忠孝观念的差异。这种差异主要表现在中国的家（不论是同居共财的小家庭，还是聚族而居的宗族）都是基于父系血缘的原理形成的群体，人们最直接的服属对象就是自己的直系血缘尊长，因而产生了“以孝为本”的道德伦理。在孝道被统治者利用，作为治理天下的工具之后，人们行为准则的顺序仍然是“修身齐家治国平天下”，忠与孝相比，只能退而求其次。而日本的家主要是以居住和经济要素为中心而形成的群体，维系家的纽带最重要的不是血缘而是家业，体现出家的经济功能的重要。家的成员既包括血缘亲属，也有参与家业经营的毫无血缘关系的人。为了家的利益，家臣、佣人在效忠的伦理下，也能成为主人家的一员，使得日本的家带有明显的主从关系色彩。这种超血缘的家本身就是一个独特的社会集团。在这种社会集团中，人们的直接服属对象就不只是血缘尊长，还包括自己的主人。因此，忠就被突出出来。传统的家制度使日本人习惯于以家族社会的价值观念处理社会事务，人们可以轻而易举地

---

①《礼记·曲礼》上。

将家族关系移植到家族以外的社会机能集团当中。例如，日本人常用“亲子”这一概念。“亲子”除了一般理解的血缘的父子关系之外，更多则用于表达社会关系：战前农村中的地主与佃农的关系可以视为“亲子”关系，资本家与工人的关系可以视为“亲子”关系，整个国家也是以天皇为家长、以国民为子女的“亲子”关系。家族的社会集团化与社会集团的家族化互为表里，这就越来越强化了人们的忠的观念，并使忠和孝能很好地结合为一体。在日本人看来，中国人往往重孝悌而轻忠顺，这是不完美的。唯有忠孝合一，才是理想的道德观。藤田东湖曾驳斥“忠孝不能两全”的观点，认为“家居养亲则不能致身于君”之说是“徒知夙夜在公之为忠，而不知扶植纲常之为大忠”。他还批评“以死殉国则不能竭力于父母”之说是“徒知冬温夏清之为孝，而不知杀身成仁之为大孝”。①

日本人为何能提出“忠孝一致”与“忠孝一本”之类的口号，并表现出忠重于孝的特征？东京大学哲学教授井上哲次郎从国家主义角度从五个方面进行了分析。②

1. 不论忠还是孝，都要出自真心，即所谓“诚”。以真心对待家长就是孝，同样，以真心对待君主就是忠。

2. 把小的家族组织集中起来就是一个大的家族组织，这就是国家，家族是国家的缩小。所以，在小家族中对家长尽孝与在大家族中对主君尽忠，其性质是相同的。唯有大小之区别而已，大则言忠，小则言孝。或者把忠称作大孝，把孝称作小忠。

3. 由于普通人并不能接触主君，所以，在一家之中服从家长的命令，忠实尽自己的义务就是尽孝，在尽孝的同时也就是尽忠。同样，尽忠于主君也是尽孝，为主君所做的一切也是父母的希望之所在。所以，日本的原则是忠孝不悖，如有相悖，则要舍孝取忠。因为忠大于孝，所以要舍

① 藤田東湖：《弘道館記述義》下，今井宇三郎等校注：《日本思想大系・53・水户学》，第444頁。
② 井上哲次郎：《国民道徳概论》，三省堂，1912年，第269－273頁。

小孝,取大孝,这就是大义名分。

4. 对天皇尽忠符合父祖的意志,即忠与孝是一致发展起来的。在中国,如对清朝尽忠则违背祖先的意志,因为祖先仕奉的是明的朝廷,清朝是祖先的敌人。如果依照祖先的意志行事则是对清朝廷的不忠。而在日本,由于皇统一系,绝无这样的矛盾,日本拥有忠孝毫无矛盾的社会组织。

5. 日本民族皆是天祖之末族、支裔,因此,皇室是天祖的直系,是国民的宗家。其他不同父母的子孙在各自家长之下形成一个个家族,都是分家。因此,自古以来,人们就以在家族内对自己的家长尽孝为最大的义务。如果对家长的家长追而溯之,必达于天皇。对天皇尽忠即报本之大孝。从这些道理说来,忠孝在日本能够完全一致。

结语

综上所述,日本人之所以能够做到忠孝一致,有两个根本原因。第一,日本家族制度的中心思想在于延续家这一经济共同体,甚至可以根据家业的需要调整血缘的系谱传承关系。没有血缘关系的人不仅能当儿子,也能当孝子,即日本人孝敬的“亲”除指血缘父母之外,还包括出于各种需要的非血缘的社会性父母。所以,“孝”本身就已经存有“忠”的含义。第二,家是国的扩大,国是大家,家是小国,所以忠是孝的延伸。主从关系与君臣关系是对家族关系的模拟和延续,主君的权威是家长权的扩大,事主以忠就是孝子尊亲的结果。人们对父母的自然感情被纳入阶级统治的轨道,这样,家族中的亲子关系便直接影响到政治上的主从关系与君臣关系,达到家族伦理与政治伦理的统一,即忠孝一致。即使忠孝发生矛盾也表现出忠重于孝,以家的利益服从国家的利益。有了这种“忠孝一致”的臣民,日本人极易形成凝聚力,在需要一致对外时形成高度的团结。这就是近代日本发动的一系列对外侵略战争中,能够成功地实现全民总动员的根本原因。

二　从家训看日本人的节俭传统

谈起“创建节约型”社会这个话题，人们就会不约而同地注意到日本。这个资源极度匮乏的岛国，不仅创造了战后在废墟上重新崛起，在短时期内发展成为经济大国的奇迹，而且在建立节约型社会方面也走在全世界的前列。不仅是世界上能源利用效率最高的国家之一，人们在生活的许多方面也都非常节约。故节约型经济、节约型社会可以说是日本的突出特色。日本“节约型社会”的建立，固然需要各种节约的技术和经验，而深层的社会文化背景则是其节约立国风尚存在的根源。日本中世以来的武家家训及商人家训中有大量切实、具体的节俭之训，可资我们了解日本人的节俭传统。之所以选择武家家训与商人家训，因武家是作为统治阶级而存在，商人则是拥有财富的阶层，了解他们的节俭传统更有说服力。

(一) 武士家训中的节俭

家训，在日本常称作家宪、家掟、家慎、家禁，它是家长为家族成员、父祖长辈为后代子孙所规定的有关立身处世、居家治生的训诫和教条，是家族成员必须遵守的准则。早在遣唐使时代，日本人就学习中国人以家训治家的传统，开始制定家训，但最早只在皇室、贵族中有少量家训。进入幕府时代，掌握了政权的武士也开始制定家训，但数量增多，内容走向成熟还是在室町、战国时代以后。家训在中国是齐家之训、家内之训，其训诫对象始终是家族血缘亲属。而由于日本武家的“家”具有明显的超血缘特点，它是幕府统治的社会基本单位，在群雄割据的战国乱世，一个大名的家就是一个小国。武家的构成既包括血缘关系成员，也包括没有任何血缘关系的家臣、领民，故武家的家训远远超出治家的功能，更多涉及治国，且齐家与治国是相通的。透过家训，可以了解武家的治家原则，更可以了解他们的治国理念。

尽管武士是幕府时代的统治阶级，但是从他们留下的家训中，丝毫看不出骄奢淫逸，而大多强调厉行节俭，反对铺张。以下仅录几例：

刀具衣装，莫思攀比，看得过即可(《早云寺殿二十一条》)①

家中之士，莫忘武备，要依财力置办。武具马具大刀，以得用为准，莫要华丽，朴素为好。日常衣服及调度，莫越财力。诸事要量财力，莫入不敷出。尤俭约之旨趣，乃为仁义而俭约，首先日常用度，武器装备，莫使不足，所以诸事要俭约，衣服调度之类，朴素为要，莫好奢华。(小浜藩主酒井忠进《酒井赞岐守忠进家训》)

凡事谨慎小心，莫说金银米钱，即便是井中汩汩之水，亦不可无益浪费。(细川重贤《肥后侯训诫书》)

衣服为掩体之物，粗陋亦可蔽身。应据财力、位次着相应服装。着不合身份之华服者，是为奢。食乃续命之物，粗茶淡饭，只要免饥存命则可。嗜好美食，耗费金银以饱口腹之欲者，是为奢。房屋乃遮风雨之物。狭窄鄙陋，能挡风雨则可。应视财力，建相应之屋。建不合财力之华屋者，是为奢。(伊势贞丈《贞丈家训》)

平日节俭，一针一线亦收之仓廪，然遇战事有需，则碾金碎玉，毫不可惜。(朝仓宗滴《朝仓宗滴话记》)

在武家家训中不仅可以看到这样原则性的说教，更有如何节俭的现实而具体的规定。有关衣着方面的限制，如战国时代越前大名朝仓氏的家训《朝仓敏景十七条》规定："朝仓家族，年初出仕，须穿有朝仓家纹之

① 本节所引武家家训除特别注释外，均引自小泽富夫：《武家家訓・遺訓集成》，ぺりかン社，1998年。

布衣。”战国时代和江户初期的大名加藤清正作《加藤清正掟书》，要求家人臣下“衣着限于棉布。耗费金钱于衣饰，荒谬无益”。当时很有些讲究的人都穿绢布做的衣服，虽光鲜华丽，但价格昂贵，且不耐穿，所以从节俭耐用的角度考虑，便有了上述规定。有关日常饮食的规定，如熊本藩藩主细川重贤在家训中规定了每日饭菜的标准：“朝夕食素，一汤一菜，午间可吃鱼，亦不过一汤二菜。”“朔望佳节，与常日无异。年初仪式，当依家法从俭。不可稍有疏忽。”熊本藩，领俸禄 54 万石，在江户时代算得上屈指可数的大藩了，而藩主之家饮食堪称简单。酒井藩藩主酒井忠进不仅在家训中告诫家人“好华美，耽美味，淫歌奇丽之族，乃小人之业，非丈夫居心”，还要求“衣服饮食宅居，各依其分”，虽然没有对于一日三餐的具体规定，但是规定了待客标准：“会朋友，一汤二菜，酒三巡，酒肴三种。客人来，一汤三菜，婚礼之祝仪二汤五菜。若有缘故要逾度，当报之目付。”一个藩主家庭，连婚礼之类的祝仪不过两汤五菜，宾客到访，也只是以简单的一汤两菜、三菜招待而已，那么平时自家人至多也就是一汤一菜了。在有客人来访或婚仪等场合，如果因故要多加一个菜，要先报目付（武家负责监察的官职）审批才行，可见这种规定之严。还有的家训规定：“酒虽融洽合欢之物，然豪饮放诞，乃古今亡家灭身之根底，故严禁酗酒。”（陆奥磐城平藩藩主内藤义泰《内藤义泰家训》）至于其他娱乐性的消费，更是要严格掌握。如战国大名朝仓家规定：“莫邀京都四座之猿乐师来本国演出。不如以其价于本国猿乐师中择才俊教习之，可长远为乐。”朝仓氏地处越前（今福井县），若延请京都的名师来表演，肯定要花重金，不如在当地培养自己的乐师，这才是一种长久之计。

厉行节俭，讲的是戒除奢华和无益之费，但不能矫枉过正，变得吝啬。“过于吝啬，有损身份，亦与过骄奢同。”（《酒井隼人家训》）经历过战国乱世的福冈藩初代藩主黑田长政既强调“万事皆求华美，不以俭约为要，则必积年靡费，后用不济，丧国败家”，因而要“专务俭约，戒无益之费”。如何掌握节俭的“度”也很重要，“倘过俭至吝啬，则诸人疏远，万事无序，善行难成，功业不立，也是亡国之兆”，所以，既不可不俭，又不可过于吝啬，要在“宽紧适度，取其得当”（《贞丈家训》）。战国大名朝仓敏景很注重资金的合理运用，他规定“名家所铸宝刀短剑不宜用。持一把价值万疋之宝刀，不敌百支百疋长枪。莫若以万疋之价购百支百疋之枪，令百人持之，可守一方”。宝刀虽好，只能为一人所用，而购一把宝刀之费，可装备百名士兵，轻重缓急，道理自明。另一方面，“过于求便宜，则物品质次，本可使用二、三年者，一年之内便数次更易，反而花了大钱”（尾张藩主德川宗春《尾张亚相宗春卿家训》）①，即不能贪便宜而忽视了购物质量。这样的认识在今天来看也是有教益的。

武家为什么如此注意节俭？由于时代所限，他们当时还不可能从国家资源贫乏这个角度来认识节约的重要性，但是读武家家训，一个重要的感受是武家都将节俭作为立国之根本。当然，这个“国”不是现代意义的国家，而指的是战国大名的领国及江户时代的藩。战国时代是弱肉强食的时代，各大名的治国之要是发展经济，积累财富，以在激烈的争霸战争中站稳脚跟并扩大势力，而奢侈浪费将误国误民。如战国大名北条氏纲在家训中阐述节俭的理由：“如有人本是五百贯的财力，却效千贯的行事，大半是使了手段之故。”“好华丽者，无暴敛下民，便无所出”，他们“或向百姓强行征役，或经营买卖以图生利，或烦扰町人，或博弈取胜，总之必有出处”，其结果，将“国中悉贫，大将势力渐微”。（《北条氏纲书置》）到了江户时代，武士虽然立于士、农、工、商“四民”之首，但是他们并不是富裕的阶层，他们脱离了土地，依靠有限的、固定数量的俸禄生活，随着商品货币经济发展而日益陷于穷困。幕府与各藩除了通过幕政、藩政改革进行调整外，都要求武士节俭度日，江户时代不到 270 年，共发布 258 次“禁止奢侈令”②。尤其是第五代将军德川纲吉时要求更严，在任 29 年

① 吉田豊:《武家の家訓》，第 335 頁。
② 藏并省自:《日本近世史》，第 265 頁。

中竟然发布了59次“禁止奢侈令”，禁止美食铺张，穿着华丽，而且自己带头厉行节俭，平时吃饭不超过两菜一汤，且滴酒不沾。幕府殿堂内的窗纸、拉门即使再陈旧，如无破洞也不许更新。将军以身作则，幕府官员自当效仿。据说当时幕府的官吏在值班时都自带便当，只有老中（江户时代直属于将军、统辖政务的最高职官）等在执勤时过了吃饭时间，才可供应饮食，但也是以一汤五小菜为限。① 至于各藩，更要严格奉行节俭原则。有的藩在家训中甚至规定“百姓之中，有喜好华美，不事耕作，却集金银分赃者，速捕之并斩首”。（《肥后侯训诫书》）显然，一个农民不种田却能过好日子，肯定有非法勾当，故要严惩。福冈藩藩主黑田长政也在家训中规定：“有因好华檐美舍、婚姻靡费、招宴宾客、耽溺游兴、聚敛珍异等事致费资财，日久渐贫者，可斟酌定其罪。”（《黑田长政遗言》）总之，作为统治阶级的武士在节俭方面也是全社会的典范。

（二）商人家训中的节俭

商人在日本最早产生于镰仓幕府时期，后来，随着兵农分离，至室町幕府时期，其身份渐趋固定。在战国时代，各地大名为增强领国的军事与经济实力，纷纷在自己的城堡周围建立作为其政治与经济据点的“城下町”，让武士与工商业者集中在此居住，一批敢于冒险的商人乘机聚敛了财富。近世以后，和平的社会环境，兵农分离政策的实施以及武士的城居，带来城市的繁荣和商品经济的发展。商人虽属于“士农工商”中的末流，但也正是这种身份制度的存在，使社会其他各阶层加强了对商品经济和商人的依赖，江户时代商人因此势力大增。约占总人口5%—6%的商人是近世社会中最具经济实力的阶层。

商人财富增加了，有些人便开始忘乎所以，营造豪华住宅者有之，追求华贵衣着者有之，出入于花街柳巷者有之，耽于游艺、挥金如土者有

① 林景渊：《武士道与日本传统精神》，台湾自立晚报社文化出版部，1990年，第217页。

之。商人三井高房曾于1728年作《町人考见录》，记载了京都等地50家商人的盛衰，其中就有因为忘记商人本分，奢侈浪费、纵欲享乐而导致破产的例子，因此他提醒商人“忘记家业终将失去家业”①。也有一些商人在严格的身份制束缚下始终头脑清醒，对来之不易的家业与家产格外珍重，所以尽管腰缠万贯，也始终以“俭约”为行为准则。在商人家训中我们可以看到，勤俭持家是最基本的内容。例如：

勤俭以持家，骄奢以灭身。勤此戒彼，是为同族繁荣、子孙长久之基。（三井家《宗竺遗训》）②

无禄之町人，虽当时取相当之利润，然无时不虑有损失之时……致力于俭约乃为第一要义。（《钱屋五兵卫家宪》）③

须牢记，勤俭兴家，骄奢灭身。（《伊藤松坂屋家训》）

商人是最注重利益的阶层，其家训也不停留于讲道理，而是从实际需要出发，对如何节俭，节省开支做了许多详细而具体的规定。博多商人岛井宗室的《岛井宗室遗书》就是典型。岛井宗室（1539—1615）是活跃于战国末期至江户初期的豪商，他利用地利之便，通过与明朝和朝鲜的贸易积聚了巨额资产，连丰臣秀吉都对他礼让有加。在他去世前五年，模仿圣德太子制定的“十七条宪法”的形式书赠其继承人、养子信吉，是为《岛井宗室遗书》。④ 在全部十七条内容中，竟有六条谈到节俭度日，且内容详尽入微。

第三条是“勿接触游艺”。要求家人“一生中不得耍钱、玩双六棋等赌博类游戏。40岁前也不得习围棋、将棋、武艺、谣曲、舞蹈。……50岁前，凡野外酒宴、钓鱼、赏月、赏花等外出游览之事均要禁止”。这样的规

---

① 三井高房：《町人考見録》序、《日本思想大系59近世町人思想》，第177頁。

② 第一勧銀経営センター：《家訓》，第403頁。以下商家家训内容除特别注释外均引自此书。

③ 銭屋五兵衛：《銭屋五兵衛家憲》，足利政男等：《商売繁盛大鑑・日本企業経営理念》第1卷，同朋舍，1984年，第256頁。

④ 吉田豊：《商人の家訓》，第38－51頁。

定意在让家人洁身自好，节省一切不必要的开支。

第四条是“40 岁之前以质素第一”。其中要求“即使些细小事也不得铺张……万事尽可能节制。家具、屋宅之新购改建自不必言，品茶、剑、佩刀、服装等要力戒华美，丝毫不可有显露之意”。“衣物宜着棉服”，居家修理要注意，加固墙壁与院墙的绳子到了腐烂的程度方可更换，不准另建屋宅。

第五条是“40 岁前，不可频繁宴请客人或出席别人的宴请，款待双亲、兄弟并亲属及赴亲属之宴会，一年内一至两次即可，不可再多。尤慎夜间之宴席，即便是兄弟之邀请，也是不去为好”。

在第七条“治家重于对外交际”中，有具体的勤俭持家的要求。如“烧火用的劈柴和烤火用炭都要自家解决，引火柴等也要自己解决。家中和后门集中的废物中，短绳头可切碎用于和泥葺屋，长的用于结绳。五分以上的木块、竹块收集起来洗净，用作烧柴。五分、三分大小的纸片也要收起来，以作再生纸的原料”。这是要求物尽其用，一丝一毫也不要浪费。

第八条是“购物须知”。“小到薪炭，二三分长的小杂鱼，大到去街上河边购物，买木材，也要主人亲自前往，尽量还价再买，并将物价牢记在心。以后，不管谁再去购买，坐在家中就可知其贵贱，如此可防被佣人欺骗。”“日常生活中最重要的是柴、炭、油，尤以柴为要。用量依烧柴方法不同而大有差异。一天中烧饭用多少，做汤用多少，主人要大体知其量，并按其量交与女佣，于是一个月能用多少就知其大概了。”“薪柴之类，生木与朽木都不好用，要买干柴。与劈柴相比，树枝和木块好用，茅草比树枝更好用。”显然，这里是要求一家之长对家中的支出要心中有数，不仅要了解市场行情，也要掌握自家的具体用量。

第十条是“节约伙食费”。“朝夕饭米每人一年定为一石八斗，如杂以蔬菜与大麦食之，则一石三斗、四斗足矣。”“要做糠味噌、五斗味噌（用大豆、米糠、食盐制作的低质味噌——作者注）食之，每天将味噌研碎，让其充分出汁，其糟粕中人盐，用萝卜、黄瓜、茄子、冬瓜、大葱等蔬菜的皮屑腌制咸菜，给佣人们早晚下饭。”“米价腾贵时，要吃菜粥。若喝菜粥，首先主人也要吃。如果一点也不吃，就要想想下人的感受。万事都要如此留心，我们的父母过去就是这样做的，我们在年轻的时候也与佣人吃同样的饭菜。”从这条看来，富商岛井已经把饮食标准降到最低限度，吃低质量的味噌，喝菜粥，并强调主人要与佣人吃同样的饭菜。

对于居家生活如此精打细算，近乎吝啬的节俭教训，让人很难将它与岛井宗室的豪商身份联系起来。由于《岛井宗室遗书》很实际，所以后来被许多商家模仿，在家训中立下勤俭持家的训诫。例如：

店内生活万事宜行简素，朝夕饭食一菜一汤，不许喝酒。(《住友长崎店家法书》)

平素在店内不得穿棉布以外的衣服，腰带也勿用绢物。(《伊藤吴服店家训》)

菜一日一度，一人三文至四文，再多就是浪费。(《伊藤家家宪》)

不图华美，但求质素，穿干净的棉服即可。(《诸户清六遗言》)

以酱油生产为业的商人滨口家的家训规定“家虽富有也要安于棉服蔬食”，“裁缝之事一切必家内自办，绝不可委托他人”。一家人遵照这样的家训，暖身安于棉衣，饱腹甘于素食，连家长也不许特殊。家训还规定“除家长外，吃饭时不可使用茶碗”。茶碗即陶制饭碗，易碎，为避免增加这项支出，滨口家代代成员都遵守这一训诫，除家长使用茶碗(也是家长权威的一种标志)外，家庭所有成员，包括雇员只使用耐用的木碗。小小饭碗之事也予以足够的注意，并写进家训，反映了商人节俭度日用心良苦。正是由于这种精神，1645 年创业的滨口家才能延续 360 年而不辍，至今发展成为生产 YAMASA 酱油的著名的调味料与药品制造企业。

在中国历史上的家训中，同样有很多强调节俭的内容。但中国的家训多是原则性的教导，很难从中找出对居家生活、日常用度做出具体约束和精打细算的安排。日本的商人处于四民之末，无法与社会制度抗争，为了延续家业，只能严于律己。商人通过家训要求自己过俭朴而有秩序的近乎禁欲的生活。商人的节俭思想是由根深蒂固的家业观念产生出的经济伦理，由于明治维新后的近代企业家有很多是从近世商人中成长起来的，所以，商人的节俭观对日本的资本积累与近代企业的发展有着重要的积极影响。

（三）近代富豪家宪中的节俭

家训本来是封建时代的产物。明治维新后，武士阶级退出历史舞台，武家家训也随之结束了历史使命。随着等级制度的废除，平民从此摘掉了“二等公民”的帽子，于是商人转而经营新型工厂、企业，成为国家“文明开化”政策合作者，也有大批敢于冒险、具有经营意识的人才乘明治维新风云而发迹，故明治时期是日本富豪辈出的时代。由于近代日本企业有相当一部分是江户时代商家的延续，即使是明治维新后建立的新企业，也无不是在“家”的基础上形成和发展起来的。于是家训在新的社会条件下有了更广阔的发展空间。像三井、住友、鸿池那样的老字号企业保持了旧有家训延续性，在修改时注入了近代的思想内容；而新兴企业如三菱、安田、涩泽财阀则是在企业规模大定之后制定家训，以作为家族成员和企业之约束。

近代日本的很多富豪继承了近世武士与商人的节俭传统，虽然他们拥有巨额资产，但仍然谆谆告诫家人保持节俭的美德。如：

勤俭持身，慈惠待人。（《岩崎家家宪》）

勤俭二字乃祖先的严训，应服膺并发挥其功德。（《本间家家宪》）

戒骄奢，发扬质素勤俭的美德。（茂木家家宪）

一家的经济以收入之八分营之，余下二分蓄积蕴养，可防

困蹶。(《繁田家家宪》)

勤为富之本,俭乃富之源。(《向井家家内谕示记》)①

在有关的历史记载中,可以看到很多近代富豪的节俭美谈。如安田财阀的创始人安田善次郎(1838—1921)就是一个代表。他曾当过六年丁稚(学徒),从赤手空拳开始创业,在幕末维新的混乱之中,因从事金融兑换业积累了财富,仅仅几十年时间就确定了其四大财阀之一的地位。安田善次郎终身躬行勤勉与俭约,以"勤俭堂松翁"自称,即使成为财界大亨,也自觉过着简朴的生活。如乘火车外出旅游,一般都坐普通车厢。在银行工作时,与员工一起在食堂共同用餐。每逢祝、庆典,也尽量节省经费。在家庭生活中,通过家训做出规定,不论是家长还是夫人、孩子,每年的生活费都规定一定的预算,每人的支出决不许超标。安田善次郎倡导的"勤俭储蓄谈"被作为安田银行员工的座右铭。其中谈道:"提到勤俭储蓄,有人认为仅是节约蓄钱,实则不然。所谓勤俭,乃勤勉节约之意,换言之,乃'勤于业务,节省冗费'之谓也。勤为积极之语,进取也;俭乃消极之语,保守也,是故二者相辅始见其效。余教诸子曰:勤则俭生,俭则勤生。"有些人不理解安田善次郎的做法,说他是"吝啬汉"。而他坚持该省则省,该花就花的原则,一方面厉行节俭,一方面热心于慈善事业,捐资兴建著名的东京大学安田讲堂和日比谷公会堂就是其典型的善举。

曾经读过一本名为《一个明治人的生活史》②的书,写的是明治时期神奈川县高座郡的地主相泽菊太郎的日常生活。他只是一个较为富裕的农民,过的是普通的生活。他让人别有称道之处,一是从 19 岁开始,直到 96 岁去世前 10 天,长达 78 年记日记一日不落。二是从 1892 年开始到 1957 年,每天都详细记载全家的财务收支情况,留下了长达 66 年

① 京都府编辑兼发行:《老舗と家訓》,1970 年,第 144 頁。

② 小木新造:《ある明治人の生活史——相沢菊太郎の七十八年間の記録》,中央公論社,1983 年。

的《金银出入账》。而写日记和记账的用纸，有的是利用报纸夹带广告的背面，有的是不用的账簿，都被整整齐齐地订成本子。仅这一点，足以窥其主人的细致与节俭。

能否做到节俭，一家之长的表率作用是关键。故近代家训中不乏对家长行为的规定。以发明清酒而闻名的关西富豪鸿池家就有严格限制家长奢侈浪费的实例。有一天，第十代鸿池善右卫门独自一人驾着马车到大阪繁华商业区心斋桥。平素不大出门的他被路旁店头摆设的商品吸引，于是走进一家商店，买了很多自己喜欢的东西。一结账，共计 350 日元，可当时他口袋里只有区区 30 余元。按家族规定，家族成员每月只有为数不多的零花钱，即使是家长也不例外。于是商定让店家事后到鸿池府上去取。鸿池善右卫门回家后不久，店家用车载着所购商品送到鸿池府邸，并请求付款。没想到遭到账房管家的拒绝："鸿池家从祖上就制定了极其严格的家法，即使是家长买了用于游玩的商品，如果超过规定的额度，也决不能付款。"任凭鸿池善右卫门怎样哀求，管家就是不答应，只好眼睁睁看着商人把送到家的东西又拉了回去。① 这位家长后来仍然不思进取，写俳句，好风流，不仅影响了家业经营，也损害了自身的健康。鸿池家经过集体决定，对其予以罢免。

一家之兴亡在于子孙，人是延续家业的根本。以家训告诫人们奉行节俭，意在让节俭之风代代相传，故教育子女也引起人们的足够重视。被誉为"日本近代实业界之父"的涩泽荣一在 1891 年亲自制定了《涩泽家家训》，其中除"勤与俭乃创业之良图，守成之基础，应坚守之，不骄不怠"，"冠婚葬祭的仪式招待等事，应力避华美之风，而依其身份质素从之"的节俭之训外，还基于"子弟教育关系到同族家道之盛衰，故同族之父母尤要慎重待之，教育之事不可忽视"的认识，专设"教育子弟之法"②，

① 墨堤隠士：《日本富豪の家憲》、《明治後期産業発達史料》第 367 卷，竜溪書舍 1997 年，復刻版，第 203－204 頁。

② 北原種忠：《家憲正鑑》，第 237－242 頁。

其中有多条涉及节俭。例如：

凡子弟幼少之时，要使其知世间之艰苦，养成独立生存精神，且男子外出时尽量步行，以保障其身体的健康；

子弟达十岁以上，虽可给予少量金钱作零花钱，但要严格按其身份定其额，以此唤起其对生计的关注；

不可让子弟读下流书籍，接触鄙猥之事物，也不得接近艺妓艺人；

凡男子至成年之前，要与成人区别对待，衣着必穿棉服，器具类以质素为主，唯女子外出或接待客人时方可穿绢织衣物。

涩泽荣一创立了第一国立银行，一生参与近500家企业的创立与经营，是近代日本杰出的企业家。如此巨额财富的创造者与拥有者，却能俭约传家，教子有方，堪称日本近代富豪的楷模，《涩泽家家训》也因此在近代日本家宪中颇具典型性与影响力。

2000年，笔者在日本工作期间参观了位于新潟的北方文化博物馆。这家博物馆又称“豪农之馆”，本是江户至明治时期大地主兼商人伊藤家的宅邸。传统的日式建筑，宽广的庭院，无声地诉说着其主人昔日的辉煌。最令我有感触的是在大客厅显著位置的“床之间”(壁龛)处，赫然挂着一幅大约3米长的巨大画轴，上面工整地写着唐代李绅的《悯农》：“锄禾日当午，汗滴禾下土，谁知盘中餐，粒粒皆辛苦。”根据题款得知，该幅字写于明治24年(1891年)，正是伊藤家最兴旺的时期，拥有水田旱田近1400町步，号称越后地区首屈一指的大地主。从书法角度来看，这个字幅很欠功力，相信伊藤家张贴如此巨幅字画，绝不是附庸风雅，而是以此提醒家人，时时刻刻不忘节俭。

结语

资源短缺并未阻碍日本高速发展之路，反而让日本走出了一条资源节约型发展新路。创建节约型社会需要全体国民的共同努力，家训资料告诉我们，日本人有着久远的节约意识及节俭传统，所以当今日本人从节省能源、环境保护、资源再利用到居家生活中的精打细算都做得很到位，在这方面很值得我们学习。

三　日本国民性的几点特征

国民性是指在一个国家或民族的范围内比较普遍的，甚至是居于主导地位的心态、倾向、潜意识。构成国民性主要特征的，是规定人们行为方式的价值取向和道德规范，它以潜移默化的形式影响和制约着一个国家或民族的社会发展。深刻认识日本的国民性，对于正确处理两国之间的关系与增进两国民众的了解很有必要。

（一）实用主义

长期以来，“中日同文同种”的观点对中国人影响甚大，日本是“儒教国家”的提法也成为评价日本的主流话语，其结果是导致人们往往不能正确认识中日两国的文化差异。日本作为中国的近邻，在国家形成及后来发展、繁荣的过程中曾深受中国文化的影响，这是不争的事实。但是，如果对日本的社会与文化进行深入考察，就会发现日本人是一个很注重现实利益的民族，甚至具有明显的实用主义色彩，这种实用主义使日本人在吸收外来文化中表现为取自己所需。有些中国文化、制度一度传到了日本，而后来销声匿迹了，如中央集权制度，考试选官制度；也有一些东西从一开始就被拒之门外，如人们熟知的“唐时不取太监，宋时不取缠足，明时不取八股，清时不取鸦片”。除此之外，在人伦、制度的很多方面与儒家伦理格格不入。

比如，同姓不婚的制度作为中国文明的重要因素传到了朝鲜半岛，却最终没有渡过海峡传到日本。日本人在8世纪初期制定律令的时候，许多内容都是对中国相关法律条文的照搬照抄，却对“十恶”中属于近亲相奸、紊乱人伦的“内乱”罪弃之不取。究其原因，是因为当时日本社会内近亲结婚是普遍的现象，皇室与王朝贵族尤为典型，连参与制定律令的重要人物藤原不比等也是与同父异母妹结婚。可见同姓不婚的法律根本不符合当时日本的风俗，因而被毫不犹豫地舍弃。

再如，“异姓不养”这一在中国至关重要的人伦规范在日本能够得到轻易变通。异姓的养子、婿养子在改变了姓氏之后，就可以进入家庭，继承家业，而是否具有血缘关系并不重要。反之，如果没有继承和管理家业的能力及良好的资质，即使是亲生儿子也可能被剥夺家业继承权。据日本学者考证，从江户时代末期到明治时期，日本男子的四分之一是养子，且主要是异姓的婿养子。这就是所谓“暖帘①重于家业”，十足体现出日本人的实用主义原则。日本人重家业而轻血缘的态度打破了家族血缘关系的封闭性，使人们可以在关键的时候，依据品德和才能标准选择家业继承人，这种态度不仅维护了家业和家族企业的延续，使日本随处可见拥有百年以上，甚或数百年历史的企业或店铺，也促进了经济的发展与社会的进步。

又如，日本人为了家族的整体利益，连自然的、血缘的辈分秩序也可以进行调整。辈分是在中国家族内部用以区别长幼、规范血缘秩序的等级制度，辈分秩序不仅深深潜在于人们的意识中，也显现在人的姓名中。而对于注重纵式家族秩序的日本人来说，“代”是按家业继承情况而划定的，即使生就决定了的人伦关系——祖孙、父子、兄弟，也可以因家业继承的需要而改变之。因此，在日本历史上，常常有弟弟当哥哥的养子，孙子当爷爷的养子这样的“差了辈”的现象。在这些现象背后，反映出人们对现实利益的追求，而没有“礼”对日本人的束缚。

① 暖帘：商家店铺入口处悬挂的半截布帘，印有商家的商号，本用于遮光、防尘，后来逐渐被商人作为家业的象征。

家族人伦关系是人类社会关系中最基本的内容，上述在中国人看来实属冒天下之大不韪的事情在日本都可以发生，那么建立在此基础上的其他政治伦理、社会伦理也都有发生变化的可能。日本是深受中国儒家文化影响的国家，然而，随着两国社会结构的演变，彼儒学已非此儒学。如果不了解这一点，而事事用中国的儒家道德来衡量日本的制度、文化及日本人的行为方式，就无法了解日本社会与日本人，也无法解释为什么东方国家的近代化首先发生在日本，而不是儒家文化的故乡——中国。如日本人接受了儒家的孝道，但是从时间上看，孝道是经过幕府大力提倡，到德川时代才普及到全体庶民的。经过武家社会数百年的发展，“忠”不仅已经成为武士的最高道德，也影响到庶民阶层。故在日本国民道德体系中，“孝”始终居于从属于“忠”的地位。于是，中国的“忠孝难全”在日本可以变为“舍孝求忠”与“忠孝一致”，这可以视为儒家文化“变形”的一种。再比如，父权家长制是中日两国都存在的制度，而与家统一尊的中国的家长制相比，日本的家长也要受到家的利益的制约，要求家长以旺盛的精力与良好的品行立于家长之任。如果家长既达老龄，或体弱多病，或品行不端，就要隐居——将家长权让渡给继承人，从家长的地位上引退，代之以年富力强的新任家长。这一制度后来也演变成制约官吏的机制，在江户时代，即使是藩主，如果不胜其职，便可以经藩中重臣的合议，强制让其隐居。在久留米藩、冈崎藩、加纳藩等藩都发生过家臣强迫不德藩主隐居的事件。①

人们都说日本是善于吸收外来文化的民族，但历史上每一次大规模吸收外来文化的过程，又都是形成本民族文化模式的过程：古代日本人虔诚地吸收唐风文化，然后转化为本民族的和风文化；明治维新后励精图治，积极吸收欧洲文化，使日本成为唯一在东方发展了近代资本主义的国家；第二次世界大战后，在吸收美国文化的基础上，形成了具有特色

① 笠谷和比古：《士の思想》，日本経済新聞社，1993年，第53－57頁。

的日本现代文化。日本文化是通过吸收、选择外来文化，并融合本民族文化传统才得以形成的混合文化，吸收、选择、融合，三者缺一不可。在这个过程中，贯穿了日本人的强烈的务实精神。这种务实，不仅表现在他们积极吸收外来优秀文化方面，也表现在他们对外来文化中不适于自己的内容进行鉴别和改造方面。日本人接受了儒家文化，却只吸收了有益于其统治的部分政治伦理，而对作为儒家人伦根本的婚姻、家庭伦理或加以排斥，或进行变通，以适应本国的国情及实际利益的需要。虽然这个过程往往伴有功利主义的目的，但不能否认，儒家伦理对日本人的束缚远较中国人为轻，因此，他们的家族关系较为开放，建立在此之上的人际关系与社会关系也相对简单。在面对近代化挑战时，日本所遇到的障碍也就比中国小得多。

（二）集团主义

日本人具有强烈的集团性特征，这是人们随着日本近代化的成功及战后经济高速发展所达成的共识。当一个使用同一语言的人群身居异乡，面临生存竞争的时候团结一致，这种集团主义是很好理解的。而在不受外人排斥，除了第二次世界大战之外，从未有外族以战争形式登陆的岛国日本，人们仍然习惯于以集团的原则行事，这就是国民性使然。

日本人的集团主义特征如同思想家加藤周一所说，在日本，“超越集体的价值决不会占统治地位”①。在思维方式上，日本人具有强烈的集团归属意识，人们时时意识到自己属于集团的一员，“自我”是以社会群体方式体现的。个人应该属于某一集团，集团成员由一种共同命运和共同利益联系在一起。这种集团的概念，对于现代日本人来说，最重要的是自己所供职、求学的企业、机关、学校，乃至于整个国家。个人价值的实现途径主要是服从集团，集团内部反对个人竞争，人们崇尚“出头的钉子

① 加藤周一等：《日本文化のかくれた形》，岩波書店，1984年，第32頁。

要先遭到敲”的处世哲学。在行为方式上，日本人与中国人和西方人最大的不同莫过于喜欢合群和重视集团的共同行动，人们总是自觉地把自己纳入集体之中。一位西方评论家表达过这样的看法：日本人就像池子中的一群小鱼，秩序井然地朝着一个方向游动，直到一块石子投入水中，搅乱了这个队列，它们就转变方向朝相反的方向游去，但仍然队列整齐，成群游动。在价值观念上，中国人与西方人都重视个人的天赋，强调个人的作用，而日本人更多的是重视集团的作用。有人曾将日本人与美国人做比较：美国人奉行的原则是，我只要做别人尚未做的事，发挥出个人的能力就会成功；日本人奉行的原则刚好相反，只要我认准社会的主流，坚定不移地把自己汇入社会的洪流中去，就一定会成功。美国人总是极力显示自己的与众不同，而日本人则千方百计地证明自己与大家一样。①日本的集团内部反对个人竞争，不认可以英雄模范人物的先进事迹带动大家的做法，他们认为鼓舞大家工作热情的动力不是英雄人物的先进事迹，而是集团主义精神。合作精神、通情达理、体谅别人是最值得称道的品德，而个人奋斗、刚直不阿、坚持自己的权利却往往不受人们喜欢。久而久之，形成了日本人自发的合作意识和自我牺牲精神，对集团的依赖心理和追求“和”的集团氛围，使他们自觉地意识到自己在集团和社会中所处的位置，并心甘情愿地在这一位置上扮演相应的角色，而不是设法表现自我，追求个人价值的实现。总之，高度的集团主义精神，确保了集团秩序的稳定性。

日本人的集团主义并不是靠一时的宣传或因某人（如天皇或政府）的提倡在短时间内迅速产生的，而是在漫长的历史进程中形成的悠久传统。追根溯源，集团主义是在日本特有的自然、地理和社会等诸多因素共同作用下形成和确立起来的。自然、地理环境对日本人的影响反映在两个方面。第一，在航海极不发达的古代，岛国的地理环境成为日本的

① 王文元：《樱花与祭——日本经济奇迹之根源》，北京出版社，1993年，第66页。

天然屏障，很难成为外族征服的对象。绝大多数居住在日本列岛上的人都是使用同一语言的大和民族。这种语言、种族上的高度同质性，产生了日本人共同的信仰、共同的历史回忆，这是集团主义产生的基本的现实基础。第二，从自然条件方面看，日本四面环海，可耕地少，地震、海啸、台风等自然灾害频频发生。这种自然环境自日本的早期历史上就孕育了比其他民族更加强烈的危机意识，加上人们赖以生存的农业生产长期是以水稻耕种为主，在建造引水灌溉系统、组织生产的过程中，仅凭个人的力量难以完成，由此产生了朴素的同舟共济的命运共同体观念。除了这些客观原因外，日本人集团主义的形成，还有其深厚的文化传统。在日本人的人格形成过程中，从小就受到家的影响，非常重视家族整体的利益。处处在行动上与其他成员保持统一，如果破坏了这种统一，就要受到“勘当”与“义绝”——与其断绝家族关系的制裁。在村落共同体内，也流行着“村八分”的制度，即所有村民与破坏村内秩序者断绝一切往来，逼得他难以生存，所以要想避免出局，就得与大家保持一致。可见“和”是贯穿于家和社会集团的基本理念，培养了日本人的协调精神。长期的家族生活的熏陶，使日本人习惯于以家族社会的价值观念处理社会事物。人们在家族内部必须奉行的准则，也成为在家族以外的社会集团中奉行的准则。

集团主义在日本社会和日本人的观念中深深扎根，形成一种普遍的国民性格，直接影响到日本历史发展进程。自古代大和国家统一日本以来直到今天，大概只有在武家秉政时期有过为争夺势力范围而互相攻伐的历史，除此之外，在日本历史上恐怕难以找出足以导致改朝换代的阶级对抗，更少有能够改变历史进程的内部不同派别的殊死拼杀。因此，尽管日本是个“开化”甚迟的国家，但是，较强的民族凝聚力使日本得以实现社会经济的相对稳定的发展，从而做到“后来居上”。集团主义无处不在，使日本人极易发动整个民族的一致行动，在需要整体动员时形成高度的团结，而一旦国家与民族受到外来威胁（如元朝曾对日本用兵、幕末西方殖民者以武力叩关）或需要一致对外（近代以来发动一系列对外侵略战争）时，全体国民就表现出高度的团结与统一，自觉做出献身式的奉献。二战前，日本军国主义利用这种民族凝聚力，发动了侵略战争，二战后，仍然是依靠这种集团主义精神，在战败的废墟上迅速重新崛起。

早在战后初期，日本学者川岛武宜就指出了日本集团主义社会结构的特征：由权威进行统治和对权威的无条件追随；缺乏个人行动以及缺乏由此而来的个人的责任感；不允许进行任何自主地批判与反省，不允许发展个性；对内的亲子式家族氛围与对外的敌对意识对立存在。[①] 进入 21 世纪，这种集团主义传统虽有褪色，但并未消失。2004 年，曾发生了数起日本人质在伊拉克被绑架乃至被杀害的事件。西方人认为“日本该为他们感到自豪”，因为这些人质是为施行人道主义救援而到伊拉克的。而在日本国内，获救人质被官方民间齐声斥为“国家的罪人”，不得不公开道歉。一位被杀害的人质不仅没有得到同情，相反有许多人认为他的行为是对国家不负责任，还有不少人不满政府为了营救他们花费了大量纳税人的钱。在日本人眼中，这几位人质是为了自己的个人追求而让国家惹上麻烦，所以不值得赞赏与同情。如果个人为了自己的目的而让国家蒙受损害，那在日本是不可原谅的行为。对自己同胞的生命表现得如此冷漠，正反映出日本人集团观念的根深蒂固，是日本人国民性的真实表现。

（三）等级秩序

在集团主义的日本社会内，靠什么维持社会秩序？日本的答案是，除了法律法规制度规范这些硬件，等级秩序是不可缺少的软件。日本是个等级观念极强的国家，这一点与其民主政体及经济大国的地位形成强烈的反差。在现代日本社会中，人与人之间是一个从上到下的等级序

---

① 川島武宜：《日本社会の家族的構成》，岩波書店，1957 年，第 18－22 頁。

列，每个人都处于一定的等级秩序位置上。判别人的社会地位，衡量人的社会价值的尺度不是以能力，而是以公认的等级秩序。日本的人事制度采取的就是资历制，尤其是在高层次的政治活动中，更多地体现出“任资唯贤”，而不是“任人唯贤”。在政界，代代从政就是一种资历。在议会选举中，政治家的后代大都能稳操胜券。于是，在日本国会内，就有了“二世议员”“三世议员”。在其他集团中，资历中的重要的内容是一个人在集团中服务的年限。一般说来，在集团内工作时间的长短与他的地位高低成正比，日本企业内部的年功序列工资制就是一个典型。在人际关系中，从家庭中的父子、夫妻、长幼，到企业、单位中的上下级，等级秩序时时都在制约着日本人的生活。在现实生活中，每个人必须熟练掌握语言艺术——在社交场合要恰如其分地使用敬语和谦语，一个人如果不能对谈话对象高于自己的人使用相应的敬语、敬体，就会被视为缺乏教养。日本人还要通过肢体动作表达对彼此地位高下的认同，从鞠躬到跪拜都很有讲究，甚至要经过专门的训练。见什么人说什么话，在哪种场合行哪种礼，是每个日本人的人生必修课，这些都表现出对等级秩序的认同感。日本的等级秩序如同日本人的自我评价，“脱离了等级观念，日本社会生活便会无章可循，因为等级就是日本社会生活的规范”①。

日本的等级秩序有着悠久的历史。在日本古代社会，不仅存在贵族阶层，而且有着严格的身份制度，这是日本与中国在社会结构方面的主要区别之一。早在大和时代，日本就实行等级分明的贵族政治，由大王(天皇)分别给贵族颁赐“臣”“连”“造”“君”“直”“史”等数十种“姓”，这些“姓”是根据各个氏的出身世系、与朝廷关系的亲疏而决定的，用以区分贵族地位的尊卑、等级的高低。在这种制度下，血统、出身、世系是一个人的立身之根本。人们注意到，日本在大化改新后吸收中国文化的时候，并没有真正接受中国的科举制度。这并不是一个疏忽或偶然现象，

① 中根千枝著、陈真译：《日本社会》，天津人民出版社，1982年，第31页。

而是因为科举制与贵族世系决定一切的传统相距太远，能力主义与血统主义相背离。因此，在模仿隋唐制度建立的中央集权体制下，仍然是只有贵族才能跻身公卿之列，即使是在武将秉政时代的幕府更替之中，同样是只有显贵才能染指将军之位。随着封建制度的发展，这种世袭传统逐渐渗透到全社会所有人的生活当中。自武家社会形成起，武士阶级就成为统治阶级。然而，中世的武士处于半农半兵的状态，一些上层农民也有可能上升为武士。武士对土地的拥有常常影响对主君尽忠的程度，因此，丰臣秀吉通过颁布一系列法令实行兵农分离、农商分离。德川幕府继承了这一政策，在长达二百六十多年的统治中，实行了严格的身份制。在中国用以区分职业的士农工商"四民"制度在日本被从政治制度上加以固定化，"四民有业"变成了"人有四等"，它不仅是职业划分，更重要的是身份的区别。尽管这种身份与他们的财产多少没有直接联系，但是"四民"实际属于两大阶级，武士是统治阶级，农工商为庶民，是被统治阶级，在四民之外还有地位更为低下的贱民。武士握有对平民的生杀大权，幕府法律规定，如果平民对武士"不礼貌"，武士就可以将其杀死而不负责任。各种身份世袭传承，永远不可僭越，力图靠才能和努力去改变这种现状是不可能的。

明治维新之后，新政权对身份关系进行了重组，由皇族、华族、士族、平民序列构成的新的"四民"取代了旧有的士、农、工、商等级制度，并标榜"四民平等"，为许多没有家系背景的人通过接受正规教育或办实业来提高自己的社会地位提供了可能。不过，在重家系门第的传统观念面前，要使这种可能完全变为现实是相当困难的，必须要付出巨大的努力。明治维新后官吏的登用，表面上是依据学问才识，不分出身贵贱，实际上明治初年的官吏多是过去的封建家臣。通过华族制度的制定，旧贵族、藩主阶层又获得了新的特权与荣誉，而且不断有维新功臣、高级官僚、大资本家、军人等成为华族新成员，按其功勋可得到爵位，并可世袭，从而赋予门第、出身以新的内涵。因此，家系和门第仍然在很大程度上左右着人们的生活，拥有不凡的家系照样是高人一等的资本，从过去的世袭制度到靠受教育来决定等级地位的过渡经历了很长时间。日本人真正实现不靠继承、家族背景，而是靠个人的努力和接受正规教育获得在社会上完全平等的地位，还是在战后的事情。

几乎每个国家都有等级秩序，但中国人或者西方人很难赋予这种秩序以合理性，日本的特点则在于人们对等级秩序的认同。在日本人看来，只要自觉地遵守和维护等级秩序，日本社会的稳定就有了保证。西方学者评价日本人“各安其分”，对秩序和等级制充满信赖。而这种“各安其分”的表现就是“安分守己”，每个人的一言一行都要符合其身份地位，认真做好自己的分内工作，这就是日本社会所提倡的“分限”意识。“分限”意识的形成，首先来源于日本人的家庭。在传统家族中，存在严格的等级制度、尊卑差序，家业继承人的地位比其他兄弟姐妹高，本家比分家地位高，每个人都要充分认识到自己在家中的位置，并严格按此行事，从而养成服从的习惯。“分限”意识无疑也是身份制社会的产物。“士农工商”的始作俑者——战国时代齐国宰相管仲提出“四民分业”的目的之一是让从事各业之人“少而习焉，其心安焉，不见异而迁焉”，两千年后，这一思想被江户时代日本人利用，并加以改造和发挥，“四民有业”变成了“人有四等”，既是统治秩序，又是职业体系。武士阶级垄断了权利，不事生产，权力和财富的关系被削弱；农工商各阶层被剥夺了步入仕途、参与政治的权利，只得在属于自己的领域专事生产，使江户时代农业发展，商业繁荣，豪农、豪商脱颖而出。伴随社会的多元化发展，多元文化价值观及用于自律的“武士道”“町人道”等道德观念随之产生。由于士农工商各有自己专属的活动空间，“各安其分”的思想也就有了存在的基础，所以，明治维新后，很多日本人并不否定身份制本身，不过是想通过自己的努力脱离以前的地位，上升至更高的地位而已。① 由于人们普

① 矢木明夫：《身分の社会史》，評論社，1969 年，第 214 頁。

遍习惯于按照自己所属身份序列行事，在各自的职业中勤奋工作，社会秩序得以保持稳定，整个社会保持着较高的工作效率，日本的近代化与战后日本经济的恢复与发展都离不开这种各安其分的精神。

四　日本社会秩序稳定的历史文化因素

——兼谈日本的国民性

相对稳定的社会秩序，是国际上对日本社会的基本评价。从远处说，自 1877 年西乡隆盛发动士族叛乱被政府平定以后，至今日本无国内战争。从近处说，在“失去的 20 年”中，日本实体经济持续低迷，而整个社会并没有出现大的波澜和动荡；当日本首相像走马灯似地更换的时候，各级政府仍会按照既定的方式正常运转，社会依旧秩序井然；日本也频频爆发抗议政府或表达诉求的游行集会，但游行队伍自觉听从警察的引导，很少发生过激行为；2011 年发生举世震惊的“3. 11”特大地震后，日本国民保持高度的社会秩序意识，有条不紊地开展自救和互救，将良好有序的社会机制和国民素质昭示于天下。可以说，稳定的社会秩序，帮助日本政府渡过了一个又一个难关，降低了社会发展的成本。

日本社会何以秩序稳定？除从经济发展状况、社会保障制度、民主体制等方面探讨原因外，从历史、文化及国民性角度探讨其根源是很有必要的。

（一）共同体传统与集团主义

日本人具有强烈的集团性特征，它指的是一个集团的全体成员在感情上相互依赖，在行动上休戚与共。在日本人的价值观中，尤其强调的是要服从和维护集体利益，“不给别人添麻烦”是人们的共同行事原则。这一点在“3・11”特大地震中得到充分体现：如果家人、朋友遭遇不幸，日本人尽量不在人前号啕大哭，只是默默承受着突如其来的变故；当有人获救时，人们说得最多的是“对不起”，对他们来说，给别人添麻烦的心情要多于感谢；人们从临时避难所撤离后，地上没有一片垃圾；面对紧缺的食品、饮用水，人们秩序井然地排队等候，没有哄抢，甚至很少有人主动去拿商店免费提供的食品……在大地震这种生死攸关的时刻，集团主义精神让日本人近乎苛刻地维持着公共秩序。

日本人集团主义的形成，不是学校的书本教出来的，也不是靠一时的宣传得来的。毋庸置疑，岛国的地理环境，地震、海啸、台风等灾害频发的自然条件，促使日本比其他民族具有更强的危机意识，由此产生朴素的同舟共济的命运共同体观念。但是自然地理环境并不能从根本上决定一个社会的性质，日本人集团主义的形成主要来源于自古以来悠久的共同体传统。日本是文明社会的迟到者，直到公元前3世纪，日本社会尚处于母系氏族社会阶段。此后，在大陆文化影响下，社会生产力出现了迅速发展，到公元3世纪，日本列岛上的先进地区已经建立了国家政权，并很快完成了对列岛的统一。日本早期历史的跨越式发展固然缩短了日本与当时的先进国家的距离，但是社会组织的进步却远远落后于生产力的发展，日本人的生活从此与共同体结下不解之缘。

1. 政治生活中的共同体

大和国家统一日本列岛后，与氏族组织的天然联系，使日本人无可选择地以利用氏族进行统治。各个从事固定职业的“氏”集团既是社会基本单位，其首领——氏上也是朝廷和地方的官吏。由他统治着血缘亲属（氏人）和无血缘关系的成员（部民和奴隶）。在氏族集团内，崇拜共同的氏神，祭祀共同的祖先，由氏上管理生产与生活。尽管氏族内部有着复杂的阶级与身份区别，但是被氏族利益掩盖了。大和时代已经奠定的族制统治传统影响深远。大化改新后，随着模仿唐朝建立中央集权制的一系列措施的实施，氏族集团失去了存在的基础，从结构上发生了分化，从规模上由大变小，但官员仍是以氏为单位奉仕朝廷，从事各种公务。

武家社会是在公家衰落后新兴的社会阶层，武士自其产生之日起就是作为集团的一员在战斗。武士团是以“族”为单位的结合，它既是镰仓幕府时期的社会组织，也是当时的家族组织。其成员包括具有血缘关系的直系亲属、旁系亲属，还包括姻亲，由收养而形成的养父母、养子孙及干亲，进而还有从族外人中挑选出来的有能力的从者。这种武士团与大化改新之前以氏上、氏人秩序为中心的氏的结合很相似，因此有人称它是“古代氏族制度的复活”。从镰仓幕府末期开始，由于武士团内部家的利益诉求日益凸显，加上财产的分割继承削弱了武士团首领——总领的权力，武士团的族的结合越来越显现出崩溃的趋势，原来的一族分裂成势均力敌的数支力量，社会处于长期混乱与动荡之中。在大名领国形成后，人们随着新的主从关系的组合开始直接追求家的利益，到江户时代，“家”制度取代了族的结合，成为幕藩统治的支柱。

考查共同体从族到家的演变过程，可以发现，日本历史上的政治主体是以族制（或家制）为核心的贵族集团——从大和时代的氏姓贵族、律令时代的文官贵族，再到幕府时代的军事贵族，日本古代社会矛盾基本上是在统治集团之间（上至皇室、贵族、将军，下到大名及其家臣）展开的。日本历史上冠以各种“乱”的重大事件，几乎都因统治集团内部的矛盾而发生。这种矛盾爆发时虽有破坏性，但因参与其中的人员并非广大民众，其利益诉求也大多在于内部争权夺势，故其破坏性相对有限。另一方面，阶级矛盾始终被包容在统治集团内部的矛盾对立中而得不到凸显，农民反抗压迫的斗争不过是反对庄官、地头，大到幕府的地方官，从而难以构成对统治者的正面威胁。可以说，在日本历史上几乎找不出像中国历史上经常发生的那种大规模的、暴力的、足以导致改朝换代的阶级对抗。阶级矛盾不是日本历史发展过程中社会矛盾的主线，减少了暴力对抗对社会生产力与人类文明的破坏，正因如此，在日本历史的大多数时间里，社会秩序相对稳定，经济建设有较为和平的环境，文化传承不曾中断，使这个东方后发展国家得以后来居上，日本人的社会秩序意识也由此产生。

2. 家族生活中的共同体

家族文化是一个特殊的文化系统，也是一个国家或民族传统文化的重要组成部分。直到日本战败为止，日本的"家"是国家的细胞与缩影，对人的作用、影响和约束最直接也最具体。

在日本古代社会，氏族是人们社会生活的核心，也是古代日本立国的基础，作为氏族构成分子的家庭长期附属于族而存在。随着社会的进步，平安时代的公家贵族率先完成了由族制向家制的过渡，"家"成为贵族侍奉朝廷的单位，有的"家"甚至世袭担任特定官职。武家是公家衰落后新兴的社会阶层，故由族向家的转化过程晚且缓慢，从镰仓幕府末期开始直到近世幕藩体制确立才最后完成，"家"成为幕藩统治中与身份制度并存的两大支柱。"家"不单纯是以夫妇为中心的具体的生活集团和生活场所，还是"以保持和继承家产(所领)家业为目的、以家名的连续为象征、由父祖到子孙这样的男子直系亲属继承的社会单位"。"家"的构成要素有:家业是家得以存在的根本，武士的家业就是向主人"奉公"，以换取赖以生存的俸禄。家格是家的地位的标志。幕府与诸藩都基于家臣的家系和先祖的功绩定"家格"，再根据"家格"确定武士的俸禄，俸禄的多少被抽象化为"石"这一米谷的计量单位的数目;家名是家业的象征，姓名与家徽都是家名的外在表现，家的成员要自觉维护自己家的利益和形象，不致因个人行为的不端而玷污家的名誉，名誉意识因此得以产生。

从某种意义上来说，"家"很像具有法人性质的集团，所有家族成员都集结在"家"的利益之下。"家"制度在武家社会形成之后，由于有利于家产和家业的维持，也为庶民社会所接受，近代以后还被法制化。人们提倡和赞美为维护家业、延续家系而努力奋斗的精神。家业观念将所有家族成员都置于"家"的整体利益的制约之下，家长作为"物质和精神财产的管理人"①，不仅要求家族成员们服从其权威，还要面对道德、才能以

① 本尼迪克特:《菊与刀》，吕万和等译，商务印书馆，1990年，第40页。

及制度上的各种制约，成为家族成员的楷模。家族成员则要为了“家”的利益，接受长子以外所有成员无缘家业与家产的现实及由此产生的所有不平等，从而形成唯命是从的精神。在无数这样的“家”构成的社会，秩序稳定就有了现实的基础。

3. 社区生活中的共同体

社区是一定地域内的人们社会生活的共同体，介于社会和家庭之间，是构成社会的有机器官。村落是最原始的社区，“村”（mura）一词与“群”(mure)有关。村落的群体行为，是日本集团主义形成的重要背景。与游牧民族和耕种旱田为主的民族主要以家庭为生产单位不同，日本的农业主要以水稻耕种为主，在建造引水灌溉系统、组织生产的过程中，仅凭个人的力量难以完成；村落间可利用的公共资源（如水源、草场、薪炭林、肥料地等）的使用，都离不开整个村落的集体协调与协作，遵守村落共同体的公共秩序极为重要，一般来讲，对破坏村落秩序者要实行“村八分”①，即集体孤立违规者，这对严重依赖村落集体生活的农民而言是极其严重的处罚，必须避免这样的事情发生。实际上，“村八分”的实施并不多，至少在江户时代的相关农村文书中没有农民受到“村八分”处罚的记载②，说明村民们遵守秩序，以避免在村落生活中出局。从统治者层面来说，村落共同体秩序的稳定，是确保贡赋收入的前提，从律令时代起就以地域为基础建立了“五保”制度③，丰臣秀吉时期到江户时代，为维护治安，命相邻的五家组成“五人组”，互相监督，相互扶助，确保纳贡和治安，并负有连带责任。所有村民都被置于严格的监控之中，为了不牵连他人，也必须严格自律。

---

① “村八分”：日本的村落中对破坏秩序者进行的制裁。即在村落生活的冠、婚、葬、祭、盖房、火灾、疾病、水灾、旅行、生育等十件重要事情中，除了协助埋葬及灭火（置之不理的话会造成对他人的困扰），剩下的八件事情则完全不与破坏秩序者进行交流及协助。

② 大石慎三郎等：《江戸時代と近代化》，筑摩書房，1986 年，199 頁。

③《养老老令・户令》规定：“凡户皆五家为保，一人为长，以相检察，勿造非伪，如有远客来过止宿及保内之人所行诣，并语同保知，凡户逃走者，令五保追访。”

明治维新后，产业革命的发展加快了城市化的进程，城市人口迅速增加。为满足都市化初期生活安定与社会整合的需要，在居民自发意向和政府的支持下，具有互助和管理功能的街坊居民组织——町内会应运而生。町内会在战前作为“大政翼赞会”的基层组织服务于日本军国主义发动的战争。战后，在剔除其军国主义因素后，町内会已经成为日本社会基本的社区组织，其功能覆盖广泛，包括举办传统祭祀活动及各种体育文化活动、环境保护活动等，举办防火、防疫、防灾等讲座和演习，维护社会规范、用舆论约束居民的行为，协助开展各种救济、募捐和献血等公益活动，向居民发送地方政府的行政措施等通知，向行政机构反映居民的各种困难和意见等等。町内会的干部由居民选举产生，利用业余时间义务兼职。所有活动都是居民主动、自愿参加。居民们不论是大企业家，还是官员、普通百姓，在企业、官厅、学校等各行各业工作之余，积极参加町内会的各种活动，体现了居民对社区的归属感，国民的自律与团队意识在町内会活动中得以有效的发挥，町内会因此被称作“安定日本社会的力量”。

在共同体的文化传统之下，任何个体，都不愿意让自己的言行损害集体的利益。因为他们深知，一旦违背共同体规则，将面对来自集体的孤立，而一旦在一地失败，则难在异地东山再起。为此，必须对自己的行为极为谨慎。全社会都如此自律，社会自然实现安宁与和谐。

（二）身份等级秩序与“各安其分”

在注重集团利益的共同体社会内，靠什么维持其秩序？仅仅靠自律是远远不够的。考察日本历史，可以得出这样的答案：除了法律法规这些硬件，等级秩序是不可缺少的软件。严格的等级制度的存在，是日本社会的重要特征，“脱离了等级观念，日本社会生活便会无章可循，因为等级就是日本社会生活的规范”①。日本历史上的等级秩序又是与身份

① 中根千枝著、陈真译：《日本社会》，第 31 页。

制度紧密结合在一起的。等级制度把所有人或团体分成不同等级，各个等级权利不平等，权力掌握在少部分人手里。身份制度则是把某些人群置于与生俱来的职业的、社会的地位，并从法律上加以固定的一种普遍的社会秩序。等级制度与身份制度的共同特征是不平等，而两者的区别在于身份制度侧重于职业上的社会地位差别，等级制度则规定了政治、经济上权利与义务的多寡。

日本的身份制度与等级制度有着久远的历史。早在公元3世纪的邪马台国时代，社会就分成由大人、下户构成的自由人身份和由奴婢、生口构成的非自由人身份，即便在自由人中也存在着明显的“大人”与“下户”的尊卑区别。[①] 到大和时代，社会的基本身份是由氏上代表的氏人阶层和部民阶层。在氏人阶层中，又通过大王(天皇)颁赐的“臣”“连”“造”“直”“史”等“姓”，表示其等级的高低及地位的尊卑。大化改新后，日本模仿唐朝制度，在国家的顶点——天皇与皇室之下，把人们的身份分为两大类，即良民与贱民。良民又分成有位的官人(包括五位以上贵族及六位以下百官)和无位的公民。占人口一成左右的贱民，包括陵户、官户、家人、官奴婢、私奴婢，统称“五色之贱”。律令时代身份制度比前代趋于复杂，在等级制度方面也进一步发展。684年，天武天皇为了提高皇权和皇族的权威，并针对赐姓制度实施几个世纪以来皇室和贵族之间亲疏关系的变化，“更改诸氏之族姓，作八色之姓，以混天下万姓”[②]，实际上得姓者多是旧豪族。在身份等级制度日益严格的情况下，律令国家虽然多方面吸收中国文化，却没有真正接受中国的科举选官制度。

进入幕府时代，身份秩序向更加复杂的方向发展。原本良贱两大身份划分衍化为公家—武家—平民—贱民这样的身份序列。在公家这一身份序列中，平安时代已经出现的以特定的家族世袭某些特定官职的制

---

①《三国志》魏书・东夷传・倭人条。

②《日本書紀》天武天皇纪13年条。

度(官司请负制)在镰仓幕府和室町幕府时代得到充分发展。尽管公家已经没有实际权力,但在等级制度方面却领天下先,上至摄关大臣,下至普通史官之类的低级官员,都是按照家族、家格(门第)来任用的,从而形成官职家业化,这便是产生摄关家、清华家、大臣家、羽林家、名家、半家这些贵族家格的由来。家格是固定不变的,且世袭存在,由此产生了独具日本特色的制度——"极位极官",即某家某人能够担任的最高官位。在这种制度下,出生于低级家格的人,即使再有才能,也不可能得到高官、高位。

武家(武士)是新出现的身份,他们从原来作为律令时代军事职能的承担者进一步变成政治机能的承担者。但直到16纪末期丰臣秀吉实行兵农分离政策,脱离生产的、以军事为业的真正意义的武士身份才得以确立。德川幕府在建立幕藩体制同时,将整个社会划分为士农工商四种身份,注重出身、世系的传统通过法律得以固定和强化。"四民"属于两大阶级,以将军、大名、武士构成的士是统治阶级,农、工、商被统称为"庶民",之下还有被称作"秽多""非人"的贱民,他们是被统治阶级。幕府法律明确规定:"武士遇到町人、百姓的令人难以忍受的无礼时,将其斩杀可以不受处罚。"各个阶层必须按自己的身份世袭地从事固定的职业,在衣食住行、姓名、婚姻等方面都有严格的规范,不可逾越。在德川时代近270年里,不到人口一成的武士居于农工商三民之上,实施了"世界上最严格并切实地得到加强的世袭制度"①。在实施身份制度统治的同时,各种身份内部还有严格的等级,在武家社会最为典型,大名有亲藩、谱代、外样之分,直属将军的武士有旗本与御家人之别,各藩的藩士也被分成许多不同的等级。例如,福泽谕吉出生的中津藩藩主奥平家是领地十万石的谱代大名,论规模当属中等偏下的藩,而在1 500多名藩士中,竟有100多个等级,可见当时等级制度的严格与复杂。

---

① 赖肖尔著、孟胜德等译:《日本人》,上海译文出版社,1980年,第168页。

对充满不平等的身份等级制度进行批判是非常必要的，但在批判的同时，也应了解长期存在的身份等级制度对日本社会秩序及国民性的影响。

首先，社会资源的非垄断保障了社会秩序相对稳定。源自古代中国士农工商的职业区别在日本被彻底颠覆，形成身份制度，并与等级制度结合在一起，在江户时代达到顶峰。江户时代是日本最后一个军事贵族政权，近 270 年息兵偃武，天下太平，社会秩序稳定，与身份等级制度不无关系。一般来讲，在等级制社会，社会政治资源和经济资源是按社会成员的等级进行分配的，上层等级权力大，下层等级权力小；权力与财富统一，且掌握在少部分人手里，社会矛盾与阶级对立由此产生，积累到一定程度，就会爆发大规模的社会动乱。日本的情况则不尽然，由于日本存在身份制度，各种身份的人分别履行着不同的社会角色：武士用战斗守卫农工商，农民为士工商生产粮食，工匠为士农商从事手工业生产，商人为士农工担当商品流通。① 等级制度虽然存在，但不能突破身份制度的藩篱，这种社会结构直接制约着社会资源的占有与分配，使权力与财富不能被某一身份的人或某一等级的人长期独占。如当时的社会中贵族有官有位却没有实际权力，而且贫困潦倒，至幕末，包括皇室、公卿贵族、寺社等在内公家的总收入加在一起只有 12 万—13 万石，仅仅相当于一个中等大名；②武士是统治者，有政治特权，却大多过着清贫的生活，到后来不少人向商人借贷度日，甚至还有人不顾身份和面子，招有钱的町人子弟为养子，被指斥“道德颓废”；町人位居四民之底层，永无当官入仕之可能，然“金银财宝尽归町人所有”。③ 身份制度带给人们不同的权利与义务，其客观效果是权力与财富并不具有一致性，至尊不等于至强，至强不等于至富，至富不等于至尊。正如福泽谕吉所说：“日本社会贫者身

① 中村吉治：《体系日本史叢書 社会史Ⅱ》，山川出版社，1981 年，第 2 頁。

② 桥本政宣：《近世公家社会の的研究》，吉川弘文館，2002 年，第 41 頁。

③ 西川如见：《町人囊》，中村幸彦等校注：《日本思想大系 59 近世町人思想》，第 88 頁。

份高，富者身份低，欲富不贵，欲贵不富，贫富贵贱相互平均，既无绝对的得意者，也无绝对的失意者。”①身份制度既维护了幕府的统治，也在一定程度上避免了财富的集中，抑制了腐败的发生，从而保证了社会秩序的稳定。幕府统治灭亡的根本原因是统治阶层内部矛盾的结果，而非贫富分化造成的社会矛盾的总爆发。

其次是促生多元文化价值观与“各安其分”的国民性。日本的特点在于人们对身份等级秩序具有一定认同。如福泽谕吉在猛烈批判身份等级制度的同时，也指出人们认为这种制度“如天然之定则，没有提出异议者”②，说明长期处于这种制度下的人们麻木不仁，不知这是人为制造的制度悲剧。西方学者评价日本人“各得其所，各安其分”，“承认等级制的行为对他们来说就像呼吸一样自然”。③ 当然，“各安其分”的前提是“各得其所”，在“各得其所”后就要“各安其分”，其表现就是每个人的一言一行都要符合其身份地位，认真做好自己的分内工作，从而形成“分限”意识。“分限”意识无疑是身份制社会的产物。“士农工商”既是统治秩序，又是职业体系。这种制度一方面束缚了人性的发展，同时，由于每个身份的人都没有向其他身份转化的预期，只得专注于自己所属的领域，以求得生存与自我改善，使江户时代一大批精通文武之道的武士迅速成长，豪农、豪商辈出，精英人才存在于士农工商各个领域，“各安其分”的思想也就有了存在的基础。在社会实现多元化发展的同时，多元文化价值观及用于自律的“武士道”“町人道”等道德观念随之产生，在客观上对社会发育产生了积极作用。由于人们普遍习惯于按照自己所属身份序列行事，在各自的职业中勤奋工作，社会秩序得以保持稳定，整个社会保持着较高的工作效率。整个江户时代，社会生产力发展，可耕地

① 福沢諭吉:《国会的前途》、慶応義塾編:《福沢諭吉全集》》第 6 卷，岩波書店，1959 年，第 45 頁。

② 福沢諭吉:《旧藩情》、富田正文等編:《〈福沢諭吉選集〉第 12 卷，第 42 頁。

③ 本尼迪克特著、吕万和等译:《菊与刀》，商务印书馆，1990 年，第 31、34 页。

增加了约两倍半,人口增加了三倍,教育大发展,民族元气得以保存、发展、壮大,这样的成就在同时代世界范围内也是罕见的。[①]

(三) 从国民性看日本的社会秩序

本文所谈的日本社会秩序稳定,只是一个相对的概念。社会秩序稳定不等于社会没有矛盾,事实上,即使在号称“300 年太平”的江户时代,也曾有大小约 3 000 件的百姓“一揆”发生。[②] 一个社会处于有序状态,不仅表现为一定社会结构的相对稳定,各种社会规范得以正常施行和维护,还表现为把无序和冲突控制在一定的范围之内,这就需要社会组织利用社会规范对其成员的社会行为进行约束,即所谓的“社会控制”。然而,不同社会成员因其社会化程度、受教育水平等因素的不同,对社会控制的接受能力或曰个人约束力也表现出明显的不同,在同样的社会规范和控制手段下,个体所表现出来的行为也是不尽相同的。

由人和人群组成的社会,社会秩序稳定与否,在经济是否发展,社会分配是否公平,社会管理是否到位等这些“硬件”后面,必定还有无形的“软实力”,这就是国民性在起作用。这种在一个国家的民众中居于主导地位的价值观念、思维方式、道德规范的国民性,是在漫长的历史过程中形成的。按照历史唯物主义的观点,日本历史上存在千百年的制度,既有长处也有短处,在此基础上形成国民性中不可避免的矛盾性,我们可以不予认同,但是应该加深了解。

1. 老生常谈的“集团主义”

如前所述,在日本历史上长期的共同体社会中,不仅形成了高效的组织形式,也培育了日本人的合作意识与集团主义精神,从而确保了集团秩序的稳定性。经过现代化的冲击,本来源自农村社会的组织形式与

① 大石慎三郎等:《江戸時代と近代化》,第 4 頁。
② 大石慎三郎等:《江戸時代と近代化》,第 79 頁。

集团主义精神不仅没有褪色，反而进一步在城市与企业中扎根。在企业、职场中有高度组织性，在现实生活上恪守“不给别人添麻烦”“和大家一样”的原则，其背后体现了严格的自律意识。“3·11”特大地震后，中国媒体曾发出这样的评论：“在遭遇这么严重灾难面前，日本这个民族在整个疏导过程中表现出来的秩序井然和沉着冷静几乎可以平复灾难带来的恐慌，让人内心始终充满了某种安全感。”①这种自律同样表现在政治生活中，“你可以自由表达自己的政治诉求，但是你不能给社会添麻烦”，有媒体人认为，这种“社会民主行为的游戏规则”，“注定这一个国家不可能发生暴力革命”。② 这是对日本社会深入了解后得出的结论。

2. 社会需要各安其分的精神

社会秩序的稳定体现在民众按照一定的社会规范行事。源自中国的士农工商职业划分在日本被制度化为“四民”身份制度，社会没有流动。福泽谕吉批判等级制度带来的结果，从宏观来说“日本人缺少普通人类所具有的朝气而沉溺于停滞不动的深渊中”，从具体来说“日本在德川统治250年间极少有人敢于创造伟大事业”。③ 但是不能不承认，身份等级制度对日本社会秩序的影响极其深刻。在传统社会，在作为庶民的农民、商人中流行的价值观是“手握留有父母手印的锄锹，在踏满父母足迹的园圃中耕耘，是最可贵的农夫；拈父母指痕尚存的算盘，操父母笔迹犹在的簿札，是最幸福的商人”。日本人根深蒂固的“家业永续”观念，更让“各安其分”精神得到有效发挥。

在当今日本社会，身份、等级制度早已泯灭了，但身份、等级意识仍然顽强存在。在各个职场，人们按年龄、辈分、地位的不同采取不同的接触方式。江户时代商家经营中已经产生的“终身雇佣制”仍然是许多企

① 宗禾：《镇定守序凸显日本国民韧性，万人走回家如巨大无声电影》，2011年3月14日《广州日报》。

② 徐静波：《品位日本·日本人如何组织示威游行?》，http://blog.sina.com.cn/xujingboblog。

③ 福泽谕吉著、北京编译社译：《文明论概略》，第156－157页。

业尤其是大企业起主导作用的雇佣形态。带有明显等级制度色彩的“终身雇佣制”及与其相应的“年功序列工资制”得以存在到今天，很大程度上是靠人们遵守“各安其份”的原则，在各自的岗位上勤奋工作，企业减少了竞争与内耗，社会秩序得以保持稳定，整个社会保持着较高的工作效率。另一方面，由身份秩序产生的“安分守己”精神，对日本人的择业观有着直接的影响。在一个多元化社会，需要各行各业的人才。人们根据自己的实际情况脚踏实地地去选择职业，而不是不合实际的追求所谓远大理想。在工作中，勤奋敬业，把“跳槽”降到最低，这是整个社会秩序稳定的现实基础。

20 世纪 90 年代以来，日本经济长期萧条，国际学界普遍认为日本式经营已走到尽头，认为只有采用美国式或中国式的有个性创造的运作才能使日本走出低谷。笔者认为，从日本历史发展的整个过程来看，西方化与中国化都难以拯救日本，而在“各得其所，各安其分”的传统秩序与传统观念基础上，发挥个人的创造力，才能再现日本的活力。

3. 不可忽视的贵族文化与教养

在“以阶级斗争为纲”的年代，贵族是没落和反动的代名词，人们对于贵族（尤其是日本的贵族）这一概念，也有许多误读：对贵族的理解发生偏差，把贵族等同于拥有财富的“大款”；只知欧洲有贵族，而不知亚洲国家日本贵族的存在远比欧洲贵族久远，其文化贡献也远在欧洲贵族之上。在日本历史上，公家贵族在近 700 年的幕府统治中濒于衰落，其贡献被武士遮掩掉；由于武家是黩武之人，所以被从贵族队伍中排除出去。诸多误读，归根结底在于在没有贵族传统的社会环境里，无法认知什么是贵族，并且缺乏对日本历史的深入了解。

考察日本历史，至少可以有几点认识：(1) 日本历史与贵族制度相伴始终，从古代豪族，到律令时代的公家贵族，再到幕府时代的军事贵族，不同时期由不同的贵族主宰历史，即使经历了明治维新以后的社会变革，仍有近代新贵族——“华族”作为“皇室的藩屏”而高高在上地存在。

这种社会结构决定了其社会秩序的特点，即上层社会的动荡对下层社会影响有限，不至于造成大规模的无法控制的全民暴动，这也是本文所说日本社会秩序相对稳定的根源之所在。(2) 贵族的根本属性是血统而不是财富。公家贵族不少人在幕府时代生活贫困，寒酸不堪，甚至不如下级武士，更不如自给自足的农民。在近代华族中，有经济实力的只是一部分旧大名华族。曾担任昭和天皇东宫侍从的伯爵甘露寺庆长曾回忆说他"俸禄很低，只相当于大名的足轻而已，简直难以想象，所以一直过着简朴的生活"①。(3) 贵族的精神是可以培养的，这一点可以从武士的贵族化中得到验证。武士在掌权之初大多粗俗野蛮，在成为统治阶级后，开始注重文化教育及个人修养，尤其在江户时代，许多武士潜心研究学问，成为儒学、国学、兰学、西学的学问家。

当然，谈日本贵族的文化教养，并不是对贵族加以歌颂，只是认为人们对贵族应该有一个全面的了解。基于血统、门第和强权的因素，决定了贵族在一定历史阶段居统治地位，也在文化教养上处于优势。对于贵族，人们应该批判的是他们制造的社会不公与罪恶，而应肯定其文化上的贡献。贵族的文化教养本来是由贵族创造的，久而久之，就形成了社会共同的财富。经过战后民主改革，贵族已不复存在，但贵族崇尚知识与教养，注重礼仪与名誉，严于自律等精神已经被继承下来，成为日本国民性中的一部分。历史给人们的启发是，积聚财富可以在短时间完成，而贵族精神与气质的形成是一个历史过程。

一个国家稳定的社会秩序的建立，不仅是物质的问题和经济的问题，还是人文的问题。深入了解日本历史及日本的国民性，才能了解为何日本在社会秩序稳定方面属于做得好的国家之一。还是那句话，对日本的国民性，我们可以不予认同，但起码不能忽视。

---

① 金沢誠等:《華族——明治百年の側面史》,講談社,1968 年,第 71 頁。

五　日本人的双重性格从哪里来?

日本人可能是世界上最具矛盾性的民族了:就个体而言力量弱小且小心翼翼行事,一旦形成集团便力量强大甚至胆大妄为;在国内生活中彬彬有礼,在曾经发动的对外侵略战争中却极其野蛮。这样的双重性格让人们困惑:当今在世界上形象良好的日本人与当年残忍屠杀被侵略国家人民的法西斯军人是一个族群吗?是什么原因让日本民族具有本尼迪克特在《菊与刀》一书中所说的“生性极其好斗而又非常温和;黩武而又爱美;倨傲自尊而又彬彬有礼;顽梗不化而又柔弱善变”这样的双重性格呢?

(一)贵族与武士曾经主宰日本历史

俗话说,江山易改,本性难移。一个人如此,一个民族更是如此。一个民族的性格即所谓国民性,是这个国家或民族普遍的,甚至是居于主导地位的心态、倾向、潜意识,是在其漫长的社会历史发展过程中逐渐形成的。考察日本历史可以发现,贵族与武士在不同历史时期主宰历史,这一特点对日本国民性的形成具有极其深刻的影响。

在日本古代国家早期,当今皇室的祖先倭王家本是列岛内众多豪族中的一员,随着其势力的增强而成为霸主,建立了大和政权。但是大王政权一直面临着诸豪族的挑战。发生于645年的“乙巳之乱”及此后的一系列改革,使皇权在短时间内得到巩固。然而,在律令官僚体制下,新的贵族阶层迅速成长为制度化的特权阶层。律令时代的贵族特指服务于天皇与朝廷的官僚中的五位以上者,他们住在京畿,也称“公家”。“荫位制”的实施及官职家业化铺平了官僚贵族化、世袭化的道路。平安时代前期,律令国家的政权核心已经缩小到源、平、藤、橘等几大家族,只有三位以上官僚才能但任公卿成为定制,且担当公卿的家族也趋于固定。

至9世纪晚期，朝政基本上被置身贵族社会顶点的皇室外戚藤原氏垄断。

藤原氏专权的"摄关政治"导致天皇与外戚发生冲突。平安时代末期，欠缺武力支撑的这两大势力在政争中两败俱伤，武士发展了势力，最终在镰仓建立了与律令制官僚政府截然不同的武家政权，让自大化改新以来建立的天皇制中央集权体制形同虚设，武士成为此后近七百年日本政治舞台的主角。尽管武士从镰仓幕府开始就建立了自己的统治，但是长期居住在农村，处于半农半兵状态，与农民并没有严格区分。16世纪末期丰臣秀吉实行"兵农分离"政策，是武家社会史上具有重要意义的变革，真正意义的脱离生产的武士阶级得以形成。德川幕府建立后对居于城下町的武士实行俸禄制度，彻底割断了武士与土地的联系，使之成为职业化的军人。在德川时代近270年里，仅占人口7%的武士成为位居农工商之上的"三民之长"，实行严格的身份制统制。

明治维新后，以改革派公卿及中下级武士为核心建立的新政权根本不可能对旧的身份制度实施彻底的革命，而是根据政局的需要对旧有身份关系进行了重组，在对大多数武士实行剥夺的同时，对公卿贵族恢复昔日的名誉，保留了武家社会上层——藩主大名的权利与地位。根据1869年建立的华族制度及1884年颁布的"华族令"，昔日形同水火的公卿与大名这两大势力终于集中到东京，成为"同族"——"天皇的华族"，并依据家格分别授予公爵、侯爵、伯爵、子爵、男爵等爵位。近代华族是在前近代家格门第基础上，注入近代实力主义而形成的新贵族。战后，根据1946年《日本国宪法》的规定："对华族以及其他贵族制度，一概不予承认"，自此，承载着千余年历史的旧贵族与78年近代史的新贵族才彻底退出日本历史舞台。

（二）公家贵族的特征：文化与教养

其实，历史上日本的公家贵族（也称王朝贵族）与被虚位的天皇一样，掌握实权的时间并不太长，即使从645年的大化改新算起，加上武士首领平氏的六波罗政权，也只有五个半世纪时间。在武家秉政的幕府时代，朝廷仍然存在，公家贵族也没有从肉体上被消灭。他们的贡献，在于他们通过学问与教养形成一种文化底蕴，在中世武家统治的文化黑暗年代传承了传统文化。可以说公家贵族在文化传承上的意义要大于其执掌政权的意义，他们始终用教养与文化影响着一代一代日本人。

提到贵族的文化教养，人们往往将关注的目光集中到欧洲贵族身上。而若从传承之久远、文化之厚重方面来考察，东方国家日本的贵族并不逊色。在奈良、平安时代，日本的贵族已经在教养方面领民众之先，创造了灿烂的贵族文化。贵族的文化与教养首先来自教育。大和时代，日本几乎是文化沙漠，此时，来自中国及朝鲜半岛的大陆移民承担了文化传播的任务，许多人在朝廷中垄断了文书记录等工作。这对于当地贵族来说或许是一种刺激或动力，促使他们从掌握文字开始，学习中国的文学、经典、政治思想，到最后创造自己的文字和文学及文化。拜中国文化所赐，公家贵族从奈良时代起就逐渐养成了重教育、重教养的传统，贵族及其子弟要掌握知识和文化，更强调出言进退、行为举止、衣着打扮等方面都必须符合贵族的礼仪和规范。

进入幕府时代，公家贵族远离政治与权力核心，受到幕府的压制，而且大多数生活贫困潦倒，在这种情况下，不少公卿家庭依靠世传家业补贴家用，如冷泉家的和歌，五条家的相扑，飞鸟井、难波两家的蹴鞠，大炊御门家的书道，四条家的料理，园家和植松家的插花，西园寺家的琵琶等，各家分别成为各领域的“宗家”，一方面在传道授业中获取一些收入以维持生活，同时使生活拮据的公家贵族们始终保持着学问及文化上的优势，在传承传统文化方面功不可没。武士在最初大多粗俗野蛮，在掌握政权之后，由于受到贵族的影响，开始注重文化教育及个人修养。武家子弟被送到寺院接受文化教育，著名的五山十刹成为学问中心，一般的寺院也都成为武士子弟的文化殿堂。到江户时代，武士已经成为与公家贵族共享文化教育的重要力量,"士"的知识分子色彩越来越浓。武士的学问化过程说明一个道理,即教养是可以培养的。在贵族文化的影响下,普通民众中也形成重教育的传统,到江户时代,除了幕府办的培养武士子弟的直辖学校、各藩办的藩校,还有从事平民子弟教育的1.5万多所寺子屋,因此江户时代民众识字率已达男子40%、女子10%,居于当时世界的前列。在这样的平民教育基础上,明治维新后近代教育迅速发展,到1910年,日本的小学、初中、高中的在学人口指数已经超过了美国。进步的社会是由许多有教育的人组成的,文明的社会是由许多有教养的人组成的,良好的教育是形成良好的教养的开端。

(三) 武士的特性:尚武与忠诚

从1185年建立镰仓幕府开始到明治政府建立,长达近七百年的武家社会对日本国民性的影响更加深远。不仅因为他们的统治时间长,人数远比贵族多,更因为与偏居京都的朝廷和贵族相比,地方的武士与平民百姓有更多的接触和联系。武士鄙视公家贵族的优柔文弱,武士道的核心价值是尚武与忠诚。

尚武是以战争为业的武士必备的品格,它要求武士精于武艺,崇尚杀伐,重名轻死。武艺是武士立身的根本,在战争年代,武士把精进弓马骑射等武艺作为日常生活重要内容。到江户时代,天下偃武,武士完成了从"打天下"到"治天下"的角色转换,按照家格门第在幕府与各藩的行政机构中担任职务,或者从事警卫等事务,但他们依然保持着强烈的尚武精神。武士日常携双刀进退,以佩刀作为武士身份的象征。幕府与大名、大名与藩士的关系建立在军事义务基础之上,这些军事义务包括备足军役所需之人员、武器、马匹等等,在此背景下,武士时刻不能忘记自己的本分。武士伦理中含有明显的暴力倾向,社会舆论认可武士为维护名誉进行私斗与复仇,法律允许武士在受到平民的无礼冒犯时对其"斩舍御免"(将其斩杀可以不受处罚之意),血腥的切腹也成为武士独享的

“名誉”的死法。由于武士是统治者，武士中的强者征服弱者，弱者服从强者的逻辑不可避免地影响到整个社会。

与有文化、重教养、讲求儒雅的公家贵族相比，“在关键时刻，一步不退，在主君马前战死是武士的第一职分，也是最高荣誉”。仅仅拥有武艺，并不是真正的武士，当拥有武艺的战斗者与特定的主人结成主从关系，并为主人奉公尽忠，才是意义完备的武士。忠就是要有献身于主人的牺牲精神，这种献身要达到为主人牺牲生命的程度。忠是“从一而终”，一个武士，他效忠的只是他的直接主人——领主、大名或将军，在他的主人之外，便不再有别的法律，这是幕府时代天皇沦为孤家寡人的根本原因。忠还表现在要像维护一家的利益那样维护主人的利益，与主人荣辱与共，直至为主人复仇。

近代以后，武士被剥夺了所有特权，作为一个阶级走向覆灭，但是以尚武和忠诚为核心的武士道却被保留下来，人们的忠诚对象也从直接奉仕的主人泛化为国家乃至天皇。在建立近代国家军队过程中，通过《军人敕谕》和《军人训诫》，把“忠实”“勇敢”“服从”作为“军人精神”的三大根本，还通过面向全体国民的“教育敕语”等形式的大力渲染，过去仅作为武士阶级特殊行为规范的武士道成为具有普遍性的道德体系，使武士已经不复存在的近代日本成为弥漫着武士道精神的兵营国家，忠诚与尚武精神被全社会高度认同。尚武与忠诚虽有积极的一面，但发展到极端就表现出不尊重人的生命——不仅是别人的生命，也包括自己的生命。这种道德观念一旦被误导或失控，就会给人类的和平带来巨大灾难，在日本发动的一系列对外侵略战争中，日本军人把在战场杀敌作为忠君爱国的具体行动，武士视死如归的精神被军国主义政权用来鼓动军人与民众随时赴死。日本在被侵略国家制造了数不清的惨案的同时，也创造了世界军事史上罕见的所谓“肉弹战术”“沉船堵口”及驾驶飞机撞军舰等所谓自杀式“特攻战术”，在给他国军民造成巨大伤害的同时，也使众多日本军人丧失生命。

结语

贵族与武士在日本历史上曾长期掌握社会主导权，其思想意识和伦理观念在日本思想史上占有重要地位，抛开其中的任何一方，都无法全面认识日本人、日本传统文化及日本的国民性。在社会环境相对宽松——不崇尚革命的日本历史上，尽管公家贵族与武士人数很少（贵族共有 137 家，江户时代武士大约 200 万人左右，近代华族共有 1011 家），但是他们能够作为社会精英而连绵不断地存在，他们既是统治者，也在一定程度上是百姓的楷模，其各具特色的价值观及伦理道德得以有效传承，在不同时期、不同场合影响着普通国民。1871 年，明治天皇曾在召见华族时指出，“华族立于四民之上，应为众人之标的”，标的者，榜样也。由于日本向来就有贵血统、重家系和崇尚权威的传统，贵族与武士的存在对民众的影响是不言而喻的。在漫长的历史发展过程中，公家贵族的文化与教养和武士的尚武与忠诚，构成了日本民族性的重要内涵，在不同的社会环境之下，表现各有不同，既有正能量，也有负能量。贵族与武士这两大风格完全不同的政治势力长期存在及其影响，正是日本人矛盾性双重人格产生的历史与社会根源。

本章第一部分原载南开大学日本研究院编《吴廷璆先生百年诞辰纪念文集》，南开大学出版社 2010 年版；

第二部分原载《日本学刊》2006 年第 4 期；

第三部分原载《日语教学与研究》2007 年第 5 期；

第四部分原载《日本学刊》2013 年第 4 期；

第五部分原载《北京日报》2015 年 12 月 28 日，原题《谈日本民族双重性格的历史源头》。

第六章　中日传统社会比较

一　生命的传承与家业的传承

中国人与日本人都有根深蒂固的“家”的观念，在家族生活方面有许多制度和用语似乎很相像。但稍加分析，就会感到其中的实际内容相去甚远。比如，中日两国人都十分重视的家的延续这一问题，其差异一言以蔽之：中国人重视的是生命的传承，日本人重视的则是家业的传承。

（一）中国的家与日本的家

不论在中国，还是在日本，“家”的意义，既有伸缩性，又有确定性。所谓伸缩性，即“家”至少有家庭、家族以及与家庭或家族毫不相干而又具有某种一致利益的社会群体等三层含义。其确定性，即不管人们赋予“家”以多少引申的含义，而基于婚姻和血缘关系的集团这一点是其最基本、最原始的。古人云：“女有家，男有室”“有夫有妇，然后为家。”可见家是以婚姻和血缘关系为纽带的一种社会组织形式。家是社会生活的基础，是社会结构的最基本单位，又称之为社会的细胞。然而，虽然中国人与日本人都使用“家”这个词，但实际上，中国的家与日本的家却有着明显的差异。

中国的家与日本的家都是依父系血缘标准而划分的血缘群体，其内部实行严格的父权家长制统制，在这一点上中日两国确有相同之处。但是，中国的家是在婚姻和血缘的基础上，由一个父亲所代表的家庭单位，包括由几个儿子所构成的“房”，各个“房”的地位基本平等。一旦父亲去世，则各个“房”分家独立。过若干年以后，在“房”中又形成新的“房”。如此世世相衍，代代裂变，以夫妻为基本单位的个体小家庭日益增多，原先由某一始祖开创的家庭便逐渐扩展为宗族。宗族由一个共同祖先繁衍出的众多小家庭组成，随着人口的繁衍和家庭的不断分化，其规模便不断扩大，内部的分支、分房也不断增多。如果不受天灾人祸等外部因素的干扰，由某一始祖开创的家庭，就这样不断演变为雄踞一方的巨姓大族。可见，中国的家，从狭义上说，是同居、共财、合爨的家计生活单位，从广义上说，就是出自同一祖先的一族。不管是同居共财的家庭，还是同姓同宗的宗族，都是血缘共同体，其立家的根本是“血的共同”，在家的内部，亲属的远近都以血缘系谱关系来判断，非血缘关系的人绝不可能进入这个家。家族内部的相互侵犯行为、犯罪的连坐关系也以血缘的亲疏来判断罪行的轻重，传统的五服制一直是中国封建法律判罪的标准。同姓同宗的宗族的存在，意味着家庭与家庭之间存在着某种横向联系，因而聚族而居是中国的家的突出特征。从古至今，一姓一村在我国的广大地区都可以发现，少则十数家、数十家，多则上百家、几百家。正像毛泽东同志指出的那样，直到 20 世纪 20 年代，中国的社会组织仍然是“普遍的以一姓为单位的家族组织”①。时至今日，像韩家、赵庄、刘屯之类村名、乡名仍随处可见。从狭义上的家来看，中国的家是最普遍、最基本的生产单位，生产职能是家的最重要的经济职能，男耕女织、自给自

① 毛泽东:《井冈山的斗争》,《毛泽东选集》第 1 卷，人民出版社，1952 年，第 73 页。

足的家庭农业与手工业构成中国封建经济的主体；从广义上的家来看，每个宗族都设有族产，其收入属于全族的公共财产，用于公共性的开支，这似乎说明中国的家具有某种经济职能。然而，归根结底，这些只是建立在血缘共同体之上的，维持该共同体生存、繁衍的经济职能，脱离了血缘共同体，其经济职能也就失去了基础。因此可以说，中国的家虽然是一个封闭性很强的父系血缘集团，但由于其内部没有赖以生存的共同的经济利益，它只是一个比较松散的家庭联合体。

日本的家与中国的家的最大区别在于它是以家业为中心、以家名为象征的家族经济共同体，所以，日本的家不单纯是以婚姻和血缘关系为纽带的具体家庭。也就是说，在以婚姻和血缘为纽带的具体家庭之上，还有个“超越个人生命的、祖孙一体的永远的生命体”①，和“依托于祖先之灵的、纵式的、连续的观念式存在”②。这个“永远的生命体”就是得以立家的根本——家业，而这个“观念式存在”就是代表这一家业的家名。家由其成员世代传承，不管家庭发生了什么变化(如出生、死亡、结婚、分家等)，家都保持其同一性而存在下去。虽然中国人与日本人都注重祖先崇拜，强调祖孙一体，然而，由于儿子的“房”在中国的家中地位重要，任何男子都能代表其祖先和子孙，任何男子都有权继承家的财产，所以，在中国的家中，祖孙之间的纵向联系固然重要，而同辈之间的横向联系往往更现实、更重要。日本的情况却不是这样，在数个子女当中，只能由一个人(一般是长子)继承家业与家产。正因如此，日本人的祖孙一体的概念，不论从精神上，还是从形态上，都是指纯粹的从祖先到子孙的一脉的、纵式的延续，而不包含相同辈分中的横向关系。日本人所说的直系亲属，仅仅是指继承家业的人，父—子—孙这样一脉延伸的家被称作“直系家族”或“纵式家族”。在这种“直系家族”或“纵式家族”内，长子以外

① 福尾猛市郎:《日本家族制度史概説》,第1頁。
② 福島正夫:《日本資本主義と〈家〉制度》,東京大学出版会,1967年,第6頁。

的人远远不如中国的同类人等幸运，虽然他们也是父母血缘的同样延续，而命中注定他们只能作为旁系亲属而居于从属地位，即次子可在结婚后作为分家而自立门户，从属于长子的本家。分家虽是一个独立的单位，但与本家的经济联系非常密切，要对本家尽忠诚和服从的义务，本家则要扶助和保护分家。由此构成了具有主从关系的同族团。本家的家产是同族团的物质基础，本家的经济实力越强，则对分家的约束力越大。本家与分家的关系可以世世代代延续下去，但在多数情况下，二三代之后这种关系就弱化了，如果分家又成功地开创了一份新的家业，那么，这个分家就可以不再是某本家的分家，而成为自己的家业的本家。这样并不会影响原来的本家的家业，因为在本家与分家的主从关系中，血缘关系本来就是居次要地位的。

说到底，日本的家与男女结合、生儿育女的具体家庭并不是一回事。家庭不过是纵式延续、从祖先到子孙这样无穷无尽繁衍下去家的现象形态而已。在这个意义上说，即使家族血缘成员在肉体上不存在了，也并不意味着家的消失，它在观念上依然存在。家不只是一个家庭的住所，也不仅仅是活着的家庭成员的总和，它还是家的全部世系的陈列所，有着远远超出以婚姻和血缘为纽带的具体家庭的深刻内涵。它除了组成家的人员之外，还包括作为住居的房子、家产、维持家业的生产手段，甚至包括埋葬祖先的墓地。这些东西被作为家的古往今来的整体，在人们的心目中比实际生活在这个家里的具体成员更为重要。

（二）“香火”与家业

家是中国人的精神堡垒，也是日本人的道德源泉。在传统上中国人与日本人都将家的延续作为自己的首要任务，但由于两国家的结构与功能的不同，两国人对家的延续的理解和侧重也不同。

中国的家（不论是广义上的，还是狭义上的）是一个血缘单位，所以家的终极目的是父母子女之血缘的延续，使人生绵延不绝，将短生命融入长生命，传宗接代便成为家的神圣使命。传宗接代，也就是所谓传“香火”，意即不断有人祀奉祖先。中国人有着深厚的祖先崇拜传统，尤其有一种比来自印度的佛教“轮回”说更加古老而执着的信仰，即相信人有灵魂，而灵魂又是不死的。祖宗赐给了后代血肉躯体，使他们能享受人世生活的种种乐趣，祖宗死后，其灵魂继续保佑自己的子孙后代，给他们禳灾降福。但是，祖先必须由在世的子孙祭奠供养，活人要不断地仕奉自己的祖先。由此可见，一方面某人的存在是由于其祖先，另一方面，祖先的存在也是由于其子孙。如果绝了子孙，就绝了这种祭奠供养，祖先的灵魂就要因此做恶鬼受苦，在世的子孙也得不到祖先的保佑。因此，为了感谢和报答祖宗的恩惠，也为了确保祖先和自己在死后有人供养，最根本的办法就是不能绝后。这样，中国人便通过生物性繁殖和宗教性祭祀将祖先和子孙整合一起，子孙无穷，就意味着祖先的永生。中国人最担心的事情就是无后，即断了“香火”，所谓“不孝有三，无后为大”正是由此而来。如清人徐珂在《清稗类钞·立嗣》中有云，“我国重宗法，以无后为不孝之一。凡年至四五十，尚未有子者，辄引以为大惧。惧他日为若敖之鬼也。他人亦为之鲲虑。视灭国之痛犹过之。盖狭义灭种之惧也，于是有立嗣之事”。无后是极其可悲的事情，至今人们最恶毒的咒骂语言莫过于“断子绝孙”。在中国人看来，财产可多可少，但不可无后；如果无后，财产再多，也不是个成功者。

与中国人对家族的延续注重生物学意义上的传宗接代相比，日本人更注重的是作为经济生活共同体的家的长久延续。如前所述，日本的家是以家业为中心、以家名为象征的家族经济共同体，所以，日本的家不单纯是以婚姻和血缘关系为纽带的具体家庭。家的延续，说到底，不仅是血缘的延续，更重要的是家业的延续。所谓家业，在中国人的观念中，往往与家产是相同的概念，主要指动产与不动产这样的物质上的东西。而在日本人的观念中，家业与家产的意义并不完全一致。家业里面包含家产，但家产并不是家业的全部，更主要是指技能。家业对于武士来说，一般是指武艺。拥有武艺的武士只要被纳入封建关系，就与主君结成“御恩”与“奉公”的关系（主从关系）。“奉公”意味着出生入死为主君作战，为主君尽各种义务。一个武士只有通过“奉公”，才能获得赖以生存的俸禄和荣誉，因而“奉公”就是武士的家业；家业对于商家来说，除了祖先传下来的财产，还包括积累这笔财产的商贾买卖及经商的经验，甚至包括代表这些东西的屋号；家业对于普通农民来说，是指代代从事的农业和作为其基础的土地；家业对于艺能家来说，主要是指立家之根本——累代从艺的技能。日本人也是虔诚的祖先崇拜者，但日本人的祖先崇拜很有特色。“从严格的意义上讲，日本人崇拜的只是近亲而不是祖先”①，即人们祭祀与崇拜的并不是远古的、年代久远的、虚无缥缈的祖先，而是极其现实的、对后代本身有直接恩泽的人，即已故的父亲、祖父。这些人不仅是从感情上、血缘辈分上离自己最近的人，是自己的本源，最主要的还因为他们是自己赖以生存的家的直接开创者和传续者。中国人崇拜的祖先永远是阴间之人，而日本人对“祖先”意义的理解已经超出了“他界”的范围，现实中的人也有可能成为实实在在的祖先，也就是说，“当一个祖先”就是创立一份新的家业的同义语。② “当一个祖先”的口号之所以为日本人接受，就是因为它丝毫没有虚幻的、理想主义的色彩，而是一个现实的，甚至可以说是功利主义的、经过奋斗就能达到的实实在在的目标。中国人通过祖先崇拜昭示祖先生命的永生，日本人由祖先崇拜维系家业的代代延续。所以，在日本人中没有“断了香火”之类的说法，也不像中国人那样把“无后”看得如塌了天般严重。日本人最担心的是“绝家”，因而要千方百计避免之。所谓“绝家”，并非单纯指自然意义的断子绝孙，而主要是指人们失去了赖以生存的基础，意味着一定社会关系的消亡。比如武士被取消了俸禄，商家经营破产，农民失去了土地，艺能家

① 岳庆平：《中国的家与国》，吉林文史出版社，1990 年，第 220 页。
② 柳田国男：《先祖の話》，筑摩書房，1975 年，第 9－10 頁。

的技艺无以为继，说到底是家业的丧失。如果家业尚存，即使“断子绝孙”，也能进行人为地调整，可以以养子或婿养子来弥补血缘传承的缺陷，从而避免“绝家”。比如，20 世纪初年轰动一时的“乃木家再兴”事件就是一个典型事例。乃木即被日本军国主义政权奉为“军神”的乃木希典。1912 年 9 月 13 日，在明治天皇葬礼的当天，乃木希典为表示对天皇的忠诚，留下乃木家就此“绝家”的遗言（乃木希典的两个儿子死于战场），与夫人双双切腹殉死。然而，日本政府把乃木作为国民的“典范”，不允许这样的“名家”断绝。三年以后在乃木希典三年祭的时候，当时的政府领导人山县有朋、寺内正毅等人以天皇圣旨的名义，宣布以乃木希典的旧藩主、毛利子爵家的二儿子毛利元智袭乃木家名，“再兴”乃木家。“香火”已断，家名犹存。血缘与家业孰重孰轻？日本人选择的是后者。所以，有人把日本的家比作中空的竹子，意思是说日本人的家像是一根竹子那样笔直地生长，外壳非常坚硬，内里却是空空的，没有血缘的内涵。

（三）多子多福与“一姬两太郎”

由于家是传宗接代、延续生命的功能单位，离开血缘关系，家就不再存在，所以，在中国人的家族生活中，生殖繁衍，即被称作血统的悠久而无形的生命范围的延长与扩大，是家庭最基本的价值，生育行为也因此被伦理化、道德化。人们视生育后代为一个人对祖先应尽的义务和责任，男人没有尽到这种义务与责任，便自觉有愧于祖宗，无地自容。女人在家中的地位也因其生育能力而定，未生子是丈夫抛弃妻子的合法理由。因此，中国人在生育观上，有两个偏好。一是偏好男性。民间有“无子不成家”“有子万事足”的说法，认为只有男子才能顶立门户，延续血脉。生了男孩欢天喜地，生了女孩愁眉苦脸。一个男人，如果没有男性后代，即使他的同辈兄弟已经有了男孩子，对于家族来说，祖先血脉已有人继承，但是他还是终日寝食不安。因为他认为自己的血脉无人继承，所以最终会从同宗兄弟那儿过继一个养子来。由此不仅说明中国人对于传宗接代主要考虑的是自己的血脉、香火是否能够延续,考虑的是个人而不是家族,而且反映出"房"在中国的家中的地位。第二个偏好是多子,因为构成家的血缘绳股的粗细(即男子的多少或曰"房"的多少)被视为家业兴旺与否的标志,所以人们梦寐以求的便是子孙满堂、人丁兴旺。中国人崇尚"多子多福",认为只有人丁兴旺,家业才能兴旺,人们企盼拥有数代同堂、儿孙绕膝的大家庭,而一切足以造成大家庭的办法,诸如早婚、多妻、纳妾等在人们心中都是合理的、必要的。建立在家庭之上的宗族,也因人多而势众。

如前所述,在日本人的观念中,家实际上是超血缘的存在,由配偶关系和血缘关系结成的人的群体仅仅是家的具体体现而已,而纵式的、连续存在的家要比生活在家中的具体成员更为重要。尽管中国儒家"不孝有三,无后为大"的说教同样为日本人接受,但人们更多考虑的是家的利益和实际需要,而不是像中国人那样单纯强调"人丁兴旺""多子多福"。在人们的观念是,一个人不需要一大堆子女以求得经济保障和传宗接代。在日本人的心目中,一个人口众多的大家庭不但不是宝贵财富,反而是个累赘。所以,就生育顺序与子女数量说来说,"一姬两太郎"(意为一个女孩两个男孩)曾经是日本人最理想的生育模式。在农村一些地方,曾经长期流行着"一是卖,二是留,三是防止夭后愁"这样的顺口溜。意思是说,嫁出去的女儿等于是卖给人家的,在出嫁前还可以帮助家里做家务,所以,第一胎最好生女孩;从家的继承考虑,第二胎最好生男孩,但是,仅生一个男孩又怕不保险,为防止长子夭折,则还要生一个男孩。孩子再多,不仅于家业无益,还将带来生活上的沉重负担。因此,在人们还不懂得节制生育的封建社会乃至近代初期,强制流产(比如电视连续剧《阿信》中就有阿信怀孕的母亲在隆冬季节泡在冰冷的河水中,以期堕胎的情节)或溺婴等现象便时有发生。从某种意义上说,在马尔萨斯人口论出现之前,日本人就对人口加以控制了。[①] 早在室町幕府时期,一些耶稣会士就曾指出这样一种现象:人们"不可思议地虐待子女,说孩子多没有必要,维持家族有一人或两人足矣,故把孩子于幼小时杀之"[②]。到江户时代,堕胎、溺婴、弃婴几乎是全国的普遍现象。普通百姓不论生几胎,而最终成人者只有二三人,导致人口下降。比如,会津藩若松町在1697年(元禄十年)有人口20 700多人,到1746年(延享三年)下降至16 700人。虽每年出生人口约300人,但堕胎、杀婴数却是这个数字的一倍。[③] 这种人为的人口限制是江户时代中后期人口停滞的主要原因。杀害婴孩是违反人类本性的行为,"但事实却告诉我们,只要杀害婴孩在经济上是有益的,人们就会非常情愿地去干这件事"[④]。当时,堕胎、溺婴与弃婴行为不仅在农民百姓中普遍存在,即使武士家庭和较为富裕的町人家庭中也有这种情况。这就说明,百姓生活贫困只是"经济上的原因"之一,而家的利益的需要则是最根本的原因。中国历史上虽不乏因生活贫困而卖儿鬻女的现象,却不曾有日本历史上那种全国普遍性的堕胎、溺婴、弃婴现象。如果日本人的家庭有兄弟三人,老大、老二都有男孩,而唯有老三无子,他决不会像中国人那样惶惶不可终日,因为老大、老二都有男孩,已经有人延续家庭血脉,至于他个人,有后无后都无关紧要。实际上,直到战前,日本人家庭中长子以外男性成员有许多人终身不娶。中日两国的这种不同,归根结底,是不同的家族观念使然。

(四) 嗣子与养子

中国和日本,都是注重祖先崇拜的民族。为了有人祭祀祖先,使祖先的牌位永远有人供奉,不论是中国的家,还是日本的家,必须由男性子

---

① 赖肖尔著、孟胜德等译:《日本人》,第72页。
② 関山直太郎:《近世日本人口の研究》,竜吟社,1948年,第199頁。
③ 関山直太郎:《近世日本人口的研究》,第204頁。
④ 罗素:《婚姻革命》,东方出版社,1988年,第9页。

孙来延续父母与祖先的生命，故因血缘传承出现缺憾而造成家系的中断是中日两国人都不愿面对的事情。而这种事情毕竟又是不可避免的，一旦出现，如何对待？中国人依据的是血缘关系为重的原则，日本人首先考虑的是家业的延续。

在中国封建社会，人们受宗法制度的影响，非常重视宗祧继承。宗祧继承兼有祭祀权继承与身份权继承的性质。在继承宗祧时，要严格实行嫡长制，即所谓“立嫡以长不以贤，立子以贵不以长”①。但是，如果无子，则要人为地设立后代继承宗祧，是为立嗣，为人嗣者称嗣子。封建时代的立嗣制度与近现代的收养制度有着严格的区别，立嗣的目的是为了上以事宗庙，下以继后世，以保证祭祀、家统不绝，及至养老送终。在中国人的家族观念中，最强调的是“血的共同”，最注重的是“昭穆”，立嗣的条件相当严格。通常是采用过继的方式，即在本家族内部进行调节，在同姓中从近亲依次到远亲，取辈分相当者。“何如而可为之后？同宗则可为之后”②，若立异姓则为法律所不许。

固然，中国封建时代除了为继嗣以外，也有一般的养亲子关系，如为了添人手、壮门户等。但习惯上、舆论上，都是“异姓不养”。尤其是中国的封建法律严格禁止收养异姓养子行为，唐律规定：凡是收养异姓男子的，判一年徒刑；把男孩子给人的，笞刑五十。明代继承了唐代法律，“养异姓义子以乱宗族者，杖六十，若以子与异姓人为嗣者罪同，其子归宗”③。之所以异姓不养，主要原因还是出于对血缘关系的维护，《唐律疏议》对此解释为“异姓之男，本非族类”，即没有血缘关系的人，不能成为一个宗族。此外，自古以来中国人就有“神不歆非类，民不祀非族”④的思想，如果以异姓人为养子，就是对祖先神灵的亵渎，就是不吉利，“纵有异

①《公羊传》。
②《仪礼・丧服传》。
③《唐律・户婚》《大明律・户律》。
④《左传・僖公十年》。

姓之子能奉香火，然神不歆非类，宁得感通，有后名存，实为绝嗣”①。民间甚至把家立异姓养子视为朝廷改朝换代，“国立异姓曰灭，家立异姓曰亡”，是必须避免的事情。总之，中国人收养养子主要是在没有男性后嗣的情况下，用于弥补血缘关系的缺憾，为了维护家族血缘的纯洁性，只能是异姓不养。

由于日本的“家”是以家业为中心的，故收养养子与其说是为了继嗣，莫如说是为了实现家业的延续。日本历史上养子继承之发达的程度，如日本学者所说，“除了天皇家族之外，几乎所有日本人的家族都有与异姓混血的历史”，也就是说，任何家族，如果没有养子继承的话，都无法持续长久。许多家族即使世系延绵，而实际的血缘关系已然面目全非。本书第三章第三节“日本传统社会人伦关系中的‘非礼’因素”及第四节“妇产科医生世家贺川家的家系继承”都涉及养子继承的问题，在此从略。

由于日本人收养养子不仅是弥补血缘关系的缺陷，而是以“家”的延续和繁荣为基本目的，所以日本的养子收养有一些不同于中国之处。首先，日本人在选择养子的时候，注重养子本人有无维持家业的能力，以异姓养子居多。其次，中国人多是在无嗣的情况下才立嗣或收养养子，日本人则不然，有儿子，照样可以收养养子。比如，曾经在东京马食一丁目经营纸业的中庄家有这样的规定：自家的男子应建立别家或遣至他家当养子，与佣人同样使用；永远不许儿子继承家业，家业的继承只限于养子。据此，中庄家的继承人全部是养子，而自家的男子或隐居，或当别人家的养子，皆与家业无缘。这样的事情在中国人看来似乎不近人情，但在日本却不足为奇。如果亲生儿子不成器的话，很可能被养子或婿养子取代就成了一个简单的道理。再次，中国人往往是因为“香火”出了问题才收养养子做补救，所以，在收养养子时，要尽量对养子本人及周围的人掩盖收养关系的真相。养父母辛辛苦苦养育其养子女十几年甚至几十

① 《元典章》卷 17 · 承继。

年，一朝这种养亲子关系的“秘密”泄漏，长期培养起来的亲子感情立刻生分起来，或付诸东流。之所以如此，是由于人们过于看重“生”，即自己生命的本源。日本人收养养子多是为了家业，所以无须保密，在人们的观念中和感情上对养子都很容易接受。养家因此解除了后顾之忧，养子本身也无须感到难堪，外人更不会因此说三道四，一切都在情理之中。最后，收养养子是日本人确保家这个“经营集团”能继续发展下去的手段，所以，除了家业继承人之外，其他男性一般不会收养养子。

（五）赘婿与婿养子

日本人家庭的养子中，最多的当属婿养子。婿养子即通过招婿而成为养子的人，一般是在仅有女孩的家庭中，为其中之一人——通常是长女招婿。也有的人家虽有儿子，仍为女儿招婿。如果亲生儿子不成器，那么很可能会被婿养子取代。女婿上门后，改称妻家的姓，就成了婿养子，其身份既是女婿，又是养子，可以顺理成章地继承妻家的家业与家产。例如，战后日本首相岸信介与佐藤荣作本是亲兄弟，却有着不同的姓和家系。二人的父亲本姓岸，因入赘佐藤家而改姓佐藤，后来信介因与岸家伯父的长女结婚又放弃了佐藤这个姓氏。虽然招婿是与女儿的婚姻连在一起的，但是，招婿的主要目的实际并不只是为了女儿的婚姻，而是为了让其继承家业。所以，“婿养子”多是在女儿既达婚龄时选择的成年人，其基本条件是能够胜任家业管理。而中国人收养养子习惯于幼年收养，这样，对养子的才干、品德没有选择余地。一般来讲，婿养子有四种情况：在仅有女孩的家庭，为长女招婿；在无子家庭，先收养一位养女，然后再为其招婿；如果户主是女性，便招一位丈夫；在有男孩子的家庭，也为其姐或妹招婿，在关东和东北的一些地区的农民家庭，这种情况较为多见，人们称这种形式为“姐家督”或“中继继承”。女婿与养子可以合二而一，外姓人通过婚姻关系而改变姓氏成了家业继承人，这种在中国人的观念中很难接受的事实，在日本却是习以为常的现象。之所以如此，大概与古代日本人的招婿婚传统不无关系。日本在进入阶级社会之后，仍然保留着母系制的残余。直到公元7世纪中期的大化改新之前，仍然实行“访妻婚”（妻问婚），即男女双方结婚后并不同居一处，而是各居母家，过婚姻生活由男到女家造访来实现。大化改新之后，日本的社会制度、经济生活较过去发生了深刻变化，家庭在夫妻生活中的地位越来越重要，婚姻形态也由过去的夫妻生活不固定的“访妻”发展为“招婿”，实现了男到女家落户的固定的从妇居。武家社会形成之后，在这个讲求弓马之道的男人社会首先发生了嫁娶婚对招婿婚的否定，但是在其他社会阶层仍然实行招婿婚，这一传统一直持续到室町时代。虽然后来嫁娶婚取代了招婿婚，但是，招婿婚作为一种婚俗在许多地方被保持下来，婿养子当属招婿婚遗制的典型。明治维新之后，法律上限制了有儿子（即法定家督继承人）的家庭收养养子，但是招婿养子则不受限制，所以，近代以来日本家庭中的养子多是以婿养子的身份出现的。由于招婿婚的传统的存在，在人们的观念中和感情上对婿养子都很容易接受。除此之外，更主要的原因还在于日本人把家业放在主要的位置，所以可以对血缘系谱关系进行人为地调整，以适合家族经济共同体的运作和维持。所谓“亲子”关系并不局限于血缘的父子关系，真正的父子只有辅以实际的继承关系才被认可为具有父子关系的名分。

在中国人的观念中，女婿和养子是两个不可混淆的概念，女婿是女婿，养子是养子，女婿永远也不能当养子，养子也不能与女儿结婚。之所以如此，是因为讲究“异姓不养”的中国人选择的养子多为本宗同姓，养子与女儿结婚就相当于儿子与女儿结婚，从“同姓不婚”的角度来讲，这是乱伦的，故绝对是禁忌。在中国，只有“赘婿”，而没有婿养子。“赘婿”二字本身即包含明显的轻蔑之意。在汉语里，“赘”的本义是“抵押”，在古代，“家贫子壮则出赘”①，入赘的原因大多是因为家里贫穷，付不起沉

①《汉书·贾谊传》。

重的聘礼，只好上门到女方家，以身为质。而招婿之家也大多无儿，便招婿生孙，以老有所养。在父系家庭观念极深，实行男娶女嫁的中国封建社会，入赘实属迫不得已。因此，赘婿受到社会的歧视，甚至有赘婿“如人疣赘，是余剩之物”①的说法，其地位之低，由此可见一斑。女婿上门后，并不改姓，不能继承家产，死后其牌位也不能入祀岳父家祠堂。由“赘婿”变成养子，进而继承家业更是不可想象的。中国人多认为女婿是外人，虽然人们也说“一个女婿半个儿”，但那不过是表示亲昵的说法，并无实际的意义。正像“传媳不传女”这句俗话所反映的那样，女儿女婿被排除在家业继承之外。至今，当上门女婿也因违反常理而被称为“倒插门”，对男人来讲是一件没面子的事情。

结语

以上论述旨在说明中国的家和日本的家虽然都是依父系血缘标准而划分的血缘群体，然而，由于两国的历史和家的结构、家的功能不同，使人们对于家族血缘关系的认识明显有异，因此造成家对中日两国的经济发展产生了截然不同的影响。日本的“家”是以家业为核心的、从事一定类型生产的独立的社会集团，家业的延续体现了家的经济功能的有利发挥，是家族成员追求的目标。因此，日本人最重视的是家的从祖先到子孙的无穷无尽地纵式延续。所以，做儿子的未必自然而然就有继承父祖家业的权力，而被认定为具有亲子身份的养子或婿养子反而可能继承家业与家产，而且这些人要比脱离家族组织的有血缘关系的成员更亲近和重要。日本人对于家族经济共同体的功能的重视，对血缘关系的独特看法，大大减轻了血缘传承的重要性，从而有利于家族地位的稳定和家业的完整。中国封建社会一直极其看重家族血统，但中国历史上几乎没

① 《史记会注考证》卷126《滑稽列传》。

有历久不衰的世家豪族。故中国有所谓“三贫三富不到老”的说法。中日两国的区别在于，日本人所重视的家族经济共同体的功能正好是中国人所忽视的，而中国人所重视的系谱血缘关系对于日本人而言却是次要的。所以，日本人能够战胜中国人为之无奈的“家无三代富”的规律，实现企业的壮大与发展。这方面的教训，很值得中国人深思。

二 财产继承制度与中日两国的社会发展

继承制度是家族制度的重要内容，对社会的发展起着特定的制约作用。本文拟通过对中日两国财产继承制度的不同形态的比较，探讨继承制度对中日两国社会发展的影响。

（一）日本的一子继承制与中国的诸子析产制

世界各国的家产继承制度大体上有两种：诸子析产制与长子继承制。长子继承制是西欧封建社会较为普遍的继承制度，中国是实行诸子析产制的典型，日本则是由诸子析产制转而实行长子继承制的。

在日本历史上曾长期实行“二元主义”的继承制度，即继嗣继承和财产继承。所谓继嗣继承，是由嫡子继承被继承人的身份，如官职、位阶等，在财产方面则实行诸子分割继承。进入幕府社会后，武士团是以总领制家族为核心的，而总领的地位由长子继承，财产却由诸子分割继承的矛盾使总领的权威受到损害，造成家长（总领）因缺乏经济基础的保证而丧失对一族的统治权，从而削弱了作为镰仓幕府统治基础的御家人制度。南北朝内乱实际上“就是这种倾向的爆发形态”①。现实使人们认识到，分割家产会导致家族的动乱。于是从战国时代开始，各大名为防止家族内部分裂，开始对继承制度进行改革，逐渐废弃了诸子对家产的分

① 豊田武：《武士団と村落》，吉川弘文館，1963 年，第 246 頁。

割继承，而实行长子单独继承。德川家康建立江户幕府后，集战国时代以来诸大名统治经验之大成，建立了一整套严格的主从关系体制，并要求武士集中居住于城里，实行彻底的兵农分离政策。这样一来，武士与领地的直接联系被切断，变成了依靠俸禄为生的阶层。从此，武家社会所有的人在通过向主君尽忠——履行各种义务而领取俸禄之外，别的一无所有。由于这种变化，对于武家来说，最不利的事情就是由几个继承者来分割这份俸禄，因此，长子继承家业与家长权，同时也继承家产的纯粹的长子继承制——家督继承制得以确立。这种制度在武家社会形成后，由于它“适合于家产和家业的维持”①，直接影响到包括农民、町人阶层。

“家督”一词来自中国典籍，《史记》中有“家有长子曰家督”②，其本意虽为“长子”，但家督继承更重要的是指伴随着家长身份而存在的权利与义务。在日语中，不用“继承”而用“相续”，体现出延续家业之意。家督继承最重要的是家长权的继承。江户时代之前，在武家社会内围绕家督继承经常发生争斗，如越后武将上杉谦信禁闭了兄长，武田信玄放逐了亲生父亲都是为了争夺家长权，可见家长权的稳定对于维护主从关系及武家社会秩序至关重要，江户时代把家长权的继承仅限于长子，掌握家督位置就等于掌握了整个家的资源。

家督继承也是对家业的继承，即代表一家根据家职继续履行对主君奉公的义务，从而获得赖以生存的俸禄。相对于武家社会的家业是“奉公、家禄、家名，三位一体”③，庶民家庭的家业相对简单。对于农民来说，务农是农民的家业，继承主要是对土地及务农技能的继承。越后岩船郡豪农渡边家在家训中告诫家人：“我家的职业就是使用锄头和镰刀。”④町

① 福武直著、陈曾文译：《日本社会结构》，第 21 页。

②《史记》越王勾践世家。

③ 鎌田浩：《幕藩体制における武士家族法》，成文堂，1970 年，第 116 頁。

④ 入江宏：《近世庶民家訓の研究：〈家〉の経営と教育》，多賀出版，1996 年，第 355 頁。

人的家业则是积累财富的手段——店铺、买卖及经商的经验，还有代表这份家业的商号、屋号。继承了家业意味着成为生产活动的指挥者、家业经营者。

家督继承还包括对主祭者身份的继承。日本人把家视为从祖先到子孙世世代代延续的生命的总体，每代家庭成员不过是家的生命链条中的一个环节而已，那么作为家业开创者的祖先是一家的精神支柱，故供奉祖先是现实生活中最重要、近乎宗教般的祭祀活动。家族墓地、家系图(族谱)、祭具、过去账①等都属于继承的范围，主持一家祭祀祖先的活动是家长的重要职责。

对家产的继承是家督继承最实质的内容。各级武士的家产是领地与俸禄、房屋，在单独继承原则下，嫡子是法定继承人。对于农民而言，继承主要是对土地的继承。在德川幕府时期，征收年贡的对象主要是经营一町左右土地的小自耕农，他们是幕藩体制的基础。1673年(正德三年)，幕府颁布“分地限制令”，禁止农民分家，以防止因财产分割造成农民破产。从农民本身而言，因为所拥有的土地微乎其微，加上生活贫困，只能实行一子单独继承。农民家庭的继承与武家的继承不同之处在于，继承人是否是长子并不很严格，由谁继承往往取决于被继承人的意志与各地方传统，比如一些地方有末子继承的习惯，即兄长成人后都离家外出，或者分开另过，而留下最小的儿子继承家业，并由他赡养父母。在东北的一些地区的农民家庭中还有以婿养子继承家业的情况，即在家中的老大是女儿的情况下，不管是否还有儿子，都由长女招女婿继承家业，人们称这种形式为“姐家督”，实际上是招婿婚残余的一种表现。町人家庭的财产继承有异于武士与农民，既不是一子单独继承，也不是诸子均分，而是根据实际需要确定份额，如商人鸿池家规定：“凡事要以本家安泰为

---

① 过去账：江户时代各家一般都要成为某一寺院的施主(日语称檀家)，死后便埋葬在寺院境内。过去账是寺院记载死者的戒名、俗名、死亡时间等内容的账簿。后来，各家也制作过去账置于佛坛当中。

重，财产十之八九当归本家继承人，其余一二分由次子以下继承。”①町人文学家井原西鹤在其作品《世间胸算用》中有一份“遗产分配大法”：假如有一千贯财产，则总领（长子）分得四百贯及家宅，次子分得三百贯并得到在他处备好的住房，三子以下分得一百贯后遣至他家当养子，女子则给予三十贯的陪嫁钱和价值二十贯的家具什物。② 从中可窥知町人财产分配之一斑，明显是长子优先于其他成员，显然是出于维护家业完整的考虑。

资本主义制度的确立，使继承制度发生了一系列重要变化，取消身份继承，废除长子继承制，子女可以依法均分遗产，实现男女两性在继承问题上的平等是资本主义继承制度的特征。在法国大革命后制定的拿破仑法典中，取消了身份继承，将诸子析产的财产继承制作为法定的原则，体现了法国大革命中的自由平等观念。日本是较晚步入资本主义时代的国家，由于明治维新的不彻底性，明治民法（1898 年实施）的制定虽比拿破仑法典迟了近一个世纪，但还是妥协于现实，把充满封建色彩的、原通行于武家社会的家督继承制保留下来，并推行于全体国民。明治民法规定的继承有家督继承和遗产继承两种。家督继承因户主死亡、隐居等原因而开始，遗产继承因家属的死亡而开始。家督继承人继承前户主拥有的所有权利义务，家谱、祭具、坟墓的所有权是家督继承的特权。明治民法虽然规定同等顺位的继承人继承份额相等，体现了资产阶级法律的平等精神，但同时又规定被继承人财产的二分之一为法定家督继承人的“遗留分”（在法律上必须为一定的继承人保留的遗产）。可见，由于家督继承制的存在，财产的均分并不能真正实现。废除以身份继承为突出特征的家督继承制，使继承仅涉及财产继承，并实行平均分配的原则，本应是明治维新的任务之一。然而，它却被人为地大大延误，至战后民主

① 吉田豊：《商家の家訓》，德間書店，1973 年，第 134 頁。

② 興津要編：《世間胸算用》，桜楓社，1985 年，第 68 頁。

改革才最后完成。长子作为家督继承人,一方面继承户主的家长地位,同时又继承家产,这种制度虽然在客观上可以保全家产,但基本用意是加强家督继承人即户主的权威,是封建继承制在近代的延续。这种继承与其说是继承财产,不如说是继承家系,是家庭中所有不平等的根源。

在以小农经济为主的中国封建社会,一家一户就是一个经济单位。尊长在世时一般实行财产共有制,即"同居共财"。但在尊长去世后,便要分户析产,尊长在世时就分家的现象也是普遍存在的。分家的原因是多方面的,首先是人口的增殖,一个家庭,不可能无限膨胀,永远累世同居,迟早要分裂为若干个小家庭。其次是管理难度大,如果缺少众望所归的家长,其家庭管理肯定失败,家庭便走向分崩离析。宋人袁采在《袁氏世范》中说:"兄弟子侄同居,至于不和,本非大有所争,由其中有一人设心不公,为己稍重,虽是毫末,必独取于众。或众有所分,在己必欲多得,其他心不能平,遂启争端,破荡家产。""兄弟子侄同居,长者或恃其长陵轹卑幼,专用其财,自取温饱,因而成私。簿书出入,不令幼者预知,幼者至不免饥寒,必启争端。或长者处事至公,幼者不能承顺,盗取其财,以为不肖之资,尤不能和。"家庭成员在劳动和劳动产品的分配方面难免出现各种各样的矛盾,经济利益的冲突超过互相忍受的限度必然造成财产的重新分配。再次,由于家庭成员资质各不相同,往往表现出智与愚、健与弱、勤与懒的差别,这些肯定造成其对家庭财富积累的贡献不等,但是却要平均分配和消费,多劳少劳所获相等,因而,势必人心不齐,影响人们积极性的发挥。近代华北农村社会中日联合调查团曾在华北地区调查晚清至民国年间农户分家的原因,了解到导致分家的原因主要是兄弟不和、妯娌不和、父子不和、生活困难、婆媳不和,而这其中最主要的原因是兄弟不和或妯娌不和。① 之所以不和,就是因为"发展不均,勤俭不一,友悌不一,意见不一",具体说来,无非是兄弟之间收入有差异,或者

① 内田智雄:《中国農村の分家制度》,岩波書店,1956 年,第 39 - 40 頁。

是“正经干事的对不正经干事却要好吃好喝的弟兄不满”[1]。最后，最重要的原因是同居共财制存在着难以避免的矛盾。在私有制社会内的家庭生活中，人们总是首先把眼光投向自身和自己的小家庭，力求创造出更多的财富，使自己一房的小日子过得红火。对小家庭的认同高于对大家庭的认同，自然要分家了。正是基于这一道理，中国人普遍认为，凡是成年子女同居的大家庭在没有分家之前，个人的生产积极性和家庭关系要远逊于分家之后。归根结底是大家庭的结构满足不了农民个体的发展欲望，与小生产的生产方式不相适应。可见，个体或“房”的发展取向是家庭不断分裂的内在机制，解决家庭内部矛盾的唯一办法就是兄弟之间分户析产。

因此，在中国封建社会，一如既往实行的是诸子析产制，即诸子对家产有同等的继承权。这种继承制度由来已久。秦时“家富子壮则出分，家贫子壮则出赘”[2]，所谓“家富子壮则出分”，意即每个人均可以从父母处分得一份家产。此记载为战国时期商鞅在变法运动中颁布“民有二男以上不分异者，倍其赋”“民父子兄弟同室内息者为禁”的法令作了充分的说明：商鞅变法时以法律手段强制有二男以上的共居家庭分异为若干个小家庭，而分户时肯定伴有析产。由此可见，诸子析产分居的做法在战国时期已经出现。进入汉代，诸子平分家产的继承制度业已确立。如《汉书·陆贾传》记载，陆贾将一千金均分给五个儿子，每人各二百金。《后汉书·循吏许荆传》载，“（荆）祖父武，太守第五伦举为孝廉。武二弟晏、普未显，欲令成名，乃请之曰：礼有分异之义，家有别居之道，于是共割财产以三分”。这些记载说明，兄弟继承产业，要严格遵守均等平分的原则，无论田产、房屋、财物、农具，都是大家份额一致。这种分户析产的习惯，不仅长期为社会所认可，而且到了唐代，还把诸子析产家产的原则

① 内田智雄：《中国農村の分家制度》，岩波書店，1956 年，第 37 页。
②《汉书·贾谊传》。

写进法律。唐律明确规定:“应分田宅及财物者,兄弟均分,妻家所得之财,不在分限。兄弟亡者,子承父分”,“违此令是为不均平”。如果违反了均分的原则,按照法律,“计所侵座赃论,减三等”①。这就使中国的析产继承不仅只是社会的传统习惯,而且得到了法律保证。唐代以后,各代大致都沿袭唐制。当日本已经放弃了诸子分割继承制而实行长子继承制之时,直到近代,中国的诸子析产习惯仍然根深蒂固,毫无变更。《大清律例》规定的仍是“嫡庶子男,除有官荫袭先尽嫡长子孙,其分析家财田产,不问妻、妾、婢生,止以子数均分”。比如近代山东地区农户分家的习惯是这样的。②

> 父母一般是在家中诸子的若干个娶妻生育以后进行分家。除留出父母的养老地(一般是好地)以外,按儿子人头将土地分成几股,好坏搭配,不论各支人口多少,和长幼分别,平均分配给各子。等老人做不动了,再把养老地按股劈开摊给各家,老人轮流到各家吃饭。老人过世后,劈开的土地归各家所有。如果分家时父母不留养老地,他们在哪家过,哪家就可以多分一份地。
>
> 房产除老人自住外,按间数分配。分得间数少的儿子,可以多分别的东西。如果房子不够,有的儿子只分得房基地,就要在分家时把供给他盖房的钱和东西打出来。
>
> 分家后的兄弟住在一院,如果要搬走另盖房,可以将旧房卖给本院兄弟或扒走砖瓦木料,只卖地皮。老人死后,所居房按间平分,或由一个儿子出钱买下来。
>
> 牲口、农具折成钱均分。分不开的死后仍伙着使,各户有了钱的时候再置。家具和锅碗瓢盆也是按股搭配,不够使的,

---

①《唐律疏义·户婚》。

② 程啸:《晚清乡土意识》,中国人民大学出版社,1990年,第74-75页。

老人拿钱买了添上，然后均分。

分家时请族里老年人来分股搭配，由几个兄弟抓阄决定自己得到哪一份。抓阄以后写成字据，各立房照、地照。

在这个例子中，再清楚不过地说明中国农民的分户析产原则，大到土地、房屋，中到牲口、农具，小到锅碗瓢盆，都要平均分配。违背了这个原则，就要出矛盾。从古书的记载来看，争夺家产的纠纷，在古代诉讼案件中占的比例最大。时至今日，因分配家产不均而造成父子反目、兄弟相煎的事例常常听诸市井，见诸媒体。诚如宋人所言，在家庭矛盾中，“财产乃其交争祸根”①。

中日两国虽曾有相同的继承制度，却随着社会发展的不同趋势，最终发生了改变。

（二）中日不同继承制产生及存在的历史原因

在财产继承方面，中国实行诸子析产制，日本由诸子析产转而实行长子继承制，这是中日两国继承制度的重要区别。中国与日本的封建社会之所以在财产继承方面选择了不同的方式，是有着深刻的社会历史根源的。

第一，不论是中国的分户析产制，还是日本的长子继承制，论其形成的原因，首先都是基于国家政治、经济的需要。作为上层建筑组成部分的继承制度，产生并决定于一定社会的经济基础。如前所述，日本的长子继承制主要是为了保持封建主从关系的稳定，巩固幕藩体制的基础。幕藩体制、领主制之下经济、政治一体化的稳定性结构，要求稳定的继承与管理。主从关系的核心内容是臣下通过向主人“奉公”（即尽各种封建义务）而得到俸禄。在日本封建制度走向成熟之后，武士已经脱离了土地，故这种俸禄仅仅是一定数量的实物。对于武士来说，为了保住这份

① 《名公书判清明集》卷十。

赖以为生的俸禄,只能代代向主人"奉公",很难实现财产的分割。日本没有中国那种通过科举选拔官吏的传统,所有等级和地位都由出身世系决定,这一点越是到了封建社会后期表现得越明显。在幕藩体制下,家臣的地位与俸禄是依据家臣的家系和先祖的功绩即所谓"家格"(门第)而定的,处于各个等级的家臣,是幕藩体制的基础,不容轻易发生变化。如果实行诸子分割继承,很容易使这种基础受到破坏,所以应极力避免。因此,唯有长子继承是巩固和维护这种基础的最好办法。

中国的分户析产制度是与中国的政治、经济紧密相连的。中国封建社会的一个突出特点,是土地的主要占有形态为中小地主与小农的土地占有,历代统治者都把富国强兵,国家安泰寄托在小农经济的稳定上,这是诸子分户析产制度产生和存在的基本前提。在封建社会中央集权的专制统治下,国家为了保证兵源、丁役和财政税收,对每家每户每个人都有责任与义务的要求,徭役、赋税等都是直接向具体的人户征发。这样,国家就必须保证有大量的直接受制于各级政府的个体家庭,商鞅令家有二男必分居,否则倍其赋,唐律规定对"匿户"者,要"家长徒三年"(《唐律·户婚》),其要旨均在于此。封建国家的基本国策,影响了中国的继承方式,家产的诸子分户析产制正是造就小农经济与个体小家庭的有效途径。所以从秦汉到明清,在习惯上、法律上都肯定和维护诸子析产制度。再者,中国官僚政治的特点是靠科举选官,使贵族处于流动之中。其结果是家产与政治地位并不完全等同,家产也不是衡量政治地位的唯一标志。这一特点为家产的分割提供了条件,所以,中国封建社会的继承只在宗祧继承与较小范围的爵位继承方面强调长子继承,而不必担心像日本与西方的那种既定不移的统治基础因财产分割而遭到破坏。

第二,继承制度就其社会功能来说,是实现家的经济职能的一种财产制度,也可以说继承制度是家族制度的重要内容。因此,家的结构与性质,家在一定社会中的地位与作用,必然在继承制度中得到应有的反映。中国的家与日本的家都是依父系血缘标准而划分的血缘群体,其内部实行严格的父权家长制统制，在这一点上中日两国确有相同之处。然而在更多方面，中国的家与日本的家却有着明显的差异。借用社会学的语言，则可以说中国的家是联合家庭，日本的家是主干家庭。

中国的家是在婚姻和血缘的基础上，由一个父亲所代表的家庭单位，从狭义上说，是同居、共财、合爨的家计生活单位，从广义上说，是出自同一祖先的一族。不管是同居共财的家庭，还是同姓同宗的宗族，都是血缘共同体，其立家的根本是"血的共同"。由于儿子的"房"在中国家中地位的重要，任何男子都是祖先血脉的延续，其地位基本相等，在财产方面都有相同的权益。所以，在中国的家中，祖孙之间的纵向联系固然重要，而同辈之间的横向联系往往更现实，更重要。从经济职能来看，中国的一夫一妻的小家庭是最普遍、最基本的生产单位，男耕女织、自给自足的家庭农业与手工业构成中国封建经济的主体；每个宗族都设有族产，其收入属于全族的公共财产，用于公共性的开支，这似乎说明中国的家具有某种经济职能。然而，归根结底，这些只是建立在血缘共同体之上的、维持该共同体的生存和繁衍的经济职能，脱离了血缘共同体，其经济职能也就失去了基础。因此，中国的家，从狭义上的家来说，是一个封闭性很强的父系血缘集团；从广义上的家来说，因缺乏赖以生存的共同的经济利益，只是一个比较松散的家庭联合体。

日本的家与中国的家的最大区别在于它是以家业为中心、以家名为象征的家族经济共同体，所以，日本的家不单纯是以婚姻和血缘关系为纽带的具体家庭。也就是说，在以婚姻和血缘为纽带的具体家庭之上，还有个"超越个人生命的、祖孙一体的永远的生命体"，和"依托于祖先之灵的、纵式的、连续的观念式存在"。这个"永远的生命体"就是得以立家的根本——家业，而这个"观念式存在"就是代表这一家业的家名。家由其成员世代传承，不管家庭发生了什么变化（如出生、死亡、结婚、分家等），家都保持其同一性而存在下去。虽然日本人与中国人一样注重祖先崇拜，强调祖孙一体，而为了家业的长久延续，只由一个人（一般是长子)继承家业与家产,次子则可在结婚后作为分家而自立门户,并从属于长子的本家。分家虽是一个独立的单位,但与本家的经济联系非常密切,要对本家尽忠诚和服从的义务,本家要扶助和保护分家。因此,在日本的家之中,没有兄弟之间平等相处的横向关系,只有因维护家业需要而产生的本家与分家的纵向关系。

对于中日两国家的结构,用一位日本学者的话说,中国的家是"组合式"的,日本的家则是"财团式"的。① 用一位中国学者的话说,如果把中国人的家庭和日本人的家庭各比作一棵树的话,中国家庭这棵树枝干繁多,看不出主次,而日本家庭这棵树有一个主干,为了维护这个主干,要不断地砍掉分枝。② 不同的家族结构在继承制度上必然会有所反映。

第三,从家庭的角度上讲,中国分户析产原则的基本着眼点和出发点实际上并不是家庭的繁荣昌盛和持久永恒,而是受着儒家的"均平"观的支配,这种观念牢固地钳制了继承制度的原则。在中国封建社会财富较少的条件下,平均成了备受剥削压迫、物质生活极度贫穷的农民大众生存的基本前提和强烈愿望。孔子曰:"闻有国有家者,不患寡而患不均,不患贫而患不安。盖均无贫,和无寡,安无倾。"③儒家子弟把这一均平思想在《大学》中进一步提到一个新的高度,强调"财聚则民散,财散则民聚"。在一个以农为本的国度里,土地是财富的主要体现,"均平"主要是指均土地,人们都渴望得到一块土地以安身立命是非常自然的。"均平"思想被后代不断阐释与发展,成为中华民族处理财产关系的一种普遍心理。在家庭财产的支配上,自然会受这种观念的支配。人们习惯于在封闭的气氛中满足于兄弟之间,前后左右的"寡而均"的贫困生活。西汉成帝时,有号称巨富的田真家兄弟三人分家,不仅"金银珍物各以斛

---

① 滋賀秀三:《中国家族法の原理》,創文社,1967 年,第 68 頁。

② 尚会鹏:《中国人与日本人——社会集团、行为方式和文化心理的比较研究》,北京大学出版社,1998 年,第 38 页。

③《论语·季氏第十六》。

量，田业生赀平均如一”，而且欲将堂前一棵花叶美茂的紫荆树一破为三。这可以说是一个十分典型的例子。[①] 中国封建社会兄弟分家，多用阄分的方式，即先将家产均分，然后抓阄决定应得哪份，通过这种方法来求公平。不仅封建法律规定要实行财产均分，而且封建礼教也强调“父母爱子贵均”“分析财产贵公当”。[②] 如《袁氏世范》就要求“众有所分，虽果实之属，直不数十文，亦必均平，则亦何争之有?”均平到即使分水果之类，也不能有多有少，更何况是分配家产。

日本的长子继承制是对中国儒家“均平”观念的根本否定。由于祖孙一体、家族永续是日本人家族观念的核心内容，为了家业代代相传，永不衰退，强调必须集中家产。在数个子女当中，只能有一个继承人。日本人通过牺牲横向的兄弟姐妹的关系，建立起一种“直系家族”。这样，日本人的祖孙一体的概念，不论从精神上，还是从形态上，都是指纯粹的从祖先到子孙的一脉的、纵式的延续，而不包含相同辈分中的横向关系。这种制度带来了家族成员之间，尤其是长子与非长子之间的不平等。在中国的家族中，根据父系的原则，一个男子一出生便在家庭中具有了“房”的地位，一个父亲所生的儿子，由于他们是父亲血缘的同样延续，因此，各个“房”的地位基本上是平等的，他们理所当然地成为家庭财产的拥有者之一。而在日本的“直系家族”中，长子以外的人远远不如中国的同类人等幸运，虽然他们也是父母血缘的同样延续，而命中注定他们只能作为旁系亲属而居于从属地位。他们只不过是家业继承人的后备，只要继承人不发生意外，就可以有，也可以无，只要长子在，他们就永远是多余的人，永远也成不了家长。虽不是奴仆，但要和奴仆们一起劳动，同样吃穿。这些人被蔑称为“吃冷犯的”“厄介”(意为“麻烦”“难办”)，是战前人们对非长子的统称。这种继承制既与儒家的“均平”观念相左，也毫

---

①《太平御览》卷421，《续齐谐志》。

②《袁氏世范·睦亲》。

无资产阶级的平等色彩。

（三）财产继承制对中日两国经济发展的影响

家产继承，是社会特殊财产的一种特殊的分配形式。中国的诸子析产制与日本的长子继承制，是中日两国历史上的经济、政治诸条件决定的，它又以独特的方式影响了两国的经济发展。

首先，意在维护家族亲情不疏远的析产继承弊病明显。随着以夫妻为单位的个体小家庭的不断繁衍，一定数量的家产也要反复分割。虽然中国封建社会的每一时期都有一定数量的大地产和大家族，在历史上也时有土地兼并的发生，但是这些都不能巩固与持久，都未能抵住诸子分割继承造成的化整为零。分户析产牢牢巩固了中国封建社会的小地产经营，使小农经济成为社会经济的主体。分户析产使个体家庭私有经济的发展始终存在着一条“成长极限”，即当以夫妻为基本单位的小家庭刚刚成立的时候，家庭内部的生产积极性可以得到比较充分的发挥。但是，当辛苦经营至一定规模，并积累了相应的私有财产的时候，由于子女们已经长大成人并到了婚嫁、生育的年龄，家庭的内在矛盾便随之发生，生产积极性也随之受到抑制。为了解决这种矛盾，便只得分家析产。于是，家庭私有经济的规模又还原到父祖辈成家时的规模，然后再从最低经济起点上重新开始积累。这样，在家庭成员代代繁衍的同时，分户析产—财产积累—再分户析产，便成了一种永久性循环，祖辈、父辈辛辛苦苦积累下来的财产，轻易地被细分化了。福建建阳翁家就是典型的一例。据《翁氏家谱》记载，翁氏的第一代晚成公有田1280余亩地，可谓富甲一方的大地主。晚成公有四个儿子，分家时四子各得320多亩地，称得上中等地主。其中的一房伯寿公有两个儿子，又分家，每人得田160多亩，成了小地主。这二人中的一个，生有三个儿子，再分家时每人分田53亩，充其量是个富农。可见，一个家有田产1280多亩的大家族，经过三代人的分割继承就败落了。这还是一个大地主，若是小一点的地主，大概用不着分三次家就所剩无几了。这种情况严重束缚了中国社会经济的发展。析产继承既然妨碍家产的集中和持久延续,就必然导致作为社会基础的单个家庭不能有效地积累财富,其结果是不能使一部分人集中大量财富以促进新的生产方式的成长,原始资本深感匮乏。在新的生产关系到来之际,自然不能提供足够的资本,使资本主义生产关系长期萌而不发。中国资本主义生产关系之所以难以发展,分户析产是一个强有力的制约因素。

在日本,由于长子继承制使土地和财富长期相对集中,有利于家庭财富的积累,进而使投资扩大再生产成为可能。而且这些财富在资本主义生产关系到来之际,可以迅速转化为资本,也就是说,封建财富在一定条件下也有着一种前资本的积累作用。在明治维新以后成为产业革命主体的多是江户时代的富商。这一点在前面章节已多有论述。

其次,中国的诸子分户析产能够保持家庭成员之间的相对平等,从而带来社会的相对稳定,有助于消除贫富不均的现象,长期以来,这一因素是作为优点而被认识的。长子继承制的存在容易造成较多游离于生产之外的人的出现,他们是社会动荡不安的因素。江户时代中期以后,日本“厄介”的问题变得日益突出,尤其是武士家族的次子、三子既不满在家中的地位,又碍于身份不愿自谋生计,便到社会上滋事,败坏社会风气,成为江户时代的一大社会问题。而中国实行诸子析产制则避免了这个弊病,这一点在中国封建社会的上升时期曾起过积极作用。但是在资本主义生产关系的产生和发展阶段则大大阻碍了社会进步。在世界近代史上,西方国家工业革命的发生与发展都是在原始积累充分发展的基础上实现的。原始积累,一方面是资本的积累,一方面是劳动力的积累。中国的诸子析产继承既排斥生产资料的积累,也不能使生产者和生产资料相分离。多数人对少量生产资料的拥有,使人们都被紧紧束缚于土地与农业,不愿离开家,从而难于产生资本主义工业化所需要的源源不断的雇佣劳动力大军。因此可以说,由诸子分户析产带来的社会稳定恰恰延缓了中国的社会变革，阻碍了新的生产关系的成长。

日本的长子继承制则割断了非长子与生产资料的联系，促使非长子离开家庭和土地。在江户时代，已经有一部分农村中的以非长子为主的过剩人口开始向城市流动，进入町人家族当“奉公人”。这种社会流动的意义正像俄国的彼得大帝于1714年颁布的《一子继承法》中指出的那样：实行一子继承，“其余的儿子不致游手好闲，因为他们不得不通过服役、做学问、经商与其他途径来谋取自己的面包，而且他们为了自己的生计将做的一切对国家是有益的”①。在封建生产关系之下，这些人是难以被社会彻底消化掉的。但是在资本主义生产关系迅速发展的新的社会条件下，那些无由继承家业的人能够较容易地接受“资本主义精神”——雇佣劳动意识，很快适应社会变动的大潮，整个社会也因处于积极的流动状态而生气勃勃。恰恰是这一点，造就了资本主义工业化所需要的雇佣劳动力大军，弥补了由于日本资本主义原始积累不充分造成的缺乏雇佣劳动力的不足。随着工业化特别是重工业的发展，当新兴工厂企业需要劳动力时，作为非家业继承人的农家子弟便离开农村，涌向城市。过去无所事事、境遇不佳的这部分人在新的生产关系带来的社会变化中找到了出路，也为急剧扩大的工厂需要提供了有弹性的劳动力供给源。从这个意义上说，长子继承制在客观上促进了资本主义工业化的发展。

最后，析产继承的消极作用还在于增加了人们思想上的惰性。传统社会本身就是一种社会成员缺乏流动的社会，安土重迁、安贫乐道、安分守己、安天认命是人们的普遍心态。在此基础上产生的平均分配更抹杀了个人的创造才能与进取心，使人们安于在一成不变的旧习惯、旧关系中因循苟且度日。这是中国社会各阶层中的平均主义思想久盛不衰的温床。由于在分配财产方面对长子与次、幼子们基本上一视同仁，使较多的人都满足于拥有少量生产资料，而不愿进行新的生产与经营。世世

① 《外国法制史》编写组：《外国法制史料集选编》下册，北京大学出版社，1982年，第818页。

代代愈来愈严重依赖于土地，也会使人们由于有限家产的束缚而产生因循守旧的习惯和过分依赖家庭的心理。诸子分户析产的继承制度愈益加强了自给自足自然经济的独立性，加深家族生活的封闭墨守，使国人尤重亲情，恪守“父母在不远游”的古训，讲求“不失祖宗旧业”，以“三年不改于父之道”“终身慕父母”为孝道。这种一经财产分配便决定人的终身的家庭定向型人才成长模式很难培养和造就适应资本主义工业化需要的人才。久而久之，使人们形成了一种落后的习惯和心理：重农轻商、安土重迁、满足现状、故步自封、守旧不前。整个社会缺乏活力，这对历史车轮的前进无疑是一种阻碍。

日本人则普遍持有这样的看法：弟弟一般都比长兄勇敢并有独创精神。之所以如此，因为这些人不得不自食其力。从德川时代到明治时代，非长子只有到社会上才能找到自己的位置，不离开家便不能出人头地已经成为全社会通行的观念。人们迫切希望通过接受近代教育，在实践中增长才干，提高社会地位。“立身出世”一词就产生于江户时代。原意就是指那些无由继承家业的年轻人离开父母到城里去帮工、学徒。经过艰苦创业，至有了财力就自己盖了房子，从此有了立身之地。在新的生活中，又有了社会地位，便达到了“出世”的境地。后来，“立身出世”就成了“发迹成名”的代名词。人们称那些经过刻苦努力而成名成家，步入上流社会的贫苦人家的子弟为“立身出世”者。“立身出世”的思想牢牢扎根于日本人的头脑中，成为大多数人的人生哲学和奋斗的目标。长子继承制的实行，刺激了那些无产青少年出人头地、发家创业的强烈欲望，既为资本主义工业化提供了雇佣劳动力，也养成了独立、竞争、勇敢和冒险的心理特征，为明治维新后资本主义的发展奠定了人的基础和思想的基础，这样极有利于人才的成长。如石门心学创始人石田梅岩，幕末维新期有名的政治家、思想家横井小楠，明治初期住友财阀的总裁广濑宰平就是典型的例子。与家业无缘的处境迫使他们早早离家闯世界，经过艰苦努力而成为声名显赫的人才。从江户时代后期起，社会上便形成了一股以家中的非长子为主的新的社会势力。以幕末勤王志士为例，长子、非长子及养子的比例分别为36％、34％、30％。① 如此说来，日本的人才成长模式非家庭定向型，而是社会定向型的。长子与非长子在家中的不平等地位实际转化为一种动力，促使非长子离开家，投入社会大舞台。在明治维新后较少束缚的社会条件下，一大批积极向上、勤奋刻苦、有知识、有才能的经营人才脱颖而出，为近代资本主义企业的发展贡献了力量。所以在某种意义上说，中日两国近代化的差距，是人的差距，是人的观念的差距。

结语

综上所述，在中国两千多年的封建社会里，有关财产继承的法律与伦理一直在诸子分户析产这一原则上陈陈相因，呈现相对稳定性。这种稳定性造成中国封建经济裹步不前，人们的观念落后保守。而日本人却能适应社会经济变化的需要，弃诸子析产，行长子继承，这是日本能够第一个在东方国家里实现资本主义工业化的原因之一。两种继承制度，在拉大了两国经济发展之距离的同时，也带来人们思想观念的差异。

三　从姓名看中日家族的血缘性与社会性

姓名是人人都有的特定指称。人自出生起，便有了自己的姓与名，然后带着她进入社会生活，使之起到代表自我并与他人相区别的作用，其价值简而言之即人的“符号”。与西方人的先个人名、次父名、再族名的命名习惯相比，中国人的姓名与日本人的姓名比较接近，都是采取姓先名后的基本模式。但是，若对中日两国姓名的渊源、功能及表现形式等进行探讨，就会发现两者的差异要远远大于相近之处。

---

① 神島二郎:《近代日本の精神構造》，岩波書店，1974年，第258頁。

(一) 从中日两国姓氏的数量说起

拥有一亿三千万人口的日本究竟有多少姓氏?日本曾经有过一系列统计。

1978年,通用计算机公司利用电子计算机对日本人的姓氏进行了统计,日本经济新闻社根据其统计结果编辑而成《日本的苗字》一书。根据这次调查,日本人姓氏的总数共有110 867个。

1983年,群马县太田市72岁的斋藤清老人用最直接的方法——对全国各地的电话簿进行逐一调查统计,据此得出的结果是:日本人的姓氏共有139 163个。

1985年,日本姓名学家丹羽基二等人编纂了《日本姓氏大辞典》(角川书店出版),书中收录的姓氏为133 700个。

据这些统计的结果看来,日本人的姓氏在13万至14万之间。也就是说平均一千人使用一个姓氏。

居世界人口第一的中国有多少姓氏呢?1996年,袁义达、杜若甫等人将从古至今各民族用汉字记录的姓氏进行统计和整理,编纂成《中华姓氏大辞典》(教育科学出版社出版),共收入11 969个姓氏。2010年,袁义达与邱家儒共同编纂了《中国姓氏大辞典》(江西人民出版社出版),共收录了23 813个姓氏。然而,这里所说的两万多个姓氏,包括一些古代曾经使用而今天不再使用的姓氏,实际上中国人正在使用的姓氏为三千左右,其中占中国总人口94%的汉族人口的常用姓氏不过500个左右。据说英国人的姓氏有一万数千个,俄罗斯人的姓氏较多,也不过五六万个,如此说来,日本人的姓氏数量之多可谓在世界上名列前茅了。

何以日本人少姓多,而中国人多姓少?这与中日两国姓的产生、两国姓的内涵有着直接关系。

（二）中国的人皆有姓与日本的国民皆姓

中国有这样一则谜语：有一样东西，它属于你，但总是被别人使用，这个东西是什么？答案是：你的姓名。姓名让别人使用，决定了它是个人与社会发生联系的纽带，是个人在社会上存在的一种形式。正因姓名与人类的社会活动息息相关，所以不论在日本还是在中国的历史上，姓名都曾经有过强烈的政治功能与社会功能。所不同的是这个功能存在的时间有长有短。

中国的姓氏有着悠久的历史。当原始时代的群婚制发展到以血缘关系为标志的族外婚制时，便有了辨别人们之间有无直接血缘关系的必要，于是，产生了作为识别血缘关系的称号——姓。由于母系社会以女性为本位，所以中国最古老的一批姓如“姬”“姚”“姜”“嬴”“好”“姒”“妊”等均带女字偏旁。可见，中国姓的产生从一开始就是部族血缘的标志，只具有区别血缘关系的生物性功能。后来，随着子孙繁衍以及迁徙、逃亡等原因，便从部族中分蘖出一些支系来，这些支系的名称就是“氏”。在氏产生的过程中，男子在生活中渐居主导地位，世系也开始以父系血统来计算，所以，氏是随着父权制的形成而产生的。氏自产生起就被赋予政治功能，“氏所以别贵贱，贵者有氏，贱者有名无氏”①。据《左传》记载，鲁隐公八年（公元前 715 年）“天子建德，因生以赐姓，胙之土而命之氏”，即周天子为恩泽功臣，嘉励百官，分封有功德的人，根据出生即血缘关系赐以姓称，再根据其封土赐以氏称，贵族们依据国名、住所、地名、封土、官职、爵位、谥号等而得到氏的称呼，故只有贵族才能有氏。由于“赐姓命氏”制度的存在，周代是中国姓氏的大发展时期。此时产生的氏名，是中国姓氏的重要来源之一。

周代的分封体制及以氏别贵贱的做法很快就发生了变化。在社会

① 郑樵：《通志・氏族略》。

大变革的春秋时期，由于分封制瓦解，以嫡长子继承为基础的世卿世禄制逐渐被废除，使氏失去了存在的基础。在动乱的社会中，涌现出一大批恃才能而崛起的新贵族，原本无氏的平民也趁着混乱为自己立了氏名，以前的氏已经无法继续表示人们的社会地位，故不论是姓还是氏，除了用作家族的标记，别贵贱的功能日趋萎缩，姓与氏合一成为一种必然趋势。到战国末期，"秦灭六国，子孙皆为庶民，或以国为姓，或以姓为氏，或以氏为氏"①，加速了姓氏合一的进程，春秋以前泛指各贵族家庭的"百姓"一词，到了战国时期就开始指平民了。再到司马迁著《史记》时，姓与氏已成为一体，所以有"姓氏之称，自太史公始混而为一"②的说法。姓氏合一结束了它所背负的政治使命，从而取消了贵族垄断姓氏的特权。从此以后，从皇帝到百姓，人皆有姓，生而俱之，富贵贫贱，概莫能非。姓本身基本上反映不出人们的高低贵贱，如唐朝"李"为国姓，宋是赵家天下，但并不意味着所有姓李和姓赵的人都是贵族。这是中国姓氏发展史上的一个根本变化。

姓氏合一之后，发展得极为迅速，而且很快便稳定下来。可以说，中国姓氏的格局在汉代就固定下来，宋人编纂的《百家姓》集姓五百多个，其中绝大多数在汉以前就开始使用。姓氏合一至今已经有两千年，即使随着朝代的更迭，民族的融合，有的姓氏消亡了，有的姓氏产生了，但总的来说，中国的姓氏基本上不曾发生大起大落的变化。汉代以后产生不少新的姓氏，一般都没有繁衍成为大姓。也就是说，在今天中国大地上流行的大部分姓氏至迟到秦汉时代就已经产生。

与中国姓氏的产生是姓在先，氏在后这一点不同的是，日本是氏在先，姓在后。氏是自古代国家形成至大化改新前日本社会的基本单位，它借助于原始氏族组织的形式，按其居住地、职业、官职而称呼，如葛城

① 郑樵：《通志·氏族略》。
② 顾炎武：《日知录·杂论·氏族》。

氏、平群氏（氏于居）；车持氏、鞍作氏（氏于职）；物部氏、中臣氏（氏于官）。大和朝廷为了维护统治秩序，分别给贵族颁赐“臣”“连”“造”“君”“直”“史”等数十种“姓”，这些姓是根据各个氏的出身世系、与朝廷关系的亲疏而决定的，用以区分氏的地位尊卑、等级高低。可见，日本古代虽然使用“姓”这一汉字，功能却不在于区分血缘。大化改新后，赐姓制度也延续了一段时间，但是由于实施了官位制，表示身份地位的“姓”逐渐失去了意义，再加上皇室地位的衰落，到 9 世纪便不了了之。从此，在贵族社会只称氏而不再称姓。这一过程与中国的姓氏合一的过程很有些类似，只不过这一过程发生很晚，而且仅限于贵族社会，因而没有带来像中国那样的姓氏合一后人皆有姓的结果。至于部民、奴隶，不仅没有姓，也没有称氏的权利，只能按照隶属关系使用主人的氏名，如苏我氏的部民可以称“苏我部某”。大化改新后，他们都成为律令国家的公民，在国家制作户籍时，他们或使用原来主人的氏名，或改用新的氏名进行户籍登录。故直到奈良时代，不论贵族抑或平民，都只使用氏的称呼，说明此时家族尚未成为独立的社会基本单位。

一方面，从平安时代开始，日本姓氏史上开始出现新的称呼——苗字（也称名字，人们以草木的苗来象征一个家族集团，子孙后代犹如苗的分蘖，因此也称为“苗裔”）。这是因为随着社会的发展，原来作为社会基本单位的氏分裂成若干家族，这些家族便以其职业或居住地相称，如贵族菅原氏本属于制造陶器的土师氏，因后来移居大和国菅原伏见邑而改称菅原氏。另一方面，随着土地公有制的瓦解，许多贵族及农民通过各种手段获取了私有土地，便以自己的名字为土地命名，以证明其私有，久而久之，该土地的名称便成了其所有者的“苗字”。进入幕府时代以后，随着武士的分封和移居，苗字在武家社会有了很大发展，并越来越为人们所重视，以至到身份、等级制度极其严格的江户时代，成为贵族和武士所享有的特权。当时，农民、町人等庶民阶层不仅在职业、婚姻、衣食住行等各方面受到严格限制，而且按照德川幕府于 1801 年（享和元年）颁布的《苗字带刀禁令》，不得称姓及佩刀。于是，是否拥有姓氏就成了区别武士与其他身份者的显著标志之一。江户时代后期，为了表彰一些忠于职守的町村官吏和对反抗幕府的人揭发、告密者及有孝行、捐款等突出表现者，领主们也特许这部分人拥有“苗字”，除此之外，绝大多数平民百姓都使用“权兵卫”“勘五郎”“左卫门”之类没有姓氏的称呼。对他们来说，苗字永远是高不可攀的荣誉。据调查，明治初年，拥有苗字的户只占全国总户数的 6％。①

明治维新后，新政府为了贯彻“四民平等”的方针，同时出于征兵、征税、制作户籍的需要，于 1870 年颁布了《平民苗字容许令》，允许平民使用姓氏。但是已经习惯了有名无姓生活的庶民对此事并不热心，致使在这项法令颁布后的数年内，创立姓氏的工作进展缓慢。于是，新政府不得不在 1875 年再发《平民苗字必称令》，要求全体国民必须拥有自己的姓氏，要把以姓氏作为公称当作国民的义务和建设近代国家的责任。这项带有强制性的法令的颁布，使诸多没有文化的平民百姓诚惶诚恐，不知所措。于是，不得不委托地方政府的官员、村里有文化的人、寺庙里的和尚为自己命名。一时间，因居住地、职业及各种事由而产生的姓氏铺天盖地。当时的情景，民俗学家柳田国男在《名字的话题》一文中有所描写②：

> 明治初年，姓名解禁，必须在户籍上登录姓氏之时，各村的役场（村公所——本文作者注）皆大骚动。数百户无家号的人到底用何姓氏？家道中落的老户或本家明确者还可以提出使用什么姓氏，没有麻烦，而祖上代代都是小百姓者皆不知所措。许多人使用了过去主人家的姓，有的听说邻村有什么姓，只要人家没有异议就作为自己的姓。如果这两种情况都做不到，就

① 井戸田博史：《家に探る苗字と名前》，雄山閣出版，1986 年，第 39 頁。

② 柳田国男：《定本柳田国男集》第 20 卷，筑摩書房，1983 年，第 315 頁。

由役场的官员给起一个姓氏。家门前有松树的就叫松下，住在山的入口处，就叫山口。其中也有的村官恶作剧，因此伊豫海岸一些渔村家家都以各种鱼类的名字当姓，邻村则都使用各种蔬菜的名字。当时这种事例很多。

《平民苗字必称令》颁布以后，日本的姓氏进入大发展时期，其突出特点是没有任何限制，具有很大随意性，上至日月星辰，下至花鸟虫鱼、动物茶菜，从职业、住所到自然现象，造成日本的姓氏数量之多在世界上遥遥领先。可以说日本人的绝大多数姓氏都是在当时产生的。这就是日本为何人少姓多的重要原因之一。

日本历史上姓氏的变化经历了贵族有氏有姓—苗字成为贵族武士的特权—通过法律强制而实现国民皆姓这一复杂的过程。可见，在日本历史的大多数时间内，姓氏并非是作为家族、血缘、世系的标志，而主要与人们的身份地位联系在一起，因此只属于少部分人。近代以后，平民百姓才有使用姓氏的权利，故国民皆姓也是明治维新的成果之一，姓氏从此被剔去政治功能，只作为人在社会生活中的符号而走进千家万户。

（三）中日姓氏的血缘性与社会性之差异

中国是个注重宗法制度的国家，自秦汉时代姓氏合一以后，中国人对血缘关系的重视与维护，是中国姓氏两千年来保持稳定性的根本原因。

首先，姓是人出生世系的标志。姓是“女”与“生”二字的组合，许慎《说文解字》释姓为“人所生也”，意为女子所生为姓。古代姓也被写作“生”，即人生而有姓，因生以为姓。姓是根据血缘和出生这一纯粹自然的、生物性的事实，根据父祖生命的延续来确定的称呼，是自己的身世和父系血缘的佐证。所以，不能人为地否定她，否定了她就否定了自己的本源，被视为耻辱。在中国，“大丈夫行不更名，坐不改姓”被视为高尚的品行，也因此成为男人敢作敢为的同义语。中国人甚至拿自己的姓氏来发誓:“如果我撒谎,我就不姓李”;“如果这件坏事是我干的,我就不姓张”。可见在中国人看来什么事情都没有自己的姓氏至高无上。所以,中国人自古以来就十分重视和捍卫自己的姓氏,如果没有特殊的变故,一般说来,姓氏是不会改变的。如女性结婚以后不放弃娘家的姓就是这个道理。中国古代女性地位很低,活动空间狭窄,故女性的名字只在闺阃中流行。出嫁之后,名字就更少使用。一般妇女只称姓,如刘氏、赵氏,或在自己的姓氏前再冠以夫家的姓,如王刘氏、吴赵氏。说明在人们的观念中,可以不要自己的名,但决不能丢掉自己的姓。有些因为入赘、收养等原因导致姓氏改变的,其后代也愿意恢复原姓。如明代礼部右侍郎黄观之父入赘许家,改姓许,至黄观时上奏请求改回黄姓,得到皇上的允许。① 即使无法恢复本姓的,也要想办法把自己本来的姓氏表示出来。明代初年有一部家谱叫《袁朱宗谱》,从名字上很难判断究竟是袁家宗谱?还是朱家宗谱?原来这家家谱所记载的家族始祖朱梓本姓袁,后过继给舅父朱德敏为嗣子,五世之后,子孙修家谱时,向明太祖朱元璋请求恢复袁氏本姓,皇帝没有批准,最后只得在朱姓之前冠以袁姓,以昭示自己的本姓。②

其次,姓是宗族的标志。宗族,是由上至高祖,下到玄孙的不同辈分的人组成的大家族。构成宗族的要素首先是“血的共同”——同一祖先的男性后代;其次是聚族而居,同一居住地的人大都有血缘上的联系。“一村惟两姓,世世为婚姻。亲疏居有族,少长游有群”,白居易在《朱陈村》这首诗中生动地勾画出宗族生活的图景。宗族是靠同一姓氏的标志聚集在一起的,族人在宗族与社会中的地位和利益,在很大程度上取决于血缘关系的亲疏远近。所以确认家族的世系血统,防止血缘关系的混乱,成为一件非常重要的事情,主要记载家族世系繁衍的家谱、族谱便应

---

①《明史》黄观传。

② 来新夏、徐建华:《中国的年谱与家谱》,商务印书馆,1997 年,第 116 页。

运而生。尽管各个家族因经济和文化条件不同而使家谱、族谱记载的内容、详略会有所不同，但是家族世系源流、血缘系统却是每一部家谱中最基本的内容。有了家谱，就有了家族的人事档案，族人的名字入了谱，表示得到了承认，外人是很难进入家族之内的。一般说来，异姓养子、赘婿、后妻携来子等均不得入谱，即便得以入谱，也要以特殊的标志加以区别。[①]

最后，姓是同姓不婚的标志。同姓不婚是中国古代最重要的婚姻禁忌之一。周代礼制严格规定了同姓不婚的原则。例如：

> 娶妻不取同姓，故买妾不知其姓则卜之。(《礼记·曲礼》)
>
> 娶妻避其同姓，畏灾乱也。《国语·晋语》

同姓不婚原则的确立，是由于当时的人们已经认识到近亲通婚的危害，"男女同姓，其生不蕃"[②]，"同姓不婚，惧不殖也"[③]说的都是这个道理。在周代，同姓不婚的戒律为人们严格遵守。但是随着时间的推移，同姓的人已经未必都具有血缘上的联系，同姓不婚的原则也就逐渐失去原来的意义。到唐代，虽然仍有"诸同姓为婚者，各徒二年，缌麻以上以奸论"[④]的法律，但是"同姓"的概念已然发生了变化。按《唐律疏义》的解释，"同宗共姓，皆不得为婚"，通婚的禁忌实际上已由同姓缩小到同宗。到了清代，终于有了比较明确的说法，"同姓者重在同宗"[⑤]，实际上，是以同宗不婚取代了同姓不婚。"同姓不婚"的法律虽与社会慢慢脱节，但还是对民间有很大影响。尽管1980年颁布的《中华人民共和国婚姻法》中明确规定禁止直系血亲和三代以内的旁系血亲通婚，但农村中许多地方

---

① 如新昌毂来王氏族谱的世系图上，族人继承，用红线相连，异姓入继，用黑线相连。费成康：《中国的家法族规》，上海社会科学出版社，1998年版，第84页。

②《左传·僖公二十三年》。

③《国语·晋语》。

④《唐律·户婚律》。

⑤《大清律例·户律》。

仍然以“出五服”为基本原则。

归纳起来，中国的姓氏有两大基本特征：第一，姓氏最主要的功能是作为血缘关系的徽号，个人绝无其他选择，因此不能轻易更改，这使中国的姓氏至今仍保持两千年前的基本格局。如孔子的后裔已经繁衍 83 代，分布于世界各地，不论嫡流支系皆姓孔，故有“天下无二孔”的说法。第二，既然血缘关系是无法否认的事实，人无不有父，故莫不有姓，所以，尽管中国的姓氏也作为家族与宗族的标志而存在，但实际上是附属于个人的。人皆有姓，也就没有了尊卑贵贱之分。在中国历史上，虽然有在编写姓氏书时将帝王的姓氏放在首位，以突出其尊贵的做法，但毕竟是个别的，影响也是短暂的。

如前所述，直到明治维新前，日本的苗字并不是依附于个人的称呼，而是代表着一家而存在的。因而日本姓氏的历史，实际就是家名的历史。在身份制度极其严格的封建社会，士农工商各个阶层必须按照自己的身份，世世代代从事固定的职业，人们的所有活动都是以“家”为单位实现的，因此日本的“家”不仅是血缘共同体，更重要的以家业为中心的经营体。家业的存在是通过家名的存在而反映出来的，家名代表的这种社会关系不是由于个人的存在而得以确立和维持的，而是先祖以来历代家族成员共同努力的结晶，所以日本人极其珍重自己的家名，把实现家名永续作为家族成员的根本任务。比如战国大名毛利元就在遗训中告诫自己的子孙：“用心维护我毛利之苗字，使其永不衰败至关重要。”①

正因为苗字是作为家名而附属于家而存在的，它代表的是社会关系，故与中国姓氏封闭性、不变性相比，日本的姓具有可变性特征，即人们可以因社会关系的变化及各种具体事由改变自己的姓氏。一般来讲，改姓有以下几种情况。

随着氏族与家族集团的分支而改姓。日本历史上氏族与家族的发

---

①《毛利元就遺誡》，第一勧銀経営センター：《家訓》，第 84 頁。

展与繁衍带来分化、迁徙的同时，往往带来姓氏的变化，这种情况与中国姓氏合一前氏大发展时期极其相似，只是时间上要晚得多。此类原因的改姓是历史上最多的一种。如藤原氏是拥有一千多年历史的豪族，仅占据朝廷中枢之位的嫡系就分衍出近卫家、九条家、二条家、一条家、鹰司家（有五摄家之称），在公家贵族社会中，更以藤原氏居主流。他们大多依居住地或者相关的寺庙而称其家名，如闲院家、花山院家、中御门家、日野家、高仓家、四条家等。还有更多的藤原氏支族到地方发展后，在创立新家名时，习惯于取"藤"字表示与藤原氏的联系。如根据国名或地名，伊藤表示伊势的藤原氏，近藤是近江的藤原氏；根据世袭的官职，担任过斋宫头的就叫斋藤，担任过左卫门尉的就叫左藤或佐藤；根据与地方豪族的关系，与安倍氏结合的就叫安藤，与春日氏有关的就叫春藤。如此观之，出自藤原氏的姓氏可谓数不胜数。

因政治关系和主从关系的变化而改姓。由于姓氏在日本历史上主要与人们的身份地位相联系，故人们政治地位的变化、社会关系的变化也有可能带来姓氏的变化。如建立江户幕府的德川家康本姓松平，在建立幕府后，改姓德川。战国大名毛利元就的儿子分别叫毛利隆元、吉川元春、小早川隆景。为什么三个儿子三个姓？原来在群雄争霸的战国乱世，毛利元就为了扩大自己的势力，利用吉川氏和小早川氏两家发生内讧之机，强行让自己的二儿子和三儿子分别做吉川家和小早川家的养子，并继承了两家的家业。由于吉川家和小早川家成为"毛利两川"，毛利家得以势力大增。

因开创新的家业而改姓。在日本人的观念中，家业的开创者是造福于后代的源泉，被后代尊为家的祖先，故往往在创业之后改换姓氏，以作为新的家业的象征。比如，江户时代大阪的豪商、后来发展成财阀的鸿池家的祖辈本来是姓山中的武将，后来弃武从商，在摄津国（今兵库县）的鸿池村从事日本清酒的酿造，从此改姓鸿池；明治时代冈山县盐商野崎家的先祖将所开发的盐田根据地名命名为野崎滨，又以此地名作为自己的姓氏。[①] 明治维新的功臣山县有朋曾经让他的第三个儿子建立萩原家。萩原一姓系根据山县有朋在倒幕维新运动中使用的萩原鹿之助这一化名而来。[②] 建立萩原家的目的，是为了让子孙后代永远记住萩原鹿之助（山县有朋）在倒幕维新运动中的功绩，山县有朋本人也就成了萩原家的祖先。

因收养关系而改姓。翻开日本的有关人名的工具书，就会看到一种中国没有的表述方法：有些词条在人名之后，要写上“本姓”，或特别注明其出身家族，如：

汤川秀树，物理学家。小川琢治的第三子。

吉田茂，政治家。竹内纲的第五子。

佐藤荣作，政治家。岸信介之弟。

因为日本人并不像中国人那样严格奉行“异姓不养”的原则，为了实现家业的长久延续，往往依据才能标准选择继承人，所以异姓养子和婿养子多有存在，改姓也就常常发生。养亲与养子本身并不忌讳对外公开改姓的事实，世人也不因此为怪。

因婚姻关系而改姓。主要指女性结婚后改随丈夫的姓。近代以前，日本女性的地位尽管比较低下，但结婚后仍然称娘家的姓氏。近代初期，启蒙思想家福泽谕吉曾经倡导实行“夫妇合成姓氏”，即如果男方姓山原，女方姓伊东，双方结婚后的姓氏就各取一字，以“山东”为双方的新姓，以体现夫妻平等。这一方案尽管没有被采纳，但从一个侧面说明了日本人姓氏的可变性。1898 年开始实施的明治民法第 788 条规定“妻因婚姻而入夫家”，因此要改随丈夫的姓氏。从此，夫妇同姓的习惯一直沿袭至今。改随夫姓是男女不平等的突出表现，对于女性来说，不利之处很多。因此，长期以来在社会上和议会中一直有要求夫妇别姓的呼声，

---

① 北原種忠：《家憲正鑑》，家憲制定会 1920 年，第 420 頁。

② 德富蘇峰：《公爵山県有朋伝》下，原書房，1980 年，第 1049 頁。

但是在议会中一直得不到多数支持。尤其是在执政的自民党内部有很多人认为“在涉及作为国家根本的家族制度时必须慎重”“夫妇别姓对子女会带来不良影响”①，因而反对夫妇别姓，至今结婚后改随夫姓的婚姻仍在96%以上。看来日本女性要想从夫权下讨回自己的姓氏还要经过艰苦的努力。

正因上述姓氏可变性的存在，使历史上日本人改名换姓易如反掌。当然，这里所说的可变性主要是封建时代的事情。近代开始实现国民皆姓，姓名只作为个人的符号而存在，经常变化反倒不利于户籍的管理。于是，1872年8月，明治政府发布太政官布告，禁止所有国民随便更改姓氏、名字、屋号，如需改变姓氏，要履行严格的法律程序，从此结束了日本人自由改名换姓的历史。

（四）从命名方式看中日两国家族结构的不同

从表面上看，中国人以单姓居多，故中国人的姓名多为三个字或两个字；日本人以复姓居多，所以日本人的姓名多为四个字。此外，中日两国人的命名习惯还有一个很大不同，就是中国人注重“辈分排行”，日本人习惯“祖孙联名”。

在中国历史上，人们的血亲关系极受重视，宗族的存在，需要多种方式来表示和维护，命名方式就是其中之一。同族的人，往往是同辈分人的名字中有一个相同的字，这个字叫族名、谱名、辈字，又叫家族范字，是在家谱中规定好了的。所以，旧中国人们的姓名一般都由三个字组成，第一个字是姓，即家族的象征，第二个字是族名，是辈分的象征，只有第三个字属于自己。宗族内的尊卑关系，通过辈字可以清楚地加以区别。这样，同族的人，即使互不相识，通过姓名就可以了解互相之间的关系，人们也可以通过辈分了解自己在宗族中所处的地位，其作用在于维护宗

---

①《每日新聞》2001年8月22日東京朝刊。

族集团中的尊卑秩序和人伦关系。例如，孔子家族在元代开始使用辈字，从第 56 代开始到第 85 代的 30 个辈字是：

希言公彦承，宏闻贞尚衍，

兴毓传继广，昭宪庆繁祥，

令德维垂佑，钦绍念显扬。

1920 年，第 76 代衍圣公孔令贻又续了第 86 代至 105 代的辈字：

建道敦安定，懋修肇益常，

裕文焕景瑞，永锡世绪昌。

最后一代衍圣公孔德成(1920—2008)是孔子的 77 代孙，如果以一代人年龄跨度 25 年计算，孔氏家族到“昌”字辈时，应该是 600 年以后的事情了。

“辈分排行”制大约形成于宋代，明代已十分流行。无论帝王将相还是平民百姓皆如此。每个人一出生，就按辈分排行对字入座，属于哪一辈的人，用哪一字取名，不得有误。辈字紊乱一直被中国社会视为禁忌。至今在农村中仍有许多人认为辈分至为重要，辈字是维护家族内部人伦关系的有力工具，如果除去辈分，家族就有可能出现“没上没下，没少没长”的局面，所以按辈分排名的做法依然很流行。辈分排行制实际上反映了一种文化现象，透过辈字，不仅可以看到中国人注重家族血缘的纵向延续，而且更多看到的是中国家族中的横向联系，体现出宗族外延的扩大。根据父系关系的原则，中国的男子一出生便在家中具有了“房”的地位，自动成为家庭财产的拥有者之一，共同的血缘和经济地位使得中国家族中的同辈男子要使用同一辈字，以示在家族中地位平等。所以，纵的世系长显示了宗族历史的悠久，横的辈分宽，说明了宗族人丁兴旺，势力强大。

20 世纪 80 年代以来，由于独生子女政策的实施，夫妻二人只有一个孩子，家族范字就逐渐失去了意义，因此中国人的单字名比率迅速提高，使重名率增加日益成为新的社会问题，给人们的生活和社会的管理带来不便。面对日益严重的重名现象，有关专家呼吁社会多用复姓或创造新姓，以减少姓名的重复，并多取双字名，以增加个性化色彩。前一种主张由于不符合中国人重视血统的传统，难以推广，后一种主张则应该是中国人名的发展趋势。从这个角度看，中国历史上长期存在的按辈分排行命名的制度还是具有一定合理性的。

与中国人强调辈分这一点相反，日本人更注重家的纵式延续。在家督继承制下，人们最关注的是亲子序列上的纵向连接，而横向的诸兄弟的家庭组合则无关紧要。所以日本人通常使用与中国人的“辈分排行制”截然不同的命名方式——“祖孙连名制”。例如，江户幕府的十五代将军名字如下：

家康——秀忠——家光——家纲——纲吉——家宣——家继——吉宗——家重——家治——家齐——家庆——家定——家茂——庆喜

这十五代将军的名字中大多有“家”字。如果按照中国人的思维，很容易通过这一连串名字将他们误解为是同一代人，而实际上按辈分划分他们分属于十代人，时间跨度为270多年！

战前有名的财阀三井家族在从17世纪创业起至战后被解散为止的三个世纪中十一代家长的名字为：

高利——高平——高房——高美——高清——高佑——高就——高福——高朗——高栋——高公

如果不是对三井家族非常了解的人，如果不对这一世系图加以说明，中国人根本无从知晓这些称“高”字的人的辈分。说明日本人并没有中国人那种强烈的辈分意识，所以在中国被视为人伦之大忌的立嗣子不合昭穆的现象在日本却是正常的。比如上面三井家的第九代家长三井高朗本是第十代三井高栋的长兄，后来弟弟当了哥哥的养子，二人便从兄弟变成了父子。这个事例也说明，日本的家系图不像中国的家谱那样具有明确的识别性，人们从中看到的不是某个人，而是整个家的存在。让人们了解其家业的存在，就是日本的家名存在的意义，至于其中的个人在家中居什么地位并不重要，个人即使存在，也完全被淹没于“家”之中。

结语

姓名是社会文化背景的折射。记得什么人说过，“偶然捡起一张人名录，肯下功夫深沉玩索，其中告诉你的东西，也许比一篇历史文物的报告还要丰富”。中日两国人姓名之不同，根本原因即在于不同的家族制度和文化传统。

四　中国的贤妻良母观及其与日本良妻贤母观的比较

贤妻与良母，曾经是中国传统女性形象的典范。近代以来，由于受日本“良妻贤母主义教育”的影响，中国开始出现了“贤妻良母”的新概念。然而，由于中日两国社会历史环境的不同，中国的“贤妻良母”与日本的“良妻贤母”存在着很大差异。

（一）贤妻良母——日本良妻贤母观对中国的“逆输入”

在以男性为中心的中国封建社会，女性的身份只是在家庭：未嫁为女，既嫁为妻，生子为母。男人社会希望女性成为好妻子与好母亲，故对妻职与母职的要求及规范也随之产生。早在秦汉时期，就已经有了“贤母”“良妻”等概念，比如：

《战国策·赵策》：“故从母言之，之为贤母也。”

《史记·魏世家》：“家贫则思良妻，国乱则思良相。”

此后，在中国史籍中，常有贤母、良妻、贤内助、贤妇人之类的称呼出现。做一个贤妻与良母成为女性最高的人生价值，她们会因此受到男权社会的称颂，会被记载在男人专权的典籍中。

尽管中国早就有“贤妻”“良母”，或曰“良妻”“贤母”之类的提法，但是，什么样的母亲为贤母？什么样的妻子是良妻？在中国史籍中却很难找到明确的答案。从先秦时期就已出现的三从四德的规范，到历代女教书连篇累牍的倡导，女子的良与贤的标准，似乎用两个字便可概括：服从。这是因为在中国古代社会中，由于夫妻关系的主从性质的存在，妻子的本分与职责就是为满足丈夫的需要而存在的，人们要求妇女的只有顺从与驯服。也许可以用曹禺的名作《雷雨》中家长周朴园对妻子繁漪的态度来说明：周令繁漪吃药，繁漪表示不想吃，周说：“就是自己不保重身体，也应当替孩子做个服从的榜样。”“服从的榜样”，就是封建礼教对贤妻与良母最重要，也是最具体的要求与认定，做到这一点就足够了，而没有必要对妻职与母职的作用及重要性进行理性的思考，所以贤妻与良母也只能是模模糊糊的概念。诚如《中国妇女生活史》的作者陈东原所说的那样，从前只有“慈母”，哪有“贤母”？有一二贤母，如欧母陶母之类，那也是入圣超凡一般，非一般妇女所可望其项背，试问不学无识的女子，怎么能画荻，怎么能和丸？从前“良妻”的含义，哪有后世“良妻”的含义丰富？中国从前妇女的标准，只有她做一个驯服的好媳妇，并不想要她做一个知情识义的贤妻！①

正因为中国早就有“贤妻”“良母”，或曰“良妻”“贤母”之类的提法，使许多中国人认为“贤妻良母”是中国古来就有的儒家女性观，这不过是一种误解。把“贤妻”与“良母”联系起来，形成“贤妻良母”这一特定概念实际上要比人们的想象晚得多，是近代以后的事情。在中国的《辞海》《中国成语大辞典》等辞书中均没有“贤妻良母”这一词条，便从一个侧面说明了“贤妻良母”并非古而有之的概念。对于深受“女子无才便是德”

① 陈东原：《中国妇女生活史》，商务印书馆，1937 年，第 323 页。

观念影响的中国人来说，或许很难想到，“贤妻良母”是首先由日本人作为女子教育理念提出来，并由日本“逆输入”到中国的。

在封建时代的日本，日本人虽接受了中国儒家男尊女卑的思想，而女子教育却在一定程度受到提倡。至幕末，已有15%的女子能识字，这为近代日本女子教育的发展奠定了基础。明治维新后，由于文明开化运动的影响和西方文化的传入，人们认识到进行女子教育、提高母亲素质的重要性。1872年，在文部省发布《学制》时，把“邑无不学之户，家无不学之人”作为目标，要求“洗从来女子不学之弊”“女子要与男子一样接受教育”。启蒙思想家批判儒家女子道德，把与男子具有同等权利、在教育子女方面颇有见识的西欧妇女作为理想的母亲的形象，提出造就在人格上与丈夫平等、具备足够的教育子女的教养与知性的母亲是社会的重要任务。1875年，启蒙思想家中村正直在《明六杂志》上发表了题为《造就善良的母亲说》的文章，指出“只有绝好的母亲，才有绝好的子女”“造就善良的母亲要在教女子”。后来，另一位启蒙思想家、文部大臣森有礼进一步强调：“女子教育的重点在于培养女子为人之良妻，为人之贤母，管理家庭，熏陶子女所必需的气质才能。国家富强之根本在教育，教育之根本在女子教育，女子教育发达与否与国家安危有着直接关系。”[①]这里，森有礼直接借用了中国古典中“良妻”“贤母”的概念，却赋予它们全新的内涵，并把中村正直的“造就善良的母亲说”发展为培养“良妻”和“贤母”。中村正直的“造就善良的母亲说”和森有礼的培养“良妻”“贤母”的女子教育观是近代日本新的女性观——良妻贤母论的起源。到19世纪末期，随着女子小学入学率的提高，日本政府又开始发展中等女子教育。1899年（明治32年）2月，日本政府颁布了《高等女学校令》。在战前日本社会，女子一般都在十六七岁结婚。对大多数女子说来，高等女学校（相当于现在的初中）实际上是最终教育机关。当时的文部大臣桦山资

① 大久保利謙：《森有礼全集》第1卷，宣文堂書店，1972年，第611頁。

纪是这样解释发展中等女子教育之目的的:“只以男子的教育是不能达到健全的中流社会的,要有善理其家的贤母良妻,才能增进社会的福利。……高等女学校的教育在于培养学生于他日嫁到中流以上家庭后成为贤母良妻的素养。故在涵养优美高尚的风气和温良贞淑的资性的同时,要知得中流以上生活之必需的学术技艺。”①继任的文部大臣菊池大麓也将推进女子中等教育作为重要任务。1902 年(明治 35 年)菊池大麓在高等女学校校长会议上发表演说时更明确地指出:“良妻贤母是女子的天职”“高等女学校是为了实现这种天职而进行必要的中流以上的女子教育机关。”②桦山资纪和菊池大麓两位文部大臣的公开讲话将高等女学校的办学思想和教育目标说得再明确不过:仅仅有男子是不能实现国家的发展的(即达到所谓“中流社会”),必须培养与之相匹配的良妻贤母。《高等女学校令》的颁布,标志着培养“良妻贤母”已经成为国家公认的女子教育理念。尽管此时的“良妻贤母主义”思想已经染上了浓厚的儒教的、国家主义的色彩,但是从提高国民的整体素质,以图国家的富强的角度强调发展女子教育,是近代日本女性观的重大变化,“良妻贤母主义”也因此成为近代日本女子教育的代名词。

日本在明治维新后仅仅几十年时间就迅速发展成为东方强国,过去曾受中国文化熏陶的东隅小国突然间令中国人刮目相看。一些有识之士便开始学习日本,并通过日本学习西方。自 19 世纪后期起,形成了中国人赴日考察、留学的热潮。据说仅在下田歌子创办的以培养良妻贤母为宗旨的实践女学校,从 1901 年开始的十四年间就接收了包括秋瑾在内的二百数十名中国女留学生。③ 故“良妻贤母”或“贤母良妻”这一对中国人来说并不陌生的提法很快传入中国。据调查,1904 年《女子世界》第

① 1899 年 7 月 25 日《教育時論》。

② 1902 年 5 月 5 日《教育時論》。

③ 瀬地山角等:《東アジアにおける良妻賢母主義》,東京大学中国学会:《中国——社会と文化》第 4 号,東京大学出版会,1989 年,第 281 頁。

4期刊载的丁初我的《女子家庭革命说》与该杂志同年第12期刊载的苏英在苏苏女校开学典礼上的演说，以及1905年《顺天时报》刊登的《论女子教育为兴国之本》一文中，都使用了贤母良妻一词。[①] 这当是中国最早使用这一概念的文字资料。

资料记载表明，中国开始使用“贤妻良母”或“良妻贤母”的口号，是与日本的影响分不开的。20世纪初就有人指出，“贤母良妻之主义自日本传染而来”[②]，1917年《新青年》上发表高素素的署名文章《女子问题之大解决》，其中提到，“良妻贤母之说，盛唱于日本，吾国近日亦稍稍有其趋势”[③]。鲁迅在1925年所做的《坟·寡妇主义》一文中也曾谈到贤妻良母主义与日本的渊源：

> 他（指时任北京师范大学校长的范源廉——作者注）当前清光绪末年，首先发明了“速成师范”。一门学术而可以速成，迂执的先生们也许要觉得离奇罢；殊不知那时中国正闹着“教育荒”，所以这正是一宗急赈的款子。半年以后，从日本留学回来的师资就不在少数了，还带着教育上的各种主义，如军国主义，尊王攘夷主义之类。在女子教育，则那时候最时行，常常听到嚷着的，是贤母良妻主义。

中国贤妻良母观念的产生是一个文化“逆输入”的过程：中国儒家规范妇女的“良妻”“贤母”概念在对日本产生影响之后，在新的社会条件下被上升为具有理性思考的“主义”，成为近代社会的妇女规范，然后又在近代以来学习日本的潮流中影响到中国。

---

① 参见姚毅：《中国における賢妻良母言説と女性観の形成》，中国女性史研究会编：《論集中国女性史》，吉川弘文館，1999年，第117頁；東京大学中国学会：《中国——社会と文化》第4号，第280頁。

② 陈以益：《男尊女卑与贤母良妻》，《女报》1909年第2期，引自张枬、王忍之：《辛亥革命前十年间时论选集》第3卷，生活·读书·新知三联書店，1977年，第482页。

③《新青年》，1917年第3卷第3号。

（二）学与不学——贤妻良母与良妻贤母的差异

从日本良妻贤母思想的形成过程可以看出，近代以来，日本人非常重视妻子作为丈夫的内助和母亲教育孩子所应具备的贤良，有知识、有文化，始终是近代日本妇女的“贤”与“良”的主要标准之一。占全人口半数的妇女在知识、教养水平提高以后，作为子女的第一任教师，对子女的教育和整个国民素质的提高都有着积极的作用，日本妇女因此而享有“教育妈妈”的美称，这对近代日本经济发展的促进作用是难以估量的。笔者多次赴日考察，不论是在繁华的东京，还是在偏僻的北海道乡间，都曾目睹不少温文尔雅、知书达礼的耄耋老妪，她们是近代日本女子教育之发达的最好见证。

中国古代自孔子的“唯女子与小人为难养也”的儒家女性观提出后，男尊女卑思想便渗透于社会生活的各个方面，不仅成为封建社会对女性的最高要求和评判尺度，也成为女性的行为规范和自我完善的标准，女子教育历来不受重视。女性作为妻子与母亲，不论多么“贤”与“良”，都与“学”无缘。封建礼教要求女子深居闺阁，足不出户，她们最重要的本分是服从，根本没有学习知识的必要，“女子无才便是德”“妇人识字多诲淫”一直是封建社会评价女性的道德标准。在传统的价值观念中，女德远远重于女才。舆论上褒奖的只是恪守妇道、视贞洁如生命的良家妇女，至于有没有才并不重要。也有主张妇女识字的，不过要有限度。如《温氏母训》中就讲：“妇女只许粗识柴米鱼肉数百字，多识字，无益有损也。”再加上缠足恶俗的摧残，妇女几乎成为半残废，连家门都不易跨越，何以迈向学堂？于是，在旧中国，绝大多数劳动妇女都是目不识丁的文盲。19世纪末期，有人这样形容女子无学的现状：“妇女不得入学，以无才为福也，习以不教，不识文字，稍弄笔墨，涂丹黄，填韵语，则号为闺秀矣。”[①]这种情况造成了中国女子教育事业的落后。如果与日本相比,存在以下三方面差距。

首先,中国近代女子教育起步甚迟。19世纪70至80年代,当中村正直、森有礼等启蒙思想家在日本提出“造就善良的母亲,要在教女子”,“国家富强之根本在教育,教育之根本在女子教育”的时候,中国仅有少量的西方传教士创建的女子学校。不仅没有自己的女子学校,就连提倡女子教育的人也几乎不存在。中国在甲午战争中的失败,使以康有为、谭嗣同和梁启超等人为代表的新兴资产阶级改良主义者认识到“欲强国必由学校”,“西方全盛之国,莫若美;东方新兴之国,莫日本若”,之所以如此,因美国是“女学最盛者”,而日本是“女学次盛者”。[②] 这些维新志士感悟到中国积弱之本是“自妇人不学始”。于是,在维新运动推动下,19世纪末期,中国出现了由中国人自己创办女学的热潮,陆续出现了一些民办和私立的女子教育机构。而此时,日本文部省已发布《高等女学校令》,确定了良妻贤母的女子教育理念,开始发展中等女子教育了。可见,中国近代女子教育的起步要比日本晚20多年。

其次,官办女学的创立更迟。日本近代女子教育事业之所以能较快发展,主要是得益于政府的大力推动。早在中村正直、森有礼等人提出良妻贤母主义的教育思想之前,明治政府就已经注意到女子教育问题。1871年,明治政府派遣津田梅子、永井繁子等五名少女随岩仓使节团同时赴美国留学。并通过法律、政令敦促各级政府办学和女子入学。这无疑为女子教育的发展创造了良好的环境和保障。而梁启超等资产阶级改良派提出的振兴中国女子教育的主张尽管已经比日本迟了20多年,却没有得到顽固、守旧的清政府的支持。19世纪末期出现了创办女学的热潮,但仅仅是民间和个人的行为。由于维新变法运动的失败,维新志

① 徐勤:《中国除害议》,舒新城:《中国近代教育史資料》下,人民教育出版社,1981年,第953页。

② 梁启超:《论女学》,陈学恂:《中国近代教育文选》,人民教育出版社,1983年,第146页。

士们创办女学的理想严重受挫。在清政府于1903年颁布的“新学制”中，并没有承认和确定女子教育的地位。1905年（光绪三十一年），清政府设立学部，仍将女学归入家庭教育法，即女子教育仍属于家庭教育的范畴。直到1906年，迫于高涨的反帝、反封建运动的压力，清政府才不得不开始将女学列入学部职掌。1907年，始拟定《女子小学堂章程》和《女子师范学堂章程》。据此，女学堂和女师范学堂才开始在各地设立，女子教育从此才在中国教育系统中有了位置。而就在同一年，日本女子小学入学率已经达到96.1%，与此同时，高等女学校也有了较大发展。到1910年（明治43年），全国已有高等女学校193所，学生56 239人。①故若论官办女学的创办，中国至少要比日本迟30多年。

最后，中日近代女子教育的不同结局。明治维新后，日本从官到民都重视女子教育，因此，近代女子教育的发展颇有动力。在中国官办女学刚刚起步的时候，日本就已经普及了女子六年制义务教育。日本女子教育的盛况如清末留日学生王桐龄所言：“女子教育机关相当发达，自国立之女子高等师范学校，私立之女子大学以外，特殊之女子职业学校甚多，女子之不受教育者居最少数，体力脑力当然相当发达。”②相比之下，中国的女子教育情况与日本形成巨大反差。根据教育部颁布的1915—1916的教育统计，当时全国的小学、中学及其师范学校的女子学生总数仅有180 940人，不足当时女性人口的0.1%。③ 时人对此颇为感叹：“女子教育无可言矣，若大学校、专门学校，女子竟无一校无一人，不更可羞耶？”④另据中华教育改进社1922—1923年的调查，在全国1 181个县中，仍有423个县没有女子初等小学，1 161个县没有女子高等小学。⑤ 总

---

① 森秀夫：《日本教育制度史》，学芸図书株式会社，1991年，第80頁。

② 王桐龄：《日本视察记》，北京文化学社，1928年，第129页。

③ 黄炎培：《读中华民国最近教育统计》（1919年），陈学恂：《中国近代教育史教学参考資料》下，人民教育出版社，1987年，第356页。

④ 同上。

⑤ 卢燕贞：《中国近代女子教育史》，台湾文史哲出版社1989年，第71页。

之，由于帝国主义的掠夺和长期的战乱阻碍了中国资本主义工业化进程，使教育事业受到严重制约，民众（尤其是广大农民）生活的极端贫困，千百年来“女子无才便是德”的传统观念的影响等诸多因素造成旧中国女子教育事业裹步不前。绝大多数劳动妇女长期处于“无学”状态。至中华人民共和国成立前，我国女童的入学率不足15%。[①] 而日本在颁布《学制》的翌年即1873年就已经达到了这个水平（15.4%）。[②] 因此，从女子教育的普及情况来看，旧中国要比日本落后将近80年。

（三）贤妻良母与良妻贤母的不同命运

中日两国近代社会的不同性质给两国妇女带来了不同的命运，必然对良妻贤母观产生不同的影响。

日本自明治维新以来经过一系列改革，迅速摆脱了沦为殖民地的命运，并跻身于资本主义强国之列。近代国家要求的女性形象已经不仅是恪守妇德、践行女教的好妻子、好母亲，其是否“良”与“贤”，还有一个重要标准，就是是否有知识、有文化，是否有作为近代国家国民的自觉。虽然良妻贤母论的提出是以家庭的存在为前提的，而且在多数情况下，妇女的“职业”仅仅是料理家务，生儿育女而已，但是，这些都被与国家的利益联系起来。近代著名教育学家成濑仁藏（日本女子大学的创始人）曾提出要把“作为人的教育”“作为女人的教育”“作为国民的教育”作为女子教育的目标，也就是说，作为一个社会的人、作为一个尽职的女人、作为一个近代国家的国民，这三者是良妻贤母的必不可少的条件。可以说日本的贤妻良母论具有强烈的资本主义色彩。因而在整个日本近代史上，不仅有一批有志于女子教育的教育家（包括女教育家），而且有较为系统的女子教育理论，使女子教育能够快速普及。

① 中华全国妇女联合会妇女研究所等编：《中国妇女统计资料》（1949—1989），中国统计出版社1991年，第128页。

② 森秀夫：《日本教育制度史》，第32頁。

中国自鸦片战争以后，已经沦为半殖民、半封建国家。甲午战争之后，更是面临着亡国的危险。当日本的良妻贤母论传入中国的时候，反帝、反封建是中国社会的主要任务。维新派奋起救国，深感力量单薄，于是想到发动占人口一半的妇女参加挽救民族危亡的斗争。他们以不缠足和兴女学为出发点，争取妇女在身体和精神上的解放。可见，倡办女学，培养贤妻良母的直接目的是为了救亡图存，此时人们对妇女解放的热情实际上远远超过了女子教育。对于长期受压迫的女性来说，争取个人的生存权利，争取与男性平等的地位要比做一个贤妻良母更为迫切和重要。于是在中国近代史上出现了像秋瑾那样的反封建的进步女士，当她走上革命道路之日，便不能不放弃做贤妻良母而抛夫弃子离家而去。1904 年，秋瑾到日本留学，在下田歌子（1854—1936）创办的实践女学校就读。但是下田歌子培养良妻贤母的办学宗旨与秋瑾所追求的精神和理想格格不入，使秋瑾十分失望，一年之后，她就离开了实践女学校。秋瑾的经历很能说明当时的人们对贤妻良母的看法。在秋瑾身上，人们已经看到了追求解放的女性与贤妻良母的对立。在秋瑾同时或稍后，一批生长在较为开明的上层社会家庭或知识家庭的女性，也不约而同地鄙视并拒绝贤妻良母的角色，进入到要求妇女解放和女子参政的队伍中来。在新民主主义革命中，同样涌现出许许多多女革命家，论其影响，远远超出了女教育家。为了妇女解放和挽救民族危亡，这些本来有可能是贤妻良母的出色女性放弃了自己在家庭中的角色。至于广大生活在半殖民地、半封建社会、无法入学学习的劳动妇女，知识和学问根本无从谈起，因此很难成为有知识的贤妻良母。中国半封建、半殖民地的社会状况使广大妇女不可能像日本妇女那样在和平的环境下去接受教育和知识的熏陶，国尚且难保，谈何有家？谈何有教育的发展？于是，被压迫与被奴役的社会现实一方面造就出远远多于日本的女革命家，另一方面却很少培养出有知识的妻子与母亲。久而久之，在中国人的心目中就形成这样的心理定式：第一，贤妻良母与受教育、有知识并无直接联系；第二，贤妻良母与事业型女性是对立的，一个女人，要么离开家庭搞事业，要么守在家里做贤妻良母，二者难以两全。如著名文学家老舍先生在1936年写的《婆婆话》一文中谈娶妻标准时写道：

> 一个会操持家务的太太实在是必要的。假如说吧，你娶了一位哲学博士，长得也顶美，可是一进厨房便觉恶心，夜里和你讨论康德的哲学，力主生育节制，即使有了小孩也不会抱着，你怎办？听我的话，要娶，就娶个能作贤妻良母的。尽管大家高喊打倒贤妻良母主义，你的快乐你知道。这并不完全是自私，因为一位不希望作贤妻良母的满可以不嫁而专为社会服务呀。假如一位反抗贤妻良母的而又偏偏去嫁人，嫁了人又连自己的袜子都不会或不肯洗，那才是自私呢。不想结婚，好，什么主义也可以喊；既要结婚，须承认这是个实际问题，不必弄玄虚。①

老舍的一席话实际上反映出人们不能把贤妻良母与有知识统一起来，虽然已事隔半个多世纪，今天看来这番话仍然有一定代表性。

基于上述原因，日本的"良妻贤母"论与中国的"贤妻良母"论在两国社会和人们心目中的地位是完全不同的。在日本，"良妻贤母主义"虽然在明治后期一度受到社会主义者的批判，但是，由于这种教育思想与战前日本家族国家观的意识形态非常吻合，所以不仅作为国家公认的女子教育理念而存在，而且一直是女性的行为规范和战前日本女性观的主流，可以说"良妻贤母主义"在日本是深入人心的。中国则不同，在20世纪初期自"良妻贤母"的口号出现后，并没有出现像日本那样的推动女子教育迅速发展的盛况，而是很快成为人们批判的对象。1909年2月，陈以益在《女报》第2期上发表《男尊女卑与贤母良妻》的文章，指出"贤妻良母主义，非与男尊女卑之谬说二而一，一而二者乎"，"今之贤母良妻，犹识字之婢女，而其子其夫犹主人。贤母良妻之教育，犹教婢女以识字

① 老舍：《婆婆话》，1936年9月5日《中流》，第1卷第1期。

耳，虽有若干之学问，尽为男子所用”。作者呼吁妇女“勿以贤妻良母为主义，当以女英雄豪杰为目的”。[①] 在新文化运动中，一大批先进的知识分子和激进的民主主义者猛烈批判封建专制主义和传统道德，他们尤其关注妇女问题，对贤妻良母观念提出否定。有人撰文指出，“贤妻良母”的教育方针“不过造成一多知识之顺婢良仆，供男子之驱策耳”[②]，“如忠臣孝子贤妻良母之规范，为新教育所不容”[③]。1918 年，胡适在北京女子师范学校发表题为“美国的妇人”的演讲，其中指出：“我是堂堂的一个人，有许多该尽的责任，有许多可做的事业，何必定须做人家的良妻贤母才算尽我的天职，才算做我的事业呢？”胡适提出了“超贤妻良母主义的人生观”，也就是“自立”的观念。“自立”的意义，就是“要发展个人的才性，可以不倚赖别人，自己能独立生活，自己能替社会做事”[④]。也有人指出“中国办女学的人到现在却开口还只是谈良妻贤母主义，并不愿意女子做独立的人，这种奴隶教育有什么用处呢？所以中国女子精神上最重要的解放就是打破良妻贤母的教育，而换以一种‘人’的教育，女子知道自己是‘人’，才能自己去解放！”[⑤]在抗日战争时期，针对社会上出现的主张妇女回家的“新贤妻良母主义”，各界对贤妻良母论的批判又一次达到了高潮。当时任中共南方局书记的周恩来也亲自撰写了题为“论贤妻良母与母职”的文章，指出“贤妻良母”是“专门限于男权社会用以束缚妇女的桎梏，其实际也的确是旧社会男性的片面要求”。[⑥] 于是，在中国，自贤妻良母的口号出现以后，大部分时间是作为男尊女卑的产物和歧视妇女的陈腐观念而被人们批判和唾弃的，以至于“贤妻良母”在一定程度上成为胸无大志、碌碌无为女性的代名词。尤其是在今天，“贤妻良母”未必

① 张枬、王忍之：《辛亥革命前十年间时论选集》第 3 卷，第 482、484 页。
② 高素素：《女子问题之大解决》，《新青年》，1917 年第 3 卷第 3 号。
③ 华林：《社会与妇女解放问题》，《新青年》，1918 年第 5 卷 2 号。
④ 胡适：《胡适文存》4，东亚图书館，1928 年，第 41 页。
⑤ 罗家伦：《妇女解放》，梅生编：《中国妇女问题讨论集》第 1 册，新文化书社，1923 年，第 10 页。
⑥《妇女之路》，1942 年 9 月第 38 期。

是对女人的恭维,相反却有着强烈的讥讽之义。

结语

1949年之后,尤其是改革开放以后,随着妇女解放、男女平等的实现,女子无学的状况得到根本改观。“贤妻良母”早已成为落后于时代的概念,取而代之的是“提高妇女的素质”。国务院1995年8月7日制定的《中国妇女发展纲要》将“妇女的整体素质有明显提高”作为到20世纪末中国妇女发展的总目标之一。所谓素质,最主要的还是文化素质。由于目前中国社会经济发展尚不平衡,加上旧的传统观念的影响,即使在今天,在偏远农村和贫困地区,女子入学受教育仍遇到各种各样的阻力。到1990年,中国女性有文化人口所占的比例只有43.55%。[①] 在全国两亿多文盲中,妇女就占70%。这种情况直接影响到妇女参政和妇女就业,也使妇女人才的开发远远不能适应社会发展的需要。没有文化的妇女是无法摆脱愚昧的。在农村,由于“女文盲”“女法盲”多有存在,使不法分子能轻而易举地从事残害妇女的犯罪活动,致使买卖婚姻、拐卖妇女、卖淫嫖娼等社会丑恶现象屡禁不止。

妇女素质的提高,还包括女性特有的修养的提高。笔者认为,实现妇女解放与妇女应有的修养并不是互相排斥的,如果强调了前者而丢掉了后者,那就是失败。在这方面,日本妇女很值得中国妇女学习。本人在日本期间有机会接触各个阶层的妇女,深深感慨于她们心灵手巧(如很多人都有音乐、插花、折纸、绘画、裁缝、编织等功底),娴静典雅,彬彬有礼,颇有女性魅力。而在中国,由于长期对贤妻良母观的鄙弃和中华人民共和国成立以来人们过分强调“男女都一样”,使许多女性身上中国妇女传统的温柔、贤惠的美德越来越少了,不屑做贤妻良母的多了。不

① 沙吉才主编:《当代中国妇女家庭地位研究》,天津人民出版社,1995年,第363页。

少人不仅缺乏女性特有的修养，而且在语言与行为方面都呈男性化倾向。许多"职业妇女"拙于母职与妻职，有些人甚至已经与那些本属于"女红"的技艺无缘了，这不能不说是女性的悲哀。

另一方面，由于传统观念的影响，贤妻良母仍然是男人对女人的普遍心理期待，也是社会对妻子与母亲角色是否称职的评价。根据《东方女性》杂志所做的调查，男人心目中的好女人的标准依次为：1. 温柔；2. 贤惠；3. 气质好；4. 重感情；5. 勤劳；6. 漂亮；7. 贞洁；8. 重家庭。而"有知识"仅排在第13位，"有品味"排第21位，"独立"竟排第22位。[①]

综上所述，近代以来的贤妻良母观虽然是受日本的影响而产生，但是从来就没有知识和教育的内涵，这是中国的贤妻良母观与日本的良妻贤母观的根本区别。从家庭教育的角度而言，没有文化的妇女很难胜任子女第一任教师的角色，"妇学不讲，为人母者，半不识字，安能教人？"[②]一个多世纪之前维新志士就发出这种感叹，今天，批判封建传统道德，提高妇女的教养，造就有知识的贤妻良母仍是我们面临的艰巨任务。

五　中日两国女子教育：差距及其原因分析

有哲人说过："摇摇篮的手推动世界"，母亲的素质决定人类和民族的未来。高素质的国民是一个国家的人力资源，女性则是人力资源之母。在现代化进程中，经济技术的发展是核心，人的现代化是主体，占人口一半的女性的知识水平与教养是衡量一个国家现代化水平的重要标志。在东亚国家历史上，儒家的男尊女卑思想及"无才是德"的观念对女性带来不同程度的束缚，使女性长期处于无学状态。而日本能够较早冲破这种束缚，开启女子教育之门，近代以来中日两国在女子教育方面进

① 《东方杂志》，2000年第9期。
② 梁启超：《论幼学》，陈学恂：《中国近代教育文选》，第149页。

一步拉大距离。正视这一差距,分析差距存在的原因,对于致力于现代化建设,实现中国梦的中国人来说很有必要。

(一) 前近代:已现差距

本节所谈女子教育,狭义上主要指对女子的学校教育。在封建时代,中国男子有受教育的权力,可以通过科举考试实现"学而优则仕",而女子历来被排斥在学堂之外。女性最重要的本分是"在家从父、既嫁从夫、夫死从子"。从也就无所谓才,因此,女性没有学习知识的必要,"女子无才便是德""妇人识字多诲淫"一直是封建社会评价女性的标准。在人们的心目中,女德远远重于女才。当然,也有主张女性读书识字的,中国历史上也有像蔡文姬、李清照这样的杰出的才女,但是绝大多数女性是目不识丁的文盲。这是因为女子读书识字要有限度,即能持家足矣,多了反倒是麻烦。如明代《温氏母训》中讲:"女性只许粗识柴米鱼肉数百字,多识字,无益而有损也。"清代内阁学士靳辅在教育家人子孙的《庭训》中说:"女子通文识字而能明大义者,固为贤德,然不可多得。其他便喜看曲本小说,挑动邪心,甚至舞文弄法,做出无耻丑事,反不如不识字,守拙安分之为愈也。"①在这种女子教育观主宰下,旧中国的女性长期处于无学状态。19 世纪晚期的社会现实就是"朝野上下间,拘于无才是德之俗谚,女子独不就学,妇功亦无专司,其贤者,稍讲求女红中馈之间而已"②,能红袖添香、研墨铺纸就已经满身书香了。

日本以女子为对象的学校教育虽然在明治维新后才迅速发展起来,但在前近代已经奠定了较为深厚的基础。总体说来,日本封建时代的女子教育落后于男子教育,但比较起来,有两个亮点。

第一个是贵族社会比较重视女子教育。贵族作为上流阶层而存在,

① 徐梓编:《家训——父祖的叮咛》,中央民族大学出版社,1996 年,第 333 页。
② 郑观应:《盛世危言 女教》,陈学恂:《中国近代教育文选》,人民教育出版社,1983 年,第58 页。

比较重视教育，很多贵族家学发达，家庭环境的耳濡目染，使女性自然而然地受到文化的熏陶。贵族家的女子从小在装束、仪态、举手投足方面受到严格的规范。贵族社会在注重男子教育的同时，也在一定程度上重视女子教育。虽然女子不能像男子一样进入教育机构读书，只能在家庭由其母或祖母担任教师，或聘请教师上门授课，教女孩子读写、书法、弹琴及各种技艺，因此出现上流社会女子在政治、文艺、宗教等各方面都很活跃的景象。涌现出像紫式部、清少纳言、赤染卫门、和泉式部等才华横溢的女作家。贵族社会重视女子教育对全社会发挥了典范作用，进入武家社会，女子教育开始重女德，但仍然要进行读书写字等才艺培养。

第二个亮点是江户时代的平民教育有了长足发展。江户时代社会稳定，经济繁荣，教育需求大增。由于科举制度早已瓦解，教育不具有政治方面的功利性，实用便成为最高价值。江户时代教育的最大特色是以寺子屋为中心的平民教育成就显著①，这种平民教育纯属自主自愿。所以，尽管日本没有通过科举考出来的官员，却有广大具有读写能力的劳动群众存在，这其中大约有两成学生是女孩子。在江户、大阪、京都这样的大城市，寺子屋中女学生人数更多。江户时代后期在大城市还涌现出不少由女性经营的寺子屋及女师匠（教师）。当时出版的女子专用的启蒙教育读物“往来物”已经达到一千多种，内容涉及女德涵养、社交礼仪、书信写作、历史地理、农商知识等各个方面。不少幕末到日本的外国人都为日本人较高的识字率感到惊叹。

由上可见，中日两国的女子教育的差距在前近代已经显现。

（二）近代：差距继续扩大

明治维新后，在千头万绪的改革事业中，新政府把教育摆在重要位

① 寺子屋，江户时代民间开办的初等教育机构，因发源于寺院而得名。据统计，江户时代后期寺子屋的数量已经达到15 506所，石川谦：《寺子屋》，至文堂，1972 年，第 88 页。

置。1869年(明治2年)1月,时任兵库县知事、后来的首任内阁总理大臣伊藤博文就在向新政府提出的建议书《国是纲目》中,提出要让全国人民通晓世界各国的学问,在东京、京都、大阪建立大学,在郡与村建立小学,不论都城还是偏僻之域,要让人人"智识明亮"。新政府于1871年7月成立最高教育行政机构文部省,并开始关注女子教育问题。10月,明治天皇发布《奖励华族海外留学之敕谕》,其中提道:"我国女学之制未立,妇女多不解事理,母氏之教导之于幼童之成立实为切紧之事。今赴海外者,可携妻女或姐妹同行,晓外国所在女教之状,知育儿之法。倘人人注意于此,致勤勉之力,则不难进开化之域,立富强之基,与列国并驰。"①在文部省的积极推动下,三所官立女子学校——东京女学校、京都府立新英学校及女红场(后改称京都府女子学校)、开拓使女学校在1872年内相继成立,从此拉开近代女子教育事业的序幕。1872年8月,日本近代史第一个教育法令——《学制》正式颁布,其中强调"兴小学之教,洗从来女子不学之弊,期兴女学之事与男子并行也"②,体现了男女平等实施初等教育的原则。此后,明治政府对教育政策不断进行调整,1900年,开始实施四年制免费义务教育,1907年,又将义务教育时间延长到六年,当年女子的小学入学率就达到96.14%(男子为98.53%),几乎达到适龄女童全部入学的程度。同时,"高等女学校"(即女子中学)也有了较快发展,1910年(明治43年),全国已有高等女学校193所,学生56 239人③。到1925年,高等女学校(其中包括以家政教育为中心的实科高等女子学校)达到301 447人,超过了普通中学的男学生人数(296 791人)④。

女子初等教育的快速普及以及中等教育的发展,为日本社会注入了

① 宮内庁:《明治天皇紀》第2卷,吉川弘文館,1969年,第565-566頁。

② 文部省:《《学制》施行に関する当面の計画》),三井為友:《日本婦人問題資料集成4・教育》,ドメス出版,1976年,第144頁。

③ 森秀夫:《日本教育制度史》,第80頁。

④ 文部省:《学制百年史》資料編,帝国地方行政学会,1975年,第489頁。

活力，提高了劳动者的素质和国民的知识素养，培养出大批近代化国家建设需要的有用人才，女性成为产业工人中的重要组成部分。1912 年，在工厂就业的人群中，女工已达到五成左右，[①]女医生、女教师、女记者、女事务员等职业女性大量出现，至 1930 年，职业女性已达到 874 154 人[②]，几乎所有行业中都有了女性的身影。

同时期中国女子教育与日本相比，既有的差距进一步扩大。

首先，从近代女子学校教育的起步来看。19 世纪 70 至 80 年代，当日本已经建立近代教育体系，中村正直、森有礼等启蒙思想家提出“造就善良的母亲，要在教女子”，“国家富强之根本在教育，教育之根本在女子教育”教育思想，积极开办女校的时候，中国仅有少量的西方传教士创建的女子学校（一般认为 1844 年英国女传教士爱尔德赛创办的宁波女学是中国第一所教会女校，早于日本 1870 年在横滨设立的菲利斯和英女学校），不仅没有中国人自己办的女子学校，就连提倡女子教育的人也几乎不存在。甲午战争后，以康有为、梁启超等人为代表的新兴资产阶级改良主义者认识到中国教育，尤其是女子教育的落后，呼吁创办女学。1898 年，上海著名商人经元善开办了经正女学，从此陆续出现了一些私立的女子教育机构。而此时，日本文部省已发布《高等女学校令》，开始大张旗鼓地发展中等女子教育了。

其次，从女子教育被纳入近代学制体系的时间来看。日本在明治维新后，女子教育受到政府的重视，从 1872 年颁布《学制》起，女子学校教育就被纳入近代学制体系，并通过法律、政令敦促各级政府办学和女子入学，这无疑为女子教育的发展创造了良好的环境和保障。随着小学入学率的提高，在 1891 年，日本政府颁布《中学校令》，开始发展女子中等教育。在中国，梁启超等人提出振兴中国女子教育的主张尽管已经比日

① 女性史総合研究会:《日本女性史》第 4 巻・近代，東京大学出版会，1982 年，163 頁。

② 赤松良子:《日本婦人問題資料集成・3・劳动》，ドメス出版，1977 年，116 頁。

本晚了 20 多年，却没有得到清政府的支持。19 世纪末期虽出现了创办女学的热潮，但仅仅是民间和个人的行为。在清政府于 1903（光绪二十九年）年颁布的《癸卯学制》中，并没有承认女子学校教育的地位，只是提到"以家庭教育包括女学"。值得一提的是，《癸卯学制》制定的时间比中国本土第一所教会女子学校出现的时间晚近 60 年，比中国第一所私立女子学校经正女学的建立时间也晚 5 年。在这样的社会背景下，官方所制定的学制只在家庭教育中为女学留下一容身之所，其守旧与落后由此可见一斑。1905 年，清政府设立学部，仍将女学归入家庭教育范畴，直到 1906 年才将女学列入学部职掌，1907 年，始定《女子小学堂章程》，女子教育自此才在中国教育系统中有了位置。而就在同一年，日本女子小学入学率已达到 96.1%。

最后，从旧中国女子教育发展速度来看。日本的女子小学入学率在普及六年义务教育的 1907 年达到 96.14%，1921 年超过 99%。[①] 许多女性从事女子教育事业，以小学女教师为例，1898 年，全国已经有女教师 9 901 人，占 11.8%；到 1923 年，已达 65 350 人，占 32.7%；到二战结束后的 1946 年，人数增至 151 079 人，比例为 49.9%[②]，几乎与男教员持平。清末很多到日本考察、访学的官员与知识分子，见到在船上、旅店做工的勤杂人员（包括女性）闲暇时间读书、看报，虽然语言不通，却能够与他们进行笔谈，无不惊诧不已。相比之下，中国的女子教育情况与日本形成较大反差。根据民国时期教育部颁布的 1915 年 8 月至 1916 年 7 月的统计（见表 6－1）所见，当时 4 万万人之泱泱大国，只有区区 18 万女子入学，不足女性人口的 0.1%。何况其中高等教育，"女子竟无一校无一人"！

① 文部省：《学制百年史 資料篇》，第 496－497 頁。

② 日本女子大学女子教育研究所：《大正の女子教育》，国土社，1975 年，第 330 頁。

表 6-1　各项女学生数字统计表(1915 年 8 月—1916 年 7 月)①

项别	人数	项别	人数
国民学校	149 505	高等师范学校	无
高等小学	18 729	专门学校	无
其他初级小学	3 245	大学校	无
中学	948	其他高级学校	无
师范学校	6 685		
其他中级学校	1 828	总计	180 940

有统计说,在 1931—1945 年,只有 780 多万的女性受过初等教育,受过高等教育的女性仅占女性总人口的 0.46%,当时的女性文盲比例超过 90%。② 直到中华人民共和国成立,绝大多数劳动女性处于"无学"状态,女童的入学率不足 15%,③而在日本,早在 1873 年就已经达到了这个水平(15.4%)。

(三) 战后:发展道路各不相同

第二次世界大战结束后,1946 年颁布的《日本国宪法》、1947 年的《教育基本法》及《学校教育法》都赋予日本女性与男性平等的接受教育的权利。在教育民主化改革过程中,纠正了战前女子教育的诸多弊端,为战后女子教育的发展奠定了制度基础,女子教育迎来新的繁荣发展。1947 年,义务教育的时间从 6 年延长到 9 年,此后,女子的义务教育入学率一直稳在 99%以上。在此基础上,女子的高中升学率逐年提高,1950 年时还只有 36.7%,仅仅经过 20 年,到 1970 年,就已经达到 82.7%,

① 黄炎培:《读中华民国最近教育统计》(1919 年),陈学恂:《中国近代教育史教学参考资料》下册,人民教育出版社,1987 年版,第 356 页。

② 郑真真、连鹏灵:《中国女性的受教育状况》,2006 年 3 月 16 日,中国网 http://www.china.com.cn/chinese/zhuanti/fnfzbg/1156231.htm。

③ 中华全国妇女联合会妇女研究所等编:《中国妇女统计资料 1949—1989》,中国统计出版社,1991 年,第 128 页。

1979 年超过 95%,2005 年达到 96.8①,2010 年更达到 98.3%,并从 1969 年开始就一直高于男子的高中升学率。

在女子高等教育方面,战前以私立专门学校为主的女子高等教育发展缓慢。在战后教育改革过程中,日本政府着力发展女子的大学教育。从 1946 年起,旧制大学向女子全面开放,东京大学也于 1947 年首次招收 20 名女大学生;接着,文部省于 1948 年成立 5 所私立女子大学,1949 年把建立于 1890 年的东京女子高等师范学校改组为国立御茶水女子大学,把建立于 1908 年的奈良女子高等师范学校改组为国立奈良女子大学,至今这两所国立大学仍是日本女子高等教育机构的中心。针对战前旧制专科学校向新制大学转型中有些学校在师资、设备等方面尚达不到大学标准的情况,1950 年,允许成立以培养专业技能为目标,学制为 2—3 年的短期大学,当年成立的短期大学就有 149 所。通过上述途径,使日本女子接受高等教育的机会大大增加。1935 年时,高等教育机构中女学生总数量大约 18 000 人,而在战后新学制刚刚起步的 1951 年,就超过了 48 000 人,到 1964 年,已经达到 225 000 人②,女子的大学本科与短期大学合计入学率,由 1955 年的 5.0%提高到 1975 年的 32.4%,2010 年达到 56%③,向女子高等教育大众化迈进了一大步。

1949 年中华人民共和国的成立迎来了教育发展的新时期,《宪法》规定女性享有平等受教育的权利,但是在教育事业发展过程中经历了曲折的发展历程,包括经历了私立学校消亡和女子学校消亡。先是解放初期私立学校被接收、改造为公立学校,尤其是 1952 年,模仿苏联模式,对高等院校进行大规模院系调整,私立高校或被停办,或改为公办。此后,在国内出现长达几十年的私立学校断层。私立教育消亡的同时,公立教育

① 総務省統計局:《就学率及び進学率》(1948—2005),http://www.stat.go.jp/data/chouki/zuhyou/25—12.xls)。

② 文部省:《わが国的教育水準》,1964 年度,帝国地方行政学会,1964 年,第 27-28 頁。

③ 文部科学省:《文部科学白書》)2010 年度,佐伯印刷株式会社,2011 年,第 400 頁。

投入远远不够，因此可以说，1949年后基础教育还相当薄弱。不要说女子教育，就整体的大学普及率而言，1950年是0.3%，1960年是0.2%，1970年为0.1%，①反而呈下降趋势。这里必须提到的是，本来就很落后的中国教育事业，又在1966年开始的“文化大革命”中，遭遇十年浩劫，教育工作者遭受严重摧残，教学工作中断，学校处于瘫痪状态，耽误了整整一代青少年的成长，造成人才青黄不接、知识匮乏的严重问题。更为严重的是中国陷入“知识越多越反动”的泥潭，丧失了求知的活力。女子教育在“文革”中受到的损失更大，1949年前的女子中学在中华人民共和国成立初期被接管后逐渐取消，少数幸存的女校在“文革”中则被全部改制，女校被迫彻底退出历史舞台。

20世纪70年代末开始的改革开放以来，使中国的教育逐渐回归正常轨道，女子学校在中国亦再度出现。从20世纪90年代开始，我国政府确立了教育优先发展战略，制定了《女性发展纲要》、《中国教育改革和发展纲要》和《面向21世纪教育振兴行动计划》等，女子教育受到了前所未有的重视。到2010年，义务教育普及率达到82%，②在此基础上，接受高等教育的人数也大幅度提高。2004年，女生占本科在校生的比例已经上升到45.70%，女硕士和女博士的比例也分别达到44.2%和31.4%。③

改革开放以来，中国的教育事业成就显著，但是仍然有很大发展空间。表6-2与表6-3的数字仅仅是整体情况的比较，已经反映出我们存在的问题，我们的教育投入（公共教育费比例）曾经长期不及印度；我们的义务教育普及率还远远低于日本等发达国家，我们的大学普及率离发达国家乃至邻国韩国的差距更远。据2006年的统计数字，我国15岁

① 中国现代化战略研究课题组、中国科学院中国现代化研究中心：《中国现代化报告2010》，北京大学出版社，2010年，第349页。

② 中国现代化战略研究课题组、中国科学院中国现代化研究中心：《中国现代化报告2010》，第364页。

③ 郑真真、连鹏灵：《中国女性的受教育状况》。

以上文盲人口共有 1.138 亿，其中女性文盲就达 8 383 万，占到七成以上。[①] 农村女性受教育水平还很低，西部贫困地区女童失学辍学现象还很严重。没有文化的女性是无法摆脱愚昧的，在农村，由于“女文盲”“女法盲”多有存在，使不法分子能轻而易举地从事残害女性的犯罪活动。从家庭教育的角度而言，女性承担着抚养教育子女的重任，母亲的文化水平关系着中华民族的明天。而文盲母亲必然会对子女的智力开发和接受教育产生不利影响。

表 6－2　中日成人识字率及大学普及率比较(1950—2005)[②]

项目		1950	1960	1970	1980	1990	2000	2001	2005
成人识字率(%)	中国	36	43	53	67	78	91	91	91
	日本	—	98	99	99	99	99	99	99
大学普及率(%)	中国	0.3	0.2	0.1	2	3	8	10	22
	日本	6	10	18	31	30	47	49	55

表 6－3　教育相关指标国际比较[③]

	年份	中国	美国	英国	德国	日本	韩国	印度
公共教育费比例(%)	2005	2.8	5.6	5.4	4.6	3.7	—	3.8
大学普及率(%)	2007	23	82	59	47	58	95	12
互联网普及率(%)	2007	16	74	72	72	69	76	7

---

① 《全国文盲女性占七成》，http://news.sina.com.cn/c/2006—10—17/080510252740s.shtml。

② 根据中国现代化战略研究课题组、中国科学院中国现代化研究中心：《中国现代化报告 2010》“1700—2005 年中国现代化指标和水平的国际比较”制作，第 349 页，其中 1950 年日本的成人识字率空缺。

③ 根据中国现代化战略研究课题组、中国科学院中国现代化研究中心：《中国现代化报告 2010》中“中国六个领域现代化指标的国际比较”“1980—2007 年世界知识普及指数”“1980—2007 年世界信息共享指数”等表制作，第 356、380—383 页，其中韩国的“公共教育费比例”表空缺。

（四）中日女子教育差距原因分析

以上事实，说明了中日两国教育，尤其是女子教育存在明显的差距。差距是指事物之间的差别程度，差距的形成常常源于现象背后深层的差异。一般来说，差距是数量上的，而差异才是本质上的。中日两国在文化传统、社会背景、教育观念等方面的差异是造成女子教育差距的根本原因。就女子教育而言，中日两国女子教育的差距主要因以下差异而生。

第一，中国儒家传统的包袱太重，束缚了女子教育的发展。

儒家女教重女德，中日两国皆如此。男尊女卑思想渗透于社会生活的各个方面，不仅成为社会对女性的最高要求和评判尺度，也成为女性的行为规范和自我完善的标准。封建礼教要求女子深居闺阁，足不出户，她们最重要的本分是服从。仔细回顾一下就会发现，中国历史上推崇的女性榜样，不是苦守寒窑的王宝钏，就是千里寻夫哭倒长城的孟姜女，舆论上褒奖的只是恪守妇道、视贞洁重于生命的良家女性，至于是否有知识并不重要。除了精神上的约束之外，中国女子教育还要面对一个特殊的障碍——缠足。女子缠足的目的如同《女儿经》所说："为甚事，缠了足，不因好看如弓曲，恐她轻走出房门，千缠万裹来拘束。"肉体上的摧残剥夺了女性的行动自由，使她们几乎成为半残废，根本无法迈向学堂。因此，清末提倡女子教育的开明人士清楚认识到"缠足一日不变，则女学一日不立"。所以，中国近代女子教育的起步，远比日本要艰难。它既要冲破旧的传统观念的束缚，还要首先解放女性的双脚。缠足裹脚这种连作为中国封建王朝最后统治者的满族人都看不过眼的陋习竟然一直残存到20世纪中期[①]，中国的女子教育自此才开始逐渐普及。

---

① 1950年7月15日，中央人民政府政务院下达禁止女性缠足令，自此之后，年轻女子缠足现象才渐渐绝迹。

日本人虽接受了中国儒家歧视女性的思想，但作为水稻耕种民族，日本女子一直是生产活动中的主力而长期受到尊重，使她们免受了缠足那样的身体折磨。由于儒家思想直到江户时代才被作为官学而受到幕府的大力提倡，“女子无才便是德”的观念并没有像中国那样深入人心。如前所述，从奈良、平安时代开始，贵族社会内就形成了让女孩子从小接受教育的传统，到江户时代，由于分处于武士、商人及手工业者、农民不同阶层的人们家业经营的需要，女子具有一定读写能力在一定程度上受到提倡，一些女训中甚至有提倡女子学习文化的内容。成书于元禄年间(1688—1704)的女训《唐锦》甚至将“学范”列入首章首条，并且列举一系列包括中国与日本的女训与文学典籍在内的女子应学的书目，体现了作者希望女子在知识方面有所长进的愿望，因此才有了女子接受教育的动力。如前所述，江户时代的寺子屋作为一种教育机构，已经把女性作为教育对象，在教育机构的准备、教育人才的储备、入学动员等方面，都为明治以后近代女子教育的普及奠定了良好的基础。

第二，中日两国近代社会的不同性质给两国女性带来了不同命运，直接影响到女子教育。

日本自明治维新以后走上近代化建设之路，迅速摆脱了沦为殖民地的命运，并跻身于资本主义强国之列，直至发动对外侵略战争。从国内社会环境上看，明治维新后一系列改革带来的社会动荡到1877年的西南战争被平息而趋于稳定，此后社会进入和平发展时期，相对稳定的国内环境是教育事业得以发展的基本前提条件。为了加快近代国家建设，国家与社会对女性角色的期待已经不仅是恪守妇德、践行女教的好妻子、好母亲，还要求有知识、有文化，具有作为近代国家国民的自觉。近代著名教育学家、日本女子大学的创始人成濑仁藏提出，要把“作为人的教育”“作为女人的教育”“作为国民的教育”作为女子教育的目标。因而在整个日本近代史上，不仅有一批有志于女子教育的教育家(包括很多女教育家)，而且有较为系统的女子教育理论，使女子教育能够快速普及并发展。

中国自鸦片战争以后，已经沦为半殖民、半封建国家。甲午战争之后，更是面临着亡国的危险。当日本大力发展近代女子教育的时候，反帝、反封建是中国社会的首要任务。维新派奋起救国，要发动全民参与的挽救民族危亡的斗争。为了动员女性，他们提出不缠足，兴女学，争取女性在身体和精神上的解放。可见，倡办女学的直接目的是为了救亡图存，此时人们对女性解放的热情实际上远远超过了对女子教育的关注和投入。对于长期受压迫的女性来说，争取个人的生存权利，争取与男性平等的地位要比女子教育更为迫切和实际。辛亥革命后，中国陷入长期的军阀混战，接着又面临日本对中国的侵略，内忧外患，战乱连连，使中国教育事业的发展始终没有安定的社会环境，广大女性不可能像日本女性那样在相对安定的环境下去接受教育和知识的熏陶，国尚且难保，谈何有教育的发展？近代中国积贫积弱造成中国教育事业整体的落后，女子教育落后更甚于男子。正因为中国女子教育是在反帝、反封建、反侵略中诞生，并与此相伴而发展，近代中国女子教育自产生之日起就被赋予了“革命”的色彩。在这样的环境当中，涌现出许多女革命家，论其影响远远超出了女教育家。缺乏女教育家的参与是中国近代女子教育的缺陷，直接影响了女子教育的进程。

第三，“革命”思维与极“左”思潮的影响阻碍了女子学校在中国发展。

当今世界，女子学校在欧美发达国家非常普遍，日本的女子学校也承担了女子教育的重要角色。战前日本除小学外，1879 年开始实行男女分校学习制度。由于当时公立女子中高等教育机构尚不发达，官方开设的最高层次的女子学校很少，无法满足社会需求。在这种情况下，私立女子学校便应运而生，填补了由于政府忽视而带来的女子高等教育的空白及女子中等教育中的薄弱环节，客观上促进了私立女子学校的发展，使战前培养高层次女性人才的教育中一直由私立女子学校占据主导地位。在战后改革过程中，作为教育民主化的重要内容，实行“男女共学”

被写入《教育基本法》，在九年义务教育阶段都实施了男女同校，但在高中阶段以上，尤其是在私立学校中，男女分校的情况还普遍存在。尽管20世纪90年代以来，女子高中、女子大学数量呈减少趋势，男女共学的学校增加的倾向比较明显，但到2011年，日本全国除仍然有80所女子大学（73所是私立大学）、112所女子短期大学（109所私立大学）外，还有女子高中334所（国立1所，公立44所，私立289所），约占全国高中总数（5060所）的6.6%，远远多于男子高中（130所）①。这些数字说明男女分校仍然被普遍认同，并在女子教育中发挥着重要作用。

相比之下，中国的女子学校则命运多舛。在中国女子教育刚刚起步，女子学校羽翼欠丰的时候，轰轰烈烈的五四新文化运动对女子教育产生了直接影响，社会各界对男女同校和大学开放女禁进行大讨论，将其作为教育平等的标志，并把它与妇女解放、社会进步等问题联系起来。在这样的氛围当中，以1920年北京大学率先招生女学生，和1922年没有男女学校区别的"壬戌学制"的颁布为契机，中国的学校设置已经明显体现出男女共学的倾向。至中华人民共和国成立，不仅大量私立学校被接收，原有的一些女子学校也被作为男女不平等的标志被逐渐撤销。"文化大革命"期间，极"左"思潮甚嚣尘上，男女平等思想被异化为否认两性差异的绝对平等，女子学校被视为歧视女性的封建遗物而被全部改制，从此彻底退出中国学校教育的历史舞台。自此以后，中国的教育——培养目标、教育内容、教育方法等完全都是男女相同的模式，"教育必须为无产阶级政治服务，必须同生产劳动相结合"的教育方针只谈阶级性、政治性，完全忽视了性别教育，使大多数中国人不知女子教育为何物，其直接后果就是导致性别教育的缺失，助长了女性男性化倾向。改革开放以来，有些女子大学、女子中学开始恢复、重建，但是数量少，层

① 文部科学省:《学校基本調查》2011年度，http://www.e-stat.go.jp/SG1/estat/NewList.do?tid=000001011528。

次低，人们的认知程度低，在现今男女平等的社会氛围里真正被人们所接受还需要相当长的时间。

结语

自明治时代至今天，日本女子教育事业迅速发展，并居于亚洲国家乃至世界的前列。女子教育的普及，对国民整体素质的提高及经济的发展发挥了重要作用。与日本相比，我国的女子教育还有很大差距。因此，发展女子教育，增加女性的知识与教养，仍然是我们面临的艰巨任务。

六　从生活方式的变革看近代中日关系的逆转

生活方式是指人们长期受一定社会文化、经济、风俗等影响而形成的生活习惯和生活意识，反映了一定时期人们的行为方式和对社会的态度，也标志着一个国家或民族世界观的基本倾向和社会发展水平。历史发展到19世纪中期，位居东亚的中日两国都面临着来自西方世界的强烈冲击，从而引发生活方式的变革。断发、易服、改历是中日两国共同经历过的生活方式变革中的代表性事件，日本发生在明治初年，中国则迟来四十年时间。不同的变革进程反映出两国应对西方文明挑战的不同态度，从中亦可窥见近代中日关系的逆转。

（一）明治初期日本生活方式的文明开化

明治新政权建立后，把向西方国家学习，放弃旧俗，建立适应世界潮流的文明社会体系作为重要任务，当时称生活方式的西化风潮为“文明开化”。衣食住行是生活方式的风向标，在文明开化过程中，变化最直接，效果也最明显。

“文明开化”首先从头发革命开始。幕府时代“丁髷头”既不雅观，打理上也很麻烦。幕末至明治初期，从海外归国的留学生及与外国人打交道的商人中已经有许多人率先剪掉头顶的发髻（丁髷），留“散切头”（将头发剪短并披散开）。与丁髷头相比，散切头简便清洁经济，深受年轻人欢迎。当时流行的歌谣“敲敲半发头，发出因循姑息声，敲敲总发头，发出王政复古声，敲敲散切头，发出文明开化声”，反映出剪掉丁髷与文明开化的关系。在断发已被不少人接受的条件下，明治新政府于1871年8月发布《散发脱刀令》，允许民众剪去发髻，并有选择发型的自由。

服装革命紧随其后。在传统社会，日本人普遍穿传统的缠裹式束带和服，已经不适应近代工作、生活的需要。军装的变革在服装革命中首当其冲。明治新政府于1870年12月22日发布太政官布告，模仿法国与英国军服样式制定陆海军军服（陆军军服于1886年改为德国式）。在军装之外，针对代表国家形象的礼服的改革，明治天皇于1871年9月发布《更改服制敕谕》。①

> 朕以为，风俗之移转，随逐时宜，以国体之不拔而制其势，今衣冠之制流于模仿唐制，成软弱之风，朕不胜感慨。夫神州以武治世固来久矣，天子亲为元帅，庶众仰其风，如神武创业神功征韩，绝非今日之风姿。岂能片刻以软弱示于天下耶。朕今断然更服制，使风俗一新，欲立祖宗尚武之国体，望汝臣民体朕之意。

此后，经过大约一年时间对欧美诸国礼服的一系列考察，1872年11月12日，明治政府发布第339号太政官布告：“定敕奏判官及非役有位大礼服并上下一般通常礼服，以从前之衣冠为祭服，直垂、狩衣、上下等全部废除。”②此布告不仅确定了礼服的西化方针，标志传统和服结束了

① 《侍従へ服制更正ノ勅諭》（明治4年9月4日），中村定吉編集，出版《明治詔勅辑》，1893年，第12－13頁。

② 内閣官報局：《法令全書・明治五年》，内閣官報局，1889年，第237頁。

作为礼服的使命，也具有重要的政治意义——近七百年来在立场、观念、习惯等各方面都形同水火的公卿贵族与藩主大名由穿着相同的礼服彻底告别了“公家”与“武家”的身份区别，成为“天皇的华族”的一员。

改历的实施晚于稍断发、易服。1872 年 11 月 9 日，根据太政官权大外史兼内务省地志课长的塚本明毅提出的改历建议书，明治天皇发布《改历诏书》，明治政府发布第 337 号太政官布告：废太阴历，颁行太阳历，以即刻到来的 12 月 3 日作为明治六年(1873 年)1 月 1 日。一纸公文下的“粗暴的改历”在 24 天时间里匆匆完成，从 7 世纪初年就开始使用的阴历顷刻间成为历史，1872 年成为日本历史上空前绝后的只有 11 个月的一年。

衣冠、发型、历法是人类物质生活中涉及人群最广的社会风俗，是在漫长岁月中形成的历史现象，而且具有强烈的排他性和稳定性，如果没有强有力的外力影响和冲击很难发生变化。生活方式能否适时发生变化，关键在于人们的认识能否适应时代的变化，从而促进生活方式的改革。尽管近年来对“文明开化”中的全盘西化多有诟病，但对一些具体内容不能因其“西化”的标签而不加分析，其中明治初期率先实施的断发、易服、改历三项变革，在“西化”的背后，有着深刻的政治内涵。

首先，断发、易服、改历是事关国家发展的政治行为。明治初期的日本劲吹欧化风，在人们的衣食住行中也突然出现各种西化的“时髦”，吸卷烟、喝啤酒、吃西餐、坐洋车、住洋房……石井研堂在《明治事物起原》一书中列举了大量衣食住行方面西式生活的“起源”，令人眼花缭乱。这些西化的新事物大多是民间追逐新潮而自发的流行，而像发型、服饰、历法之类承载着政治与传统内涵的习俗却不属于“流行”的范围，不可轻举妄动。比如丁髷式发型，“盖战国之余习，而取便于胄耳”①，原本武士专有，到江户时代发展成为成年男子的基本发型。在衣冠服饰方面，受儒

① 黄遵宪：《日本杂事诗(广注)》，钟淑河主编：《走向世界丛书》，岳麓书社，1985 年，第 731 页。

家思想的影响，日本人非常注重其礼仪规范，德川幕府多次颁布《武家诸法度》，都有衣装样式、质料等规范，1861年（文久元年）幕府甚至发布《洋服禁止令》[①]。至于历法，由于兼具政治统治及科技的意义，历来属于王朝的权力范围。日本在美军炮舰压力下开港后，被迫与欧美列强签订了一系列不平等条约，修改这些不平等条约，收回治外法权，是明治新政府成立后急于完成的重要任务。人们的发型与服饰是一个国家精神面貌的直接外在表现，幕末和明治初期来到日本的外国人鄙视持“豚尾”式发型的日本人，盛气凌人，滋扰闹事；赴欧美考察的岩仓使节团到美国后因其奇特的着装而成为人们看热闹的对象；农历在西方国家民众看来是野蛮人的象征，“当时外交渐盛，与诸国往复交涉颇为频繁，其公务与休假之日彼我不一，则诸般谈判往往涩滞”[②]。面对本国与欧美列强在生活方式上的巨大反差，明治政府的成员感到深深的危机，在认识到“欧美各国政治制度、风俗、教育、经济、经营等皆在我东洋之上”的现实后，选择了“把开化之风移入日本，使国民迅速进入与欧美同等水平的开化之域”[③]，为“洗除弊患”，不至“使国家民人沉沦于不利不幸之境遇”[④]，制定了向西方看齐，实施文明开化的方针。“使国民迅速进入与欧美同等水平的开化之域”，首先要从改变形象开始。在1871年7月新政府宣布“废藩置县”，实现政局稳定后，开始着手实施一系列对旧风俗的改革，首先就是改变发型、服装这样的直接代表国民形象的外在打扮，及影响与西方国家交往的历法。而这些风俗习惯根深蒂固，仅靠民众的自觉不可能完成，只能通过颁布敕令及政府文告等形式推动实施，使这些改革成为国家与政府行为，其意义远超风俗时尚中的“流行”而具有深刻的政治意义。

---

① 《洋服禁止令》："除军舰及大船乘员且武艺修业者外，不可穿异风之筒袖戴异样之冠物"，石井研堂：《明治事物起原》下，春陽堂書店，1944年，第1347頁。

② 大隈重信、圜城寺清：《大隈伯昔日谭》，立宪改进党党报局，1895年，第602、603頁。

③ 春畝公追頌会《伊藤博文伝》上，春正社，1940年，第352、361頁。

④ 大隈重信、圜城寺清：《大隈伯昔日谭》，第603頁。

其次，改革意识的形成源于正视落后西方的现实。在传统农业社会，人们对千百年来的农历、和服及丁髷头习以为常。当幕府后期西方文化传入日本后，迫使日本人重新审视自己生活方式中存在的问题。从发型来说，传统的丁髷头不仅让来到日本的外国人感到既奇怪又丑陋，而且幕末公派或偷渡到欧洲国家的人也亲身感受到因这种发型受到西方人嘲讽的屈辱，并把西方人称丁髷为“豚尾”的信息传达给国人。[①] 在国内，开始接受西式军事训练的官军和一些藩兵穿着新式军服，却头顶丁髷，满是滑稽和不协调感。这些都表明，传统的丁髷头已经不适应新的社会生活的需要。从服装来说，日本人的缠裹式束带和服衣宽衫长袖肥，是农耕社会悠闲舒缓生活方式的写照。在被迫开国以后，对比西方人简捷灵活的服装，日本人感受到和服“宽快但不轻便，适于怠慢而不适于勤劳”[②]，在进行军事训练时，拖沓繁缛、活动性差的和服完全不适合西式兵器的使用。1867 年初，由于“使用甲胄时代的服装难以运动周旋”，幕府终于下令“改换身体轻便之戎服”以适应战事需要[③]，这些都为明治初年的服装改革奠定了基础。从历法来说，日本在一千多年时间里一直使用中国的阴阳历，直到 1685 年才使用自己编制的《贞享历》，但仍然没有摆脱中国历法的影响。幕末开国以后，很多欧美国家的军人、商人涌入日本，在与这些外国人的外交交涉及通商过程中，与阳历存在一个月至一个半月时间偏差的阴历让人们深感不便。此前长期使用的与农历相应的计时法也带来人们时间意识的淡漠。在与西方人的接触中，一些锐意改革的有识之士已经形成弃农历、改西历的认识。由此观之，这些改革并非出于赶时髦，而是改变落后面貌的现实需要。

最后，自上而下的行动促进了改革。生活方式的变革事关千家万户

---

① 见本书第二章第三节《近代“豚尾”形象的日中转换》。

② 朝鮮問題等に関し森公使清国政府と交涉一件、外務省調查部編:《大日本外交文书》第 9 卷，日本国際協会，1940 年，第 177 頁。

③ 石井研堂:《明治事物起原》，下卷，第 1359 頁。

乃至国民每个人，其成功的关键在于政府的决心及社会精英的带头作用。1873 年 3 月，22 岁的明治天皇剪掉发髻，东京的《新闻杂志》专门对此进行了报道。此举在政府颁布《断发脱刀令》后民众并未积极配合的情况下，有力促进了“头发革命”。自幕末以来有过海外经历（不论是官方派遣的还是偷渡出国的）的政府官员、知识分子或积极宣传，或身体力行，其作用也不可忽视。如西周、津田真道、伊藤博文、井上馨、森有礼等人都曾到海外留学或考察，这些人后来都成为明治政府中的重要人物，是断发、易服的先行者与倡导者。

（二）中国迟来四十年的“更衣冠，易正朔”

断发、易服、改历，同样的变革在中国均晚于日本 40 年左右时间。经过惊天动地的辛亥革命，用暴力推翻清政府，建立孙中山领导的中华民国南京临时政府后，才在 1912 年集中实施了一系列社会改革：1 月 2 日，孙中山发表正式通电，中华民国改用阳历，以中国传统的阴历辛亥年为中华民国元年；3 月 5 日，发布剪发通令，令 20 日内一律剪辮；10 月 3 日，制定“民国服制”，从此采用西式礼服，彻底终结了清朝官员的顶戴花翎。与明治初期的日本一样，首先迈出这一步的也是政府而非个人。为何这一步迟来 40 年？从晚清走出国门的社会精英们的日本认识中，似可找出些许答案。

历史上长期的闭关锁国，使中国人对西洋人的一切都深感怪异。仅从服装上看，连思想开放的林则徐在甲午战争前夕到澳门巡视时，见到“浑身包裹紧密，短褐长腿”的西人着装，也“惜夷服太觉不类”①，而这种“夷服”却首先被日本人接受。1871 年随使臣乘船赴法国的译员张德彝已经注意到“同船日人皆着洋服”②，虽然日本此时还没有发布“更改服制

① 林则徐：《林则徐集 · 日记》，中华书局，1962 年，第 351 页。
② 张德彝：《随使法国记》，钟叔河：《走向世界丛书》Ⅱ，岳麓书社，2008 年，第 358 页。

敕谕”，但是民间的服装变革已经悄然开始。不过，同文馆出身的张德彝对日本的变化不以为然，且不愿听别人说自己国家的不是。如同船一名叫讷武英的洋人直言不讳地对张德彝说：“今日本国学习各国文武兵法，效验极速。贵国亦宜有备，方可无虞。即以诸公所穿鞋底论之，足见其愚蠢不灵矣。”张则反唇相讥，“日本鞋底，前后实而中空，虽实不足四分之一。皆不如我国鞋底”①。1876 年，任职宁波海关的李圭乘三菱公司的轮船赴美国参加世博会，途中在日本短暂停留。其笔下记载，日本“宫阙、衙署、武营、兵制半仿西式，职官、兵士、巡铺及一应办公之人，皆泰西装束，闻其国君后、命妇亦然”。李圭一方面有感于日本“近年来崇尚西学，效用西法有益之举，毅然而改者极多。故能强本弱干，雄视东海”，同时又“惜乎变朔望、易冠服诸端，未免不思之甚也”。②

与同文馆学生张德彝、民间人士李圭相比，清政府派遣的外交官对日本的认识更具代表性。1877 年，清政府首任驻日公使何如璋到神户时率随员上岸，其长袍马褂与辫子长垂，令“日人间有从西京大阪百十里来观者。西人亦欢携妇孺，途为之塞”。何如璋等人自信地认为这是“汉官威仪，见所未见”所致。③ 作为首任驻日公使，他在持国书见天皇时，“日主西服免冠，拱立典中”，“其礼简略，与泰西同”④，亲眼所见日本以天皇为代表的官方着装、礼仪已西化，但何如璋在与日本人谈及明治以来的改革时仍认为，“以亚细亚洲论，惟我国与贵国形势最近，交亦倍亲近，贵国政府改从西法，以求富强，亦是救时之策。惟改服制与历朔，二者似为过计”。在朝廷命官何如璋的眼中，日本模仿西方实施的改革只是“救时之策”，非长久之计，改服制与改历都不应肯定。“惟政治之大者，如礼乐

---

① 张德彝：《随使法国记》，钟叔河：《走向世界丛书》Ⅱ，第 349 页。

② 李圭：《环游地球新録》，钟叔河：《走向世界丛书》Ⅵ，岳麓书社，2008 年，第 323 页。

③ 何如璋：《使东述略》，钟叔河：《走向世界丛书》Ⅲ，岳麓书社，1985 年，第 95 页。

④ 何如璋：《使东述略》，钟叔河：《走向世界丛书》Ⅲ，第 101 页。

文章之类，则有圣教可遵，千古不废者也。”[①]使馆的其他官员也持同样观点，更有副使张斯桂作诗《易服色》与《改正朔》，以刻薄的语言揶揄日本断发、易服与改历。[②]

相对于日本断发与易服，晚清国人对日本改历的抵触情绪似乎更大。1868年张德彝在《欧美环游记》中还记载日本“奉正朔，与中历合”。20年后，游日官员眼中所见“日本亦过西年”，“修竹矮松，千门一碧，稻草悬檐，白纸间之。牛车喧鼓，弦者戴筐，此年景也”[③]，俨然西历已经普及。但此事并没有促进官员们对中国改历的思考。随首任驻日公使何如璋出使日本、任使馆参赞的黄遵宪被誉为近代中国第一个对日本有真正了解的人，他于1877—1882年驻日，对西历的使用有亲身体验，并且对西历的历史沿革及天文学理都有相当的了解，称赞西历“可谓精密至极”[④]，但在现实中仍对日本改历持不赞赏的态度，认为这是“数典忘祖”的行为[⑤]。黄遵宪在日期间与日本友人谈及改历，友人认为改历乃“维新第一美政”，黄则认为“似可不必”，并指出“中东两国沿用夏正已二千余年，未见其不便。且二国均为农国，而夏时实便于农，夺其所习而易之，无怪民间之嚣然异论也”，并说“中国特不欲更改，并非无人及此”。[⑥] 改历的“第一美政”与“似可不必”两种看法，恰恰反映出近代中日两国面对西方文化挑战的两种截然不同的态度。当时的中国不是无人懂得新历，而是根

---

① 刘雨珍编校：《清末首届驻日公使馆员笔谈资料汇编》下册，天津人民出版社，2010年，第437页。

②《易服色》：“椎髻千年本色饶，沐猴底事诧今朝；改装笑拟皮蒙马，易服羞同尾续貂。优孟衣冠添话柄，匡庐面目断根苗；看他摘帽忙行礼，何似从前惯折腰。”《改正朔》：“行夏建寅自古传，阴阳两历说多偏，万千红紫乖风信，三五团圞误月圆。桐叶添时非纪闰，葭灰飞后即编年，岁周三百六旬六，春仲如何四七天。”张斯桂：《使东诗录》，钟叔河：《走向世界丛书》Ⅲ，岳麓书社，1985年，第146、145页。

③ 傅云龙：《游历日本图经馀纪》，钟叔河：《走向世界丛书》Ⅲ，第219页。

④ 黄遵宪：《日本国志》，天津人民出版社，2003年，第205页。

⑤ 黄遵宪：《日本杂事诗》(广注)，13. 旧历：“羲和有国在空桑，手握灵枢八极张。今世日官翻失御，如何数典祖先忘。”钟叔河：《走向世界丛书》Ⅲ，第602页。

⑥ 黄遵宪：《日本国志》，第206页。

本不想改,因为国人还拘泥于农业社会的传统观念不能自拔,只能眼看着日本人改革旧制,“夺其所习而易之”,快步进入近代化工业社会。中国近代最开明的思想家梁启超的情况也曾与黄遵宪类似。在梁启超1910年写的“改用太阳历法议”一文里,坦承对日本废阴历而用阳历“昔尝姗笑之”,认为“举一国人数千年所安习者,一旦舍弃,而贸然以从人,毋乃太自轻而失为治之体乎?”①虽然梁启超在写“改用太阳历法议”时已经完全转变了当初的立场,呼吁改行公历,但这种声音显然已经很晚。从根源上来说,国人对日本“改正朔”的否定态度里还有一层潜意识,即很难接受日本打破了农历通行东亚的局面,进而对日本不再奉中国王朝为“正朔”,即脱离中华文明圈感到深深的失落。这与长期生活在“天朝大国”的国人对本国传统的自负及对外部世界的陌生不无关系。

有机会接近日本、了解日本的官员与精英们虽然目睹了日本的变化,但他们对日本的改革却大体持排斥态度或抱有偏见,有的批评日本“效西如不及,当变而变,不当变亦变”②,有的戴着有色眼镜,斥日本“极力效用西法,国日以贫,聚敛苛急,民复讴思德川氏之深仁厚泽矣”③,怎能指望他们回国后能够向官方或政府提供关于日本改革的积极信息,以推动本国的改革事业呢?更遑论那些未出过国门且闭门塞听的士大夫们了。作为洋务派首领的李鸿章认为中国文物制度事事远出西人之上,对日本已经发生的变化视而不见,尤其是在改变服装问题上表露出无法掩饰的迂腐。1876年1月李鸿章会见日本驻华公使森有礼时曾就改变服装问题进行争论。李鸿章先是质问“贵国近来所举之事殆皆可赏赞,然独有一事不明,即贵国变易旧来之服制而模仿欧风之事是也”,接着以指教的口吻说:“衣服制度,乃是人们追忆祖先遗意之所在,在子孙者,宜

---

① 梁启超:《改用太陽历法议》,梁启超:《饮冰室合集》第三册,饮冰室文集之二十五下,中华书局,1989年,第1页。

② 傅云龙:《游历日本图经馀纪》,钟叔河:《走向世界丛书》Ⅲ,第191页。

③ 李筱圃:《日本纪游》,钟叔河:《走向世界丛书》Ⅲ,第172页。

当引为贵重，万世保存”，进而责难“贵国一舍旧来服制以效欧俗，贵国独立精神多少委诸欧人支配，阁下不以为耻乎”，并态度坚决地表示“我国绝不能如贵国一般行如此变革”。[①] 李鸿章的态度实际上代表了清政府的态度，自己固守旧制，不思进取，反怪改革在先的日本“不以为耻”，这也就注定了晚清改革的结局。

1894年3月，出使英、法、意、比大臣薛福成于巴黎为黄遵宪的《日本国志》作序，赞赏日本“迫于外患，廓然更张”“百务并修，气象一新，慕效西法，罔遗余力”“富强之机转移颇捷，循是不辍，当有可与西国争衡之势”，继而笔锋一转，“其改正朔、易服色，不免为天下讥笑”。[②] 三个月后，甲午战争爆发，近代中日两国第一次正面军事交锋，中国惨败。从梦中惊醒的中国人终于认识到“日本之强，则自变衣冠始”[③]，开始探讨中国的改革之路。1898年，康有为上书“请断发易服改元折”，力陈断发易服的必要。[④]

> 今则万国交通，一切趋于尚同，而吾以一国衣服独异，则情意不亲，邦交不结矣。且今物质修明，尤尚机器，辫发长重，行动摇舞，误缠机器，可以立死，今为机器之世，多机器则强，少机器则弱，辫发与机器不相容也。且兵争之世，执戈跨马，辫尤不便，其势不能不去之。欧美百数十年前，人皆辫发也，至近数十年，机器日新，兵事日精，乃尽剪之，今既举国皆兵，断发之俗，万国同风矣。且垂辫既易污衣，而蓄发尤增多垢，衣污则观瞻不美，沐难则卫生非宜，梳刮则费时甚多，若在外国，为外人指笑，儿童牵弄，既缘国弱，尤遭戏侮，斥为豚尾，去之无损，留之反劳。

① 中国社会科学院近代史研究所近代史资料编辑部：《近代史資料》总第126号，中国社会科学出版社，2012年，第140－144页。

② 黄遵宪：《日本国志》，序言，第2页。

③ 谭嗣同：《仁学》，周振甫编：《谭嗣同文选注》，中华书局，1981年，第190页。

④ 汤志钧编：《康有为政论集》，中华书局，1981年，第369页。

康有为对清朝现有服饰与辫发之弊的认识可谓十分到位,不幸的是变法失败,由皇帝带头断发易服、开风气之先的期待终成泡影。实际上,在清末的政治条件下,即使如李鸿章那样的倾向洋务的人们也是以"中体西用"为对待西方事物的原则,即可以在"用"的方面引进西洋自然科学技术,却万不可触动制度礼教之"体",变法的失败是必然的,因为慈禧太后早已定下了明确的"变法"基调:"变法乃素志,同治初即纳曾国藩议,派子弟出洋留学,造船制械,凡以图富强也。若师日人之更衣冠,易正朔,则是得罪祖宗,断不可行。"①像日本那样"更衣冠,易正朔"是"得罪祖宗"的行为,是变法不可触动的底线。因此,不论有识之士如何倾力呼吁,甚至民间已有顺应潮流断发、易服、使用西历的先行者,但直到清政府灭亡,始终没有迈出国家与政府层面的改革步伐。

(三) 从生活方式看中日关系的逆转

在断发、易服、改历这样的生活方式变革中,中国落后日本四十年,近代以来中日关系的逆转也正发生在这四十年期间。日本实施改革,刚刚从殖民地泥沼中摆脱出来,"学欧美人之事先行一步便产生鄙视支那之骄傲情绪"②,视昔日仰慕并师之仿之的中国为"恶友"。中国面对西方列强挑战,依然固守传统,以至落后于世界潮流,国势渐衰,最终沦为日本侵略的最大受害国。中日关系的逆转,不独军事力量上的强弱变换,在生活方式方面亦有明显的表现。

"更衣冠,易正朔"与生活方式的"脱华"

在古代,中华文明对日本影响深远,这种影响,在制度、文化层面之外,也渗透到民众生活领域。在中日文化交流最为繁荣的唐代,因为日本人"正朔本乎夏时,衣裳同乎汉制",故被唐人评价为"有君子之风"。

---

① 沃丘仲子:《慈禧传信録》中卷,台北广文书局,1980 年,第 97 页。

② 芝原拓自等:《日本近代思想大系・12・对外観》,岩波書店,1996 年,第 509 頁。

到宋代，有位名叫滕木吉的日本人向真宗皇帝献诗曰：

君问吾风俗，吾风俗最淳。
衣冠唐制度，礼乐汉君臣。
玉瓮蓴新酒，金刀剖细鳞。
年年二三月，桃李一般春。①

这首诗表达了日本风俗摹化中国的情景，“衣冠唐制度，礼乐汉君臣”是说在衣冠之制、礼仪文明方面以汉唐制度为样板，而“年年二三月，桃李一般春”则隐喻日本使用中国的历法，每年桃李盛开是与宋朝相同的时节。这首诗当时虽未入《宋史·日本传》，但是流传很广，明代薛俊的《日本国考略》中也有日本人作《答风俗问》一诗，内容大体相同。②

在鸦片战争中，日本人过去非常崇拜的中华帝国被“夷狄小国”打败，强烈的冲击迫使有识之士开始总结大清国失败的教训。1853 年，面对美国军舰武力叩关，日本人从中国的前车之鉴中认识到要避免重蹈中国的覆辙，必须学习西洋之法，进行改革。恰如后来赴日考察的学者黄庆澄所言：“自德川末造美兵逼境，一隅被扰，举国沸腾”，“以一国论，屡战失利，始悟螳臂不可当车，幡然自悔，尽涤宿见，仿形新法”。除了在军事上、经济上学习西方，“甚至改正朔，易服色，虽贻千万邦之讪议而不顾”③，开始否定并全面放弃往昔积极模仿的中国风俗与制度。

从服装上说，当日本人学习西方，意欲“脱亚入欧”的时候，曾经促进日本改变落后面貌的“衣冠唐制度”突然变成了制约日本发展的负遗产。刚刚感受到西式服装灵活便捷的日本人，开始抨击“衣冠唐制度”。1871 年 9 月，明治天皇在《更改服制敕谕》中，将西方国家压力下的无力感归因于模仿唐风的衣冠之制，怀念“以武治世”的“神武创业神功征韩”时

① 小島宪之校注：《新日本古典文学大系·63·本朝一人一首》，岩波書店，1994 年，第 305 頁。

②《答风俗问》作者不详、仅把“蓴”换成“藏”。[明]薛俊：《日本国考略》，《四库全书存目丛书》第 255 册，齐鲁书社，1996 年，第 279 页。

③ 黄庆澄：《东游日记》，钟叔河：《走向世界丛书》Ⅲ，第 337 页。

代，抱怨由于“衣冠之制流于模仿唐制”导致日本“软弱”。表面上这是批判“唐风衣冠之制”，实质上是借此说明中华文化已经落后，欲通过“断然更改服制”恢复“祖宗尚武之国体”，明治政府抛弃中华文化，向西方社会靠拢之目的昭然若揭。1876 年，驻华公使森有礼与李鸿章在谈论服装变革时态度傲慢，称“当今贵国衣服，论精良与便利，尚不及欧服一半”，直接表达了中国服装的不屑。对于李鸿章所言“我国绝不能如贵国一般行如此变革”，竟然答曰“凡将来之事，谁能得以预料其之必好。贵国四百年前之先人，亦不能料当朝鼎立之时变革服制之事”，暗讽汉族人着满族服饰，向异族称臣。1880 年，熟谙中国文化的汉学家冈千仞在回答清政府驻日使馆官员“贵邦改从西服，何不服吾服”的质疑时更直截了当地指出，“千年以前取隋唐服，今日中兴再用隋唐服，已属陈腐，故取欧土服”①。服装开始西化不到十年的日本人便对中国的衣冠制度持轻蔑与排斥态度了。

从历法上说，历史上中国人极其赞赏日本通过“正朔本乎夏时”向中国王朝表示臣服与尊崇。到 1685 年开始使用涩川春海编制的《贞享历》为止，日本人一直使用中国的历法，尤其是《宣明历》在日本使用 823 年而不改。长期使用过时的中国历法造成日本人热衷中国历法的印象，而实际上不过是日本人既不想继续奉中国朝廷为“正朔”，又在自己还没有能力制作新历情况下的无奈选择而已。唐朝末年，日本人主动拒绝与中国王朝的来往，随着民族文化—国风文化的成长，加上元代两次对日本用兵失败，日本谋求与中国对等的意识进一步滋长，脱离汉文化圈的倾向也日益明显。到室町幕府第三代将军足利义满时期，为了获得来自明王朝政治上的支持和经济上的利益，表面上以“日本国王”身份向大明皇帝称臣，实际上却对明皇帝颁赐的《大统历》置之不理。1644 年，满族人取代明王朝建立清政权，日本人称之为“华夷变态”，鄙视这个“鞑靼之

① 刘雨珍编校：《清末首届驻日公使馆员笔谈资料汇编》下册，第 431 页。

国”。在思想界,一些国学者基于民族主义立场采取排斥中国文化的态度。1782年,强调复古和国粹主义的国学者本居宣长撰写《真历考》,彻底否定中国历法对日本的影响,称在中国历法传入日本之前,日本就使用基于天地自然变化的“真历”。所谓“真历”,是由皇祖神所创造,授予万国的天地自然之历。本居宣长认为中国历法是人为捏造之物,而“真历”是经八百万千万年、全无缺陷、不必改正的最高贵、最优秀的历法。[①]也有人在接受兰学影响后批评来自中国的阴历,如经济思想家本多利明在《西域物语》中说:“欲究天地之理,穷数理推步之学,阅读西域之书可近得其理。修支那大清以来天文书,推究立法术路之起源,自不得明。大明以前之书,多臆说杜撰不足取,唯西域之书,周览彼大世界,究善美,难以一见。”本多利明进一步批判日本的现状,“日本国务本末黑暗,对天文历法一向不以为意,仅以支那山国风俗为是,未闻日本有将天文、地理、渡海之道此三类作为一理研究之人”[②]。可以说,从日本人使用自己编制的《贞享历》开始,尽管它没有摆脱农历的窠臼,但彻底结束了“奉正朔”的历史,完成了从历法上的“脱亚”(脱华)过程,并开始反感“支那山国风俗”。1872年11月塚本明毅在改历建议书中提出,“与各国结交以来,彼之制度文物可资补我治,而未采用者如太阳历,各国普遍用之,独我用太阴历,岂不便耶,应速改历法”。这里的“各国”指的是欧美各国,对在历法上惠及日本一千多年的中国完全忽略不计,对中华历法影响的决绝与历法“入欧”的孤注一掷可见一斑。

辱华词汇“豚尾”的诞生与扩散

众所周知,当年清朝政府强迫男人蓄辫发,脑后长长的辫子被西洋人讥讽为“Pigtail”(意为“猪尾巴”)。而把“Pigtail”发展为汉字化表达的

---

① 本居宣長:《真暦考》,江戸須原屋茂兵衛等共同刊行,天明二年(1782年)跋本,第24頁。早稲田大学図书館古典籍総合データベース,http://archive.wul.waseda.ac.jp/kosho/ni05/ni05_02232/ni05_02232.pdf。

② 塚谷晃弘等校注:《日本思想大系·44·本多利明 海保青陵》,岩波書店,1970年,104頁。

"豚尾",正是由曾经头顶丁髷,被西方人讥讽为"豚尾"的日本人完成的。本来,"豚尾汉之称,非支那人专有"①,而当日本人在明治维新后推动以断发为先导的文明开化,迅速剪掉"丁髷",自认为已经进入文明之域后,便开始诋毁中国人的形象,其主攻对象就是清人脑后的辫子。日本人利用中日之间相近的文化及文字的便利,用"豚尾"侮辱中国人,在给中国人造成严重生命、财产损失的同时,对中国人的精神伤害也远在西方殖民主义者之上(相关内容请见本书第二章第三节,在此从略)。

结语

在当今全球化开放的信息时代,早已不存在由国家号令梳什么头,穿什么衣的问题了。但是倒退一个半世纪之前,任何一项变革对中日两国来说都具有颠覆性意义。考察中日两国共同经历却进程完全不同的变革,值得人们思考的问题远远超出生活方式本身。

第一,改变生活方式的前提是改变观念。在从传统社会向近代社会,即从农业社会向工业社会转变过程中,引发了一系列社会转型,其中生活方式的转型往往最先发生。生活方式的转型包括从依附性生活方式向自主性生活方式转变,从封闭型生活方式向开放型生活方式转变,从僵固型生活方式向不断变革型生活方式转变。② 本节所谈的传统发型、服装与农历,是封闭的农业社会中僵固型生活方式的典型代表。19世纪中期,中日两国先后遇到西方列强的武力胁迫,是开放、改革,还是继续固守旧制?两国的不同选择,带来不同的结局。日本对西洋文明是接纳而不是抵制,积极进行生活方式的改造,虽有波折且并付出代价,但结局是摆脱了沦为殖民地的命运,并跻身列强世界。而晚清中国人面对

① 石井研堂:《明治事物起原》上卷,第50頁。至今在日本全国理容生活卫生同业组合联合会的官方网站在介绍近代理容业发展的内容中,还有把"丁髷"发型与猪尾巴相比的漫画。见http://www.riyo.or.jp/zenri_ren/alacarte.html。

② 王玉波:《中国社会生活转型取向》,《社会学研究》1995年4期。

外来压力，依然沉浸在自我陶醉之中，不愿放弃旧的文化和生活方式。人们或许可以说，发型、服制、历法的改变仅仅是移风易俗的一部分，其作用与影响无法与制度的变革相比，当年梁启超就认为“国家所务只有其大者远者，何必鳃鳃焉于正朔服色之间？”①但是如果连发型服装之类“小事”都不能改变，谈何实施“大者远者”的变革呢？故可以说，明治初年的断发、易服、改历反映出人们观念的变化与政府的决心，作为文明开化的成果是应该肯定的。

第二，晚清生活方式变革难在政治包袱太重。在人类社会发展过程中，生活方式与风俗习惯并不是社会发展进程的决定因素，但折射出社会转型的过程。“正朔”与“服色”在中日两国都不是单纯的生活方式问题，它们承载着传统政治思想的核心观念与政治举措，只不过延续两千年的传统对中国的束缚远超日本。“王者易姓受命，必慎始初，改正朔，易服色，推本天元，顺承厥意”②，从秦汉到明清，新王朝建立，皆将改正朔、易服色视为关系到国运的大事，周边国家若尊奉中国王朝的正朔，即被认为在政治上表示臣服，在空间上可以将其纳入统治体系，并允许其在朝贡名义下进行交往。直到甲午战争以前，绝无敢于提出“易服”“改历”者。至于清人脑后的辫子，是是否认同满族统治的重要标志，经过最初“留头不留发”和“留发不留头”的生死抉择，久而久之便习惯成自然。到 19 世纪 80 年代大部分日本人剪掉丁髷的时候，中国大地上还没有人敢对脑后的发辫提出丝毫质疑。大凡旧制度发展得越完备、社会结构越稳固的国家，社会就越缺乏新陈代谢的内在动力，其改变也就越艰难。长期生活在一种思想环境下的人们容易背上沉重的历史包袱，衣冠事关国体，正朔象征王朝统治，其沉重的政治性与征服性意义远非生活方式所能承载。同时，朝廷腐朽，大臣守旧，知识分子软弱，使改革难上加难。

① 梁启超:《改用太阳历法议》，梁启超:《饮冰室合集》第三册，饮冰室文集之二十五下，中华书局，1989 年，第 1 页。

② 司马迁:《史记》卷 26，中华书局，1982 年，第 1256 页。

中华民族在创造了悠久历史与灿烂文化的同时，也形成了天朝大国情结与文化中心主义，故步自封，这就是为什么近代中国社会转型远远比日本艰难的内在原因，生活方式不过是一个缩影而已。

第三，生活方式也关乎一个国家的命运。断发、易服、改历，从时间上看中国迟于日本 40 年，而从空间上来看毋宁说落后了一个时代。生活方式变革的迟缓，意味着政治变革与社会变革的滞后。正是这蹉跎的 40 年，中日之间发生师生关系的彻底逆转。文明开化使日本“脱亚入欧”后，对中国人从仰慕变成蔑视，并利用中国人脑后的辫子肆意辱华，有数千年文明史的天朝大国在甲午战争中惨败于蕞尔小国。虽然中国的炮舰不输日本，而脑后的辫子与拖沓的北洋水师官兵服装昭示着这是一支封建王朝的扈从军与一支近代国家军队在作战，中国从此日益滑向屈辱的深渊，惨痛的历史教训历历在目。从 1894 到 2014，120 年甲午大还历，历史不会重演，但值得国人反思的事情却很多。

本章第一部分原载《中国社会历史评论》第 1 卷，天津古籍出版社 1999 年版；

第二部分原载《日本学刊》1999 年第 5 期，原题《中日财产继承制度比较浅论》；

第三部分原载《世界近现代史研究》第 2 辑，中国社会科学出版社 2005 年版；

第四部分原载《天津社会科学》2002 年第 3 期；

第五部分原载李卓、胡澎主编《东亚社会发展与女性参与》，中国社会科学出版社 2013 年版；

第六部分原载《日本学刊》2014 年第 6 期。

后　记

2019 年是个意义不凡的一年。从作为“七七”届大学生的一员进入南开大学历史系世界史专业学习，其后继续深造、留校工作，倏忽间卌载有余，如今已是告别讲坛的年龄。2019 年适逢南开大学建校 100 周年，日本研究院编撰出版了“百年南开日本研究文库”，《日本社会史论》忝列其中，倍感荣幸！

国家的改革开放政策及恢复高考，使我幸运地成为南开人，并进入南开日研这个集体，在老一辈先生学者的关怀指导下进步、成长，在日本社会史研究领域有所收获和心得。粗粗查考旧年学术履历，未曾想竟发表了约 120 篇相关学术论文。为参与“百年南开日本研究文库”的编撰，从中精选了 35 篇进行修改与整理，辑成《日本社会史论》，向百年南开献礼，也以此作为个人教学生涯的总结。敬请学界同仁及读者朋友批评、指教。

教书育人 34 年，经历了手抄卡片、论文复写到使用电脑的革命性变化，得益于现代科技的发达，手写时代已经丢失了原稿的论文基本上得以复原。在本书修改与整理过程中，日研院办公室主任周志国率一众博士、硕士研究生承担了许多扫描及核对工作，在此谨致深深的谢意！

著者